ZUR LYRIK-DISKUSSION

WEGE DER FORSCHUNG

BAND CXI

1966

WISSENSCHAFTLICHE BUCHGESELLSCHAFT

DARMSTADT

ZUR LYRIK-DISKUSSION

Herausgegeben von
REINHOLD GRIMM

1966

WISSENSCHAFTLICHE BUCHGESELLSCHAFT

DARMSTADT

6003715472

oc 00307706 o

© 1966 by Wissenschaftliche Buchgesellschaft, Darmstadt
Satz und Druck: Dr. Alexander Krebs, Weinheim (Bergstraße)
Einband: C. Fikentscher, Darmstadt
Printed in Germany

INHALT

VORWORT

Die folgenden Bemerkungen können und wollen nur das Allernötigste enthalten. Entweder nämlich begründet sich eine derartige Auswahl von selbst, dann sind alle Erläuterungen überflüssig, — oder sie tut es nicht, dann vermag auch das längste und wohlmeinendste Vorwort sie nicht mehr zu retten. Daß der Herausgeber sich nach Kräften bemüht hat, seiner Aufgabe gerecht zu werden, wird man ihm glauben; im übrigen muß er — mit dem Gefühl leisen Unbehagens, das zu diesem Metier zu gehören scheint — das Urteil der Leser abwarten.

Die Bewegung, welche die neuere Lyrik-Diskussion seit dem Ende des Krieges beschrieben hat und noch heute beschreibt, besitzt, wie ich meine, einen doppelten Brennpunkt: Emil Staigers ›Grundbegriffe der Poetik‹ sowie ›Die Struktur der modernen Lyrik‹ von Hugo Friedrich. Jene erschienen 1946[1], diese folgte zehn Jahre darauf[2]; und zwar beruft sich Staiger, im Gefolge der großen bürgerlichen Ästhetiker, auf die deutsche Romantik, Friedrich hingegen auf Baudelaire, den französischen Symbolismus und die internationale Tradition der Moderne.

Beide Thesen[3], vor allem aber die Auseinandersetzung mit ihnen und die verschiedenen sie erweiternden und vertiefenden Fragestellungen versucht der vorliegende Band zu dokumentieren. Er verfährt historisch: was sich zum Beispiel darin äußert, daß auf der Seite Friedrichs nicht nur einige Nachfolger, sondern auch die unmittelbaren Vorläufer des als so neu und umstürzend empfun-

---

[1] E. Staiger, Grundbegriffe der Poetik, Zürich 1946.

[2] H. Friedrich, Die Struktur der modernen Lyrik. Von Baudelaire bis zur Gegenwart, Hamburg 1956.

[3] Der kleine Aufsatz von Staiger und die wenigen Seiten von Friedrich, die wir abdrucken, sollen natürlich nur Gedächtnisstützen sein ... oder — dann allerdings notwendiger — Anreiz.

denen Werkes zu Wort kommen. (Der unmittelbare Vorläufer
Staigers, Friedrich Theodor Vischer[4], hätte den Rahmen unserer
Auswahl freilich gesprengt.)

Die Reihenfolge, in der die Beiträge hier erscheinen, hält sich
streng an die Chronologie. Ausnahmen bilden lediglich die Aufsätze von Günther und Staiger: ›Über die absolute Poesie‹, obwohl
bereits 1944 entstanden, wurde erst 1949 veröffentlicht[5]; ›Lyrik
und lyrisch‹, gedruckt 1952, stellt eine knappe Zusammenfassung
und Ergänzung des 1946 Gesagten dar[6]. Durch diese Anordnung
wird, hoffe ich, die Entwicklung so genau wie möglich ablesbar —
mögen auch deren Stränge sich dafür ineinander verflechten. Der
Zusammenhang dürfte aber stets deutlich sein, so daß sich Erläuterungen erübrigen. Manche der Beiträge — man vergleiche vor allem
diejenigen von Friedrich, Burger, Jauß oder diejenigen von Staiger
und Conrady — nehmen ja sogar direkt aufeinander Bezug.

Der Leser wird sehr bald feststellen, daß die Themen und Motive
aus der modernen Lyrik — der des späteren 19. und des 20. Jahrhunderts — einen unverhältnismäßig breiten Raum einnehmen.
Selbstverständlich ist dies kein Zufall. Unsere Auswahl versucht
vielmehr mit voller Absicht, die Frage nach dem Wesen des
Lyrischen mit der Betrachtung der modernen Lyrik zu verknüpfen.
Auch darin folgt sie, wie man weiß, der historischen Entwicklung.
Erst die moderne Lyrik — als Phänomen für sich wie als Gegenstand der Deutung — hat die Alleinherrschaft der Erlebnisdichtung
oder „subjektiven Gefühlspoesie"[7] in der deutschen Lyrik und
Poetik gebrochen — mittlerweile übrigens so gründlich, daß sich die
Verhältnisse beinahe umgekehrt haben. Von solcher Einseitigkeit
hält sich die Forschung natürlich frei; sie möchte die Gegensätze —
hie romantisches Lied, hie montiertes Poem — am liebsten versöhnen; immerhin schreibt selbst Henel: „Man mag die deutsche

----

[4] Vgl. vor allem §§ 884—894 in dessen ›Ästhetik oder Wissenschaft
des Schönen› (1846—1857).

[5] W. Günther, Über die absolute Poesie. Zur geistigen Struktur neuerer Dichtung, in: DVjs 23 (1949), S. 1 ff.

[6] E. Staiger, Lyrik und lyrisch, in: Der Deutschunterricht 1952, H. 2,
S. 7 ff.

[7] So K. O. Conrady; s. u. S. 426.

Romantik für einen Welthöhepunkt des Lyrischen halten und kann
doch nicht bestreiten, daß sie nur ein grandioses Zwischenspiel
war[8]."

Es liegt auf der Hand, daß in einer Sammlung, deren Bereich
durch die Thesen von Staiger und Friedrich zwar nicht begrenzt,
aber doch in groben Zügen bezeichnet ist, die deutsche und die
französische Literatur überwiegen müssen. Wie sehr darauf wiederum — und beileibe nicht nur im Raum der Forschung — das
historische Argument zutrifft, bedarf keiner Begründung. Die
übrige romanische sowie die angelsächsische Literatur bleiben indes
keineswegs ausgeklammert; sie treten bloß, als weniger prägend,
zurück. Das gleiche gilt in verstärktem Maße für die Literatur der
Slawen. Oder sagen wir vorsichtiger: Es galt; — denn allmählich
scheint sich gerade hier ein Umschwung anbahnen zu wollen[9]. Daß
auch im eigenen Haus noch manches zu tun ist, lehrt vor allem die
Lyrik Bertolt Brechts, die wir erst jetzt einigermaßen zu überschauen vermögen. Diesen (vorläufig neunbändigen[10]) Tragelaph
mit den modernen Theorien zu vermitteln, gehört zweifellos zu
den dringendsten Aufgaben der Lyrik-Diskussion.

Brecht, wie die meisten modernen Lyriker, hat sich zugleich als
Theoretiker betätigt[11]. Doch so eminent wichtig solche Äußerungen
sind — ich erinnere nur an Eliot und Lorca, Valéry und Maja-
kowski —: ein Band ›Wege der Forschung‹ mußte auf sie verzichten. Überdies hat Höllerer inzwischen eine entsprechende
Sammlung vorgelegt[12], die kaum Lücken aufweist[13]. Was den

---

[8] Siehe unten S. 240.

[9] Man vergleiche das neuerdings erwachte Interesse an den russischen
Formalisten: also Schriften wie B. Eichenbaum, Aufsätze zur Theorie
und Geschichte der Literatur, Frankfurt 1965; dazu die Darstellung von
V. Erlich, Russischer Formalismus, München 1964.

[10] Ein zehnter Band befindet sich in Vorbereitung.

[11] Vgl. B. Brecht, Über Lyrik, Frankfurt 1964.

[12] Theorie der modernen Lyrik, hrsg. von W. Höllerer, Reinbek bei
Hamburg 1965; vgl. auch L'art poétique, ed. J. Charpier et P. Seghers,
Paris 1956.

[13] Am meisten bedauert man das Fehlen des Amerikaners Wallace
Stevens; vgl. dessen Essayband ›The Necessary Angel‹ von 1951.

Aufsatz über die ›Jüngste Entwicklung der internationalen Lyrik‹
anlangt, der unseren Band beschließt, so zählt er unverkennbar
zu beiden Bezirken; und in der Tat arbeitet Garnier nicht nur
als experimenteller Lyriker, sondern auch als Literarhistoriker[14].
Notwendig ist dieser Beitrag deswegen, weil er gewisse Linien, die
sich lange vor 1900 abzuzeichnen beginnen, mit begeisterter
Konsequenz zu Ende zieht[15].

Pierre Garnier (Amiens) hat seinen Aufsatz dankenswerter-
weise selber ins Deutsche übertragen; Claude Vigée (Jerusalem)
war so freundlich, die von Ronald Weber besorgte Übersetzung
des seinigen noch einmal durchzusehen[16]. Ihnen und allen anderen
Autoren und Mitarbeitern sowie allen Verlagen, die mich bei der
Herausgabe unterstützten, möchte ich zum Schluß meinen aufrichtigen Dank abstatten. Wenn sich, wie ich zu hoffen wage, der
vorliegende Band zu einem Ganzen rundet, so ist dies vor allem
ihr Verdienst[17].

R. G.

---

[14] Vgl. P. Garnier, Gottfried Benn — un démi-siècle vécu par un
poète allemand, Paris 1959.

[15] Vgl. dazu R. Grimm, Strukturen. Essays zur deutschen Literatur,
Göttingen 1963, S. 172 ff.; ders., Treize thèses sur la nouvelle poésie,
in: Les Lettres (Paris) 1964, No. 33, S. 22 ff. — Zur Ergänzung meines
eigenen hier abgedruckten Beitrags (s. u. S. 271 ff.) vgl. jetzt B. Böschen-
stein, Wirkungen des französischen Symbolismus auf die deutsche Lyrik
der Jahrhundertwende, in: Euphorion 58 (1964), S. 375 ff. Leider erschien dieser wichtige Aufsatz zu spät, als daß er noch hätte aufgenommen werden können.

[16] Die Prosawiedergabe der Zitate in den Fußnoten wurde, dem französischen Brauch gemäß, belassen.

[17] Mit Nachdruck sei hier auch auf die großen zusammenfassenden
Darstellungen hingewiesen, die unser Thema behandeln: also auf Werke
wie C. Heselhaus, Deutsche Lyrik der Moderne von Nietzsche bis
Yvan Goll. Die Rückkehr zur Bildlichkeit der Sprache, Düsseldorf 1961,
oder (eben erschienen) Immanente Ästhetik — Ästhetische Reflexion.
Lyrik als Paradigma der Moderne, hrsg. von W. Iser, München 1966.

Deutsche Vierteljahrsschrift für Literaturwissenschaft und Geistesgeschichte 23 (1949), S. 1–32; 24
(1950), S. 146 f. Wiederveröffentlicht in: Werner Günther, Weltinnenraum. Die Dichtung Rainer Maria
Rilkes. 2., durchges. u. stark verm. Aufl., Berlin und Bielefeld: Erich Schmidt Verlag 1952 (S. 255–284).

ÜBER DIE ABSOLUTE POESIE

Zur geistigen Struktur neuerer Dichtung

Von WERNER GÜNTHER

> *Ils vont par l'infini faire des lieux*
> *nouveaux.*
>
> Mallarmé

In einem Teil der besten europäischen Lyrik — hier wird inson-
derheit von der französischen und deutschen die Rede sein, doch
läßt sich die Erscheinung auch in andern Sprachräumen, etwa dem
italienischen und englischen, verfolgen — hat sich seit einigen Jahr-
zehnten, genauer: seit etwas über achtzig Jahren, unverkennbar
eine tiefgreifende Wandlung vollzogen. Bei den Namen Baudelaire, Mallarmé, Rimbaud, Valéry, George, Hofmannsthal,
Rilke (wir nennen nur die hervorragendsten) empfindet auch der
nur halbwegs Kundige das Vorhandensein von etwas durchaus
Neuem, mag er auch gewissen Aspekten dieses Neuen, der Schwer-
verständlichkeit einzelner dieser Dichter etwa, mehr oder weniger
hilflos gegenüberstehen. Die Kritik sieht in ihnen mit wachsender
Deutlichkeit eine neue und höchst bedeutsame Station in der
Geschichte der Lyrik überhaupt. Denn bei aller Eigengeartetheit
dieser Dichtertemperamente und über nationale und sprachliche
Grenzen hinaus entdeckt sie in ihnen gemeinsame Züge einer
zeitbedingten Entwicklung: aus ihnen blickt ihr das sucherische,
vieldeutige, selbstbewußte und doch zutiefst ratlose Antlitz der
Moderne entgegen; ja, klarer und drängender noch als auf
andern Gebieten faßt sich ihr in dieser neueren Dichtung, wie
in einem Brennspiegel, bildhaft das geistige Wesen der Epoche
zusammen.

I

Als Nietzsche 1871 in der ›Geburt der Tragödie‹ nachdrücklich die Meinung verfocht, das Dasein und die Welt seien nur als ästhetisches Phänomen gerechtfertigt und die Kunst, nicht die Moral sei die eigentliche metaphysische Tätigkeit des Menschen, da war er sich bewußt, ein gewichtiges Wort auszusprechen, ja, er nahm schon die erste und grundlegende seiner kommenden „Umwertungen" vor — er wiederholte es denn auch sowohl im Vorwort an Richard Wagner als in der 1886 hinzuverfaßten Nachrede und kam, es bekräftigend, im ›Willen zur Macht‹ darauf zurück: hier nennt er es sogar | ein „Glaubensbekenntnis", das „Artisten-Evangelium". Ein gewichtiges Wort: ging es dabei doch um nichts weniger als um die Erhebung der Kunst, die so lange in dienendem Verhältnis, zur Religion zuerst, dann zur Vernunft, gestanden, vom Rang einer ancilla zum Rang der domina, um den Schritt von der begleitenden zur leitenden Kunst. Wie Nietzsche in Sokrates, dem Schöpfer des theoretischen Menschen, der logischen Wissenschaft, der Grenzen und des Maßes, an dem in seinen Augen das Kunstwerk der attischen Tragödie zugrunde gegangen, den „einen Wendepunkt und Wirbel der sogenannten Weltgeschichte" erblickte, so erkannte er, nach mehr als zweitausendjährigem Dämmer (schien es ihm), in der neuen deutschen Philosophie — in Kants Entdeckung des Dings an sich besonders und in seinem Nachweis von den Grenzen des logischen Erkennens, sowie in Schopenhauers Deutung der Musik als eines Abbildes des Willens selbst und als der Erscheinung des Metaphysischen, des Dings an sich —, vor allem aber in der deutschen Musik, wie sie, von Bach und Beethoven her, in Richard Wagner gipfelte, das Heraufkommen einer *neuen dionysischen Kunst* und (ungesagt, doch zwischen den Zeilen lesbar) in sich selber, als in deren Verkünder, den *andern* Wendepunkt und Wirbel der Weltgeschichte.

Die dionysische Kunst: das war — im Gegensatz zur apollinischen des schönen Scheins und der naiven Heiterkeit, die sich vor den Schrecken und dem Entsetzen des Daseins im Traumbilde erlöst — der angsterfüllte und doch rauschvoll verzückte Blick ins Grausen des nackten Daseins, in das Übermaß der Wahrheit, in den Urwiderspruch der Welt; das war die Aufgabe, aus dem Geiste der Musik, dieses „dionysischen Weltspiegels", heraus zu schaffen; das war der Mut, das Ohr wieder an die Herzkammer des Weltwillens zu legen (wie es Wagner im 3. Akt von ›Tristan und Isolde‹ getan); das war die „freudige Hoffnung, daß der Bann der Individuation zu zerbrechen sei, als die Ahnung einer wiederhergestellten Einheit"; das war das intuitive Eintauchen in diese metaphysische Einheit, in der das Ich mit Sternenaugen schaut und das All ein Menschenantlitz gewinnt. Eine viel tiefer in das Wesen des Seins hineingenommene Kunst also, die sich des wunderbaren Vorrechtes bewußt ist, daß sie als alleinige Geisteskraft wahrhaft aus der Quelle des Metaphysischen schöpft.

Wenn Nietzsche in seinem künderischen Jugendwerke die dionysische Weisheit (durch apollinische Kunstmittel) in der neuen Philosophie vorbereitet und in der Musiktragödie Wagners verwirklicht sah (seine spätere Einstellung zu Wagner hat uns hier nicht zu beschäftigen), so entging ihm doch, daß das, was er so feinhörig feststellte, begrifflich zu erfassen suchte und als Forderung aussprach — er sollte diese Forderung in seinen künftigen Werken ja auch auf weitere Gebiete, das der Moral insonderlich, ausdehnen und sich bewußter immer als Gegenpol zur sokratischen Welt- und Menschenschau empfinden —, schon anderwärts keimte, ja gestaltet war: er | übersah die Keime, die schon vorhandene Verwirklichung einer neuen Kunst in der europäischen *Poesie*.

War die Zersprengung des Prinzips der Individuation und der sokratischen Vernunftgläubigkeit nicht schon im Natur- und Gefühlsevangelium Rousseaus erfolgt? War in dieses nicht schon fordernd eingegangen, was im Lutherischen Choral, in der Bachschen Musik sich Ausdruck verschafft? Hatte sich das Prometheische, das nach Nietzsche mit dem Dionysischen gemeinsame Züge hat, nicht im jungen Goethe schon herrlich entladen? Hatte nicht der alte Goethe tiefere Blicke noch ins „Orphische" getan? Hatte das Dionysische nicht in Hölderlin sein tragisches Gesicht gezeigt? Waren nicht die Romantiker, ein Novalis etwa, von ihm angehaucht gewesen? Hatte es nicht in den Werken Leopardis, Gérard de Nervals und Keats', in der Prosa Maurice de Guérins aufgeblitzt? Hatte nicht ein Flaubert in seinem Bann gestanden? War es nicht

durch Gotthelfs grandiose Epik wie ferner Gewitterschein gezogen?
Und endlich: hatte diese neue Kunst nicht schon, in Vollendung
fast, ihren Dichter gefunden — in Baudelaire?

Noch einmal zwar: bis Baudelaire waren es mehr nur Keime,
einzelne Aspekte gewesen, die eine neue Kunst offenbart hatten:
bei Rousseau die Entriegelung des Innenlebens und die Eröffnung
neuer seelischer Abgründe; bei Goethe die Kühnheit, Bewußtheit
und Tiefe einer neuen Allbezogenheit des Erlebnisses; bei Hölderlin der Durchbruch zum Ganzen des Daseins und der Wille, aus
ihm heraus zu dichten; bei Novalis das Heimwehsüchtige, Todes-
ekstatische, das Klopfen an die Tore des Unbewußten; bei Leopardi die absolute Verzweiflung und doch ihre innige Dämpfung
im kristallenen Vers; bei Nerval die traumgewaltige Aufhebung
individueller Grenzen; bei Guérin das Lauschen auf tiefere,
dunklere Daseinsströme; bei Flaubert die Kunstbesessenheit; bei
Gotthelf die untergründige Macht des Mythus. Sie alle schon spür-
ten etwas vom wahrhaft Dämonischen des künstlerischen Schaffens. Sie alle wagten es schon, durch den schönen Kunst-Schein
und das „Maß" hindurch dem „Übermaß" des reinen Seins ins
Auge zu blicken. Bei Baudelaire aber erst (dessen ›Fleurs du mal‹
sind 1857, vierzehn Jahre vor der ›Geburt der Tragödie‹ erschienen[1]) schossen diese vereinzelten Züge zu einem neuen Gesicht zusammen: Baudelaire ist der eigentliche Schöpfer einer neuen
dionysischen oder, wie wir lieber sagen möchten, der neuen *abso-
luten* Poesie[2].|

[1] Eine Anzahl bekannter Stücke der ›Fleurs du mal‹ waren nach
dem Zeugnis eines Freundes Baudelaires (Prarond) schon vor Ende 1843
geschrieben.

[2] Der Ausdruck wurde in kritischen Arbeiten unseres Wissens zuerst von F. Kaufmann gebraucht: Sprache als Schöpfung. Zur absoluten
Kunst im Hinblick auf Rilke. Stuttgart 1934. Von „poésie absolue"
sprach schon Valéry in: Je disais quelquefois à St. Mallarmé. Variété
III, S. 16. — Die absolute Poesie ist kein Schulbegriff; keineswegs fällt
sie mit der L'art pour l'art-Bewegung oder mit der „Poésie pure"
(Bremond, im Hinblick auf Valéry besonders) zusammen: es handelt
sich bei diesen nur um Begleiterscheinungen und Auswirkungen weiter-
reichender Verhältnisse. Auch mit den französischen Symbolisten beste-

Poesie ist immer ein Prozeß der Verinnerlichung, immer irgendwie ein Einheitwerden mit dem Herzen der Welt. Jeder Dichter
fühlt in sich den Drang (und er ist nur deshalb Dichter), sein
eigenes Erlebnis in den All-Grund der Welt zu betten, es aus ihm
heraus wieder neu zu empfangen. Je klarer aber Geist und Herz
zum Selbstbewußtsein kommen, desto geheimnisvoller, abgründi-
ger werden die Tiefen der Welt. Weit, unendlich weit ist der Weg
vom ersten vagen Gemütsdämmer bis zur Ahnung dessen, „was,
von Menschen nicht gewußt oder nicht bedacht, durch das Labyrinth der Brust wandelt in der Nacht"; weit ist er als allgemeine
Entwicklung in der Zeit, weit auch immer wieder in jedem von
uns. (Und weil er so weit und so schwer ist, so mischt der Dichtende so leicht fremde Elemente in seine Schöpfung.)

Den großen Schritt der Verinnerlichung hatte in der europäischen Poesie Goethe getan. „Poetischer Gehalt ist Gehalt des eigenen Lebens", hatte er, die Summe seines dichterischen Lebens und
seiner dichterischen Erfahrung ziehend, selbst festgestellt[3]. Er
knüpfte zum ersten Male das Gedicht an das vertiefte subjektive
Erlebnis, machte es in sublimem Sinne zum „Gelegenheitsgedicht".
Er suchte die zeugende Stimmung an jenem Punkt, wo das individuelle Gefühl in den kosmischen Strom einmündet. Und dieses
Aufblühen einer innigen Seelenstimmung war Gesang: im melo-
diösen Aufruhr des Herzens geschah die Erhebung und Verklärung
des eigenen Lebensgehaltes. Damit vollzog sich ein Neubeginn.
Goethe erahnte als erster Dichter wahrhaft die Ewigkeit des schlagenden Herzens, seines schlagenden Herzens. In seiner Gedenk-

hen nur einzelne Berührungspunkte — so war Mallarmé zum Beispiel
Symbolist bis zum Gedicht ›Hérodiade‹, entfernte sich aber von jener
Bewegung in den späteren sogenannten „dunklen" Gedichten; Valéry
geht früh eigene Wege; George hat von den Symbolisten mehr nur
Technisches übernommen; Rilke war, als er in den Symbolismus Ein-
sicht bekam, schon zu sehr in eigenen Zielen gefestigt, um ihm mehr als
Bekräftigung, und Klärung vielleicht, zu verdanken. Baudelaire, auf den
die Symbolisten sich berufen, läßt sich keineswegs in die symbolistische
Schablone zwingen. Mit ihm wurzelt die absolute Poesie in ungleich
tieferen Schichten des europäischen Geistes.

[3] Ein Wort für junge Dichter (1832).

rede auf Wieland (1813) spricht er denn auch von der „neuen Epoche" der Poesie, die, wie Wissenschaft und Sittenlehre, so wie sie durch Kant neubegründet wurden, „aus den Tiefen der Menschheit" schöpft und die, statt nur „individuelles Gefallen, zufällige Bildung, Volkseigenheiten" darzustellen (wie Wieland noch), ein „allgemeineres Gesetz" zur Entscheidungsnorm hervorruft.

Dieses „allgemeinere Gesetz" war die Erlebnisgewalt des menschlichen | Herzens, das sich im Weltgrunde spiegelt. Nachdem dieses Gesetz einmal erkannt und erfaßt und das Tor dieses Herzens gesprengt war (die Romantiker besonders übernahmen dieses Goethesche Erbe leidenschaftlich), eröffneten sich der Poesie unabsehbare innere Räume — in der Theorie wenigstens, praktisch erfordert das Beschreiten solchen Weges immer neue Schlüsselgewalt, wie sie nur dem einzelnen Genie beschieden ist.

Im Herzen des Menschenherzens, in seiner „geheimsten Kammer" (um ein Bild Dantes aus der ›Vita nuova‹ zu gebrauchen) schläft das unbedingteste, lockendste und unheimlichste aller Gefühle: das *Seinsgefühl*. Je mehr die Dichtung sich verinnerlichte — die Philosophie des Idealismus, zumal in Deutschland, half ihr dabei (Hölderlin) —, desto unaufhaltsamer mußte sie in den Bann dieses Gefühles geraten: denn betritt in ihm der Mensch nicht die Brücke zum Urwesen des Daseins selber, dem er entspringt, in das er zurückkehrt, zum ewigen Quell alles Lebens? Sind wir in ihm nicht an die Gründe des Metaphysischen gebunden? Und baut nicht in ihm die schöpferische Phantasie den sichersten, wenn auch, ach! noch immer schwanken Steg hinüber in geistigere Bezirke? Mit der drängenderen Bewußtwerdung und Gestaltung dieses Gefühls aber befand sich die Dichtung auf der *zweiten* Stufe der großen von Goethe eingeleiteten Verinnerlichung. Und deren Zeit war schon erfüllt, als Nietzsche zur Neuschaffung der Kunst aufrief.

II

„Absolut" bedeutet für die absolute Poesie dreierlei. Einmal die (bewußte oder unbewußte, jedenfalls praktisch geübte) Erkenntnis, daß die Welt und das Dasein — in Nietzscheschem Sinne —

nur als ästhetisches Phänomen gerechtfertigt und daß die Kunst die einzige metaphysische Tätigkeit des Menschen sei; dann, mit dieser Überzeugung zusammenhängend, daß die Poesie wahrhaft nur sie selber ist, wenn sie sich jedes ihr wesensfremden Elementes entkleidet, d. h. nicht „Inhalten" (moralischen, religiösen, philosophischen, geschichtlichen, didaktischen, sentimentalen) nachstrebt, sondern als rein erscheinende Schöpferkraft den Weltgrund selbst offenbart; und endlich, wiederum mit der vorigen Erkenntnis zusammenhängend, den Willen, der Poesie im wesentlichen nur jenen Gehalt zu belassen, der mit ihrer Form zusammenfällt.

Die Überzeugung, daß Dasein und Welt nur als ästhetisches Phänomen gerechtfertigt und die Kunst die eigentliche metaphysische Tätigkeit des Menschen sei (Nietzsche wagte wohl als erster die Ausschließlichkeit solcher Formulierung[4]), setzte einen ungeheuren Zusammenbruch von religiösen, | moralischen, weltanschaulichen Werten voraus, die jahrhundertelang als unangreifbar geschienen: das Bewußtsein einer Weltenwende. Durch die Reformation und durch Descartes war der kritische Gedanke befreit, erhöht und verselbständigt und dadurch eine fortschreitende Differenzierung und Isolierung der Geistestätigkeiten — auch des künstlerischen Schaffens — eingeleitet worden; viel Dogmenhaftes war in den Staub gesunken. Was Descartes geschaffen: die neue Wissenschaft des (sokratischen) theoretischen Menschen, hatte durch Kant seine Begrenzung erfahren; schon aber schuf sich das Irrationale ein neues Einbruchsgebiet: in der Kunst. Der mächtig aufstrebende materialistisch-positivistische Gedanke versetzte bald einmal den noch verbleibenden metaphysisch-religiösen Idealen den — vermeintlichen — Todesstoß.

[4] Schon zur Goethezeit freilich waren ähnliche Stimmen laut geworden. Im Aufsatz ›Epoche der forcierten Talente‹ (1812) spricht Goethe von jenen Philosophen, die der Kunst einen so hohen Rang angewiesen, „daß sie sogar die Philosophie unter die Kunst gesetzt". Er dachte an Aussprüche von Romantikern (Schelling besonders, auch der junge Hegel), war für diese doch Kunst die Vereinigung von Fühlen und Wissen, die einzige Offenbarung, das Organ, die Form selbst der Erkenntnis; darum ihre Vergötterung des Kunstverstandes und der Kritik.

Damit aber war für viele der denkendsten und fühlendsten Geister eine unheimliche tragische Leere in die Welt eingebrochen: die « infinita vanità del tutto » (Leopardi). Eine neue, tiefer im Ewigmenschlichen begründete Religion mußte erst errungen werden. An absoluten Werten (schien es) blieb nur einer übrig: das Bewußtsein schöpferischer Kraft im künstlerischen Menschen. Die Kunst wurde so zum Refugium des Absoluten, zum einzigen Halt, wo alles wankte. Denn ohne Glauben an einen unbedingten Wert ist der Mensch der Selbstvernichtung preisgegeben. Und je schöpferischer ein Mensch, desto stärker ist in ihm auch der Durst nach dem Unbedingten, und desto eindeutiger erfährt er dessen Vorhandensein in der Überlegenheit, der Verantwortung und der zeugenden Freiheit des Geistes. Verläßt ihn aller weltanschauliche Glaube, so schafft er sich einen solchen selber im Bewußtsein seiner Teilhaberschaft am schöpferischen Weltgrunde. Verläßt ihn der religiösmythische Glaube, so schafft er sich einen neuen Mythus, einen neuen Geistglauben — in der Kunst. Nietzsche wußte klar um dieses Gesetz. Im ›Willen zur Macht‹ (3. Buch) spricht er von den Künstlern der Décadence (seltsam zu sehen, wie das, was zuerst Neuschaffung der Kunst und herrlicher Neubeginn gewesen, in der Folge für ihn zur Décadence wird; s. Anm. 23), welche im Grunde *nihilistisch* zum Leben stehen und die in die *Schönheit der Form* flüchten, in die ausgewählten Dinge, wo die Natur vollkommen ward, wo sie indifferent groß und schön ist.

Aus der Entwertung aller Werte — George: „Fragbar ward alles, da das Eine floh" — ergab sich für die Poesie[5] die Notwendigkeit, sich auf ihr | eigenstes Gebiet zurückzuziehen, alles ihr (schien es) urtümlich Fremde abzustreifen: wozu noch „Inhalte", an die man doch nicht mehr glaubte oder die man als überflüssig und hindernd ansah? Und dieser — bald mehr triebhaften, bald schärfer bewußten — Einsicht lieh die sich machtvoll entwickelnde ästhetische Wissenschaft ihre neuen Argumente. Immer

---

[5] Für die Poesie jener Dichter, die an diese Entwertung glaubten und an ihr litten; andere setzten die Goethesche Linie fort, geistige „Inhalte" bewahrend und pflegend: Shelley, Mörike, Lamartine, Keller, Meyer, Carducci u. a. m.

klarer hatte sich diese — von Vico und Baumgarten zu Kant und
Schiller, von Hegel zu Schleiermacher — zur Erkenntnis durchge-
rungen, daß die künstlerische Tätigkeit eine autonome, von Intellekt und Moral unabhängige Geisteskraft darstellt, die in der
schöpferischen Phantasie das Weltganze bildhaft erschaut und vor-
ausnimmt[6]. Die Kunst erschien so immer mehr als die Vision des
Ursprünglichen, Ungebrochenen, Unzerstörbaren, als der einzige
mögliche Vollbesitz einer erahnten Ureinheit. |

[6] Einige erinnernde Hinweise mögen diese Entwicklung streifen.
VICO, der neapolitanische Philosoph und Widerpart Descartes', widmet
den größten Teil seiner ›Scienza nuova‹ (1725 und 1730) der Entdeckung der schöpferischen Phantasie, indem er aus der Poesie ein Moment der idealen Geschichte des Geistes macht, eine Form des Bewußtseins, die der logischen und begrifflichen Tätigkeit vorausgeht. — Der
Wolffianer BAUMGARTEN verwendet 1735 — er war erst zwanzig-
jährig — zum erstenmal das Wort „Aesthetica" zur Bezeichnung einer
besonderen Wissenschaft; im Jahre 1750 veröffentlicht er seine ›Aesthetica‹: „scientia cognitionis sensitivae", „gnoseologia inferior": die sinnliche (ästhetische) Erkenntnis ist die verworrene, unvollkommene Vor-
stufe der Vernunfterkenntnis. Obwohl es Baumgarten nicht gelingt, zwischen Phantasie und Intellekt mit genügender Schärfe zu scheiden und
jeder der beiden Geisteskräfte ihre volle Autonomie zuzuweisen (er
kannte Vicos Bestrebungen nicht), ist sein Werk für die deutsche ästhetische Wissenschaft doch ein bedeutsamer Ausgangspunkt. — KANT be-
kämpft Sensualisten und Intellektualisten und stellt (in der ›Kritik der
Urteilskraft‹) den Satz auf, schön sei, was in der bloßen Vorstellung
ohne Interesse an seinem Dasein und ohne Begriff allgemein und notwendig gefalle. Auch bei ihm aber bleibt die Schönheit noch dem
Intellekt verhaftet, und durch die Art, wie er das „Wohlgefallen ohne
Begriff" bestimmt, hat er einem abstrakten Formalismus — Herbart und
seine Schule werden diese Ansätze weiterbilden — Vorschub geleistet.
SCHILLER verzichtet (in den ›Briefen über die ästhetische Erziehung des
Menschen‹) auf die kantische Unterscheidung zwischen der Kunst und
dem Schönen und auf dessen Auffassung von der Kunst als einer For-
malkraft des Geistes und stellt den (nicht eben glücklichen) Begriff des
„Spieltriebes" auf, der ungefähr die Mitte hält zwischen der stofflichen
Tätigkeit der Sinne und der formalen Tätigkeit des Intellekts: der Künst-
ler befreit sich im Kunstwerk vom Joch der Sinne und genießt in der
Beherrschung von Eindrücken und Leidenschaften einen Augenblick

Wenn aber die heterogenen Inhalte (oder was als solche angesehen wurde) von ihr absprangen, so blieb als einziger Gegenstand, der würdig war, ins Gedicht, ins Kunstwerk einzugehen,
das Dasein selber, jenes Seinsgefühl, das in der innersten Herzkammer schläft; es blieb, diesem Seinsgefühl am innigsten nahe,
es am unmittelbarsten erfassend, das Bewußtsein der schöpferischen
Tat. In tragisch-wollüstiger Einsamkeit mußte der absolute Dichter, in sich hinuntersteigend, in jene Räume gelangen, in denen,
für den Menschen schrecklich und verlockend zugleich, „ein ewiges
Meer, ein wechselnd Weben, ein glühend Leben", der Erdgeist
selber in unendlichem Schaffenswirbel wohnt. In diese Räume vorzustoßen („Weltinnenraum" nennt sie Rilke), vor der „Flammen-
bildung" nicht zurückzuweichen wie noch Faust, das erheischt einen
herrischen, ja heroischen Willen. In Mallarmés Geisteshaltung
z. B. haben Kritiker denn auch immer wieder das wahrhaft Heroische gesehen, und wirkt ein solches nicht auch in Rilkes inbrünsti-
gem Drang, ein „Unkenntliches hereinzureißen"? Diese „Ästheten",

heiterer Betrachtung. — HEGEL betont mehr als seine Vorgänger den
erkenntnistheoretischen Charakter der Kunst; da diese für ihn aber, mit
der Religion und der Philosophie, eine der drei Formen des absoluten
Geistes ist und als solche dem reinen Gedanken untergeordnet, so ist
sie dazu bestimmt, verschwindend in diesem aufzugehen. Der kunst-
sinnige und geniale Entdecker der Dialektik vollzieht so, wie Platon, der
logischen Forderung seines Systems gehorchend, einen antikünstlerischen
und schmerzlichen Schritt. — SCHLEIERMACHER, dessen ästhetische Gedanken lange unterschätzt wurden, findet, das wahre Kunstwerk sei das
innere Bild (die moderne Ästhetik wird diesen Gedanken aufnehmen
und vertiefen): der Bezirk der Kunst ist das unmittelbare, von Gefallen,
Begriff und Moral unabhängige Bewußtsein. — Für FICHTE wird das
(absolute) Ich zur einzigen Wirklichkeit, und dieses befreit sich vom
Nicht-Ich (das es ja selber setzt), indem es sich, wie der Künstler, außerhalb und über seiner Schöpfung hält: die romantische „Ironie" hat hier,
wie man weiß, eine ihrer Wurzeln. — Fr. DE SANCTIS (1817—1883)
bringt die besten ästhetischen Einsichten eines Vico, eines Kant, eines
Hegel in seinen literarkritischen Schriften genial zur Anwendung und
ebnet in Italien den Weg für die kommende Ästhetik, die in Benedetto
CROCE ihren ersten hohen Vollender findet.

diese „Dekadenten" forderten an menschlicher Opferkraft und an metaphysischem Mute nicht wenig von sich[7]!

Die immer weiter schreitende Verinnerlichung (ihr sind im Ausdruck Grenzen gesetzt, und dieses Abweisende des „Engels", das Mallarmé und Rilke besonders schmerzlich fühlten, erhöht die Tragik in Sein und Schaffen des absoluten Dichters) wurde so nicht nur letzte Verfeinerung und Sublimierung des Gehaltes, ein ungestümes, oft verzweifelndes Forschen nach dem Noch-Sagbaren, sondern auch immense Verbreiterung der Seinsbasis des Noch-Sagbaren. Zum Erfassen letzter schon entweichender Bezüge gesellte sich die *Seinsheiligung*. Nietzsche hatte schon in der ›Geburt der | Tragödie‹ darauf hingewiesen, daß für den tragischdionysischen Mythus selbst das Häßliche und Disharmonische ein künstlerisches Spiel ist, welches der Wille, „in der ewigen Fülle seiner Lust", mit sich selber spielt (und er machte dieses „schwer zu fassende Urphänomen" der dionysischen Kunst, diese „selbst am Schmerz perzipierte Urlust" verständlich in der „wunderbaren Bedeutung" der musikalischen Dissonanz)[8]. Was die absolute Poesie an stofflichen „Inhalten" verlor, gewann sie so durch diese neue Seinstotalität auf andere Weise einigermaßen wieder.

Wie bewußt die Verfeinerung und Vertiefung des Seinsgehaltes vor sich ging (und geht), erhellt aus vielen Zeugnissen. Wir führen hier nur drei der bedeutsamsten an. Rimbaud sagt in der ›Saison en Enfer‹: « J'écrivais des silences, des nuits; je notais l'inexprimable. Je fixais des vertiges. » Und Rilke schreibt in seinem

---

[7] Ihr Märtyrertum verstärkten die französischen absoluten Dichter — hierin ebenfalls von Poe beeinflußt — auch dadurch, daß sie die Intuition und Inspiration ablehnten, die Luzidität und die „Arbeit" im künstlerischen Schaffen an die erste Stelle rückten. Siehe hierüber: Ernst Howald, Die absolute Dichtung im 19. Jahrhundert, Trivium VI, 1, S. 31 f. — Vgl. auch: Elisabeth Brock-Sulzer, Der Dichter im Kampf mit seiner Sprache. Bemerkungen zur neueren französischen Lyrik, Trivium V, 4. — Rilke ging in dieser Beziehung eigene Wege: er wollte nur dem ‚Diktat' gehorchen.

[8] Der Gedanke findet sich schon bei Novalis: „Je mehr der Mensch seinen Sinn fürs Leben künstlerisch ausbildet, desto mehr interessiert ihn auch die Disharmonie — wegen der Auflösung."

letzten Gedicht (vom 10. August 1926), das so wundersam und wie
vorahnend noch einmal alle wesentlichen Motive seiner Kunst in ge-
stalthaft neuer Prägung zusammenfaßt, von den „Erwählten", den
hohen Dichtergeistern:

> Das Leiseste darf ihnen nicht entgehen,
> sie müssen jenen Ausschlagswinkel sehen,
> zu dem der Zeiger sich kaum merklich rührt,
> und müssen gleichsam mit den Augenlidern
> des leichten Falters Flügelschlag erwidern
> und müssen spüren, was die Blume spürt.

Die durch Baudelaire eingeleitete dichterische Seinsheiligung hinwieder spricht Rilke an einer Stelle des ›Malte‹ erschütternd
aus: „Erinnerst du dich an Baudelaires unglaubliches Gedicht
›Une Charogne‹? Es kann sein, daß ich es jetzt verstehe. Abgesehen von der letzten Strophe war er im Recht. Was sollte er
tun, da ihm das widerfuhr? Es war seine Aufgabe, in diesem
Schrecklichen, scheinbar nur Widerwärtigen das Seiende zu sehen,
das unter allem Seienden gilt. Auswahl und Ablehnung gibt es
nicht. Hältst du es für einen Zufall, daß Flaubert seinen Saint-
Julien-l'Hospitalier geschrieben hat? Es kommt mir vor, als wäre
das das Entscheidende: ob einer es über sich bringt, sich zu dem
Aussätzigen zu legen und ihn zu erwärmen mit der Herzwärme
der Liebesnächte, das kann nicht anders als gut ausgehen."
Die Gehaltverinnerlichung war zugleich völligere Gemäßheit der
Form. Baudelaire als erster unterwirft seine Poesie hierin schärf-
sten, ja klassischen Forderungen. Die Symbolisten, als Gegenspie-
ler der Parnassier, kämpfen wohl für den freien Vers; doch ist
diese „Freiheit" ihrerseits nichts anderes als Gehorsam gegen in-
nere, wesenseigenere Gesetze der Poesie. Mallarmé | und Rim-
baud beharren denn auch bei der streng gebundenen Versform,
und Valérys Bemühen zielt sogar auf die Schaffung einer
neuen Dichter„technik": er verlangt „Widerstände" (Rhythmus,
Reim, Alliteration, Assonanz), an denen sich die Kraft des Dichters entzünden kann. Unter seinem Einfluß (auch) wird Rilke in
den ›Sonetten an Orpheus‹ und in den meisten Spätgedichten
von Muzot zu einer strengeren Metrik zurückkehren, sogar zum

Reim, den er im ›Stundenbuch‹ mit so viel Meisterschaft gehandhabt und in der Folge immer mehr in die tiefere Immanenz
der Worte hatte aufgehen lassen. Stefan George seinerseits, wie
die Symbolisten, deren Einwirkung er erfahren, dem hohen
„Worte" huldigend, strafft den Vers, mit der inneren Erneuerung
zugleich auf eine „härtere Fügung" der metrischen Gegebenheiten
hinzielend und eine solche auch von seiner Gefolgschaft verlangend.

III

Frankreich mochte in der Erarbeitung ästhetischer Doktrinen
merkwürdig zurückgeblieben sein (und ist es noch); der Geist des
schöpferischen Ausdrucks aber weht, wo er will. Um die Jahrhundertmitte riß es sowohl in der Poesie als in der Malerei die
Führerschaft an sich[9].

In BAUDELAIRE haben die neueren Dichter ihren geistigen Va-
ter erkannt und verehrt. Rimbaud nennt ihn den ersten „Seher".
Mit ihm erschien in der Literatur zum ersten Male, rückhaltlos
und hellsichtig, jenes maskenlose Verfallensein an die Übermächte
der Kunst, das das Kainszeichen moderner Dichter ist. Seine einzige Sorge war, das verzehrende tragisch-dionysische Fühlen und
Müssen seines Künstlertums in reiner apollinischer Form zu bän-
digen; denn er glaubte an die dichterische „infaillibilité". Mit
Nietzsche traf er sich denn auch in der Bewunderung Richard
Wagners. Als erster in Frankreich[10] wagte er die Behauptung,
daß die Poesie kein anderes Ziel hat als sich selber, daß sie eine
„Hingerissenheit der Seele" (« enlèvement de l'âme »), nicht
irgendein Lehren ist, ebensoweit entfernt von nackter Leidenschaft

[9] Siehe zur französischen Poesie besonders: Marcel Raymond, De
Baudelaire au surréalisme, Paris 1933. Zu allgemeineren Fragen auch
Thierry Maulnier, Introduction à la poésie française. Paris 1939.

[10] Als erster in *Frankreich*. Der Amerikaner Edgar Allan Poe
— der Theoretiker mehr als der Dichter, d. h. besonders der Verfasser
der Philosophy of Composition — hat auf Baudelaire, wie auch auf
Mallarmé und Valéry, aufs nachhaltigste eingewirkt. Baudelaire wurde
mit Poes Werk im Jahre 1846 bekannt.

wie von verstandesmäßiger Wahrheit; er als erster protestierte
(in Frankreich) gegen die Doktrin der Untrennbarkeit des Schönen, Wahren und Guten (sie ging auf Victor Cousin zurück) und
stellte als Grundsatz auf, daß die verschiedenen Gegenstände geistigen Strebens Geisteskräfte verlangen, die ihnen gemäß sind:
daß also das Schöne sein eigenes Reich besitzt | und von einer
autonomen Geisteskraft geschaffen wird, die man die ästhetische
heißt: von der schöpferischen Phantasie (L'Art romantique. Artikel über Th. Gautier).

Indes sind es nicht, oder doch nicht in erster Linie, die in seine
kritischen Aufsätze eingestreuten ästhetischen Bemerkungen (neben
Poe sind auch andere angelsächsische Einflüsse — Coleridge,
Shelley — in ihnen festzustellen: man weiß, daß Coleridge seinerseits sich mit deutschen romantischen Bestrebungen und deutscher
Philosophie vertraut gemacht hatte), wenngleich sie auch organisch
unter sich verbunden sind und systematisch ausgebaut werden können[11], die zu einer Neuschaffung der Kunst — in Nietzscheschem
Sinne — Entscheidendes beitrugen: mit seiner Dichtung selber ging
er bahnbrechend voran. Als künstlerischer Schöpfer gehorchte er
nicht theoretischen Überlegungen, sondern seinem „heißen und
despotischen" Herzen. In seinem eigenen Ich, von Lebensschrecken
zu Lebensverzückung taumelnd («horreur de la vie», «extase de la vie»[12]), erfuhr er, wollüstig und entsetzt, die dunkle
und tiefe Einheit des Seins, die große Ganzheit des seelischen
Lebens, und dieses aus dem Ganzen lebende, zerrissene und ekstatisch betrachtete Ich schaute er in die Natur hinein, die in dieser
Spiegelung ein «magasin d'images», eine «forêt de symboles», ein «répertoire d'analogies et de correspondances»
wurde. Dieses vollzählige Gefühl des Daseins, das auch das Wider-
wärtigste, es heiligend, in sich einbezog, dieses Gefühl, das die

[11] Siehe hierüber: G. Polverini, L'estetica di Charles Baudelaire.
Bari 1943.
[12] Dieses Doppelgefühl spiegelt sich in seiner Dichtung einerseits als
wühlende, wogende Bewegung, die dem Abgrund zutreibt, anderseits im
Gegenbild der steinernen Ruhe: er sieht sein Ideal als unbewegliche,
statuenhafte Göttin. Siehe hierüber: Th. Spoerri, Die Formwerdung des
Menschen. Berlin 1938, S. 228.

menschliche Wirklichkeit scheinbar zynisch, in Wahrheit aber mit unsagbarem Mit-Leiden erfaßte, enthüllte ihm das „heiße Schluchzen", das aus Menschenherzen von Zeitalter zu Zeitalter hinrauscht an den Rand der Ewigkeit und das innigste Zeugnis unserer Menschenwürde ist (s. das Gedicht ›Les Phares‹). Rilke hat in einigen Spätversen (1920) — zu einer Zeit verfaßt, da er selber, auf die Elegien zuschweigend, mit der „ganzen Liebe, mit aller Liebe, die auf Erden sich findet", an die Dinge herantreten will — diese Einung und Heiligung der Welt durch Baudelaire gefeiert:

> Baudelaire
> Der Dichter einzig hat die Welt geeinigt,
> die weit in jedem auseinanderfällt.
> Das Schöne hat er unerhört bescheinigt,
> doch da er selbst noch feiert, was ihn peinigt,
> hat er unendlich den Ruin gereinigt:
> Und auch noch das Vernichtende wird Welt. |

Die Preisgegebenheit an die Kunst und das Gefühl von der unlösbaren und tragisch empfundenen Ganzheit des Seins, die zu erfassen und zu verwirklichen dem Dichter, ihm zuvörderst, obliegt: das vor allem war die Botschaft Baudelaires an eine Welt, die der wissenschaftliche und philosophische Positivismus ihrer geistigen Grundlagen beraubt hatte. Gewiß kann man, den Sinn gewisser Bekenntnisse Baudelaires etwas umbiegend, in ihm einen Menschen sehen, der vom religiös-metaphysischen Problem gequält ist, man kann aus ihm sogar — wie es geschehen[13] — einen Katholiken machen und in seine Werke einen Danteschen Anstieg aus der Hölle der Verworfenheit zum Paradies der Gnade hineindeuten: theoretisch und gefühlsmäßig gibt es bei ihm in dieser Beziehung verwirrliche Aussprüche (wie es ihm hinwieder auch passiert, den Kult der Schönheit und der Form, dem er doch selber so sehr untertan ist, zu denunzieren: « La passion frénétique de l'art est un chancre » — « Le goût immodéré de la forme pousse à des désordres monstrueux et inconnus ». L'Art romantique: L'école païenne): in seinem kritischen Urteil und in

---

[13] Gonzague de Reynold: Charles Baudelaire. Paris 1920.

seiner Form ist er Apolliniker, reiner Klassiker. Dennoch: der innerste und wirklichste Zug seines Werkes, der, auf den es letztlich allein ankommt, ist die Besessenheit vom Schönen, von der
Kunst, die unwiderstehlich an die Stelle eines (oder besser: des)
höchsten und absoluten Wertes tritt (s. das Gedicht ›Hymne à
la Beauté‹). Zum erstenmal in der Literatur hatte sich die Poesie
nicht nur zur Höhe anderer idealer Werte emporgeschwungen, sondern hatte sich in einem Menschengeiste allen andern als überlegen erwiesen. « Dans ce livre *atroce* » schrieb er in einem Briefe
über die ›Fleurs du mal‹, « j'ai mis *tout mon cœur, toute ma ten-
dresse, toute ma religion* (travestie), toute ma haine. »

Baudelaires Dichterbotschaft wurde von denen vernommen, die
im Verfall der geistigen Werte (Rilke: „die Welt . . ., die weit in
jedem auseinanderfällt") aus ihrem Künstlermüssen den Durst —
und zugleich auch immer wieder die Stillung — nach dem Absoluten schöpften und die, nach einer weniger gebrechlichen Metaphysik verlangend, recht eigentlich vorbestimmt waren, in der
Kunst, in der Poesie — im eigenen Schöpfertume Zuflucht zu
suchen: und das war bei den Besten der Fall. Die neue Theorie
und Musik eines Richard Wagner (mehr noch die Theorie als die
Musik[14]) schuf dieser Botschaft Gewähr und Flügel: Mallarmé
sprach, ähnlich wie Baudelaire, vom «dieu Richard Wagner».
Das hohe Begehren nach reiner Nur-Poesie war erwacht. Die par-
nassische Schule hatte sich inhaltlich viel zu sehr mit dem Geschichtlichen, ja dem Didaktischen eingelassen und in der Form
allzu starr gebunden, als daß sie diesem Verlangen hätte genügen
können. Das | innerste, das nackte Sein, das hochgemute tragische
Lebensgefühl in der Ganzheit seines Ursprungs strebte nach Ausdruck. Vom beginnenden Naturalismus wandten sich diese neuen
Künstler schaudernd ab; für die bürgerlich-konventionelle Poesie
mit ihren dünnen Gefühlen und „schmalen" Vergleichen (s. Rilkes
Ode ›An Hölderin‹), ihrem seichten Optimismus hatten sie
nur Verachtung übrig.

Diese Haltung tritt am auffallendsten bei MALLARMÉ in Er-

[14] Siehe E. Fiser, Le Symbole littéraire. Essai sur la signification du
symbole chez Wagner, Baudelaire, Mallarmé, Bergson et Marcel Proust.
Paris (o. J., wohl 1945), S. 69 f.

scheinung. Dieser spricht sich eine einzige Kompetenz zu, eine gewichtige aber: die des Absoluten. « Je l'exhibe avec dandysme, mon incompétence sur autre chose que l'absolu. » Und dieses Absolute ist die Kunst. In einem denkwürdigen Briefe (vom 14. Mai 1867, er war damals Professor in Besançon) ruft er nach langen Nächten grübelnder Arbeit, des Schweigens und unberührter Einsamkeit aus: « Je viens de passer une année effrayante; ma Pensée s'est pensée, et est arrivée à une Conception Pure »; und er redet von seiner « lutte terrible avec ce vieux et méchant plumage, terrassé, heureusement, Dieu ». Und er fügt bei: « Il n'y a que la Beauté, — et elle n'a qu'une expression parfaite, la Poésie. Tout le reste est mensonge ... » Einige Monate früher schon hatte er (aus Tournon) in einem anderen Briefe geschrieben: « après avoir trouvé le Néant, j'ai trouvé le Beau[15] ». Nach einer religiösen Krise also, in der der Dichter den Glauben seiner Kindheit endgültig verloren hat, setzt er an die Stelle des « dieu terrassé » seine eigene Schöpfermacht, sein eigenes vergöttlichtes Ich, von dem er in hymnischem Tone redet: « mon Esprit, ce solitaire habituel de sa propre Pureté » (man bemerke wiederum die Majuskeln!). Und von da an verfolgt Mallarmé in immer verzweifelteren Versuchen das blendende und doch immer entweichende Bild der reinen Schönheit, « le Rêve dans sa nudité idéale »[16], und er träumt vom BUCH, vom WERK, das in seinem Sinn die „orphische Erklärung der Erde" sein sollte, worin die einzige Aufgabe des Dichters beruhe. Da dieses sich aber nicht verwirklicht, oder doch nur in einzelnen dem Absoluten entrissenen Bruchstücken, wirft er immer größere und dichtere Innenräume des Schweigens um seine Worte und umschweigt endlich, in letztem ohnmächtigem Herrschaftstraum, das absoluteste Absolute selbst: das Nicht-Sein[17].

[15] Die beiden Briefe sind zitiert bei: E. Noulet, L'œuvre poétique de Stéphane Mallarmé. Paris 1940, S. 121—122 u. 97.

[16] Brief an Fr. Coppée, wohl vom Jahre 1868. Zit. von Noulet, S. 124.

[17] Julien Benda (La France byzantine ou le triomphe de la littérature pure. Paris 1945, S. 20) spricht bei Mallarmé, Valéry und andern geradezu von einer „religion de l'absence". — Ein scharfes Urteil über

Mallarmé vergöttlicht narzissisch den eigenen Genius. RIM-
BAUD, der | „windbesohlte", wie ihn Verlaine nannte, ist der
zürnende, wilde Engel (so nach Worten Jacques Rivières und
Claudels), der wie ein Verbannter auf dieser Erde ein höheres
Maß an Daseinsreinheit und Daseinsstärke zu besitzen scheint
(man erinnert sich daran, daß Kaßner von Rilke auch sagte, er sei
nie wie wir andern aus dem Paradies herausgegangen) und sich
darum gegen die erniedrigende Menschenexistenz in wahrhaft
metaphysischem Hasse auflehnt. Daher das Erstaunen vor der
eigenen Einfalt (« Apprécions sans vertige l'étendue de mon
innocence ». Une Saison en Enfer); — daher der in trotzig-reifer
Jünglingshaftigkeit sich verzehrende Künstlerdrang, diese Unschuld, dieses höhere Dasein demiurgisch im Werke herauszustellen; — daher auch das Schweigen mit neunzehn Jahren, die un-
widerrufliche Entsagung, nachdem er gesagt, was ihm zu sagen
auferlegt war.

Was bei Baudelaire zeitlebens Kampf und Qual, bei Mallarmé
früh erlebte religiöse Krise und schmerzliches Erringen war: die
illusionslos-nihilistische Sicht ins Absolute (des eigenen Geistes),
das scheint bei VALÉRY schon selbstverständlicher Vor-Besitz.
Seine Aufmerksamkeit gilt von vornherein nicht der ja immer be-
schränkenden ideellen Verwirklichung, nicht dem Ergebnis, sondern dem beweglichen Kräftespiel, den virtuellen Akten des eigenen Geistes, den er wie Mallarmé mit göttlichem Nimbus umgibt. « Je confesse (sagt sein Monsieur Teste mit überlegener Ruhe)
que j'ai fait un idole de mon esprit, mais je n'en ai pas trouvé
d'autre. » Vom glitzernden Fluß des ewig sich selbst gebärenden
Seins geblendet, wie er es im scheinbar reibungslosen Ablauf der
geistigen Kräfte seines Ichs gewahrt und erlebt, denkt er über die
höchste Möglichkeit des menschlichen Geistes nach, über jenen schier
schon abstrakten Grenzraum des Bewußtseins, in dem der menschliche Genius, noch von der Fülle des Seins umlagert, es beherr-

Mallarmé und die „poésie pure" fällt B. Croce: Ragione della disistima
verso la „poesia pura" e i suoi sinonimi. Quaderni della „Critica",
No. 9, Nov. 1947; s. im selben Heft auch die Notiz über ›Paul
Valéry: Mallarmé‹.

schend, und doch dem Nicht-Sein unheimlich nahe, sich selbst in
seiner beständigen Bewußtwerdung genießt[18]. Freilich ist der
Dichter in Valéry dennoch stark genug, um diese Fülle des Seins
auch sinnlich an sich herantreten zu lassen: an den Rhythmen der
Schöpfung entzündet sich der Rhythmus seines Gedichts, und
impressionistisch fast vertraut er seinen Sinnen, seinem Auge besonders[19]. Und so entsteht seine Poesie denn in dem schon gelösten
Kampfe zwischen dem Herrschaftswillen des abstrakten Geistes
und dem Leben der Sinne: in jener narzissischen Atmosphäre, in
der das Ich sich der anstürmenden Natur entwindet und sich am
eigenen Schauspiel weidet. Valéry lebt so als Dichter seine eigenen fortwährenden Wandlungen und Verwandlungen innerhalb
dieses magisch enthobenen und doch im Wort wieder magisch |
angenäherten Raumes, das Seinsgefühl subtil ins Subjektive umbiegend und ihm doch die All-Süße und All-Herbe belassend, es
entwickelnd aus vollendeter, streng gebundener Form, die an den
äußern Widerständen noch (Reim, Alliteration, Assonanz) den
Geist zur Ausübung seines Herrschaftsrechtes zwingt: als wahrhaft
letztes Glied einer (doch noch) klassischen Einstellung, verwirklicht an den äußersten Grenzen des Seins, im Angesicht des Nichts.
Diese ungeheure Vergeistigung, in der der sublime Kampf um
das Noch- (und herrlich) Dichterische, das Werden der Poesie selbst
zum höchsten und fast alleinigen poetischen Motiv erhoben wird,
muß, wie gesagt worden (E. Noulet), in eine « sécheresse
essentielle » münden, in der der Geist endlich sich selbst verzehrt.

Von den französischen Symbolisten übernimmt Stefan GEORGE
den Sinn für die „Tugend der Worte", des « mot total, neuf »
(wie Mallarmé sagte), und den Willen, ein „Werk" zu bauen,
das „Buch" zu schaffen, das eines hohen Lebens Leistung und Sinn
enthält. Hat er sich von diesen Romanen im übrigen auch mehr
nur formale als gehaltliche Werte angeeignet (gehaltliche am mei-

---

[18] Über dieses tragisch-heroische Ringen Valérys um die Selbstherr-
lichkeit des Bewußtseins s. jetzt: Marcel Raymond, Paul Valéry et la
tentation de l'esprit. Neuchâtel 1946.
[19] Siehe den scharfsinnigen Aufsatz von Julius Rütsch: Probleme der
Valéry-Betrachtung, in: Trivium I, 4.

sten im ›Algabal‹[20]), so hat er doch teil an jenem Schauer neuer
Poesie, der Europa seit der Jahrhundertmitte durchzieht. Am
Widerstande gegen naturalistische Verrohung und bürgerlich-epi-
gonenhafte Verflachung und geistige Haltlosigkeit stärkt sich sein
angeborener (katholischer) Sinn für Würde und ordnende Gliederung, für die tragische Sicht der Dinge aus dem Ganzen des
Menschseins heraus. George ist ein fast antikischer Augenmensch
(die Symbolisten waren mehr „Hörende": ihr gemeinsames Streben war ja, nach Valéry, « de reprendre à la Musique leur
bien »). Das Beste, was ihm dichterisch gelingt, ist räumliche Schau,
der wohl eine gewisse Starrheit eignet, die aber durchschauert ist
von einem hohen Schicksalsgefühl. Aus seinem gebieterischen Wil-
lenstemperament — das Widerdichterische daran ist nicht zu übersehen — erwächst dabei das Gesetzgeberische, Künderhafte, das
Imperiale seines Wortes. Auch er aber dichtet bei aller inhaltlichen
Mannigfaltigkeit (für geschichtliche Motive ist er zugänglicher als
die Symbolisten: hierin wie in der Starrheit der Form ist er eher
Parnassier) das Sein, nicht das Werden. Allzu sehr ist er Bildner,
um einfühlend einem handelnden Werden zu folgen. Und das
Verpflichtende entnimmt er, wie die absoluten Dichter, nicht idea-
len Werten der Religion oder der Moral, sondern dem Geist der
Schönheit und eingeborener Zucht.

Ist George am Bewußtsein des Gegensatzes zu Naturalismus
und bürgerlich-positivistischer (Un)Kultur gewachsen, so war die
Dichtung des jungen HOFMANNSTHAL (die mit „Neuromantik"
und „Impressionismus" abzutun kein ernsthafter Kritiker mehr
wagt) wie das leichte unerklärliche Aufblühen eines unerhört früh-
reifen Geistes, der wie Novalis, wie Rimbaud die | Wesensfülle
der Welt präexistent in sich zu enthalten schien[21]. Wie in ma-
gischem Traume schöpfte er aus geheimnisvoller Lebensganzheit,

---

[20] Siehe E. L. Duthie, L'influence du symbolisme français dans le
renouveau poétique de l'Allemagne. Les Blätter für die Kunst de 1892
à 1900. Paris 1933.

[21] Siehe ›Ad me ipsum‹ und die Deutung dieser Bekenntnisse
durch Walther Brecht in: Jahrbuch des Freien Deutschen Hochstifts
1930, S. 319 f. Dazu auch: K. J. Naef, Hugo von Hofmannsthals Wesen und Werk. Zürich 1938, S. 247.

und dieses weitschichtig Untergründige überhauchte seine dichterischen Gebilde mit jener zauberhaften Anmut und vieldeutigen
Sinnfülle, die für immer denkwürdig bleiben werden. In ihm war
der Glanz und die Trauer des „Erben", auf den unschätzbare
Güter gekommen und der sich doch als der letzte einer langen
Ahnenreihe fühlt. Für ihn auch enthielt die Form alles „tief Er-
regende in Maß und Klang" (ein Wort Georges); für ihn auch
verklärte sich in der Kunst die „Sinnlosigkeit des Lebens" zu be-
rauschendem Dufte; für ihn auch war die Natur der ewige Vor-
rat dichterischer Symbole (in seiner ersten Dichtung ›Gestern‹
schon stehen die Verse: „Ist nicht die ganze ewige Natur / Nur
ein Symbol für unsrer Seele Launen? / Was suchen wir in ihr
als unsre Spur?"); für ihn auch war Dichten ein Dem-Leben-Zu-
sehen, der Komödie der eigenen Seele zuvörderst; und für ihn
endlich auch war dieses Zuschauertum ein wissentliches und willent-
liches Unvermögen zum Handeln („Ist nicht dies ›Tragenlassen‹
auch ein Handeln?" heißt es in ›Gestern‹). Hofmannsthal hat
später — nachdem ihn wie Rilke das Seinsdichtertum in eine Krise
geführt, der er fast erlegen (Brief des Lord Chandos)[22] — sein
Schöpfertum eines modernen « dolce stil nuovo » in ein schier
königliches dichterisches Sachwaltertum gewandelt; bis zum Ende
aber blieb er der leidenschaftliche Sucher der Urbilder des Seins,
ein goethehaft von innen nach außen Schaffender, aus der intuitiv
erschauten Einheit in die Abbilder der sinnlichen Welt.

Was George von RILKE trennt (der Raumsinn ist ihnen beiden
eigen, wenn auch Rilkes Sehen später immer mehr ein Hören wird),
das wird an beider Engelgestalt — ›Vorspiel‹ und ›Elegien‹
— beispielhaft deutlich. Mit dem biblisch-christlichen Engel hat
diese nichts oder wenig gemein (schon in den ersten Engelliedern
von ›Mir zur Feier‹ sieht Rilke den christlichen Engel seines
Kindheitsglaubens trauernd in den Himmel zurückkehren). Georges
Engel ist der Bote des „schönen Lebens", das geläuterte, sich selbst

[22] J. Rütsch, a. a. O., S. 44, erinnert an eine andere Verwandtschaft:
Hofmannsthal wie Valéry sind in ihrem Willen zur „fluidité", zu im-
merwährender Verwandlung, von der Gefahr eleatischer Starre bedroht.
Nur im Vollzug der Verwandlung erscheint uns, den hinschwindenden Irdischen, ein Blitz flüchtiger Vollkommenheit. Ephémère immortel.

in höheren Bezügen wiederfindende Ich, er ist die Krönung des
in eins geschauten Zusammenspiels von Natur, Schicksal und Geist,
der schön erscheinende Sinn des Lebens, und darum nicht Herr,
sondern Bote, Bruder, Führer: erfüllte Gegenwart. Rilkes Engel
ist das blendende Antlitz des rei|nen Seins, die aller Vergäng-
lichkeit enthobene Gestalt der Vollendung, der intuitive Künstler-
blick *eines* Augenblicks zu lebendiger Dauer gesteigert: erhaben,
vieldeutig, „schrecklich", darum das wandelbare Symbol eines
wechselvoll-tragischen Kampfes um die Erringung des Seinsganzen
im dichterischen Worte. Georges Engel leitet den Menschen zum
schönen Lebenssinn; die dem „unfaßlichen" Engel Rilkes entge-
gengestreckte Hand bleibt oben offen „wie Abwehr und Warnung". Georges Dichtung ist, auf tragischem Schicksalsgrunde, gött-
lich durchsonnte Schau; Rilkes Poesie ist der unstillbare Drang,
das Sinnliche mit solcher Gewalt zu erleben, daß aus ihm das
Geistige bricht, daß der Engel „hinmuß", um das „Schauspiel" der
Ganzheit zu schaffen (4. Elegie). Diesem Geistdrang nach äußerster Verinnerlichung ist denn auch das Künderische fremd: das
Sakrale ist ihm Heiligung des Lebens von innen her, nicht gebiete-
rischer Ton und gebieterische Gebärde. Rilkes Schauer ist darum
auch nicht der „Muspillischauer" (Gundolf im Georgebuch), nicht
das Wirbeln und Sausen eines Weltenbeginns oder Weltenendes (wie
der Georges), sondern ein Schauer vor dem Reifen des Weltstoffs
in unendlicher Verwandlung.

Die Kunst als einzige ragende Verwirklichung, als die eigentliche metaphysische, gottschaffende Tätigkeit: diese Offenbarung
ward Rilke früh zuteil. Im Toskanischen Tagebuch schon (1898)
kreist sein Sinnen, in der Vorahnung eines großen dichterischen
Aufbruchs (ein Jahr später entsteht das ›Buch vom mönchischen
Leben‹), um den einsamen, alles in sich zusammenfassenden, sich
selbst erfüllenden Künstlerhalbgott. „Wisset denn (heißt es darin),
daß die Kunst ist: das Mittel Einzelner, Einsamer, sich selbst zu erfüllen. Was Napoleon nach außen war, das ist jeder Künstler
nach innen ... Wisset denn, daß die Kunst ist: ein Weg zur Freiheit ... Wie andere ferne Welten zu Göttern reifen werden —
weiß ich nicht. Aber für uns ist die Kunst der Weg ... Ich fühle
also, daß wir die Ahnen eines Gottes sind." Rilke hat diese Auf-

fassung von der Kunst in der Folge nie verleugnet, mag er auch
ihr Fragwürdiges in Zeiten schöpferischer Hemmung stark empfunden haben. Wie Mallarmé, wie Valéry machte er sich auf die
Suche nach dem Absoluten und nahm stolz und demütig die subli-
men und tragischen Konsequenzen auf sich, denen er sich damit
aussetzte. Im ›Stundenbuch‹ sang er hingenommen das nah-
ferne und unfaßliche Rauschen des Seins, wie es im Künstlerbe-
wußtsein west, und er nannte es „Gott"; in den ›Neuen Gedichten‹ suchte er es, unter dem Einfluß Rodins und Cézannes,
in den „Dingen" (und in den Dingen auch fand er immer nur
sich selber); in den ›Aufzeichnungen des Malte Laurids Brigge‹
erzählte er das Duldertum einer Seele, die wohl subtile Antennen
für das Seinsgefühl besitzt, seinem Ansturm aber und seiner Tragik nicht gewachsen ist und an ihm zugrunde geht; in den Späten
Gedichten, besonders in den 1912/13, im Anschluß an seine
spanische Reise entstandenen, gab er sich leidenschaftlicher noch
dem Seinserlebnis hin und | entriß, stammelnd, schweigend end-
lich, dem Sein Fetzen seines Sinnes; in den ›Duineser Elegien‹
endlich versuchte er, dem schicksalsverlangenden Menschen eine
Aufgabe zuzuweisen, ihm vor dem übermächtigen Sein des Engels
einen „Streifen Fruchtlands" zu gewinnen und doch auch dem
uns auferlegten WERDEN irgendwie Genüge zu tun.

IV

Die neue Situation der Poesie mußte auch der Stellung des Dichters eine andere Bedeutung verleihen. Durch die Erhebung der
Kunst zur einzigen metaphysischen Tätigkeit wird er zum Herrscher eines Reiches über andern Reichen, darum auch ausgestattet mit
vorher unbekannten Verantwortungen. Es ist bei den Besten nicht
so sehr das Prophetisch-Seherische, das Vaterhafte (Georges Künder-
tum selber offenbarte, wie schon angedeutet, einen dichterischen
Mangel), das dieses Herrschertum kennzeichnet, als das leidend-
stolze Bewußtsein, im Dienst der höchsten Verpflichtung zu stehen[23].

[23] Wenn Nietzsche später in dem von ihm so hochgemut verkündigten
dionysischen Künstler die Dekadenz erblickte und in seiner Vorgeschichte

Schon die Dichter der Renaissance (und vor ihnen Dante und
Petrarca) wissen um ihre Berufung; Ariost ist in seine Kunst ver-
liebt und feilt unermüdlich an seinen Versen herum; Ronsard

den Possenreißer und Hanswurst — den Schauspieler sah (Zarathustra:
„nur Narr! nur Dichter!"), so war das eine offensichtliche Verzerrung,
ja Verfälschung des Tatbestandes, zu der sein Konflikt mit Richard
Wagner, auch Schopenhauers Äußerung über die Unbrauchbarkeit des
Genies im täglichen Leben und von ferner her die Erinnerung an Goethes
Tasso ihr gut Teil beigetragen. Von dieser zweiten Nietzsche-Haltung,
doch auch von Seinsdichtern zweiter und dritter Observanz, die, wie
immer in solchen Fällen, mehr das Auflösende als das Verpflichtende
ihrer Neigung pflegten (deren schillerndster und turbulentester Vertreter
war D'Annunzio), geht jene Auffassung vom „dekadenten" Künstler und „fin-de-siècle-Ästheten" aus, die so lange das kritische Urteil
über die absolute Poesie getrübt. Der dichterische Verklärer dieses dekadenten Künstlertypus ist Thomas Mann in seinen Frühnovellen. Der sich
sozial ausgeschlossen fühlende, nach den bürgerlichen Wonnen der Ge-
wöhnlichkeit schielende, an seinem Nur-Zuschauertum leidende, von
Untergangsstimmungen heimgesuchte, nervös aufgebrachte Künstler: das
war das sentimental gewordene Zerrbild des wirklichen Seinsdichters,
die ironisch-melancholische Rückseite des „poète maudit", der sich in
seiner willenlos gewollten Ausnahmesituation spiegelnde, sich selbst nicht
ernst nehmende, mit dem Tragischen in sich Versteck spielende Künst-
ler(dilettant). Malte hat sicher Verwandtes mit Aschenbach (›Der Tod
in Venedig‹): beiden fehlt die Kraft der Überwindung. Aschenbach
aber ist ein genießender, selbstgefälliger Dulderästhet, der sich an der
Schönheit sterben läßt; Malte der wahrhaft ergriffene Dulderheilige, der
an der Übermacht des Seins zugrunde geht. — Eine im geistigen Aus-
maß merkwürdig reduzierte, doch sympathische Spielart echter Seinsdichtung waren (um 1910) die italienischen „crepuscolari", vor allem der
begabteste unter ihnen: Guido Gozzano. Das (aufrichtig eingestandene)
Bewußtsein von den Grenzen seines Talents eint sich bei Gozzano mit
dem sonderbar starken Willen, diese Grenzen auszuschöpfen, und so
entstehen Verse voll bis zum Rande von sanfter Selbstironie und ver-
spielter Träumerei, von idealloser Hellsicht und schmerzlicher Wehmut.
(Das wertend Besinnlichste über Guido Gozzano sagt B. Croce, Critica,
XXXIV, 87 f.; jetzt auch ›La letteratura della nuova Italia‹, vol.
VI, S. 379 f.) — Ungleich vielfältiger in Herkunft und geistiger Wesens-
art sind die heutigen italienischen „ermetici". Fremde Einflüsse (Mal-

träumt bewegt von seinem Nach|ruhm[24]. Malherbe aber bescheidet sich und beansprucht nur den Rang eines Kegelspielers, der ewiges Lob verteilt. Und das 17. Jahrhundert mit seinem Sinn für Hierarchie reiht auch den Dichter an einer Stelle ein, die seine Aspirationen recht eng bezirkelt. Der Schriftsteller des 18. Jahrhunderts — Voltaire in Ferney etwa — erkennt seine wachsende Bedeutung, spürt aber, daß seine Herrschaft noch auf schwanken Füßen ruht. Goethe weiß zwischen dem Hofmann und dem Dichter in sich ein — wenn auch labiles — Gleichgewicht herzustellen; allzu sehr ist er in verschiedenen Reichen des Geistes beheimatet, um unter ihnen übermäßige Vorrechte zu schaffen. Die deutschen Romantiker werfen tiefe Blicke in das geheime Königreich des Künstlers, und Hölderlin schon weiß es: „Was bleibet aber, stiften die Dichter." Chateaubriand trägt stolz und enttäuscht den Königsmantel seiner Dichterwürde. Hugo und Lamartine bekleiden beide politische Ämter; ein Zwiespalt zwischen dem Dichter und dem sozialen Menschen in ihnen besteht noch kaum. Das Künstlerbewußtsein Heines ist wie sein Dichtertum: schillernd, schauspielerhaft, nicht würdelos (bei zuweiligem schmerzlichem Zucken der Aufrichtigkeit). Leconte de Lisle weiht sein Dasein von den ›Poèmes antiques' an ausschließlich der Kunst: der Parnaß drapiert seine politische Ohnmacht mit poetischer Absonderung. Vigny ist der

larmé, Valéry usw.) mischen sich bei ihnen mit bewußter Pflege reinster italienischer Traditionen (dolce stil nuovo, Michelangelo, Leopardi). Fühlbar sind aber auch futuristische Einwirkungen, sowie die Reaktion gegen die — freilich nur für gewisse Aspekte auf *einen* Nenner zu bringende — Dreiheit Carducci, Pascoli, D'Annunzio. Motivisch-stilistisch gehören sie (und mit welch kritischer Bewußtheit!) zu den absoluten Dichtern. Für die italienische literarische Tradition bezeichnend ist bei ihnen die Scheidung in „chiari" und „oscuri" oder „arcanisti". (S. u. a. Reto Roedel, Poetica dei lirici nuovi, Trivium I, 3, S. 72 f.; auch: Arminio Janner, Nuove tendenze della letteratura italiana: Lirici ermetici. In: Svizzera italiana 23, S. 401 f., und: Critica ermetica, id. 24—5, S. 468 f.; jetzt auch: Gabibbe, Il significato dell'ermetismo, in: La Rassegna d'Italia, II, 86 f.).

[24] S. zum Folgenden, was französische Dichter betrifft: A. Thibaudet: La poésie de St. Mallarmé (1912); darin das Kap. L'existence du poète.

erste, der über das Schicksal des Dichters nachgrübelt. Unaufhörlich kommt er in seinen Werken auf Knechtschaft und Größe
des Dichterlebens zurück. Der dichterische Vorgang als solcher
schlägt ihn in seinen Bann; auf die wundersame Gabe des Dichtens
in sich schaut er mit düsterem Stolz, mit Rührung, Schrecken und
Verzückung. Baudelaire und seine Nachfahren treiben dieses verzückte Staunen auf einen Punkt hinauf, der Vigny selber als
krankhaft erschienen | wäre. Für Rousseau schon mündeten alle
Adern des Alls im eigenen Herzen. Der junge Goethe hatte den
schlafenden Göttern „da droben" seine prometheische Kampfan-
sage zugeschleudert. Nun aber wird der Dichter, dieses Wesen mit
den „Riesenflügeln" (Baudelaire: ›Albatros‹), mit göttlichen
Attributen bedacht. Rimbaud nennt Baudelaire « un vrai dieu ».
Mallarmé vergöttlicht den eigenen Genius. « Oh! je serai celui-
là qui créera Dieu! » ruft in ›Crimen amoris‹ (›Jadis et Na-
guère‹) der Dämon aus, dem Verlaine Züge seines Exilgenossen
Rimbaud verliehen. „Ein Mensch, der nie versucht hat, sich gott-
ähnlich zu machen, ist weniger als ein Mensch", sagt Valéry. Für
Hofmannsthals jugendliche Dichtererscheinung kamen berufenen
Deutern die Worte „Cherub" (Wassermann) und „Götterbote"
(R. A. Schröder) auf die Lippen: „Wir lieben dich, Freund, wie
man Unsterbliche liebt" (Schröder). Im ›Stundenbuch‹ ist „Gott"
im Grunde nichts anderes als der künstlerische Genius, und hat
Rilke, nach eigenem Geständnis, im „Zauberturm" von Muzot
nicht „beinah wie ein Gott" „Signale aus dem Weltraum" empfangen? — Wie weit sind wir von den namenlosen Erbauern mit-
telalterlicher Dome! Und doch ist dieses königliche Bewußtsein des
modernen Künstlers mühsam und schmerzvoll errungen, und er bezahlt es von neuem immer mit Zweifeln und Beängstigungen und
mit dem unausweichlichen Gefühl, einem unerbittlichen Verhäng-
nis ausgeliefert zu sein. Der absolute Dichter kämpft mit dem
Engel einen zweifachen Kampf: den für sein Werk und den für
seine persönliche Existenz[25].

[25] Die Kehrseite dieser Selbsterhebung des Künstlers sprach Nietzsche
aus: „Es ist jedenfalls ein gefährliches Anzeichen, wenn ... das Genie
sich für etwas Übermenschliches zu halten beginnt" (›Menschliches All-
zumenschliches‹).

Dieses brennende Künstlerbewußtsein ist eng mit dem Gefühl metaphysischer und sozialer Vereinsamung verbunden. Die Herankunft der neuen Kunst hat die Beziehungen zwischen Dichter und Leser von Grund auf geändert[26]. Bis in die Goethezeit hinein bestand zwischen dem Leben und der Kunst, dem einzelnen Schöpfer und der Gesellschaft eine Art Symbiose, eine Zusammenarbeit. Der Dichter fühlte sich als dienendes Glied einer geistigen Gemeinschaft. Diese Brücke wird vom absoluten Dichter bewußt abgebrochen. Der „Ruhm", früher ein natürliches Ingrediens jener Symbiose, indem durch ihn die Abseitsstellung des Dichters anerkannt und zugleich irgendwie kompensiert wurde, verengert sich nun zur „Weihe" eines „Kreises", eines „Coenakels" und zur kleinen verstreuten Gemeinde von Eingeweihten und zufällig Wissenden. (Freilich ist die Entwicklung auch hier nicht einheitlich. Pontus de Tyart, ein Dichter der Pléiade, weiht seine Gedichte nur denen « qui sont nés d'aussi lourde connaissance »; Wordsworth | dagegen zur Goethezeit: „A poet is a man speaking to men".) Der Kontakt mit der Menge erscheint als Profanierung. Zur Zeit der Romantik schon lockert sich das Band zwischen Dichter und Gesellschaft. Flaubert fühlt befriedigt, wie der Zwiespalt sich weitet. Die Parnassiens ziehen sich in ihre « tour d'ivoire » zurück. Richard Wagner schreibt für den „idealen Hörer".

Die Symbolisten reißen wissentlich einen Abgrund zwischen sich und der Masse der Leser auf. Es besteht hierüber ein aufschlußreiches Dokument. Mit zwanzig Jahren (1862) veröffentlicht Mallarmé in der Zeitschrift ›L'Artiste‹ einen Aufsatz: ›L'art pour tous‹. Mit jugendlichem Draufgängertum — der spätere Mallarmé wird trotz gewisser Konzessionen[27] auch hierin sich

[26] Vgl. das Kapitel ›Rilke und der Leser‹ bei E. C. Mason: Lebenshaltung und Symbolik bei R. M. Rilke, Weimar 1939. S. auch Julien Benda a. a. O., S. 108 f. u. besonders S. 218 f.

[27] Kurt Wais (Mallarmé, ein Dichter des Jahrhundert-Endes, München 1938) weist in Mallarmés zu wenig beachteten Prosa-Aufsätzen dessen Ringen um einen neuen, höheren Volksbegriff nach und glaubt, diese im damaligen Frankreich völlig einzigartigen Äußerungen über das Verhältnis der künftigen Gemeinschaft zur Kunst schlössen die Überwindung des L'art pour l'art-Prinzips in sich (S. 9). Dabei ist

selber Treue halten — wendet sich der Dichter darin gegen
« cette impiété, la vulgarisation de l'art ». « Toute chose sacrée
(ruft er aus) et qui veut demeurer sacrée s'enveloppe de mystère ». Und warum, fragt er, ist dieser notwendige Mysterchа-
rakter, den z. B. die Musik mit ihrer besonderen Notenschrift besitzt, der Poesie verweigert worden? Warum hat man nicht für
diese auch eine „unbefleckte Sprache" erfunden, hieratische Formeln, deren arides Studium den Profanen abschreckt und den ihr
vorbestimmten Gezeichneten anspornt[28]? « O fermoirs d'or des
vieux missels! O hiéroglyphes inviolées des rouleaux de papyrus! »
« Qu'un philosophe ambitionne la popularité, je l'en estime...
Mais qu'un poète — un adorateur du beau inaccessible au vul-
gaire — ne se contente pas des suffrages du sanhédrin de l'art,
cela m'irrite et je ne le comprends pas. — L'homme peut être dé-
mocrate, l'artiste se dédouble et doit rester aristocrate... Que les
masses lisent la morale (schließt Mallarmé), mais de grâce ne leur
donnez pas votre poésie à gâter. — O poètes, vous avez toujours
été orgueilleux; soyez plus, devenez dédaigneux. » In der eigen-
artig und dunkel gedrängten Sprache der ›Divagations‹ wird Mallarmé, objektiver nur, dasselbe sagen: „Impersonnifié, le volume,
autant qu'on s'en sépare comme auteur, ne réclame approche de
lecteur. Tel, sache, entre les accessoires humains, il a lieu tout seul:
fait, étant. Le sens enseveli se meut et dispose, en chœur, des feuil-
lets. » |

In ganz ähnlichem Sinne betrachtet es Rilke als die Sünde besonders neuerer Dichter, ihr Werk gleichsam von außen zu kosten
und mitzugenießen. (Er spricht damit das aus, was Nietzsche, in
der ›Fröhlichen Wissenschaft‹, durch die Unterscheidung der
„monologischen Kunst" und der „Kunst vor Zeugen" festhält: „Ich

aber nicht zu übersehen, daß Mallarmé von der *künftigen* Gemeinschaft
redet.

[28] George schreibt ganz ähnlich: „Jeden wahren künstler hat einmal
die sehnsucht befallen in einer sprache sich auszudrücken deren die un-
heilige menge sich nie bedienen würde oder seine worte so zu stellen daß
nur der eingeweihte ihre hehre bestimmung erkenne ... klangvolle dunkelheiten sind bei Pindar, Dante und manche bei dem klaren Goethe."
(Gesamtausgabe der Werke, XVII, 53).

kenne keinen tieferen Unterschied der gesamten Optik eines Künstlers als diesen: ob er vom Auge des Zeugen aus nach seinem werdenden Kunstwerke [nach ‚sich‘] hinblickt oder aber ‚die Welt
vergessen hat‘: wie es das Wesentliche jeder monologischen Kunst
ist, — sie ruht auf dem Vergessen, sie ist die Musik des Verges-
sens.“) Schon im Toskanischen Tagebuch hatte er, in ebenso katego-
rischer Weise wie Mallarmé, bezeugt (und er hat auch diese Überzeugung später nicht verleugnet): „Wisset denn, daß der Künstler
für sich schafft — einzig für sich . . . Sie [die Kunstwerke] sind
nicht für euch. Rühret nicht daran, und habt Ehrfurcht vor ihnen.“
„Das war immer so. Die Kunst geht von Einsamen zu Einsamen
in hohem Bogen über das Volk hinweg.“ „Wir wollen eine ‚Kunst
für das ganze Volk!‘ — Was für eine unvorsichtige Überhebung,
da das Volk, das dennoch die größere Autorität ist, täglich dekre-
tiert: ‚Das Volk will keine Kunst‘.“

Das soziale Moment der Mitteilung wird so vom absoluten Dichter für seinen Bereich ausgeschaltet. « Un désir indéniable à mon
temps (sagt Mallarmé in den ›Divagations‹) est de séparer comme
en vue d'attributions différentes le double état de la parole, brut
ou immédiat ici, là essentiel. » Die Kunst ist *Ausdruck*, Selbsterkenntnis, Selbsterfüllung, „Heimkehr zu sich selbst“ (Tosk. Tageb.),
ein Mittel der Selbstbefreiung. « Il me semblait indigne (gesteht
Valéry im späten Vorwort zum ›Monsieur Teste‹) . . . de partir
mon ambition entre le souci d'un effet à produire sur les autres,
et la passion de me connaître tel que j'étais, sans omissions, sans
simulations, ni complaisances. » Rimbaud zerstört die eben veröffentlichte Ausgabe der ›Saison en Enfer‹: sie brauchte nicht gelesen zu werden, mit der Niederschrift war ihre Aufgabe erfüllt.
Rilke gibt nach den ›Neuen Gedichten‹ — von den Elegien und
Sonetten abgesehen — keinen Gedichtband mehr heraus, und doch
enthalten die Späten Gedichte reifste Kleinodien seiner Kunst.

Man mag diese Entzweiung von Dichter und Leser bedauern —
als Folge der Neuorientierung der Kunst war sie unvermeidlich.
Und sie wird nicht so leicht zu heilen sein. Kommende Dichter
mögen sich wieder „Inhalten“ zuwenden (religiösen etwa, wie
Claudel), sich dem ‘Volke’ nähern; die Entwicklung als solche
aber ist nicht rückgängig zu machen. Aus dem „Weltinnenraum“,

dem „Doppelbereich" des Lebens und des Todes, führt kein bequemer Weg zurück in gewöhnliches Menschenland. Die künftige Aufgabe (Mallarmé ahnte es) liegt nicht in einer Wiederannäherung der Kunst an die Menge, sondern in einer Hinerziehung einer immer größeren Zahl Einzelner zu dieser neuen Kunst. |

V

Fragen wir endlich, etwas genauer noch, nach den motivisch-stilistischen Auswirkungen der neuen Haltung.

a) Die unbedingte Autonomie der Kunst hat zur Folge, daß der schöpferische Vorgang eine überragende Bedeutung gewinnt. Auf den Trümmern der religiösen, philosophischen, moralischen Werte errichtet der Künstler die einzige ihm noch verbleibende Gewißheit: sein eigenes gestalterisches Vermögen. « Après avoir trouvé le Néant, j'ai trouvé le Beau » (Mallarmé). F. Kaufmann (a. a. O.) weist mit Recht darauf hin, wie schon die Fresken Michelangelos in der Sixtinischen Kapelle ebensosehr oder noch mehr Zeugnis einer von sich selbst geblendeten schöpferischen Kraft sind als Schauer vor dem Schöpferakt Gottes. Da aber Schöpfung Erringung der *Form* bedeutet, so wird die Form zum zentralen Problem, ja recht eigentlich zum „Inhalt". „Man ist um den Preis Künstler (sagte Nietzsche im ›Willen zur Macht‹), daß man das, was alle Nichtkünstler ‚Form' nennen, als *Inhalt*, als ‚die Sache selbst' empfindet."[29] (Nietzsche weiß aber auch um die Gefährlichkeit dieses neuen Künstlerbewußtseins. Er fährt weiter: „Damit gehört man freilich in eine verkehrte Welt: denn nunmehr wird

---

[29] Ähnlich Paul Valéry: « Ils ne regardent pas que *ce qu'ils appellent le fond n'est qu'une forme impure* — c'est-à-dire *mêlée* » (von Valéry hervorgehoben!). « Notre fond est fait d'incidents et d'apparences incohérentes. » (Je disais quelquefois à Stéphane Mallarmé ..., Var. III.) Und anderwärts: « La plupart des lecteurs attribuent à ce qu'ils appellent le fond une importance supérieure, et même infiniment supérieure à celle de ce qu'ils nomment la forme. Quelques-uns, toutefois, sont d'un sentiment tout contraire ... » (Sur Bossuet, Var. II.)

einem der Inhalt zu etwas bloß Formalem, unser Leben einge-
rechnet." Bewahrt dieses „Formale" (das ist hier wohl beizufügen),
vom künstlerischen Genius getragen, seinen hohen Sinn, wirken
vergangene Ideale in ihm geistzeugend weiter (« la foi a cela de
particulier que, disparue, elle agit encore », sagt zu Recht Renan),
so wird die „verkehrte Welt" unversehens zu einer wahren und
überlegenen Welt; wird es aber, von Nachtretern ausgebeutet, zu
bloßer eitler Spielerei, so entsteht aus der „verkehrten Welt" ein
Ort der Zersetzung und der Verneinung jeder wirklichen Kunst[30].|

Formaspekte sind: das Werden des Kunstwerks, sein Wesen und
Sein, seine Gesetzlichkeit und Wirkung, das Dasein des Künstlers
in Beängstigung und Beseligung, sein Verhältnis zum geschaffenen
Werke, zu Gesellschaft und Welt, zu seinem „Engel". So sind die
Motive der vier Hauptwerke Mallarmés (›Hérodiade‹, ›L'Après-
midi d'un Faune‹, ›Prose‹, ›Un coup de dés jamais n'abolira le
hasard‹) solche des schöpferischen Vorgangs, der Form. Rimbauds
Visionen kreisen um Hölle und Paradies der eigenen Formkraft.
Valérys Sinnen gilt der seelisch-geistigen Energie, viel weniger dem
Ergebnis, dem Werke. Immer häufiger werden in den Spätgedich-
ten Rilkes die spezifischen Formmotive, und die Elegien endlich
münden in die Verherrlichung des Vermögens schöpferischer Ver-

[30] Auch die Hinwendung zur Form bahnte sich schon in Goethe an.
Mit sichtlicher Genugtuung, jedenfalls ohne Widerspruch, übersetzt dieser
aus dem ›Globe‹ einen Kommentar zur französischen Ausgabe seiner
dramatischen Werke, und daraus u. a. auch die Stelle: „Es scheint, daß
die Freude an der Kunst mit der Zeit selbst über das Gefühl dichterischer
Nachahmung gesiegt habe, daß der Dichter zuletzt sich mehr in der
Vollkommenheit der Form gefiel als in dem Reichtum einer lebendigen
Darstellung. Und, genau besehen, ist die Form im ›Götz‹ noch nicht
entwickelt, sie herrscht schon in ›Iphigenie‹, und in der ›Natürlichen
Tochter‹ ist sie alles." (Insel-Ausg. XIII, 217 f.) Novalis schon geht einen
Schritt weiter: „Es müßte Gedichte geben können, bloß wohlklingend und
voll schöner Worte, aber auch ohne allen Sinn und Zusammenhang —
höchstens einzelne Strophen verständlich — wie lauter Bruchstücke aus
den verschiedensten Dingen. Höchstens kann wahre Poesie einen allegorischen Sinn im Großen haben und eine indirekte Wirkung, wie Musik,
tun." (Ausg. Heilborn, II, 1, S. 279.) — Erinnert sei auch an das
Hebbel-Wort: „Die Form ist der höchste Inhalt."

wandlung. Rilke bekannte, ein Wort Valérys für sich überneh-
mend: „Meine Verse haben kein anderes unmittelbares Interesse
jemals für mich gehabt, als daß sie mir Gedanken über den Dichter
eingaben."

b) Die großen dichterischen *Symbole* spiegeln ausschließlicher
immer den Dichter selbst wider. War nicht Maurice de Guérins
Kentaur schon im tieferen Grunde der Dichter, der, « égaré par
les destinées » („ratlos vor Schicksal", wie Rilke übersetzt, vom
eigenen quälenden Problem gebannt), auf den Wassern und in den
Wäldern Bruchstücke der vom Gotte Pan zerbrochenen Flöte zu-
sammenrafft und an die Lippen hebt? Ist Rimbauds ›Trunkenes
Schiff‹ etwas anderes als die thaumaturgisch-dämonische Phantasie des Dichters selber, die, auf eigenen Strömen segelnd, Welten
gebiert? Narziß, übers Wasser gebeugt und wollüstig das eigene
Bildnis betrachtend, ist das Lieblingssymbol Valérys; und die
›Jeune Parque‹ setzt Mallarmés ›Hérodiade‹ fort, das Gedicht
der Selbstbetrachtung des Dichters. Hofmannsthals Tizian und Tor
(›Der Tod des Tizian‹, ›Der Tor und der Tod‹) sind Sinnbilder
des (eigenen) Dichtertums[31]. Im ›Stundenbuch‹ ist „Gott" der
hohe Künstlergeist, und der „Erbe" (›Buch von der Pilgerschaft‹)
das sich aus dessen Tiefen nährende Künstlerwerk; der „Engel",
die „fremde Geliebte", der „Hirte", „Orpheus" sind weitere Symbole des Rilkeschen Künstlergeistes: sie spiegeln bald das hehre, in
sich erfüllte, bald das angeflehte, und bald wieder das im Doppel-
bereich des Lebens und des Todes heimische Seinswesen.

c) « La Poésie ne rythmera plus *l'action*, elle sera en avant »,
ruft Rim|baud in der ›Lettre du voyant‹ aus: sie wird nicht mehr
das Handeln beflügeln, sondern das Sein, das dem Handeln vorausgeht und in das es mündet. Das immer unvollkommene Werden kann den Durst nach dem Absoluten nicht stillen. Mehr noch:
der Blick in das reine Sein, in die Illusionslosigkeit der reinen Erkenntnis, tötet die Tat. So entsteht jenes (schon hamletische) tae-
dium vitae, der Ekel vor dem Handeln alltäglicher Wirklichkeit —

---

[31] ›Ad me ipsum‹: „Claudio = Der Dichter, aus jener höchsten
Welt, deren Bote der Tod, herausgefallen ... Im ›Tizian‹ Atmosphäre
jener höchsten Welt (als Welt der Kunst)."

dieses Handeln ist ja zudem von keinem sittlichen Ideal mehr getrieben, von keiner Norm mehr gestützt. « Reconnais-toi! » sagt
in Villiers de L'Isle Adams Drama ›Axel‹ Meister Janus zu Axel.
« Profère-toi dans l'Etre. Extrais-toi de la geôle du monde, enfant
des prisonniers. Evade-toi du Devenir! » Und auf einer andern
Seite desselben Werkes steht das Wort von der « immense misère
du devenir » — « le devenir, cette besace ». « J'ai trop pensé pour
daigner agir », bekennt Axel seiner sinnlich-mystischen Geliebten.
So wie Axel es von sich weist, die erhabene Intuition seiner Liebe
durch sinnlichen Besitz und (scheint es ihm) doch immer nur küm-
merliche Lebenstat zu entwürdigen und zu zerstören, und darum
mit Sara Gift nimmt, so weist der Seinsdichter, wie Rilkes Engel,
weit von sich, „was einschränkt und verpflichtet" (›Neue Gedichte‹: ›Der Engel‹), d. h. jede weltanschauliche Eindeutigkeit, jede
Bestimmung durch die Idee: er verleugnet die Geschichte. Sittliche
Ideen der Verantwortung und der Schuld anerkennen und dichterisch verkünden, das ist Verkümmerung, Verengerung, Entweihung
des Seins, das heißt hinabsteigen ins verhaßte Relative, Kontin-
gente. Die Idee des Werdens ist den dichterischen Bedürfnissen
Mallarmés völlig fremd (ihm stand Villiers sehr nahe: unleugbar
ist Mallarmés Einfluß auf ihn, auf ›Axel‹ insonderlich, der *nach*
›Hérodiade‹ erschien): er strebt nach dem Seienden oder träumt
vom Nicht-Seienden — ein Symbol beider ist für ihn der Azur, die
ewige Bläue südlichen Himmels (« *Je suis hanté.* L'Azur! l'Azur!
l'Azur! l'Azur »); völlig fremd ist sie Rimbaud und Valéry (spricht
letzterer doch sogar von der « infériorité originelle de toute per-
sonnalité »: das Begrenzte der Person noch wird als Einschränkung empfunden); fremd ist sie George, der den „ewigen Menschen" im Sein, nicht im Werden darstellen will. Während sich
aber ein Mallarmé in dieser Werdens-Verachtung bespiegelte und
sich in ihr gefiel — doch manchmal auch bei ihm ein Zweifel und
die bange Frage: hat er das „Verbrechen" seines Fauns begangen,
hat er Kunst und Leben, Dichtung und Liebe entzweit?: « Mon
crime, c'est d'avoir ... divisé la touffe échevelée / De baisers que
les dieux gardaient si bien mêlée » —, stürzte das Suchen nach der
Totalität des Seins, das, sich im Menschen offenbarend, auch dessen ideelles Streben umfassen muß, einen Rilke (wie bezeugte die-

ser damit seine tiefere, offenere, völligere Menschlichkeit!) jahre-
lang in grausamste Konflikte, ja führte ihn an den Rand der
Selbstverzweiflung und damit des Schweigens für immer. Nachdem er in den ›Neuen Gedichten‹, so ein bißchen wie die Parnassier,
das | Sein in den „Dingen" fast enzyklopädisch umkreist (auch
die menschlichen Gestalten, die er darin beschwört, sind noch mehr
oder weniger „Dinge"); nachdem er im ›Malte‹ ein menschliches
Herz dargestellt, das, allzu passiv erleidend, unter der Last des
Seins-Ansturmes zusammenbricht, fühlte er in sich den Drang, dem
Menschen, dessen Vergänglichkeit und Hinschwinden er in den ersten Elegien so wundersam *beklagt,* auch einen positiven Platz
im Universum zuzuweisen, damit auch die *Rühmung* zu ihrem
Rechte komme. Das Handeln, die Tat aber nur erhebt den Menschen über sich selbst hinaus, im Werden nur ist er wahrhaft *wirklich.* Solches Werden aber, Rilke fühlte es zutiefst, setzt einen
Glauben, ein ideales Ziel voraus, ist abhängig von der menschlichen Gewissens- und Willenskraft. Wie diese widersprüchlichen
Forderungen unter sich versöhnen? An diesem Problem drohte
Rilkes ganze Dichterexistenz ein wehes Jahrzehnt lang fast zu
scheitern. Endlich — und ein letztes Mal — rettete er sich aus dem
fürchterlichen Dilemma, indem er den „Menschen" zum „Künstler"
machte und ihm — in den letzten Elegien und in den Sonetten an
Orpheus — eine Aufgabe zuwies, die zuvörderst eine solche des
schöpferischen Künstlers ist: die der Verwandlung, der Unsichtbar-
machung, der Verinnerlichung. Das reine Sein war damit gewahrt,
die Frage aber blieb: Warum als Mensch, „Schicksal vermeidend,
sich sehnen nach Schicksal?" Denn wir „wollen es leisten, wollens
enthalten... Wollen es werden" (9. Elegie): denn wir wollen
Geschichte[32].

d) Die Vorherrschaft des formalen Elementes und die Scheu
vor dem geschichtlichen Werden mußten zwangsläufig zu einer
Entwertung des « sujet », des „Gegenstandes", des „Motivs" führen, in der Poesie sowohl wie in den bildenden Künsten. Die französischen Symbolisten werfen denn auch die Stoffe über Bord,

[32] Dieses Elegien-Drama ist dargestellt in: Werner Günther, Weltinnenraum. Die Dichtung Rainer Maria Rilkes. Bern, Haupt 1943 (jetzt
in 2., stark vermehrter Auflage im Erich Schmidt Verlag, Berlin 1952).

mit denen sich die Parnassier beschwert: geschichtliche (Leconte de
Lisle), antiquarische (Hérédia), sentimental-didaktische (Sully-
Prudhomme), malerische (Coppée): kein Hindernis, keine Schranke
soll den freien Aufschwung der Seele und die subtile Erfassung
des Unsäglichen beeinträchtigen. Wie Manet, nach dem Wort eines
Biographen (E. Noulet erinnert daran), ein Maler war, der nicht
wußte, was er malen sollte, so war Mallarmé ein Dichter, der
nicht wußte, was er schreiben sollte, und der, nachdem er das Aus-
maß und eine Art Vollkommenheit seines Werkes erreicht, grundsätzlich mit seinem Dichten zu Ende war[33]. Ähnlich steht der
Fall bei Valéry. « Mes vers ont le sens qu'on leur prête » —
« il n'y a pas de vrai sens d'un texte » — « L'esprit, c'est le refus
indéfini d'être quoi que ce soit »: so lauten einzelne seiner Aus-
sprüche. Enthalten sie nicht das typische | Geständnis eines Dich-
ters, der jeden bestimmten und bestimmenden Gegenstand flieht
und nur das Schaffen selber als den des Schaffenden würdigen Gegenstand betrachtet? Rilke, der in den ›Neuen Gedichten‹ geradezu ein Kompendium der von den Symbolisten verworfenen Par-
nassierstoffe gegeben hatte (mit Ausnahme des sentimental-didak-
tischen), verzichtet späterhin auf alles so beschaffene Inhaltliche,
um nur noch die dunkle oder blühende Berührung mit dem Kosmischen im Vers nachzittern zu lassen. Erst der Gedanke der ewigen Metamorphose gibt ihm einen „Gegenstand" zurück, einen
verinnerlicht erhabenen, der freilich nicht (oder kaum) dem wä-
genden Gewissen, sondern einer Urgegebenheit des Daseins, nicht
dem menschlich-geschichtlichen, sondern dem kosmischen Gesetze
entspringt.

e) Baudelaire hatte in der Natur die « forêt de symboles »,
den unausschöpfbaren «fonds de l'universelle analogie», und
zwischen den einzelnen Sinnen die « correspondances », die « trans-
ports de l'esprit et des sens » gesehen (s. das Sonett ›Correspondances‹): die « correspondance », der Bezug ist der Mittelort, wo
die einzelne Seele und das Übernatürliche ihren gemeinsamen Aus-

---

[33] Mallarmé: « N'importe les matières » (zit. Thibaudet, a. a. O.,
S. 360). « L'esprit qui n'a que faire de rien, outre la musicalité de
tout » (id. S. 125).

druck finden. Rimbaud schreitet auf diesem Wege instinktiv weiter. In der ›Lettre du voyant‹ spricht er es aus: der Dichter wird
ein „Seher" durch ein « long, immense et raisonné *dérèglement de
tous les sens* »; denn es handelt sich darum, bis in das Unbekannte
vorzustoßen (« Car il arrive à l'inconnu! »). Im geduldig-be-
wußten gegenseitigen Durchdringen der Sinne nur erringt er die
Totalität des Seins, webt er wahrhaft den Teppich des Lebens.
Rilke findet auf der letzten Reifestufe seines Dichterdaseins in
dieser Umsetzung der Sinneswerte den Ausgangspunkt zur großen
Verwandlung, zur Rückführung des Sichtbaren ins Unsichtbare
(aus dem ein neues Sichtbares entstehen mag). Erst wenn der „ge-
schürzten Entzückung" des Dichters der „Sprung durch die fünf
Gärten" der Sinne „in *einem* Atem" gelingt, erst wenn er die
„fünffingrige Hand seiner Sinne zu immer regerem und geistige-
rem Griffe entwickelt", erhebt er sein Gedicht auf die „übernatürliche Ebene der Kunst" (s. den Aufsatz ›Ur-Geräusch‹). In den
›Sonetten an Orpheus‹ versucht Rilke diesen „Sprung" zu verwirklichen (s. etwa die Sonette „Wartet...", das schmeckt" —
„Voller Apfel, Birne und Banane" — „Tänzerin: o du Verlegung
alles Vergehens in Gang"); doch war ein ähnliches Bestreben mehr
oder weniger bewußt schon in früheren Gedichten zutage getreten.
Es sonderlich erzeugt die Kühnheit der Bilder, ihre aus mehreren
Sinnbereichen zugleich schöpfende Bezugstiefe, darum das gleich-
zeitige Erzittern aller Saiten der Seele.
   Die Umsetzung der Sinneswerte ist, genau besehen, nur ein
Aspekt des beständigen und blitzartigen Ineinanderspielens der verschiedenen Seinsebenen (außen und innen, konkret und abstrakt,
Wirklichkeit und Traum, Leben und Tod). Rimbaud nannte das
die « alchimie du verbe ». Die absolute Poesie will ja an die in-
nerste Wirklichkeit rühren, die Ureinheit faßbar | machen. Diese
Vermischung aller Grenzen erzeugt innerhalb der Vision einen oft
schier unheimlichen Dynamismus (dem auch stilistisch nachzugehen
eine verlockende Aufgabe ist)[34]. Ob dabei die überbrückten Gegensätze, mehr nur „neutralisiert", sich im „reinen Widerspruch"

[34] Siehe das Anhangskapitel zu: W. Günther, Weltinnenraum: Die
letzte Ortschaft der Worte.

treffen und so sich sänftigen (wie bei Rilke) oder ob sie als schmerzvoll-tragischer Urzwiespalt der Welt empfunden werden (wie bei George): das ist Sache des einzelnen Dichtertemperaments. Gemeinsam aber ist allen die Rühmung des „Hiesigen", des *einen* Lebens, die Gewalt und Größe des gegenwärtigen Augenblicks. Die schauernde Unmittelbarkeit ihres Wortes beruht nicht zum wenigsten auf diesem Bewußtsein der Unwiederbringlichkeit alles Geschehens.

f) Das gewaltig gesteigerte Bewußtsein eigener schöpferischer Kraft und die Schau ins Ganze aus dem Ganzen heraus schafft ein neues perspektivisches Verhältnis des Dichters zur Umwelt: er sitzt wie die Spinne im Mittelpunkt seines Netzes; die Bezüge straffen sich von seinem eigenen Dasein aus. Die am *Objekt* ausgerichtete klassische Proportionalität wandelt sich zu einer neuen, am *Subjekt* orientierten Sicht[35]. Wenn Rilke ein Gedicht beginnt „Oft anstaunt ich dich, stand an gestern begonnenem Fenster, / stand und staunte dich an..." (›Die große Nacht‹), so subjektiviert und verinnerlicht er eine scheinbar einfache Seinsposition, das Stehen am Fenster, durch die schwere Arbeit, die er in sie verlegt: alles wird auf ein Kräftefeld bezogen, das von ihm selber ausstrahlt. Wohl ist er durchschauerter „Hirt", inwendig in ihm aber geht „neuer Aufgang" vor durch neue, subjektive Kristallisierung der Welt. — Oder wenn Valéry das wundervolle Sonett ›La Dormeuse‹ (in seinem Bilde, in seiner Sprache das Rilkesche „niemandes Schlaf unter soviel Lidern") mit den Versen schließt: «Ta forme au ventre pur qu'un bras fluide drape, / Veille; ta forme veille, et mes yeux sont ouverts», so bringen die Worte « et mes yeux sont ouverts » in die scheinbar klassisch aufgeteilte Sicht plötzlich eine ganz neue Perspektive: hier auch ordnet sich durch eine kleine Wortwendung die Bildgruppe, wie magnetisch berührt, auf einmal vom Blickpunkt des Dichters aus, als seine Schöpfung, zum göttlichen Spiel.

Diese Wendung ins Subjektiv-Aperspektivische hat der spätere Rilke wohl am konsequentesten durchgeführt; wie keiner vor ihm

---

[35] Andeutendes hierüber bei: J. Gebser, Rilke in Spanien, Zürich 1940, und: Grammatischer Spiegel, Zürich 1943.

bewegt er sich im eigenen Sonnensystem. „O wie sich sternegemäß
die gedrängten Gefühle verteilen . . ." (›Gedichte an die Nacht‹).
Jedes seiner Worte horcht so auf einen neuen Sinn, den ihm des
Dichters Innerstes zuraunt. Diese Worte „schmücken" nicht mehr,
sie wollen nur ein Gemäßes aussagen, einer neuen und unmittel-
bareren Notwendigkeit gehorchend.

g) Beständige Sorge des absoluten Dichters ist denn auch die
Schaffung | einer Sprache, die reiner Ausdruck ist: „Reine Span-
nung. O Musik der Kräfte!" (Son. an Orph.) Mallarmé definiert
diesen Willen in einem berühmten Satze der ›Divagations‹: « Le
vers qui de plusieurs vocables refait un mot total, neuf, étranger
à la langue et comme incantatoire, achève cet isolement de la
parole: niant, d'un trait souverain, le hasard demeuré aux termes malgré l'artifice de leur retrempe alternée en le sens et la
sonorité, et vous cause cette surprise de n'avoir ouï jamais tel fragment ordinaire d'élocution, en même temps que la réminiscence
de l'objet nommé baigne dans une neuve atmosphère. » Das „totale, neue Wort": die ganze dichterische „Unfehlbarkeit", von
der Baudelaire sprach (›L'Art romantique‹: Aufsatz über Richard
Wagner), faßt sich darin zusammen.

Die Erhöhung des Wortes auf die Ebene des reinen Ausdrucks,
seine Weihung, kann auf verschiedene Arten erfolgen. Der Dichter
kann sich, schon äußerlich, z. B. gegen die hergebrachte Typogra-
phie des Buches und die erniedrigende Gemeinschaft der gewöhnlichen Druckbuchstaben auflehnen (Mallarmé: Vorliebe für Luxus-
drucke, der merkwürdige Satz- und Seitenspiegel des ›Coup de
dés‹; George: Besondere Lettern, kleine Anfangsbuchstaben, Fehlen von Satzzeichen — letzteres auch bei Mallarmé). Er kann die
Syntax in seine besonderen Zwecke einspannen und bis zum Äußersten der Sprachmöglichkeiten gehen (Mallarmé: ›Divagations‹;
Rilke: ›Elegien‹). Er kann die Wortbedeutung leicht ändern, z. B.
einen älteren konkreteren Sinn wieder aufleben lassen oder einen
solchen neu schaffen (ein Vorgehen, das Rilke besonders in den
Spätwerken liebt; die Verbpartikel spielt dabei eine ungemein
wichtige Rolle). Er kann unscheinbare Worte gleichsam heiligen
durch Verwendung an sinnbedeutsamem Orte, im Reim sogar
(Rilke: „Die armen Worte, die im Alltag darben, die unscheinba-

ren Worte, lieb ich so"[36]). Besonders aber: er kann eine „neue Atmosphäre" um die Worte schaffen, indem er „Innenraum" um sie
wirft, sie in Stille bettet (Rilke: „wirf Innenraum um ihn, aus jenem Raum, der in dir west . . ."). Das reine Sein ist ja Schweigen.
Götter haben „nichts als Dasein, Überfluß von Dasein . . .". Und:
„Nichts ist so stumm wie eines Gottes Mund" (Rilke). Darum liebt
der absolute Dichter die „lyrische Summe", das gedrängte Wort.
Die *Anspielung* erhält so ganz besondere Bedeutung. In drei zu
verschiedenen Zeiten seines Lebens entstandenen Texten — man
bemerke die stufenweise Sinnsteigerung in ihnen — hat sich Mallarmé hierüber unmißverständlich ausgedrückt: « Peindre, non la
chose, mais l'effet qu'elle produit ». (1864) «Nommer un objet, c'est supprimer les trois quarts de la jouissance du poème qui
est faite du bonheur | de deviner peu à peu; le suggérer, voilà le
but. » (1891) « Evoquer dans une ombre exprès l'objet, par des
mots allusifs, jamais directs, se réduisant à du silence égal, comporte
tentative proche de créer. « (1893) Diese anspielende Verdichtung
kann zuweilen zum Hermetismus führen (Mallarmé); bei Rilke
ist die Dunkelheit viel weniger eine willentlich erstrebte Wirkung
als Verborgenheit der seelischen Ausgangspunkte des Gedichts, des
„Wurzelwerks" (viele seiner Spätgedichte sind sublim autobiogra-
phisch, werden nur verständlich aus seinem inneren Drama heraus).

f) Ein von den absoluten Dichtern gern verwendetes Stilmittel
ist der *Doppelsinn*. Er ist gleichsam die sichtbare Spiegelung der
künstlerischen Metamorphose, das Aufblitzen (im Wort) jener
Verwandlung und „Umschlagsseligkeit", die ein Sprachliches
plötzlich auf eine neue Ausdrucksebene erhebt. Wenn Mallarmé
in den ›Vers de circonstance‹ als Bibliotheksspruch die Strophe
prägt[37]:

---

[36] Rudolf Kaßner weist darauf hin, daß Rilke als erster Wörtlein wie
‚fast, allmählich, ein wenig, beinahe, manchmal' — man darf ‚sehr'
beifügen — in Werken von hoher Diktion verwendet hat. (R. M. Rilke,
Zum 20. Todestag. Schweizer Monatshefte, Dez. 1946.)

[37] Wir entnehmen das Beispiel den Untersuchungen F. Kaufmanns
(a. a. O.), der in der absoluten Poesie besonders den Doppelsinn behandelt.

> Ci-gît le noble vol humain
> Cendre ployée avec ces livres
> Pour que toute tu la délivres
> Il faut en prendre un dans ta main

so wird augenscheinlich, daß « livres » und « délivres » zusammen
einen Doppelsinn schaffen: die toten, staubigen *Bände* der Bibliothek enthalten nur die Asche des Dichters-Phönix, der zu neuem
Leben nur dann ersteht, wenn der Geist sie *entbindet* und befreit.
Der konkrete Wortsinn blickt auf zu einem höheren, löst sich
gleichsam in ihn. — „Sehnt es dich aber, so singe die Liebenden;
lange noch nicht unsterblich genug ist ihr berühmtes Gefühl", heißt
es in Rilkes erster Elegie. „Berühmt" braucht der Dichter hier
sicher auch im Sinne von « célèbre », doch für den mit seinen Gedichten Vertrauten mehr noch im Sinne von « célébré », denn das
Amt des Dichters ist das „Rühmen" („O sage, Dichter, was du
tust? — Ich rühme"). Beide Bedeutungen stützen einander; das
Allerweltswort „berühmt" bekommt neue Konturen in der Auf-
lockerung durch „berühmen", das an den Wortursprung erinnert.
— Oft übrigens ist der Doppelsinn nur ein scheinbarer, indem die
alte Bedeutung in der neuen dichterischen aufgeht. Niemals setzt
ja die Poesie eine Sache für die andere (Hofmannsthal schon erkannte es im ›Gespräch über Gedichte‹), sondern „das poetische
Bild oder auch das Wort will nur es selbst sein". Darum auch ist —
wie Valéry gezeigt — im Symbolismus die vergleichende Konjunk-
tion „wie" verschwunden und das Bild unmittelbar an die Stelle
des Gegenstandes getreten[38]: das Bild bedeutet nicht, | es ist, ist
die neugeschaffene visionäre Welt mit ihren eigenen Sternenkrei-
sen. Der dichterische Sinn verklärt den gemeinen Wortsinn, hebt
ihn ins Über-Sinnliche, gibt ihm geistigere Konturen. Wenn im
›Tod Mosis‹ (Rilke) der Herr selber, „mitreißend die Hälfte der
Himmel", herabdringt und den „Berg aufbettet", so ist der konkrete Sinn von „aufbetten" wunderbar ins Übersinnliche erhoben,
und die dichterische Wirkung entspringt dieser Verklärung: hinter

---

[38] Baudelaire schon merzt in späteren Varianten seiner ›Fleurs du
mal‹ das « comme » mehrmals aus. Belege bei: A. Guex, Aspects de
l'art baudelairien. Lausanne 1934, S. 132 f.

dem alltäglichen Wort und der alltäglichen Gebärde werden plötzlich die unendlichen Umrisse göttlicher Handlung sichtbar. Rilkes
Sprache, besonders seine Spätsprache, ist gesättigt von solch leisem,
nur untertönigem Doppelsinn, der, im Weltinnenraum erblühend,
stille Brücken schlägt von der einen zur andern Welt, die grenzen-
lose Einheit des Seins erweisend und nachschaffend.

Wenn die absolute Poesie unzweifelhaft einerseits einen Abschluß darstellt und in gewissem Sinn als die äußerste Verwirk-
lichungsstufe klassischer Tradition aufgefaßt werden kann, so ist
anderseits unverkennbar, daß in ihrer so besonderen Ausprägung
des lyrischen Elementes „neuer Anfang, Wink und Wandlung"
(›Sonette an Orpheus‹) vorgeht. Sie ist in Wahrheit der erste
vollendete dichterische Ausdruck des modernen *ästhetischen* Menschen, der, in gleichsam subjektiver Immanenz, aus der tragisch
empfundenen Ganzheit des Welterlebnisses heraus, das Universum
des Seins wie ein Kunstwerk aus eigenen Widersprüchen und Har-
monien auferbaut, um es so in ein neues, doch menschlich ange-
nähertes Unergründliches zu betten. In ihr erschien erstmals die
Poesie hüllenlos, in blendender Nacktheit: beseligend und „schrecklich". Als Abschluß mehr denn als Neubeginn wirkt sie dort, wo
der ideale Traum fast losgelöst vom fühlenden menschlichen Ich
des Dichters verfolgt wird, sei es als mehr statisches Bild (Mallarmé, George) oder in mehr dynamischem Bildschaffen (Rimbaud),
sei es als intuitive Schau des fast schon abstrakten Kräftespiels des
reinen Geistes, als Poesie der Poesie (Valéry). Ein Neubeginn
mehr als ein Abschluß — ihre Wirkung bestätigt es — ist sie dort,
wo der Dichter, aus reicherer, fordernderer, im höchsten Sinn
„einfältigerer" Menschlichkeit heraus, es dennoch wagt, die Quellen seines Gemütes leidend oder rühmend in das reine Sein zu er-
gießen, und wo auch das Werden, wäre es auch nur das metaphysische Werden der fortwährenden geistigen Verwandlung, in das
Sein einbezogen wird (Baudelaire, Hofmannsthal, Rilke). Künftige Zeiten (die unsere schon versucht es zu tun) werden aus neuen
Erfahrungen heraus die Gleichwertigkeit und das notwendige
Gleichgewicht der verschiedenen Tätigkeiten des Geistes wieder er-

kennen und die Kunst in die ihr gemäßen Schranken weisen —
womit auch neuen „Inhalten" der Weg geöffnet sein wird. In Abschluß und Neubeginn aber ist in der absoluten Poesie[39] wie nie
zuvor die Schöpfermacht des menschlichen Geistes bewußt gewor-
den. Ein|drücklicher, als es je geschehen, hat sie in ihren besten
Werken dargetan, daß die Kunst als hohes Menschenwerk unmit-
telbarer, darum drohender und tragischer auch (s. Rilkes Gedicht
›Imaginärer Lebenslauf‹) als andere Geisteskräfte an das Dauernde,
Göttliche rührt, an unsere tiefste Würde. Gesteigert gilt für sie
Valérys Wort (›La Pythie‹): « Honneur des Hommes, Saint
LANGAGE! »

[39] Noch einmal: in der *echten* Seinsdichtung; denn Aneigner — *hier*
die „Ästheten" — entdecken und befolgen in ihr auch immer nur das
äußerliche Gehaben: eine gewisse Art der Stilgebung, das vieldeutig
Anspielende, das Abrupte der Bildgestalt, ein gewisses Gefallen am
„Leeren", das scheinbare Spielen mit dem Absoluten und dem Nicht-
Sein; nicht ahnen aber können sie das „überlebensgroße Schweigen", die
Innenräume in den Worten begnadeter Seinsdichter, ihre herrliche Verdichtung, ihre heroische Tragik. Denn Seinsdichtung (wie echte Dichtung
immer) ist Schicksal, nicht Spiel, ist verantwortungsschwere Wirklichkeit,
nicht Attitüde, ist Erlebnis der Bezugstiefen, nicht Tändelei mit Nuancen.

Den unserer Untersuchung als Motto vorangestellten Vers « Ils vont par
l'infini faire des lieux nouveaux » hat Mallarmé in kein Gedicht ein-
gerückt. Er schreibt über ihn (Brief vom 2. Mai 1868, zit. von E. Noulet,
a. a. O., S. 124—5): « Un bien beau vers et qui fut toute ma vie depuis
que je suis mort », d. h. seit zwei Jahren, da er, das eigene Ich auf-
opfernd, das reine Absolute betrachtet.

Nach der Niederschrift des vorliegenden Aufsatzes (1944) erschien das
Buch von Julien Benda: ›La France byzantine ou le triomphe de la
littérature pure. Mallarmé, Gide, Valéry, Alain, Giraudoux, Suarès, les
Surréalistes. Essai d'une psychologie originelle du littérateur‹ (s. auch
vorn Anm. 17), in welchem der bekannte Verfasser der ›Trahison des
Clercs‹ einen scharfen Angriff gegen die französischen Vertreter der „reinen Literatur" (wir sagen „absolute Poesie"), besonders gegen Valéry richtet. Dabei kommt er — mit zahlreichen Belegen — auch auf einige der

von uns erwähnten Züge zu reden: die reine Literatur als gesonderte, unabhängige Geistestätigkeit, die weltanschauliche Unbestimmtheit, der
Durst nach dem Totalen — Gides «disponibilité» —, die Vorherrschaft der Form, der Hermetismus. Es handelt sich nach Benda um eine
zeitbedingte Erscheinung, der nicht ohne weiteres Größe und Dauer zu-
zuerkennen ist. Mit dem Verfasser wird man einig gehen, wenn er dar-
legt, daß das Übergreifen des ästhetischen Ideals auf das weltanschauliche
Gebiet, wie es leider nur zu oft, von Valéry besonders, geübt wird (auch
der Sartresche Existentialismus krankt an diesem Übel), nur zu einem
hochmütig hoffnungslosen Nihilismus führen kann. Was Benda merkwürdigerweise übersieht (als geschworener „Intellektualist" übersehen
will?), ist der tiefere Ursprung der absoluten Poesie oder reinen Literatur, wie auch die Tatsache, daß es sich dabei nicht nur um ein typisch
französisches, sondern um ein gesamteuropäisches Phänomen handelt und
daß dieses mit einem unbedingten Verinnerlichungswillen zusammen-
hängt, der nur dann zu beanstanden ist, wenn er zu eitler Spielerei aus-
artet oder wenn er das rein ästhetische Erlebnis philosophisch ausdeuten
und — mit sich selbst im Widerspruch — grundsätzlich festlegen will. |

ANTWORT*

Es ist nur zu begrüßen, daß das überaus komplexe Problem der
absoluten Poesie, in das mein Aufsatz vor allem vom Standpunkt
der Literaturgeschichte aus einige Erhellung zu bringen suchte, auch
von anderer Seite her beleuchtet wird, was zu förderlichen Er-
gänzungen und Berichtigungen führen kann. Mit Carl Augstein
gehe ich von vornherein in der Überzeugung einig, daß der Begriff „absolute Poesie" sehr Verschiedenartiges auf einen gemeinsamen Nenner bringt; ich war mir dessen so sehr bewußt, daß ich,
gerade um der Kennzeichnung jede Starrheit zu nehmen und um
nicht einer bequemen Etikette zuliebe individuell Mannigfaltigem
Gewalt anzutun, jedem der angeführten Dichter einen eigenen
Abschnitt widmete, der über das Gemeinsame hinaus das Verschiedene hervorhebt. Die Erkenntnis vom Primat des Individuellen, für jede kritische Deutung von grundlegender Wichtigkeit
(mit allzu weitmaschigen Begriffen und Klassifizierungen wird ge-

* DVjs 24 (1950), S. 146 f.

rade auch in der Literaturwissenschaft immer wieder Unheil ge-
stiftet), darf aber nicht daran hindern, in der europäischen geistesgeschichtlichen Entwicklung die Strömung zu sehen, die viele und
gerade auch Beste unter ihren Trägern berührte und befruchtete,
möge sie auch bei jedem ihre eigene Ausprägung erhalten. Was sich
anbahnte, verbreitete und dichterisch Ausdruck erlangte, war ein
neues *Lebensgefühl*, das aus weit zurückreichenden Wurzeln sich
allmählich klar ins Bewußtsein hob. Lange bevor die „existentielle" Betrachtungsweise auftauchte (ich habe das Wort denn auch
wissentlich nicht gebraucht und glaube, es sei richtiger, es aus die-
ser Diskussion aus|zuschalten), war das Bedürfnis nach tieferem Er-
fassen des *Seins* erwacht. Dahin drängte die Entwicklung in den
verschiedenen Geist- und Sprachräumen, mit unterschiedlicher Intensität wohl, doch feststellbar überall. Der Idealismus sogar, so
sehr er auch den ästhetischen Schein betonte, wirkte dabei mit,
denn er schenkte dem schöpferischen Akt vermehrte Bedeutung
und verstärkte und verfeinerte den Glauben an die Macht des
(Menschen-) Geistes. Wenn ich Nietzsche als Kronzeugen theore-
tischer Bewußtwerdung der neuen Situation heranzog, so deshalb,
weil bei ihm gewisse Postulate der neuen Kunstauffassung (ich
möchte beifügen, daß es nicht meine persönliche Auffassung ist,
wie ich es auch am Schlusse meines Aufsatzes durchblicken lasse; ich
bestrebte mich nur, zu sehen, „wie es eigentlich gewesen") zum
erstenmal in klarer Formulierung erschienen. Daß er dabei von
Grundlagen ausging, die etwa denen eines Rilke diametral entgegengesetzt sind, hätte im Aufsatz gesagt werden sollen (ich
weiß Carl Augstein denn auch Dank dafür, diese Berichtigung
vorzunehmen). Auch von Valéry trennt Rilke Bedeutsames; was
ihn bei diesem anzog, war zunächst wohl eine gewisse Gegensätzlichkeit der Einstellung, vor allem aber die kühne und herrische
Dichterhaltung Valérys, die dem auf die Elegien zuschweigenden
Rilke, der seine schöpferischen Kräfte wachsen fühlte, tiefen Eindruck machte. Carl Augstein hat sicher auch recht, vor der Gleichsetzung des Dionysischen mit der Seinsdichtung zu warnen; die
Begriffe decken sich keineswegs (wie einzelne Ausdrücke meines
Aufsatzes vermuten lassen können). Dionysische und apollinische
Elemente finden sich auch beim Seinsdichter, wie bei jedem wahren

Dichter überhaupt; ich habe das bei Baudelaire denn auch beson-
ders erwähnt. |

NACHTRAG 1964

Die vorliegende, vor zweiundzwanzig Jahren im Anschluß an ein Ril-
ke-Buch („Weltinnenraum. Die Dichtung R. M. Rilkes", 1943) verfaßte
Studie versuchte, einige Wurzelgänge moderner europäischer, insbesondere
deutscher und französischer Poesie aufzudecken. Sie scheint uns, im Ganzen gesehen, nicht unrichtige Akzente gesetzt zu haben. Nach allen
Seiten hin freilich ließen sich kritische Stollen weitertreiben oder neu
anlegen, und die Forschung hat denn auch seither etliches an ergänzenden
Erhellungen gewonnen. Wir würden heute vor allem die Bedeutung
Hölderlins noch stärker betonen. Ist Goethe der große Ältervater der
modernen europäischen Lyrik, so darf man Hölderlin ihren geheimen
— wenn auch nur zum Teil bewußten — Wegbereiter nennen. Das ge-
schärfte Ohr vernimmt in seiner Spätdichtung jenen Ton, den die beste
moderne Lyrik, in vielfältiger nationaler Abwandlung, doch in unver-
kennbarer Grundverwandtschaft, ein paar Jahrzehnte später, als die Zeit
erfüllt war, wie von selber fand. Wir meinen das ungeheuer nackte, von
unheimlichen Seinsgewichten beschwerte Wort. „Die Mauern stehn /
Sprachlos und kalt, im Winde / Klirren die Fahnen." In Hölderlins
Hymnen auch schon erscheint die Aufsplitterung des Gedichts in Bild-,
Wort- und Sinninseln, umgeben von Ozeanen des Ungesagten, wie man
sie bei der führenden modernen Dichtung findet, auch dort, wo diese
scheinbar in bildhaft Alltägliches, Prosaisches, sogar in rhythmisch und
klanglich Unmelodiöses hinuntersteigt. Hölderlins stammelndes Ahnen
übergroßer Zusammenhänge ist dabei längst zum wissentlichen Verfrem-
dungswillen, ja zur „Hieroglyphik" geworden, wie sie schon einem
Mallarmé vorschwebte. Wird daraus schließlich eine neue, *höhere* Künst-
ler-Einfalt hervorgehen? Geblieben ist der Bannfluch gegen die klein-
umgrenzten „dummen Gefühle" (Oskar Loerke) ichsüchtig selbstbeken-
nerischer Wehleidigkeit, die Rilke schon im Requiem für Wolf Graf von
Kalckreuth gebrandmarkt und im ›Malte‹ an berühmter Stelle als
dichterische Quelle verneint hatte. — Ob im übrigen meine Hauptkenn-
zeichnung „absoluter" Poesie: die Kunst als einzige metaphysische Tätigkeit des Menschen, die Erhebung des Seinsgefühls zum einzigen wirklichen „Inhalt", die Verabsolutierung der Form, nicht überhaupt für die
neuere Dichtung gültig ist und vielleicht noch auf lange hinaus gültig
sein wird?   Werner Günther

Trivium 6 (1948), S. 23–52. Wiederabgedruckt in: Ernst Howald, Das Wesen der lateinischen Dichtung.
Erlenbach-Zürich: Eugen Rentsch Verlag 1948 (S. 15–51).

DIE ABSOLUTE DICHTUNG IM 19. JAHRHUNDERT

Von Ernst Howald

Es zieht sich durch die Lyrik Europas seit der Mitte des letzten
Jahrhunderts eine schmale Generationenfolge, die einem eigentüm-
lichen Schaffen verpflichtet ist. Sie beginnt mit Baudelaire, geht
weiter zu Mallarmé und in die dritte Generation zu Valéry. Was
bei Baudelaire noch unrein ist, d. h. gemischt mit andern Elementen, die ihrerseits wieder ihre Wirkungen und Nachfolgen haben,
wird bei Mallarmé zum absolut Bestimmenden und Zentralen;
gleichzeitig ist es so eindeutig und unverwechselbar, so auffallend
und singulär, dabei von solch hoher Künstlerschaft erfüllt, daß es
über die Grenzen des französischen Sprachgebiets hinaus wirkt,
es seien nur Stefan George und D'Annunzio genannt. Einen
ersten Zweig ins fremdsprachige Ausland trieb diese seltsame Bewegung übrigens schon in der Nachfolge Baudelaires mit der Erscheinung Swinburnes. Neben dem Verbindenden, das in dieser
Filiation liegt, und das uns sogleich beschäftigen soll, ist natür-
lich jeder dieser Dichter in die zeitgenössischen, | in die für seine
Generation charakteristischen literarischen und kulturellen Kampf-
und Ausdrucksformen eingebettet, die für die damals Lebenden
fühlbarer waren als die uns interessierenden Bindungen, Baudelaire
in den Realismus, obwohl „es heute kaum eines Hinweises bedarf,
daß nicht die abschreckenden und widrigen Bilder, die den Meister
eine Zeit lang verlockten, ihm die große Verehrung des ganzen
jüngeren Geschlechts eingetragen haben" (Stefan George)[1], Mallarmé in die Parnassiens und den Symbolismus, ja in noch allge-
meinere überfranzösische Zeitformen, wie sie in England durch
den Präraffaelismus repräsentiert sind, Valéry in den frühen Expressionismus. Ich unterlasse es, die Generationenfolge über Valéry

---

[1] Gesamtausgabe XII/III S. 6.

hinaus in die nähere Gegenwart der französischen oder italienischen Literatur weiterzuführen, obgleich in der letztern Gegensätze
wie die der Calligrafi und der Contenutisti dazu verlocken könnten, da mir die dafür notwendigen Kenntnisse abgehen, und überhaupt die allzunahe Sicht nicht nur das Erkennen der Werte, sondern auch der Differenzen fast unmöglich macht. Wir wollen nur
auf die faszinierende ›Introduction à la Poésie française‹ von
Thierry Maulnier (Paris 1939) hinweisen, die eine Poetik rein vom
Standpunkt der absoluten Poesie aus darstellt und sachlich und
terminologisch völlig aus dem Schaffen Mallarmés und Valérys
herausgewachsen ist, wozu noch der Surréalismus sich gesellt, dessen Bedeutung daraus klar werden kann. Charakteristisch ist, daß
Maulnier, so gut wie früher schon Henri Brémond, nur vom um-
gekehrten Standpunkt aus, das Wort Poésie pure als eine sinnlose
Tautologie empfindet, was nichts anders bedeutet, als daß er sich
der Existenz einer anderen Poesie und einer andern Poetik nicht
bewußt ist, oder aber, wie richtiger gesagt werden muß, diese
beiden als minderwertig ablehnt.

Das Wesen und Programm dieser literarischen Diadochenfolge
wollen wir einmal mit dem Schlagwort: Absolute Poesie — auch
Valéry spricht in diesem Zusammenhang von poésie absolue[2] —
ausdrücken, unter ängstlicher Vermeidung des durch | eine indi-
rekt von Paul Valéry, direkt durch sehr temperamentvolle Vor-
träge Henri Brémonds ausgelöste literarische Fehde von 1925/26
kompromittierten Begriffs der Poésie pure, so ehrwürdig dieser
ist, spricht doch schon Mallarmé 1863 von der idée de poésie
pure[3]. Die mit diesem Stichwort bezeichnete Bewegung, deren
Wesen uns erst später beschäftigen soll, setzt aber nicht erst mit
Baudelaire ein; wir müssen sie noch um eine Generation zurückver-
folgen. Merkwürdigerweise ist der Vertreter dieser ältesten Generation nicht im französischen Sprachbereich zu suchen: es ist der
Amerikaner Edgar Allan Poe. Freilich ist es nicht in erster Linie

---

[2] Je disais quelquefois à St. Mallarmé, Variété III S. 16.
[3] Brief an Cazalis, H. Mondor, Vie de M., S. 105 (12. Jan. 1864);
ähnliche Formulierungen gibt es noch viele in den Briefen M.s in jenen
Jahren.

der Dichter Poe, der groteskerweise zu den Romantikern gerechnet
wird und offenbar auch gerechnet werden muß, ein Zeichen, wie
nichtssagend solche Zuordnungen sind — es ist nicht der Dichter
Poe, von dem sich die Vertreter der absoluten Dichtung herleiten,
sondern der Theoretiker. Die Abhängigkeit der Franzosen von Poe
beginnt mit dem Jahr 1846, in dem Baudelaire mit dessen Werk
bekannt wurde. Die Abhängigkeit speziell Baudelaires muß nicht
weiter belegt werden: die Übersetzung der ›Abenteuerlichen Ge-
schichten‹, sowie der theoretischen Schriften Poes würde allein
schon als Beweis genügen; es kommen aber zahlreiche direkte
Äußerungen Baudelaires dazu in seinen ›Conseils aux jeunes
littérateurs‹ und anderswo, die den Einfluß der Ideen Poes auf
den Theoretiker Baudelaire verraten. Die gleiche Beweiskraft hat
im Fall Mallarmés die Übersetzung von Poes Gedichten durch ihn.
Aber auch hier haben wir weitere Bestätigungen: Mallarmé stand
zeit seines Lebens auch zum Theoretiker Poe, wie er es 1864 vor-
ausgesagt: « plus j'irai, plus je serai fidèle à ces sévères idées,
que m'a léguées mon grand maître Edgar Poe[4] », wenn er ihn
auch später als unheimlich empfand und die Möglichkeit in Erwägung zog, die berühmte Entstehungsgeschichte des ›Raben‹
sei unhistorisch (« sans fondement anecdotique »)[5]. In seiner |
Frühzeit aber ahmt er Poes Analyse des ›Raben‹ mit der Analyse
sei unhistorisch (« sans fondement anecdotique »)[5]. In seiner |
einem herrlichen Sonett ›Le tombeau d'Edgar Poe‹. Und auch
Valéry urteilt nicht anders: 1891 schreibt er an Gide, er werde
sich nicht entziehen « à cet opium vertigineux et mathématique »:
Poe, und in seiner Einleitung zu Baudelaires ›Fleurs du Mal‹ läßt
er diesen durch die Begegnung mit Poe verwandelt und auf neue
Schicksalsbahn gebracht werden — durch Poe, den er nennt « le
démon de la lucidité, le génie de l'analyse et l'inventeur des
combinaisons les plus neuves et les plus séduisantes de la logique

---

[4] Brief an Cazalis, E. Noulet, L'œuvre poétique de St M., S. 65.
[5] In den Scolies zur Übersetzung der Poeschen Gedichte (zuerst
1888), vgl. Léon Lemonnier, L'influence de Poe sur M., Revue
mondiale 1929.
[6] Brief an Cazalis, E. Noulet o. c. S. 152.

avec l'imagination, de la mysticité avec le calcul, le psychologue de l'exception, l'ingénieur littéraire qui approfondit et utilise toutes les ressources de l'art »[7].

Mit dieser flüchtigen Feststellung des Abhängigkeits- und Pietätsverhältnisses der Dichter der absoluten Poesie von Poe ist aber das Problem erst angeschnitten: ein wichtiger und oft gehörter Einwand knüpft sich an diese Filiation. Da diese an und für sich nicht abgeleugnet werden kann, so soll sie nach der Meinung der Gegner einer eigengesetzlichen absoluten Poesie auf die bloße Theorie sich beschränken, eine Theorie, der gar keine schöpferische Wirklichkeit entspreche. Die geistreichen, der Normalvorstellung von poetischem Schaffen ins Gesicht schlagenden, z. T. als Bürgerschreck gemeinten Behauptungen des Amerikaners hätten zuerst den allem Extravaganten gegenüber aufgeschlossenen Baudelaire in ihren Bann gezogen, und infolge seines durchschlagenden Einflusses auf die folgende Generation hätte dann diese, was die beiden Archegeten in spielerischer Übertreibung aufgestellt, blind übernommen und teils in ihr Schaffen hineininterpretiert, teils geradezu ihrem Schaffen künstlich zugrunde gelegt. Dieser Einwand ist um so ernster zu nehmen, als ja tatsächlich in der Lehre Poes eine provozierende Überspitzung vorzuliegen scheint. Es ist auch weniger sein ›Poetic Principle‹, das nachgewirkt hat, als die verblüffende ›Philosophy of Composition‹, in der er zeigen will, daß „no one | point in its composition (nämlich des Gedichtes ›The Raven‹) is referrible either to accident or intuition, that the work proceeded, step by step, to its completion with the precision and rigid consequence of a mathematical problem"[8]. Wenn es auch mehr als zweifelhaft ist, daß Poe die in diesem Aufsatz geschilderte Entstehungsgeschichte seines ›Raben‹ später revoziert und als nachträgliche Konstruktion bezeichnet habe, so ist doch ganz sicher, daß er übertreibt, daß er, um den normalen Anschauungen zu widersprechen, ins gegenteilige Extrem verfällt: der Dichter wird bei ihm fast zu einer Karikatur, zum literary histrio. Für ihn ist diese seine Schrift — und das wiederholt sich nachher

[7] Abgedruckt Variété II S. 144.
[8] Tauchnitzausgabe S. 272.

bei Baudelaire — eine Phase im Kampf gegen die Romantiker und
ihre gefühlsschwangere Ästhetik, die, so verschieden sie sich auch
in den verschiedenen Kulturgebieten ausprägt, doch überall die
Spontaneität und Unmittelbarkeit des dichterischen Schöpfungsak-
tes in Praxis und Theorie verherrlichte und in ihm einen Ausdruck,
ja geradezu eine Abreaktion eines seelischen Zustandes sehen
wollte. Dies alles vielleicht zugegeben, so beweist dies doch höchstens, daß der Anschluß Baudelaires an Poe nicht als ein will-
kürlicher Akt gewertet werden darf, etwa mit dem Ziel, « de se
distinguer à tout prix d'un ensemble de grands poètes, exceptionnellement réunis par quelque hasard dans la même époque,
tous en pleine vigueur», wie Valéry meint[9], sondern eine elementare Reaktion gegen die Exzesse der Romantik, eine Reaktion, die
auch ohne Poe, ja auch ohne Baudelaire gekommen wäre.

Was die Notwendigkeit dieser Reaktion wie nichts anderes bezeugt, ist die Tatsache, daß außerhalb der Lyrik ein davon unabhängiger und doch ganz paralleler Vorgang sich abspielt, eine
gleiche Auflehnung gegen die zeitgenössische Ästhetik, im Werk
und der Theorie einer künstlerischen Persönlichkeit, die völlig
außerhalb der Poeschen Einflußsphäre steht und die doch bis auf
die Formulierungen mit den Nachfahren Poes übereinstimmt. Es
ist Flaubert, der Realist Flaubert, der durch seinen Realismus Auf-
sehen, Skandal und Wirkung | hatte, aber etwas ganz anderes
als Realismus wollte. « J'exècre le réalisme », schreibt er, allerdings viel später (1876), an George Sand[10]. Seine eigene von ihm
selbst geprägte Theorie des künstlerischen Schaffens geht in einer
ganz andern Richtung. Ihm ist es ausschließlich um „den Stil" zu
tun; guter Stil ist identisch mit klarem Denken: « La tâche de bien
penser pour bien écrire »[11], ist sein ganzes Bemühen, denn « la
précision de la pensée fait celle du mot »[12]. Erzfeind jeder Künstlerschaft aber ist das Hineinspielen „des Persönlichen", wie er es
nennt, in das Werk. « J'éprouve une répulsion invincible à mettre

[9] Variété II S. 145.
[10] An George Sand, Correspondance IV S. 256.
[11] An dieselbe, IV S. 247.
[12] An Mademoiselle Leroyer de Chantepie, III S. 162 (1857).

sur le papier quelque chose de mon cœur »[13], denn « la passion ne
fait pas les vers, et plus vous serez personnel, plus vous serez
faible »[14]. Der Gegenstand der Dichtung ist vollständig gleichgültig: «il n'y a ni beaux ni vilains sujets et ... on pourrait
presque établir comme axiome, en se posant au point de vue de
l'art pur — poésie pure sagt er ein andermal[15] — qu'il n'y en
a aucun, le style étant â lui tout seul une manière absolue de voir
les choses. »[16]

Dieser Exkurs über Flaubert scheint etwas zu überborden; der
Leser wird aber später erkennen, in wie erstaunlichem Maß dieser
Outsider den Vertretern der von Poe inspirierten absoluten Dichtung nahe steht. Von Inspiration will er nichts wissen, Arbeit, auf-
reibende, ja oft qualvolle Arbeit tritt an ihre Stelle. « Non, tout
mon bonheur n'est pas dans mon travail » — antwortet er auf
eine jener banalen Aussprüche über das Glück dichterischen Schaffens — « et je ne plane pas sur les ailes de l'inspiration. Mon
travail au contraire fait mon chagrin. »[17] So wiederholen sich
durch sein ganzes Leben hindurch die Verzweiflungsausbrüche über
die Mühsal des Schreibens, über das unerbittliche Suchen des rich-
tigen Wortes: « je suis souvent plusieurs heures à chercher un |
mot[18]; je passe ma vie à tâcher de faire des phrases harmonieuses
en évitant les assonances. »[19] Sein Ziel ist so unrealistisch wie nur
möglich: er sucht die Schönheit, diese soll, wie die Natur selber,
einen bestimmten Seelenzustand hervorbringen: sie soll « faire
rêver »[20].

Wenn wir diese bedeutsamen Bekenntnisse Flauberts hören, so
werden wir uns wohl klar darüber sein, daß Baudelaires genau
in den gleichen Jahren sich vollziehende Hinneigung zu Poes
Theorien keine Spielerei und kein Zufall ist, sondern der Polarität

---

[13] An George Sand, III S. 436 (1866).
[14] An Louise Colet, II S. 112 (1852).
[15] An dieselbe, II S. 348 (1853).
[16] An dieselbe, II S. 86 (1852).
[17] An dieselbe, II S. 363 (1853).
[18] An dieselbe, II S. 114 (1852).
[19] An George Sand, III S. 430 (1866).
[20] An Louise Colet, II S. 348 (1853).

künstlerischen Schaffens entspringt. Während aber diese Seite
Flauberts unverstanden blieb oder eigentlich gar nicht erkannt
wurde, gingen von Baudelaire jene Einflüsse aus, die zehn Jahre
nachher in den Briefen Mallarmés und seiner Freunde zum Programm der Poésie pure führen. Es sei mir dabei gestattet, um der
für unsere Betrachtung wichtigen Linienführung willen zu simpli-
fizieren und die zum mindesten äußerlich ähnlichen Programme
der Parnassiens beiseite zu lassen, in die, rein literarhistorisch, der
junge Mallarmé eingeordnet werden müßte. Auch sie gehören jener
polaren Reaktion an, von der wir oben sprachen, aber damit erschöpft sich zugleich ihre Bedeutung, während in Mallarmé, kom-
promißloser und reiner als in Baudelaire, etwa Zeitloses und Un-
bedingtes zutage tritt, eben die absolute Dichtung.

Diese Feststellung zwingt uns jetzt dazu, dem grundlegenden
Problem der Poetik nicht mehr aus dem Weg zu gehen: Was
ist absolute Dichtung? Gibt es überhaupt etwas, was den Namen
absolute Dichtung zu tragen berechtigt ist? Die Beantwortung dieser Fragen ist so schwierig, daß man am liebsten der Versuchung
erläge, ihnen überhaupt auszuweichen, und an Stelle der Dia-
gnose des zentralen Problems sich mit der Aufzählung der äußer-
lichen Symptome zu begnügen. Man könnte mit Sicherheit darauf
vertrauen, daß die imponierende Reihe dieser Symptome, wie wir
sie unten aufstellen werden, allein schon im Stande wäre, von
der Not|wendigkeit zu überzeugen, als ihre gemeinsame Ursache
eine abwegige poetische Zielsetzung anzunehmen, die wir anormal
nennen können, wenn wir den Mut dazu haben, die neuzeitliche
Poetik als Norm zu betrachten. So leicht werden sich aber die
Leugner einer absoluten Poesie, die in jenem Streit von 1925/26
mit viel guter Laune und bösartigem Witz ihren Standpunkt wahr-
ten, nicht geschlagen geben. Sie werden die Aufmerksamkeit darauf lenken, daß viele dieser Symptome und vielleicht gerade die
eindrücklichsten nicht dem Geschaffenen gelten, sondern dem
Schaffens*prozeß*. Triumphierend werden sie feststellen, daß bei
diesen „absoluten Dichtern" wohl der in der Zeit sich abspielende
Schaffensvorgang in gemeinsamer Weise vom normalen abweichen
könne, daß aber das fertige Produkt davon nichts mehr verrate
und nicht im geringsten von einem normal entstandenen sich unter-

scheide. Diese Behauptung kann aber schon darum nicht richtig
sein, weil unter den Symptomen auch solche sind, die nicht die Art
und Weise der Entstehung berühren, sondern das fertige Kunstwerk selber, Eigentümlichkeiten, die allerdings weniger in die
Augen fallen. Wohl aber muß denen, die von der Existenz einer
absoluten Dichtung nichts wissen wollen, zugestanden werden, daß
absolute Poesie und normale Poesie nicht sich völlig ausschließende
Gegensätze sind. Alle diejenigen Dinge, die Ziel der absoluten
Poesie sind, wie Musikalität, Kultur des Wortes, der Wortgruppe,
der syntaktischen Bindung, Furcht vor sprachlicher Lässigkeit und
Banalität spielen in jeder dichterischen Schöpfung eine Rolle, ja
eine bedeutende und nicht zu entbehrende Rolle, sie sind kons-
titutive Elemente jeder Dichtung. Das Un- und Außergewöhnliche
aber an den absoluten Dichtungen ist die einseitige Betonung dieser Elemente und die Leugnung und tatsächliche Verdrängung aller
andern Funktionen der Poesie, wie z. B. der Schilderung und
Erzählung, der Mitteilung unserer Gefühls- und Seelenzustände,
also der Konfession und damit der Abreaktion seelischer Leiden
und Freuden. Absolute Dichtung unterscheidet sich demnach von
der normalen durch eine Gewichtsverlagerung der konstitutiven
Elemente, ja wir können ruhig von einer Einseitigkeit sprechen,
wenn wir uns nur hüten, damit | ein Werturteil aussprechen zu
wollen. Eine Einseitigkeit auf alle Fälle vom Standpunkt der neu-
zeitlichen Poetik aus gesehen.

Es wird uns später noch die Frage beschäftigen, wie weit der
Herrschaftsbereich unserer Poetik geht, wie weit sie Anspruch auf
Allgemeingültigkeit erheben kann, so daß eine Abweichung, wie
die der absoluten Poesie, nur ein Ausnahmefall, fast eine patholo-
gische Erscheinung wäre, oder ob sie nicht vielleicht nur als eine
Zeit- und Lokalerscheinung (wobei allerdings der ganze neuzeitliche abendländische Kulturbereich ihr angehörte) zu werten wäre.
Das wird uns gleichzeitig zur Nachforschung darnach verpflichten,
ob nicht etwa noch andere Perioden oder wenigstens Erscheinungen der Weltliteratur bewußt oder stillschweigend dem gleichen,
uns einseitig und abwegig erscheinenden, Ideal der absoluten Poesie
verpflichtet seien. Da ihr Programm für seine Vertreter im 19.
Jahrhundert eine Kampfposition war, so muß es uns nicht wun-

dern, wenn auch die Reaktion darauf heftig und ungerecht war
und wenn an und für sich sachliche Bezeichnungen wie das harm-
lose Wort Poésie pure oder wie Artismus zu Schimpfworten wurden, ganz zu schweigen von a priori unfreundlichen Bezeichnungen wie Hermetismus oder von Vergleichen mit wirklich entweder
krankhaften oder geschmacklosen Produkten wie mit der ›Alexan-
dra‹ des Pseudolykophron, die Anatole France und andere aus
Bösartigkeit, Parteigänger der Poésie pure aus Torheit und Un-
wissenheit aufbrachten[21].

Wir aber wollen nach diesem Exkurs ins Prinzipielle wieder
zum Greifbaren und Aufzeigbaren zurückkehren, zu den Symptomen der absoluten Dichtung, und zwar untersuchen wir sie
in einer Reihenfolge, die vom Auffallendsten, nämlich der
Theorie und dem Schaffensprozeß, Dingen, über die wir rational
gefaßte und ebenso faßbare Mitteilungen besitzen, in die Nähe
der dichterischen Substanz vordringt.

1. Das erste Charakteristikum ist die Ablehnung des irratio-
nalen Elementes im poetischen Schaffen, der Intuition | und In-
spiration. Es ist selbstverständlich, daß Poe, für den ein Gedicht
eine mathematische Aufgabe bedeutet, es der Eitelkeit der Dichter
zuschreibt, wenn sie ästhetische Intuition, d. h. eine Art von "fine
frenzy", erlebt zu haben behaupten. Ebenso wehrt sich Baudelaire
gegen das „Außersichsein" des Dichters. Wenn er den Begriff der
Inspiration selber nicht preis gibt, so hat er ihm doch jeden eksta-
tischen Charakter genommen: er bedeutet ihm einfach das dichterische Schaffen an und für sich. Dieses mag wohl nach seiner Meinung Höhepunkte haben, aber diese sind bloß, wie sich Rivière[22]
ausdrückt, die Momente der Befreiung der dichterischen Fähigkeit
in der Arbeit. Dies vorausgesetzt, werden wir den Satz von Baudelaires ›Conseils aux jeunes littérateurs‹ richtig verstehen, der lautet: « L'orgie n'est plus la sœur de l'inspiration, nous avons cassé
cette parenté adultère ... l'inspiration est décidément la sœur

[21] Über Anatole France s. Mondor S. 490; übelwollend auch
Alphonse Retté in seinem Artikel gegen Mallarmé 1896 (s. Mondor
S. 729); wohlwollend Calixte Rachet in seinem Buch ›A l'Ecart‹
(1889).
[22] Etudes ⁶1924, S. 16.

du travail journalier. Ces deux contraires ne s'excluent pas plus que tous les contraires qui constituent la nature. » Es ist im menschlichen Geist etwas enthalten, so fährt er fort, was an die Himmelsmechanik erinnert. Wir werden diesem Vergleich oder dieser Identifizierung der kosmischen und der dichterischen Organisation noch später begegnen. Bei Mallarmé wird dann aber, wie zu erwarten steht, die Formulierung noch deutlicher, deckt sich freilich in seinen Anfängen oft mit den allgemeinen Formulierungen der Parnassiens. So wenn der Zwanzigjährige (1862) an seinen Freund Cazalis schreibt[23]: « Je ne veux pas faire cela d'inspiration, la turbulence du lyrisme serait indigne de cette chaste apparition que tu aimes. Il faut méditer longtemps. » Aber auch lange nachher, zur Zeit, wo der Parnaß längstens ausgespielt hat, bleibt diese Abneigung gegen das Irrationale bestehen, wenn auch die Formulierung weniger brüsk wird. Jetzt fällt die Inspiration mit dem Zufall (le hasard) zusammen: die Würde des dichterischen Schaffens verbietet es uns, daraus ein Spiel des Zufalls zu machen[24]. Der Ausspruch Remy de Gour|monts ist nicht übertrieben: « Mallarmé a fini par tuer volontairement en lui la spontanéité de l'être impressionable[25]. » Den extremsten Ausdruck findet aber die gleiche Tendenz bei Valéry, und zwar schon vor seiner Bekanntschaft mit Mallarmé. Er erzählt in seiner ›Lettre sur Mallarmé‹[26], daß er kurz vor dieser den Wunsch niedergeschrieben habe: « si je devais écrire, j'aimerais infiniment mieux écrire en toute conscience et dans une entière lucidité quelque chose de faible, que d'enfanter à la faveur d'une transe et hors de moi-même un chef-d'œuvre d'entre les plus beaux. » Der Schöpfungsakt scheint ihm, um seiner Nachwirkung auf den Dichter willen, wichtiger als das Werk: « l'art et la peine nous augmentent; mais la Muse et la Chance ne nous font que prendre et quitter. » In dieser Stimmung mußte ihm das Schaffen Mallarmés erscheinen als « la tentative la plus audacieuse et la plus suivie qui ait jamais été faite

[23] Mondor S. 54.
[24] Mondor S. 200.
[25] J. Charpentier, Le Symbolisme, Paris 1927, S. 48.
[26] Variété II S. 226.

pour surmonter ce que je nommerai intuition naive en littérature.
C'était rompre avec la plupart des mortels[27].» In Valérys
Augen ist das Genie Urteilskraft[28].

2. Was nun an Stelle der ausgeschalteten irrationalen Intuition
tritt, sind nach Poe Tugenden wie Geduld, gespannte Aufmerk-
samkeit, Fähigkeit zur Konzentration, Selbstbeherrschung, Verachtung gegen alle Vorurteile und in allererster Linie Energie und
Arbeit[29]. Von dieser reichen Tugendenskala rückt dann von
Baudelaire an der Begriff der Arbeit völlig ins Zentrum. Den
Ausspruch Baudelaires, in dem er die tägliche Arbeit dem orgiasti-
schen Schaffen gegenüberstellt, haben wir schon oben angeführt.
So kann Banville in seiner Leichenrede auf Baudelaire ihn einen
Verächter « de toute la friperie poétique » nennen und dann fort-
fahren: « il ne croyait qu'au travail patient ». Und Mallarmé
rühmt an Baudelaire, daß er den « effort quotidien » gebracht habe
« envers les antithèses verbeuses, les descriptions, les lourdeurs, les
enchantements de la démonstration, les enroulements ora|toires[30] ».
Auch Mallarmés eigene programmatische Äußerungen gehen in der
gleichen Richtung, und zwar zeit seines Lebens, mögen sie auch
am Anfang weniger persönlich, d. h. baudelairischer oder par-
nassischer tönen. Wie er an der ›Hérodiade‹ arbeitet, weiß er,
daß er noch drei bis vier Jahre zu ihrer Vollendung brauchen wird;
dann wird er aber auch geschaffen haben, was er als ein Poes
würdiges Werk sich erträumt hat[31]. Daß ein Werk vom (geplan-
ten) Umfang der ›Hérodiade‹ solchen Zeitaufwandes bedarf,
wird uns nicht wundern, wenn wir zwei Jahre früher[32] von ihm
über die Arbeit an einem Gedicht hören: « Il n'y a pas un mot,
qui ne m'ait coûté plusieurs heures de recherche. » Ganz gleich
äußert er sich aber auch noch 1887, seine Werke seien entstanden, « à travers de longues trèves ou des ans d'étude et point

[27] Stéphane Mallarmé, Variété II S. 187.
[28] Analecta S. 25.
[29] Marginalia XVI S. 67.
[30] Mondor S. 250.
[31] An Cazalis, Mondor S. 192 (1866).
[32] An denselben, Mondor S. 104 (1864).

dès l'éclair révélateur[33] ». In Briefen und in Versen beruft er sich
auf das Zeugnis seiner Studierlampe:

> Et ma lampe qui sait pourtant mon agonie

(›Las de l'amer repos‹, Vers 14). Von Valéry aber möge die
eine Tatsache genügen, daß er ›La jeune Parque‹ in viereinhalb
Jahren mehr als hundertmal umgeschrieben hat[34].

3. Das Wesentliche an dieser Arbeit ist aber nicht ihre Dauer,
es ist ihre Intensität und ihre Härte; sie wird als eine grausame
Fron empfunden, als ein Martyrium, über das man in den Formeln der religiösen Tradition sprechen kann. Es ist eine vision
horrible d'une œuvre pure, die einen fast um den Verstand
bringt[35]. Gefährlich sind les purs glaciers de l'esthétique[36]. Mit
dreiundzwanzig Jahren fühlt sich Mallarmé bereits als Greis, als
erledigt[37]. Es ist verzerrter Humor, wenn | er von der ›Héro-
diade‹ als «le cher supplice d'Hérodiade» spricht[38].

Der Eindruck drängt sich einem auf, daß es der Dichter der absoluten Poesie viel schwerer hat als der gewöhnliche. Er kämpft
einen hoffnungslosen Kampf, denn sein Ziel kann er nie erreichen. Anstatt das Ziel der Schönheit zu erreichen, stößt er, wie
Mallarmé in seiner Sprache sich ausdrückt, immer wieder auf das
Nichts, immer wieder gerät er in das Lügendichten hinein. Lügendichten: außer der Schönheit, die nur durch Dichtung geschaffen
werden kann — tout le reste est mensonge[39]. Diese Hoffnungslosigkeit legt sich in verschiedenen Formen der Verzweiflung und
der Unlust auf das Leben des Dichters, als guignon, als ennui, vor
allem aber als impuissance. Gegenüber dem, was man erträumt,
ist das Erreichte nur wie eine Blasphemie. « Aux yeux de ces
amateurs d'inquiétude et de perfection un ouvrage n'est jamais

---

[33] Mondor S. 548.
[34] Valéry Larbaud, Paul Valéry, Paris 1931, S. 39.
[35] Mallarmé an Coppée, Mondor S. 257.
[36] Brief an Cazalis, Noulet S. 122 (1867).
[37] Mondor S. 125.
[38] Mondor S. 193.
[39] In einem Brief von 1867, Noulet S. 122.

achevé — mot qui pour eux n'a aucun sens — mais abandonné »
(Valéry).[40] Die « Impuissance » habe Baudelaires Genius erwürgt,
soll Mallarmé einmal geäußert haben.[41] So kann man sagen, daß
die absolute Dichtung geradezu die Dichtung der « Impuissance »
ist. « Muse moderne de l'Impuissance », schreibt Mallarmé in
einem frühen Aufsatz[42], « qui m'interdis depuis longtemps le
trésor familier des rythmes et me condamnes ... à ne faire plus
que lire jusqu'au jour, où tu m'auras enveloppé dans ton
irrémédiable filet d'ennui, et tout sera fini alors. »

> Le poète impuissant qui maudit son génie
> A travers un désert stérile de douleurs,

heißt es in ›L'Azur‹, und in ›Les Fleurs‹:

> Au poète ennuyé que l'impuissance ronge.

Ein entscheidender Wesenszug der « Impuissance » ist es, daß
sie den Dichter in die banalen Wege der normalen Poesie | drän-
gen will. « Il fallait, pour conquérir un moment de lucidité parfaite, terrasser ma navrante impuissance. Il (nämlich das Gedicht
›L'Azur‹) m'a donné beaucoup de mal, parce que bannissant
mille gracieusetés lyriques et beaux vers qui hantaient incessam-
ment ma cervelle, j'ai voulu rester implacablement dans mon
sujet[43]. » Der Vertreter der absoluten Forderung an den Dichter treibt, ein zweiter Erzengel Michael, in fahlem Panzer, wie
es in einer älteren Fassung von ›Le Guignon‹ heißt, die Dichter-
linge vor sich her.

> Ils tettent la douleur comme ils tétaient le rêve
> Et quand ils vont rythmant des pleurs voluptueux
> Le peuple s'agenouille et leur mère se lève.

[40] Au sujet du cimetière marin, Variété III S. 60.
[41] Kurt Wais, Mallarmé, München 1938, S. 38.
[42] Mondor S. 126.
[43] Mondor S. 104.

(›Le Guignon‹, Vers 16 ff.). Wahrscheinlich spricht auch noch das rätselreiche Gedicht der Spätzeit ›Un coup de dés jamais n'abolira le hasard‹ von dieser Gefahr des schöpferischen Menschen.

Die Folgen dieser unsagbaren Schwierigkeiten, die sich dem absoluten Dichter ständig in den Weg stellen, sind mehrere. Die selbstverständlichste ist die quantitative Kleinheit seines Werkes. Daraus resultiert der Vorwurf der Unfruchtbarkeit, der weder Poe noch Mallarmé noch Valéry erspart blieb, was den Letztgenannten zu folgender Auslassung bringt[44]: « La plupart des choses qui s'impriment sont si naivement fragiles, si arbitraires et filles d'un monologue si personnel; la plupart sont si aisées à inventer par quiconque, si faciles à transformer, à retourner, à nier et même à rendre moins vaines, et l'on imprime tant, qu'il est incroyable que l'on fasse à quelqu'un le reproche de ne pas ajouter assez à l'amas immense des livres parce qu'il prend le temps de réduire les siens à leur essence. Mais ce qu'il y a de plus remarquable, c'est que le blâme ne vient point des amateurs de cette œuvre restreinte dont on comprendrait qu'ils se plaignent qu'on leur mesure leur plaisir; mais, au contraire, ce sont les autres, et qui s'indignent qu'elle existe, et de plus, qu'on leur en donne trop peu. » |

Eine weitere Folge der unerfüllbaren Anforderungen der absoluten Poesie ist ein periodischer oder zum mindesten temporärer Verzicht auf dichterische Tätigkeit, erzwungen durch die Erkenntnis, daß eine Fortsetzung des übermenschlichen Kampfes zu einer Katastrophe führen müßte, zu einem körperlichen oder geistigen Zusammenbruch, wozu die ständigen Zweifel mitbeitragen, ob man sich nicht auf einem Irrwege befinde (Mallarmés Ausruf: « Mon art est une impasse! »[45]) oder ob man nicht eine Gefahr für die Literatur bedeute (« cette pensée atroce et fort dangereuse pour les Lettres », nennt Valéry das Programm der absoluten Dichtung[46]). Ich bin davon überzeugt, daß die langen Pausen im dich-

---

[44] Lettre sur Mallarmé, Variété II S. 229.
[45] Charpentier, Le Symbolisme S. 61.
[46] Variété II S. 228.

terischen Schaffen sowohl Mallarmés als Valérys, die so großes
Erstaunen hervorgerufen haben und noch hervorrufen, nur so erklärt werden können.

Zum dritten stellt sich aber die Erscheinung ein, daß diese Hingabe an eine fast nicht zu bewältigende Aufgabe, dieser strenge
Dienst, als eine hohe sittliche Pflichterfüllung gewertet wird. Eine
solche Auswertung der absoluten Dichtung stellt sich begreiflicherweise erst nach und nach ein mit zunehmender Integration der in
ihr liegenden Idee. In Mallarmé erreicht sie ihren eindeutigsten
Ausdruck. Seine trotz aller Eigenwilligkeit völlig unprätentiöse
Persönlichkeit verkörperte die Reinheit einer selbstlosen Dienst-
leistung so vollkommen, daß ihm von seiner Umgebung eine geradezu religiöse Verehrung entgegengebracht wurde. « Quels effets
intellectuels nous faisait en ce temps la révélation des moindres
écrits de Mallarmé, et quels effets moraux! ... Il y avait quelque
chose de religieux dans l'air de cette époque, où certains se
formaient en soi-même une adoration et un culte de ce qu'ils
trouvaient si beau qu'il fallait bien le nommer surhumain[47]. » So
wird man sich nicht mehr wundern, wenn Valéry das Unternehmen Mallarmés neben die Ethik Kants stellt und dabei erst noch
zu verstehen gibt, daß er den kategorischen Imperativ für ein viel
naiveres Unterfangen an|sehe als die Postulate Mallarmés[48]. Vor
allem sind es die Verzichte (« la quantité des solutions que l'on
rejette »), die die Funktion eines ethischen Kriteriums haben. « C'est
en ce point que la littérature rejoint le domaine de l'éthique[49]. »

4. Eine selbstverständliche Konsequenz des Gesagten ist die Ex-
klusivität oder Esoterik dieser Kunst. Der Kreis Stefan Georges
ist nur eine etwas theatralische Weiterführung des spontan entstandenen Kreises um Mallarmé. Es sind wenige, die den hohen
Anforderungen, die die absolute Dichtung nicht nur an den Schaffenden, sondern auch an den Empfangenden stellt, es sind nur
Auserwählte, die diesen Genüge tun können. Das Werk Mallarmés,

---

[47] Valéry, Lettre sur Mallarmé, Variété II S. 220.
[48] Le coup de dés, Variété II S. 198.
[49] Lettre sur Mallarmé, Variété II S. 229.

schreibt Valéry[50], « exigeait du lecteur un travail souvent sensible
de l'intellect et une reprise attentive du texte: exigence
dangereuse, presque toujours mortelle ». Sein Zauber habe sich nur
auf die kleine Zahl erstreckt, und diese kleine Zahl habe noch dazu nichts weiter begehrt, als kleine Zahl zu sein[51]. Schon der
junge Mallarmé erklärte in einer Art Manifest vom Jahr 1862, es
nicht zu verstehen, daß ein Dichter, Anbeter des Schönen, das der
Masse unzugänglich bleibe, sich nicht mit dem Beifall des Sanhe-
drins — womit er natürlich die Berufensten bezeichnet — der
Kunst zufrieden gebe[52]. Die Uneingeweihten müßten ferngehal-
ten werden. « Que les masses lisent la morale, mais de grâce ne
leur donnez pas votre poésie à gâter. » Es wird geradezu als eine
Entweihung empfunden, daß die Sprache in die Hand aller gegeben ist; die Poesie hat es mit einer besudelten Materie zu tun.
Sie entbehrt des Schutzes eines Mysteriums, wie es jede geheiligte
Sache, die geheiligt bleiben soll, haben muß. Die Missalien und
Hieroglyphen, so orakelt Mallarmé damals, waren einst ein solcher Schutz. Daraus erwächst das Bestreben, das wir im Moment
nur vom soziologischen Standpunkt aus ansehen wollen, |

> Donner un sens plus pur aux mots de la tribu,

wie Mallarmé in dem herrlichen Sonett an Poe sich ausdrückt.
Trotz dieser esoterischen Töne dürfen wir aber das Sektiererische
dieses Kreises nicht überschätzen: erst im Stefan George-Kreis
nimmt es organisierte Form an. Vorher war es mehr Traum und
Wunsch, es sind mehr die Sprachformen der religiösen Konventi-
kelbildung als ihre Realität.

5. Die Voraussetzungen zu einer Sektenbildung waren schon
darum im Grunde nicht gegeben, weil eine eigentliche Lehre gar
nicht vorhanden sein konnte. Es handelte sich ja nur um eine
bestimmte Verhaltungsweise zur Form, ein Ernstnehmen der Sprache und des Wortes, gänzlich losgelöst von einem Inhalt. Selbst

---

[50] Je disais quelquefois à M., Variété III S. 10.
[51] Ebenda S. 12.
[52] Noulet S. 40.

Stefan George, dessen Kreis diese Grenze nicht selten überschrei-
tet, erklärt mit einer fast pedantisch anmutenden Deutlichkeit:
„In der Dichtung ist jeder, der noch von der Sucht ergriffen ist,
etwas zu ‚sagen‘, etwas ‚wirken‘ zu wollen, nicht einmal wert,
in den Vorhof der Kunst einzutreten[53].“ Schon Poes Poetik
schließt Didaktik und Leidenschaft von der Poesie aus; ihr Ziel
sei pure elevation of soul, während die Wahrheit, als Ziel sach-
lich-inhaltlicher Mitteilung, die satisfaction of intellect, die Leidenschaft excitement of the heart bezweckt[54]. In konsequenter
Weiterführung dieser Gedanken lehnt die absolute Dichtung einerseits die Erzählung und Schilderung und andererseits die Konfession und damit die Übermittlung eines leidenschaftlichen Zustandes auf den Leser ab. Begreiflicherweise ist es besonders die letztere, gegen die sie sich in der Kampfposition ihrer Anfangszeiten
wendet, da die leidenschaftliche Konfession das eigentliche Thema
der romantischen Dichtung war; diese Abneigung bleibt ihr aber
zueigen, schreibt doch noch Valéry an Gide (1892), daß die sen-
timentalité und die pornographie sœurs jumelles seien[55]. Bei Mallarmé wird der Bekenntnisdichter, s'enivrant du bonheur de voir
couler son sang, vom Erzengel im Gedicht ›Guignon‹ gezüchtigt.
Ja, in den Augen Mallarmés ist die ganze abend|ländische Poesie
auf Irrwegen depuis la grande déviation homérique. Natürlich ist
in dieser kühnen Behauptung eine Dosis Scherz enthalten, die dadurch ihre Bestätigung empfängt, daß Mallarmé auf die den
Scherz weiterspinnende Frage des Gesprächspartners, wer denn
vor Homer gewesen sei, nach einigem Zögern antwortet: Orpheus[56]. Aber gleich hinter dem Scherz birgt sich der Ernst; auf
alle Fälle sind für den absoluten Dichter die Ziele der ganzen klassischen Poesie, deren Übertreibung die Romantik ja bloß war, völlig falsch. Valéry formuliert die Ablehnung so: « Point d'éloquence, point de récits, point de maximes profonds, point de re-
cours direct aux passions communes, nul abandon aux formes fa-

---

[53] Gesamtausgabe XVII S. 85.
[54] Tauchnitzausgabe S. 274 f.
[55] Gide, Incidences S. 205.
[56] Mondor S. 683.

milières, rien de ce trop humain qui avilit tant de poèmes ... »[57].
« Parler n'a trait à la réalité », drückt sich Mallarmé aus[58].
Inhaltlosigkeit, d. h. Unwesentlichkeit des Inhalts für den Künstler im Gegensatz zum Bedürfnis der Mitteilung oder des Bekennt-
nisses beim normalen Dichter ist wichtigstes Charakteristikum absoluter Poesie. « Ce n'est pas avec des idées qu'on fait des vers,
mais des mots », sagt Mallarmé zu Degas[59]. Der Inhalt, den be-
dauerlicherweise die Wörter schließlich doch widerspiegeln, ist nur
Außenseite, die mit dem Wesentlichen, dem Mysterium, nichts zu
tun hat: « tout écrit, extérieurement à son trésor, doit, par égard
envers ceux dont il emprunte, après tout, pour un objet autre, le
langage, présenter, avec les mots, un sens même indifférent: on
gagne de détourner l'oisif, charmé que rien ne l' y concerne, à
première vue » (Mallarmé in seinem Aufsatz ›Le mystère dans
les lettres‹)[60]. Damit ist natürlich auch das Urteil über alle Interpretationen von Werken absoluter Poesie gesprochen, zugleich aber
auch zugegeben, daß diametral entgegengesetzte Interpretationen
nebeneinander bestehen können.

Aber auch dann, wenn der Inhalt völlig eindeutig, völlig klar
zu sein scheint, so ist er doch irrelevant; er ist eine Art Übungsge-
rät; und die Gedichte sind « études en vue de mieux | comme on
essaie les becs de sa plume avant de se mettre à l'œuvre ». So drückt
Valéry sich aus[61], wie er überhaupt am radikalsten und konsequentesten zu diesen Fragen Stellung bezieht. In einer autobio-
graphischen Darstellung seines eigenen Schaffens erklärt er, daß er
durch die Beobachtung Mallarmés dazu gebracht worden sei, « à
ne plus accorder qu'une valeur de pur exercice à l'acte d'écrire »[62]. In der Widmung an Gide nennt er das Gedicht ›La jeune
Parque‹ « cet exercice ». Dies führt er in einem Brief an Fontai-
nes[63] noch weiter aus: ›La jeune Parque‹ sei für eine rein for-

[57] Je disais quelquefois à M., Variété III S. 14.
[58] Charpentier, Le Symbolisme.
[59] Franz Rauhut, Paul Valéry, München 1930, S. 162.
[60] Divagations, Editions d'Art Skira, S. 251.
[61] Rauhut S. 162.
[62] Lettre sur M., Variété II S. 233.
[63] Revue de France 1927, S. 342.

male Aufgabe gewesen, ihr Inhalt sei gänzlich belanglos. Genau gleich
lauten seine Angaben über den ›Cimetière marin‹: « il ne fut d'
abord qu'une figure rythmique vide ou remplie de syllabes vaines
qui me vient obséder quelque temps »[64]. Es liegt aber im Wesen der
Übung, daß kein Ende abzusehen ist. So war das Dichten zehn
Jahre lang für Valéry « un exercice plutôt qu'une action, une recherche plutôt qu'une délivrance, une manœuvre de moi-même
par moi-même plutôt qu'une préparation visant le public »[65].

Es ist darum verständlich, wenn die absoluten Dichter manchmal
das Gefühl haben, nur *ein* Werk, immer das gleiche Werk —
L'œuvre, le Livre — zu schreiben. « Au fond il n'y a qu'un livre,
tenté à son insu par quiconque a écrit, même les Génies. » Wenn
Mallarmé dann aber als Thema dieses *einen* Werkes die « explication orphique de la terre » nennt[66], so ahnen wir, daß die oben zitierte Antwort Orpheus vielleicht doch nicht nur Scherz war, gleichzeitig ahnen wir aber noch Mysterien, von denen wir später zu
sprechen haben. Einstweilen interessiert uns bloß die Vorstellung
von dem einen Werk, von dem das, was an die Öffentlichkeit
dringt, nur Momentanabzüge, „Zustände" sind, wie beim Werk des
Graphikers. So arbeitet Mallarmé auch nach einer Publikation
seine Gedichte immer wieder um, Valéry aber | veröffentlicht gar
gleichzeitig mehrere Fassungen des gleichen Gedichtes. Man hat das
Gefühl, daß aus dem Œuvre sich hie und da ein Einzelnes loslöst,
wie eine reife Frucht. Mallarmé empfindet das selber so, wie er
einmal (1866) an Aubanel schreibt, und er fährt fort: « tu vois
que j'imite la loi naturelle »[67].

Weil für den absoluten Dichter der Inhalt gleichgültig ist, so
kennt er keine Bedenken, seine Verse in den Dienst jeglicher, auch
der alltäglichsten Aufgabe zu stellen. Das Mysterium dieser Poesie,
die Reinheit des Wortes bleibt auf alle Fälle unangetastet. Ohne
erröten zu müssen, kann sie sich für alles zur Verfügung stellen,
sie ist die geborene Gelegenheitspoesie, das Wort im banalen Sinn

---

[64] Au sujet du cimetière marin, Variété II, S. 48.
[65] Ebenda S. 60.
[66] Autobiographischer Brief an Verlaine, Mondor S. 302.
[67] Mondor S. 212.

genommen. Wenn Goethe in Dichtung und Wahrheit sagt, daß
jedes echte lyrische Gedicht ein Gelegenheitsgedicht sei, so meint
er freilich gerade das Gegenteil von dem eben Gesagten, aber sein
Ausspruch spielt mit dem Wort Gelegenheit. Goethe will damit
die Einmaligkeit des Erlebnisses charakterisieren, (Hier ist Rhodus.
Handle Du Wicht, Und der Gelegenheit schaff ein Gedicht)[68], der
lyrischen Stimmung, dem seine Gedichte entsprangen. Von keinem
absoluten Gedicht könnte man das sagen. Es wäre geradezu seine
Negation. Seine „Gelegenheiten" sind jene immerwiederkehren-
den: Glückwünsche zu Geburtstagen und andern Anlässen, Einla-
dungen und Antworten auf solche, Entschuldigungen aller Art
usw. Man denke daran, daß Mallarmé sogar Adressen auf Briefen
in Vierzeilern schrieb, die richtig zu interpretieren französische
Postbeamte aufgeweckt genug gewesen sein sollen.

6. Alles, was wir in diesem letzten Abschnitt behandelt haben,
spricht mehr von dem, was die absolute Dichtung nicht will, was
ihr unwichtig ist, was bei ihr keine Rolle spielt, im Gegensatz zur
gewöhnlichen Poesie. Viel schwieriger aber ist festzustellen, was
das positive Ziel dieser Dichtung ist, schon deshalb, weil es begreiflicherweise stark individuelle Färbung annimmt. Es zeigt sich auch,
und auch das ist wohl zu verstehen, daß sich nur allmählich in der |
Nachfolge Poes die Klarheit über das eigene Wollen manifestiert.
Für Poe ist noch die Komposition und Organisation eines Gedichtes, das Aufeinanderbezogensein seiner Wirkungselemente, die übrigens formaler und inhaltlicher Natur sind und auf beiden Gebieten
der Forderung der Originalität unterstellt werden, von allergröß-
ter Bedeutung; darum auch das berühmte Problem der Länge
eines dichterischen Werkes, d. h. eigentlich die Forderung der Kürze, weshalb von der Ilias kategorisch erklärt wird: "the Iliad is
based on an imperfect sense of Art[69]." Mallarmés Ablehnung Homers geht freilich, wie wir gesehen haben, auf ganz andere Gründe
zurück, aber im übrigen bewegt sich der junge Mallarmé, wie natürlich auch Baudelaire, in ähnlichen Gedankengängen wie Poe,
so z. B. in der auch schon erwähnten Analyse des Gedichtes ›L'Azur‹

[68] Goethe, Zahme Xenien.
[69] Tauchnitzausgabe S. 162.

in einem Brief an Cazalis[70]: «Le premier mot qui revêt la première idée, outre qu'il tend par lui-même à l'effet général du
poème, sert encore à préparer le dernier.» Diese Organismustheo-
rie verschwindet dann aber, als Mallarmé sich selber ganz gefunden hat und aus der Welt Baudelaires und der Parnassiens heraus-
wächst. Von nun an ist es nur noch die Sprache, um die sich das
künstlerische Wollen Mallarmés, und dann seiner Nachfolger
dreht. Jetzt ist das einzelne Gedicht, sei es veröffentlicht oder
nicht, nur Fragment des „Werks", wodurch es von vornherein ver-
hindert ist, ein eigener, selbständiger Organismus zu sein; seine
Existenz aber liegt ausschließlich im Wort, das, wie Valéry sagt[71],
für Mallarmé nicht der Anfang — wie im Johannesevangelium —
sondern das Ziel aller Dinge ist.

Es ist sehr schwer, sich dieses Ziel rational klar zu machen, ohne
sofort in die sehr eigenwilligen und z. T. provokanten Formulierungen Mallarmés und Valérys zu verfallen. Das nuancengesät-
tigte Wort, das wir gewöhnlichen Sterblichen stets in die gleichen,
überkommenen syntaktischen Fügungen einbetten, soll durch neue
Kombinationen ein Maximum von Intensität und Leuchtkraft
empfangen und seiner | Umgebung mitteilen, wobei auch noch
die ganze klangliche Qualität als Hilfsinstrument beigezogen
wird. Eine Mitteilung im normalen Sinn kommt dabei nicht mehr
in Betracht. Wir erleben es in den spätern Jahren an Mallarmé selber, wie der „Inhalt" in zunehmendem Maß verloren geht, irrelevant, wie er ist, verloren gehen muß. Während er noch 1865 an
Cazalis schreibt: «si tu savais que de nuits désespérées et de
jours de rêverie il faut sacrifier pour arriver à faire des vers
originaux (ce que je n'avais jamais fait jusqu' ici) et dignes, dans
leurs suprêmes mystères, de rejouir l'âme d'un poète! Quelle
étude du son et de la couleur des mots, musique et peinture par
lesquelles devra passer la pensée, tant belle soit-elle, pour être
poétique »[72], so heißt es, wenige Jahre später, vom Sonett ›Ses
purs ongles‹ (einer älteren Fassung als der veröffentlichten):

[70] Noulet S. 153.
[71] Variété II S. 190.
[72] Mondor S. 169.

« J'extrais ce sonnet d'une étude projetée sur la parole: il est inverse, je veux dire que le sens, s'il en a un (mais je me consolerais du contraire grâce à la dose de poésie qu'il renferme, ce me semble), est évoqué par un mirage interne des mots mêmes. En se laissant aller à le murmurer plusieurs fois, on éprouve une sensation assez cabalistique »[73].

Durch diese magische Sprachkunst, wie Vossler sie nennt, können natürlich keinerlei Mitteilungen und Bekenntnisse mehr gemacht werden, es soll nach der Forderung Poes, der seine Übereinstimmung nun doch wieder anmeldet, Schönheit erzielt werden, Schönheit aber ist nach Poe keine Qualität, sondern ein Effekt[74]. In diesem Sinn schreibt Mallarmé an Cazalis (schon 1864!)[75]: «j'invente une langue qui doit nécessairement jaillir d'une poétique très nouvelle que je pourrais définir en ces deux mots: peindre non la chose, mais l'effet qu'elle produit. Le vers ne doit donc pas, là, se composer de mots, mais d'intentions, et toutes les paroles s'effacer devant les sensations ». Es ist darum gegeben, daß eindeutige, direkte, nuancenlose Wörter keine Rolle spielen können, oder | dann nur, wenn sie durch ihre Umgebung eine neue Sinndeutung erfahren. « Nommer un objet, c'est supprimer les trois quarts de la jouissance du poème qui est fait du bonheur de deviner peu à peu; le suggérer, voilà le but », äußert sich Mallarmé 1891[76]. Verlangt werden « mots allusifs, jamais directs »[77]. Die neuen Zusammenhänge, in die die Wörter gestellt werden, geben ihnen, den scheinbar längst toten, neues Leben und rufen ungeahnte Sensationen in uns hervor. So ist die Syntax das eigentliche Spielfeld Mallarmés; er ist, wie er von sich sagt, « profondément et scrupuleusement syntaxier »[78]. Wiewohl die Wörter gerade die sind, welche der Bürger allmorgendlich in der Zeitung liest, so werden sie durch die neuen Fügungen so anders, daß er sie, wenn

---

[73] Mondor S. 259.
[74] Tauchnitzausgabe S. 274.
[75] Mondor S. 144.
[76] Mondor S. 145.
[77] Im Aufsatz ›Magie‹, Divagations S. 287.
[78] Mondor S. 507.

er ihnen wieder begegnet, gar nicht mehr kennt[79]. Aber Mallarmé
ist nicht nur Syntaxier, er geht auch in der Wortauslese seine eigenen Wege. Vor allem ist er, und mit ihm mehr oder weniger alle
absoluten Dichter, ein Feind des Verbums, und ein Begünstiger des
Nomens. Catulle Mendès gegenüber rühmt er sich des ersten Satzes der ›Hérodiade‹, « tournant sur un seul verbe, et encore
très effacé la seule fois qu'il se présente »[80]. Das Verbum ist
gleichsam persönlicher, ichgeladener als die Gattungen des Nomens, diese aber sind volltönender, gefügiger zu Neuschöpfungen,
wie das vielbeschriene « Ptyx ». Am willkommensten aber ist das
Adjektiv; es ist als epitheton ornans fast unbeschränkt in seiner
Verwendungsmöglichkeit. Unter den Substantiven feiern die Ab-
strakta wahre Orgien, weil sie inhaltsärmer sind: Impuissance,
Guignon usw. nehmen den ersten Rang ein. Am eindrücklichsten
zeigt sich aber die gesteigerte Wachheit und Bereitschaft des
Sprachschöpfers im Verzicht auf das, was sich zuerst aufdrängt,
in der Überwindung des Banalen, des Selbstverständlichen. Schon
Poe betont das Übergewicht der Negation über die Erfindung; besonders ist es aber Valéry, der die Rolle der Verzichte hervorhebt.
« Le travail sévère, en littérature se | manifeste et s'opère par
des refus. On peut dire qu'il est mesuré par le nombre des refus »[81].
Der äußerste Grenzwert, der natürlich nie zu erreichen sein kann,
ist « la parole sous la figure du silence »[82].

Es ist sicherlich nicht zu verwundern, daß diese Pflege des Wortes oft bis an die Grenze des Spielerischen geht, ja sie oft über-
schreitet. Auf alle Fälle bewegt sich die absolute Poesie immer auf
dem gefährlichen Grat, von dem ein Fehltritt in den Abgrund
führt. Staunend und schwindelnd folgt man den Eigenwilligkei-
ten des späteren Mallarmé, die sich nicht nur auf die Sprache erstrecken, sondern auch auf das Abbild der Sprache in der Schrift.
Sie sollte in den Stand gesetzt werden, das Schweigen, jene Intervalle zwischen den Wörtern, die gehaltvoller sein sollten als diese,

[79] Wais S. 346.
[80] Mondor S. 196.
[81] Lettre sur Mallarmé, Variété II S. 228.
[82] Mallarmé nach Charpentier S. 54.

wiederzugeben, weil erst so der wahre Rhythmus in Erscheinung treten könne. Aus solchen Bestrebungen ist die berühmte Publikation des Gedichtes ›Un coup de dés jamais n'abolira le hasard‹ entstanden, dessen kühne Druckanordnung zwar Mallarmé selber keineswegs befriedigte, aber wenigstens einen Abglanz dessen vermittelt, was er erträumte: « le rythme d'une phrase au sujet d'un acte, ou même d'un objet, n'a de sens que s'il les imite »[83].

Aber noch viel enger als das Visuelle ist natürlich die Musik mit dem Wollen des absoluten Dichters verbunden, der nach Poe vom Leser verlangt, daß er mit den Ohren sieht. Je weniger der Inhalt bedeutet, oder je weniger es überhaupt einen Inhalt gibt, um so größer ist die Möglichkeit, daß die Laute allein, ohne alle Sinnnuancen der Wörter, oder abgesehen von ihnen, eine Rolle spielen. So schreibt Mallarmé 1866 an Coppée[84]: « Ce à quoi nous devons viser surtout est que, dans le poème, les mots — qui déjà sont assez eux pour ne plus recevoir d'impression du dehors — se reflètent les uns sur les autres jusqu'à paraître ne plus avoir leur couleur propre, mais n'être que les transitions d'une gamme »; erst | dann erfüllt sich das Postulat: « le chant secret lequel doit remplacer la phrase »[85]. La musique et les lettres ist der Titel eines Oxforder Vortrages Mallarmés; der Instinkt für Rhythmus macht nach ihm erst den Dichter[86], worin er wiederum Poe nachfolgt, der als das Wesen der Dichtung die rythmical creation of Beauty bezeichnet[87]. Aus diesem Liebäugeln mit der Musik ist jene uns fast nicht mehr verständliche leidenschaftliche Einsatzbereitschaft Mallarmés und seiner Jünger für Richard Wagner zu begreifen, dessen Schaffen doch so meilenfern von dem ihrigen zu liegen scheint. Es ist viel mehr der Theoretiker Wagner, der es ihnen angetan hat, mit der von ihm verkündeten Einigung von Wort und Musik.

---

[83] Aus einem Brief Mallarmés an Gide, zit. von Valéry, Variété III S. 201.

[84] Mondor S. 227.

[85] Mallarmé nach Mondor S. 685.

[86] Divagations S. 252.

[87] Tauchnitzausgabe S. 180.

7. Die ungeheure Intensität des dichterischen Prozesses beim
absoluten Dichter und vor allem seine Dauer, da er sich nicht auf
einen schöpferischen Moment beschränkt, sondern Tag und Nacht
eines ganzen Menschenlebens erfüllt, macht es begreiflich, daß dieses aus Askese und Traum geborene Schicksal bei besonderer individueller Voraussetzung eine Übersteigerung und Überdeutung
empfangen kann, wie sie uns vom religiösen Erlebnis her wohl bekannt sind. Selbst Valéry geht so weit zu anerkennen, daß diese
Art dichterischer Schöpfung einem vollzogenen Erkenntnisakt
gleich zu setzen sei: « il faut être un sot », so lautet ein Ausspruch
von ihm, den uns Valéry Larbaud überliefert[88], « pour ne pas voir
que la figure propre et trouvée d'une phrase ou d'un vers est une
Idée — aussi importante, aussi générale, aussi profonde que
l'idée au sens ordinaire ». Das ist im Sinne Mallarmés gedacht,
der erklärt: « la poésie moderne tente d'atteindre par delà la
connaissance rationnelle ... une communication directe, intuitive,
avec les choses, qui est celle des primitifs »[89]. Aber dieser geht
noch weiter. Ihm ist der dichterische Prozess ein Schöpfungsakt
gleich dem Schöpfungsakt Gottes. | Außerhalb der Poesie sah er
nur den Zufall[90]. Ja, im Grunde ist der dichterische Schöpfungsakt sogar noch mehr: er ist das Ziel der Welt. « Le suprême objet
du monde et la justification de son existence ... ne pouvait être
qu'un Livre », so drückt Valéry Mallarmés Einstellung aus; « il ne
voyait à l'univers d'autre destinée convenable que d'être ex-
primé »[91]. In den eigenen Worten Mallarmés lautet diese herrliche
Blasphemie: « la Poésie est l'expression, par le langage humain
ramené à son rythme essentiel, du sens mysterieux de l'existence,
elle doue ainsi d'authenticité notre séjour et constitue la seul
tâche spirituelle »[92] oder, in dem berühmten Interview mit Huret:
« c'est en somme la seule création humaine possible »[93]. Das ist

[88] Paul Valéry, S. 64.
[89] Aus einem Interview, Mondor S. 601.
[90] Nach Valéry, Variété II S. 191.
[91] Variété II S. 218.
[92] Mondor S. 438.
[93] Mondor S. 630.

das *eine* Werk, das, ohne es selbst zu wissen, jeder, der schreibt, selbst die größten Genies, versucht haben: « l'explication Orphique de la terre, qui est le seul devoir du poète et le jeu littéraire par excellence, car », so fährt er geheimnisvoll und feierlich fort, « le rythme même du livre, alors impersonnel et vivant, jusque dans sa pagination, se juxtapose aux équations de ce rêve ou Ode... »[94].

8. Nach dieser einzigartigen und wahrscheinlich auch einmaligen metaphysischen Vertiefung des Problems der absoluten Poesie in der Erscheinung Mallarmés melden sich nun wieder bescheidenere und einfachere Symptome und damit sicher auch allgemeinere zum Wort. Es ist selbstverständlich, daß die Unwichtigkeit des Inhalts und das Fehlen von Mitteilung und Konfession tiefeingegrabene Spuren im Schaffen dieser Dichter hinterlassen muß. Da es nur eine formale Originalität, keine des Erlebnisses gibt, könnte theoretisch ein absoluter Dichter zeit seines Lebens immer das gleiche Thema behandeln. In der Tat ist die Stoffarmut dieser Dichtungsweise jedem unbefangenen Leser auffallend; vor allem zeigt sie sich in der völligen Hemmungslosigkeit | und Unbekümmertheit der Entlehnungen: der frühe Mallarmé übernimmt die Motive und Themen Baudelaires, die sich teilweise zähe bei ihm bis in seine späten Gedichte hinein behaupten. Valéry in gleicher Weise diejenigen Mallarmés. Aber nicht nur das: die Zahl der Motive ist überhaupt außerordentlich gering. Sehr bezeichnend ist dafür das so umfangarme Vocabulaire poétique, das Frau Noulet ihrem Werk über Mallarmé anfügt[95]. Die Abstracta baudelairischer Herkunft spielen darin eine große Rolle; das zweite Motiveinzugsgebiet liefert die häusliche Umgebung des Dichters. Es ist, als ob er das literarisch oder körperlich Nächstliegende wählte, da ihm nach Seltenerem und Abgelegenerem zu suchen gänzlich ferne liegt. Bei Valéry ist wiederum die Mallarmésche Tradition stark. Bezeichnend mag es sein, daß er ein Gedicht ›Valvins‹ schreibt — und zwar nicht als Scherz, sondern als eine spielerische Ausnutzung

---

[94] Aus einer selbstbiographischen Darstellung an Verlaine, Mondor S. 303.

[95] S. 553 ff.

durchaus erlaubter Möglichkeit — das ausschließlich aus Mallarmismen zusammengesetzt ist[96].

Eine weitere Konsequenz der absoluten Poesie ist es, daß die literarischen Gattungen nicht mehr existieren, die in der normalen Dichtung wenigstens der Idee nach Ausdruck der Erlebnisdynamik sind: ›Hérodiade‹ ist bald episch, bald dramatisch, ohne daß im Grund ein Unterschied zu spüren wäre. Die Gattungen sind nur noch Traditionen, die als völlig unwesentlich übernommen, aber beliebig ausgetauscht werden können, so wie auch die überlieferten lyrischen Formen, wie das Sonett, die Terzine usw. beibehalten werden. Mallarmé lehnt Neuerungen energisch ab: als seine nächste Umgebung den vers libre propagiert und den Meister dafür zu gewinnen trachtet, schiebt er das Problem mit leiser, aber entschiedener Bewegung von sich weg. Er fühlte es, daß es den Neuerern nicht um eine Formangelegenheit ging, sondern um ein neues Gefäß für neue seelische Dimensionen.

Besonders auffallend ist das Auseinanderfallen der absoluten Gedichte in einzelne Komplexe, in *Blöcke*. Da es einen Anfang und ein Ende nicht gibt und alles eigentlich | nur ein Ausschnitt aus ständig weiterlaufender Bemühung ist, so liegt die Einheit höchstens noch im einzelnen Satz oder, besser gesagt, im einzelnen formalen Abschnitt, der natürlich keineswegs an einen Satz gebunden zu sein braucht. Die Entwicklung von Baudelaire weg zu Mallarmé ist in dieser Hinsicht sehr auffallend: es ist durchaus verständlich, wenn Charles Cros Mallarmé nennt « un Baudelaire cassé en morceaux qui n'a jamais pu se recoller »[97]. Die Arbeitsweise Mallarmés bestätigt diesen Befund: die „Arbeit" kann von jeder beliebigen Stelle ausgehen, von der Mitte, vom Ende eines Gedichtes, es können Monate, Jahre zwischen der Arbeit an den Teilen liegen, es kann ein einzelnes Wort, ein Vers den Mittelpunkt von Dutzenden sich völlig widersprechenden Versuchen bilden usw. Theoretisch sind natürlich auch schon Poe und Baudelaire dieser Meinung. Für Poe muß es weiter nicht belegt werden, da die ganze ›Philosophy of Composition‹ ein einziger Beleg dafür ist. In

[96] Rauhut S. 35.
[97] G. Kahn, Symbolistes et Décadents, Paris 1902, S. 20.

seiner Gefolgschaft sagt dann Baudelaire in der ›Préface‹ zu
seiner Übertragung der Poeschen Schriften[98]: « Grâce à cette ad-
mirable méthode le compositeur peut commencer son œuvre par la
fin, et travailler, quand il lui plaît, à n'importe quelle partie ».
So werden wir uns nicht wundern, wenn wir sehen, wie Mallarmé
seine Gedichte immer wieder umarbeitet, ja selbst, wenn wir dabei das kuriose Faktum feststellen müssen, daß oft die Reime stehen bleiben und ein ganz anderer Verskörper mit anderem Inhalt
davor gesetzt wird. Als Beispiel mögen die Wandlungen des Gedichtes ›Tristesse d'été‹ dienen.

> Le soleil, sur la mousse où tu t'es endormie
> A chauffé comme un bain tes cheveux ténébreux
> Et, dans l'air sans oiseaux et sans brise ennemie,
> S'évapore ton fard en parfums dangereux.
>
> De ce blanc flamboiement l'immuable accalmie
> Me fait haïr la vie et notre amour fiévreux,
> Et tout mon être implore un sommeil de momie
> Morne comme le sable et les palmiers poudreux!
>
> Ta chevelure, est-elle une rivière tiède
> Où noyer sans frissons mon âme qui m'obsède
> Et jouir du Néant où l'on ne pense pas?
>
> Je veux boire le fard qui fond sous tes paupières
> Si ce poison promet au cœur que tu frappas
> L'insensibilité de l'azur et des pierres[99].

wozu die endgültige Fassung lautet:

> Le soleil, sur le sable, ô lutteuse endormie,
> En l'or de tes cheveux chauffe un bain langoureux
> Et, consumant l'encens sur ta joue ennemie,
> Il mêle avec les pleurs un breuvage amoureux.

---

[98] Œuvres complètes IX S. 61.
[99] Mondor S. 163.

De ce blanc flamboiement l'immuable accalmie
T'a fait dire, attristée, ô mes baisers peureux:
« Nous ne serons jamais une seule momie
Sous l'antique désert et les palmiers heureux! »

Mais ta chevelure est une rivière tiède,
Où noyer sans frissons l'âme qui nous obsède
Et trouver ce Néant que tu ne connais pas

Je goûterai le fard pleuré par tes paupières,
Pour voir s'il sait donner au cœur que tu frappas
L'insensibilité de l'azur et des pierres.

Von den Umarbeitungen Valérys, die man Exercitien zu nennen
geneigt sein möchte, haben wir schon gesprochen. Und ist es nicht
bezeichnend, daß die Reihenfolge der Strophen in der ursprünglichen Fassung des ›Cimetière Marin‹, wie sie in der Nouvelle
Revue Française 1920 erschienen war, eine völlig andere ist als in
der Sammlung ›Charmes‹, und daß die jetzt am Anfang und
am Ende dieser Sammlung stehenden Gedichte ›Aurore‹ und
›Palme‹ früher Teile *eines* Gedichtes waren? Valéry gesteht sel-
ber, daß ihm die Über|gänge in seiner ›Jeune Parque‹ viel
Mühe gemacht haben[100]. Größere Stoffmassen zusammenzuschlies-
sen, oder auch nur kleinere organisch zu einem Ende zu führen,
überhaupt das Vollenden liegt dem absoluten Dichter nicht. Wie
vieles ist bei ihm Fragment geblieben, wie unwesentlich ist aber
gleichzeitig diese Feststellung! Und doch verdient sie, die Reihe
der Symptome der absoluten Dichtung abzuschließen.

[100] Julius Rütsch, Probleme der Valéry-Betrachtung, Trivium I,
Heft 4, S. 43.

Der Deutschunterricht.
Beiträge zu seiner Praxis und wissenschaftlichen Grundlegung. 1952, H. 2, S. 7–12.

LYRIK UND LYRISCH

Von Emil Staiger

Es ist schon längst nicht mehr möglich, die Gattungsgesetze der Lyrik zu bestimmen. Die Beispiele haben sich seit der Antike so vermehrt und sind so mannigfaltig geworden, daß jeder Versuch, einen Generalnenner zu finden, nur bei den gleichgültigsten Begriffen enden kann. Wohl aber ist es auch heute noch möglich, das Wesen des Lyrischen herauszuarbeiten. Der Unterschied zwischen dem ersten und diesem zweiten Problem wird sofort klar, wenn wir bedenken, daß sich das Adjektiv „lyrisch" zu „Lyrik" nicht so verhält wie etwa das Adjektiv „eisern" zu „Eisen". Lyrik braucht keineswegs lyrisch zu sein, und Lyrisches gibt es nicht *nur* in der Lyrik. Epigramme sind meist nicht lyrisch; doch lyrisch sind Hofmannsthals kleine Dramen. Lyrik: das ist ein Sammelbegriff, ein Fach, in das Gedichte, kurze Stücke in Versen, eingelegt werden. Der Ausdruck „lyrisch" dagegen bezeichnet einen stilistischen Wesenszug, an dem eine einzelne Dichtung mehr oder minder Anteil haben kann, im Sinne des Platonischen μετέχειν. Ich wähle als Beispiel ›Wanderers Nachtlied‹:

> Über allen Gipfeln
> Ist Ruh,
> In allen Wipfeln
> Spürest du
> Kaum einen Hauch;
> Die Vögelein schweigen im Walde.
> Warte nur, balde
> Ruhest du auch.

Es ist keine Frage, daß diese Dichtung ins Fach der Lyrik gehört, zusammen mit andern Liedern, doch außerdem mit Sonetten, Oden, Hymnen und Sprüchen. Ist aber ›Wanderers Nachtlied‹ auch ly-

risch? Das gäbe wohl wieder jedermann zu. Die Sache liegt aber
nicht so einfach. Um zu bestimmen, was lyrisch sei, muß ich mich
auf den Sprachgebrauch besinnen. Denn alle Probleme solcher Art
sind Fragen der terminologischen Zweckmäßigkeit. Wir nennen lyrisch, was stimmungsvoll ist. Lyrische Verse sind in einer betonten Weise musikalisch, so sehr, daß oft der Sinn der Worte we-
niger | wichtig scheint als ihr Klang. Lyrisches verstehen wir un-
mittelbar, ohne daß uns der grammatische, logische oder anschauliche Zusammenhang klar sein müßte. Das Lyrische entspringt der
Einsamkeit und spricht den einsamen Menschen an, so, daß sich
der Leser, ohne es zu wissen, mit dem Gelesenen identifiziert und
die Verse vor sich hin sagt, als kämen sie aus der eigenen Brust.
Das Wesen des Lyrischen, das vollständig darzulegen die Aufgabe
einer Fundamentalpoetik ist, schließt sich darin zusammen, daß
hier jede Art von Abstand fehlt. Es gibt keinen Abstand zwischen
Subjekt und Objekt; Stimmung ist immer ununterscheidbar Stimmung der Seele und Stimmung der Landschaft. Es gibt keinen Abstand von Inhalt und Form; die Form ist vom Inhalt nicht ablös-
bar. Ein in Prosa wiedergegebenes lyrisches Stück zerfällt in nichts.
Es gibt keinen Abstand von Dichter und Leser; man setzt sich mit
Lyrischem nicht auseinander, man beurteilt es nicht. Wir empfinden es, oder es läßt uns kalt. Für das Fehlen des Abstands wählt
die Poetik den Titel „Erinnerung". Der Dichter erinnert die Natur, die Natur erinnert den Dichter. Beide vertiefen sich ineinander. Es gibt hier keinerlei Gegenüber.

Die vollständige Untersuchung der Wesenszüge des Lyrischen
dürfte den Leser davon überzeugen, daß hier nichts konstruiert
und behauptet, sondern einzig der Sprachgebrauch abgeklärt wird,
und zwar der Sprachgebrauch, wie er nicht nur in Deutschland seit
der Romantik gilt, sondern auch in Frankreich, Italien und England seit langem selbstverständlich herrscht. Der Begriff bleibt
auch nicht auf die Dichtung beschränkt. Es ist ebenso üblich, von
lyrischer Malerei — bei Caspar David Friedrich — oder von lyrischer Musik — bei Schumann — zu reden. Lyrisch: so heißt ein
Stilphänomen, das als solches jetzt allgemein anerkannt ist.

Betrachten wir daraufhin ›Wanderers Nachtlied‹, so drängt
sich das Lyrische alsbald auf. Das Gedicht ist überaus stimmungs-

voll. Die Stimmung der Landschaft ist die der Seele. Schon durch
die Musik der Verse wird der empfängliche Hörer sofort verstän-
digt. Die Form kann vom Inhalt nicht abgelöst werden. Wer das
Gedicht übersetzen wollte, müßte etwas ganz anderes schaffen.
Die Instrumente stilkritischer Forschung sind heute fein genug ge-
schärft, um die zarten lyrischen Elemente eines solchen Stücks aus-
einanderzulegen. Wäre ›Wanderers Nachtlied‹ damit aber erschöpfend interpretiert? Keineswegs! Es findet sich manches, was
nicht als lyrisch gelten kann. So hat man darauf hingewiesen, daß
Goethe der Reihe nach alle Schichten des Reichs der Natur zur
Sprache bringt: die mineralische, die vegetative, die animalische
und die menschliche sind in den Gipfeln, den Wipfeln, den Vöge-
lein und dem Du des Menschen gesondert. Solche klare Sonderung
ist nicht lyrisch. Im Lyrischen gibt es keine Konturen. Alles | fließt
da ineinander. Das klare Nebeneinander charakterisiert viel eher
den epischen Stil, der in der homerischen Parataxe die reinste Erfüllung gefunden hat. Aber damit noch nicht genug! Der letzte
Vers von ›Wanderers Nachtlied‹ hat fast den Charakter einer
Pointe. Es kommt — im wahrsten Sinne des Wortes — auf die
letzte Zeile an, wie in epigrammatischer Poesie und im kunstge-
rechten klassischen Drama. Also auch dramatische Elemente sind
an dem kleinen Gedicht beteiligt. So ziehen wir unser Urteil zurück und beschränken uns auf die Feststellung, daß ›Wanderers
Nachtlied‹ wohl vorwiegend, aber nicht ausschließlich lyrisch ist.
    In dieser Mischung der Elemente steht das Gedicht nicht einzig
da. Mehr oder minder hat jede Dichtung an allen drei Gattungen,
der lyrischen, der epischen und der dramatischen, teil, schon weil
jede Dichtung ein Sprachkunstwerk ist. Es läßt sich nämlich zeigen,
daß die Silbe das lyrische, das einzelne Wort das epische, der Satz
das dramatische Element der Sprache darstellt. Die Silbe allein bedeutet nichts und vermittelt uns keine Anschauung. Sie geht im Musikalischen auf. Wörter stellen etwas vor, wie der epische Dichter Bilder vorstellt. Der Satz liefert einen Zusammenhang; das Wort
wird zur Funktion des Ganzen, wie in der dramatischen Dichtung
jeder Teil Funktion des Ganzen ist. Demnach liegt überall, wo
überhaupt vollständige Sätze gesprochen werden, schon eine
sprachliche Äußerung vor, die lyrisch - episch - dramatisch, wenn-

gleich in verschiedenen Graden und Arten, ist. Nur Silbenfolgen
wie „Eiapopeia" könnten als rein lyrisch, und höchstens eine mathematische Formel könnte als rein dramatisch gelten.

Aber nun selbst von diesen fundamentalen Verhältnissen abgesehen: Ein Gedicht kann niemals rein lyrisch sein, weil es sonst
des Halts und der Führung entbehren und wie Wasser zerfließen
würde. Einige Lieder Clemens Brentanos scheinen oft nahe daran
zu sein. Eben deshalb ist Clemens Brentano ein „reinerer" lyrischer
Dichter als Goethe, aber ein minder bedeutender. Hier gilt es, mit
Kraft die Vorurteile der alten Poetik, die eine Poetik vorbild-
licher Muster war, zu bekämpfen. Im Sinne der Musterpoetik —
die sich nicht nur bis Gottsched, sondern auch bis in unsere Tage
behauptet — gilt die Reinheit der Gattung als Verdienst. Im Sinne
der neuen, nicht auf Sammelbegriffe ausgerichteten Poetik kann
„rein" nur soviel wie „einseitig" heißen. Eine Dichtung ist um so
vollkommener, je mehr sich das Lyrische und das Epische und das
Dramatische in ihr erfüllen.

Daraus ergeben sich Folgerungen, die aufmerksamer beachtet
werden sollten, als bisher geschehen ist. Zunächst einmal sollte
man einsehen, daß die Bestimmung des Lyrischen, wie sie die
„Grundbegriffe der Poetik" versuchen und wie sie hier kurz wiederholt worden ist, durchaus nicht auf eine Befangenheit in der
deutschen Romantik schließen läßt; noch unberech|tigter ist der
Vorwurf, hier werde der Lyriker auf den volkstümlichen impro-
visierenden Sänger reduziert. Offenbar wirft man wieder die Begriffe „Lyrik" und „lyrisch" durcheinander. Ein Lyriker ist, dem
Sprachgebrauch gemäß, ein Dichter, der nicht Epen oder Dramen,
sondern Gedichte schreibt. Ein lyrischer Dichter aber ist, genau genommen, ein Dichter, dessen Werke lyrischen Charakter haben.
So ist Eichendorff ein lyrischer, noch genauer, ein mehr lyrischer
Dichter auch in seinem Roman; Klopstock ist lyrisch auch im
›Messias‹. Schiller ist ein dramatischer Dichter. Da er außer
Dramen auch Gedichte geschrieben hat, ist er auch Lyriker. Doch
die Gedichte des Lyrikers Schiller haben den stärksten dramatischen Einschlag.

Wie steht es nun mit Hölderlin, Baudelaire, Leopardi, Keats,
John Donne, den Dichtern, die eine vorschnelle Kritik gegen die

allzu romantische Bestimmung des Lyrischen verteidigen zu müssen glaubt? Lyrische Züge wird hier jedermann ohne weiteres nachweisen können. Die Ode ›An eine Nachtigall‹ von Keats ist sogar ein Musterbeispiel für das Zusammenfließen von Innen und Außen, die Gnade lyrischer Musik. Ebenso fiele es nicht schwer, das lyrische Verwischen der Konturen in Hölderlins Oden zu entdecken. Doch außerdem findet sich da noch anderes. Eine unlyrische Geistigkeit, Kraft und Schärfe und Ordnung sind nicht zu verkennen. Ebendeshalb schätzen wir diese Gedichte mehr als romantische Lieder, die viel einseitiger lyrisch sind. Sie sind als Sprachkunstwerke vollkommener, weil mehr Möglichkeiten der Sprache in ihnen künstlerisch realisiert sind. Das Gegenteil also von dem tritt ein, was nach den Voraussetzungen der alten Musterpoetik eintreten müßte. Aus demselben Grunde aber eignen sich diese Gedichte schlechter für die Bestimmung des Lyrischen. Eine einzige Romanze Brentanos gibt einen vollständigeren Begriff von lyrischer Sprache als Keats' oder Hölderlins ganze Lyrik.

Daraus ergibt sich die zweite Folgerung fast als Selbstverständlichkeit. Man kann die poetischen Grundbegriffe nicht schlimmer mißbrauchen, als indem man mit ihnen die Interpretation einzelner Werke bestreiten zu können glaubt. Das zeigte sich schon an ›Wanderers Nachtlied‹. Wer an das Gedicht mit der Kategorie des Lyrischen herantritt, wird auch nur die lyrischen Elemente entdecken. Dann hat er aber nicht dieses konkrete Goethesche Kunstwerk interpretiert, sondern nur wieder ein Beispiel für die systematische Poetik geliefert. Man glaube auch nicht, mit einer listigen Kombination von lyrisch, episch und dramatisch ans Ziel zu kommen, das heißt, der historischen Individualität einer dichterischen Schöpfung gerecht zu werden. Wir haben das oben ein Stück weit versucht, sind aber weit entfernt zu meinen, ›Wanderers Nachtlied‹ sei damit erschöpft. Nach wie vor gibt es nur *eine* Möglichkeit, ein Gedicht zu interpretieren: Wir müssen | begreifen, was uns ergreift; wir müssen das einzigartige Gefühl, das ein Gedicht in uns bereitet, in strengem Zusammenhang entwickeln und damit nachweisen, daß es stimmt, daß unsere erste Empfindung nicht fehlging. Zu zeigen, wie dies wissenschaftlich möglich sei, ist hier nicht der Ort. Gewiß aber ist, daß die Poetik keinem helfen kann, dem das Organ, die künstlerische Empfänglichkeit fehlt. Wer dergleichen von ihr erwartet, vermag die Begriffe „Lyrik" und „lyrisch" immer noch nicht zu unterscheiden; der meint noch immer, eine Poetik diene der Klassifikation und habe ungefähr das zu leisten, was Linné für die Pflanzen leistete. „Lyrik", das ist in der Tat ein Begriff, der dem der botanischen Gattung entspricht. Denn unter Lyrik subsumieren wir Arten wie die Ballade, die Ode, und Individuen wie ›Wanderers Nachtlied‹, ›Weylas Gesang‹ oder ›Ganymed‹. Doch unter „lyrisch" können wir keine einzige Dichtung subsumieren. Jede hat daran teil und keine geht restlos darin auf.

Wozu aber dient dann dieser Begriff? Er ist keine Norm; er hat nicht einmal den Sinn eines Idealtypus. Denn ein Typus ist immerhin ein Ganzes, wenn auch kein reales, so doch eins, das das Auge des Geistes wahrnimmt. Das Lyrische dagegen ist niemals ein Ganzes; es ist als solches nicht einmal denkbar.

In den Bedenken, die hier aufsteigen, sind verschiedene Probleme zu unterscheiden. Einmal meldet sich wohl die Sorge, ob eine Poetik, die nicht nur duldet, daß sich die Gattungen mischen, sondern die möglichst gemischten sogar bevorzugt, nicht eine ernste Gefahr bedeute und Zuchtlosigkeit zur Folge habe. Dazu wäre folgendes zu bemerken:

Lyrisches, Episches und Dramatisches müssen sich gegenseitig durchdringen, aber nicht Lyrik, Epos und Drama. Ein Werk wie Tiecks ›Genoveva‹, das ganze Sonette in die Gespräche einlegt, mischt Lyrik und Drama. In Arnims ›Päpstin Johanna‹ sind Epos und Drama wie Öl und Wasser vermengt. Wie man sich auch zu dergleichen stelle, man wird es gewiß nicht vorbildlich nennen. Durchdringen sich aber lyrische, epische und dramatische Elemente, so heißt dies nichts anderes als: das Werk ist stimmungsvoll-intensiv, ist anschaulich und ist zielbewußt. Die Dosen werden, ja dürfen unter verschiedenen Voraussetzungen nicht gleich sein. In der Lyrik wird das Lyrische oft eine größere Rolle spielen als im Drama oder im Epos. Darauf beruht der ursprüngliche, doch längst fragwürdige Zusammenhang zwischen dem Adjektiv und dem Substantiv. Auch dies ist aber kein festes Gesetz. Ein Schillersches Epigramm oder eine Lessingsche Fabel sind reiner dramatisch als Goethes ›Götz von Berlichingen‹. Grillparzers ›Der Traum ein Leben‹ und ›Des Meeres und der Liebe Wellen‹ sind lyrischer als die Gedichte Hallers. Und doch sind alle diese Dichtungen anerkannte Meister|werke, an denen nur eine mechanisch-formelhafte, in Vorurteilen befangene Kritik etwas auszusetzen vermöchte. Was möglich und was nicht möglich ist, kann immer nur auf Grund individueller Interpretation entschieden werden. Hilfreich dürfte hier aber wohl der Begriff des Spielraums sein. Der Spielraum des Epos ist in Klopstocks ›Messias‹ gewiß überschritten. Kein Leser hält Tausende von Versen hindurch so viel lyrisch-pathetische Intensität aus. Gottfried Keller dagegen mißachtet öfter den Spielraum des Gedichts: Es ist nicht möglich, auf engem Raum die epische Bildlichkeit zu entfalten, auf die er es meistens angelegt hat. Goethes ›Tasso‹ wiederum hält sich nicht in dem Spielraum des Bühnenstücks. Das Lyrisch-Intime dringt nicht so leicht wie das Pathos über die Rampe hinaus. So ließe sich durch den Begriff des Spielraums vielleicht eine normative und doch liberale Poetik an die Poetik der reinen Stilelemente anschließen. Das wäre einer jener „Dienste", die man von der neuen Fundamentalpoetik zu fordern scheint.

Außerdem könnte sie allgemein dazu dienen, die Begriffe zu klären und ein Ende zu machen mit der wahrhaft skandalösen Verwirrung, die heute immer noch in der Kritik und den Literaturgeschichten herrscht. Im übrigen aber glaubt sie gar nicht, in einem Dienst ihren Sinn zu finden. Sie ist ein literaturwissenschaftlicher Beitrag zur philosophischen Anthropologie. Sie zeigt, wie sich die Grundverfassung des Menschen, die Zeit, in der Sprache und in den verschiedenen Stilmöglichkeiten erfüllt. — Die Dreizahl lyrisch - episch - dramatisch beruht auf der dreidimensionalen Zeit. Von da aus erkennen wir noch einmal den Unterschied von Lyrik und lyrisch. „Lyrik" bleibt nach wie vor Aufschrift eines Fachs oder einer Lade, in die der sammelnde und ordnende Leser gewisse, nach leicht erkennbaren äußeren Zeichen ausgesonderte Dichtungen einlegt. „Lyrisch" ist der literaturwissenschaftliche Name für eine fundamentale Seinsmöglichkeit des Menschen, die nicht nur im Bereich der Dichtung, auch nicht nur im Bereich der Kunst, sondern überall in Erscheinung tritt, wo Menschen leben, sprechen und handeln. Halten wir alles Theologische fern, so scheint es richtig, diesem Menschlichen, das in der Literaturwissenschaft den Namen „lyrisches Element" erhält, im allgemeinen Sinne den guten alten Namen „Seele" zu geben und es dem Epischen als dem Körper, dem Dramatischen als dem Geist gegenüberzustellen. Auch dann ist wieder ersichtlich, daß die drei sich immer vereinigen müssen. Nur eine Leiche ist nichts als Körper; nur ein Idiot ist ganz bar des Geistes; und ein vollkommen seelenloser Mensch wäre wohl die unheimlichste Abstraktion und fast schon einem Roboter gleich. Wo wir den Menschen als solchen anerkennen, spielen Körper, Geist und Seele harmonisch ineinander. So auch in der Sprache und so in der Kunst.

Der Deutschunterricht.
Beiträge zu seiner Praxis und wissenschaftlichen Grundlegung. 1953, Heft 3, S. 28–56.

DIE SAGEWEISEN DER MODERNEN LYRIK

Von PAUL BÖCKMANN

Wenn man in früheren Epochen von Dichtung sprach, meinte man damit ein Werk in gebundener Sprachform*. Der lyrische Vers war Kennzeichen und Ausweis der dichterischen Leistung; im Umgang mit ihm bezeugte sich die lebenformende und lebensteigernde Kraft der Dichtung. Uns ist das nicht mehr selbstverständlich. Die Überzeugung, daß im lyrischen Wort sich die Grundsituation des Menschen zu erkennen gibt, klingt den meisten wenig glaubwürdig und scheint schwer zu rechtfertigen zu sein. Wir halten uns lieber an die Prosa der sachlichen Erfahrungen und begrifflichen Unterscheidungen als an die Musikalität und Imaginationsfülle einer poetischen Sprache, die sich der Kontrolle des skeptischen Bewußtseins zu entziehen droht. So ist die Dichtung immer näher an die Prosa herangerückt und der Roman zur bevorzugten Literaturgattung geworden.

Sobald wir aber fragen, ob und wie die Dichtung einen eigenen Raum des Menschlichen sichtbar machen kann, gewinnt die Lyrik eine neue und entscheidende Bedeutung: sie kann ihrem Wesen nach nicht bei der Versachlichung des Menschen stehenbleiben, sondern muß zu erkennen geben, wie der Mensch zu sich selbst zurückfindet. Wenn auch die moderne Lyrik — wie alle moderne Kunst — den Aufnehmenden leicht in mancherlei Verlegenheiten und Verständnisschwierigkeiten versetzt, so geschieht das doch nur darum, weil sie die Verlegenheit sichtbar macht, in der der Mensch sich heute als Mensch befindet. Denn wo die Kunst spricht, geht es um den Sinn und die Möglichkeiten des Humanen in einer

---

* Den vorliegenden Ausführungen liegt ein Vortrag zugrunde, der am 6. Oktober 1952 auf der Akademie Comburg bei Schwäb. Hall anläßlich eines Lehrgangs für Deutschlehrer gehalten wurde.

Welt, die dieses Humane nur immer zu verleugnen bereit ist. Und
je mehr sich dieses Humane in die Enge getrieben sieht, um so
mehr auch die Kunst. Wir können deshalb nur versuchen, das Verfahren zu verdeutlichen, das sich in der modernen Lyrik durchgesetzt hat. Wir dürfen uns nicht mit überkommenen Vorstellungen
zufriedengeben, keine zeitlosen Gattungsnormen voraussetzen, sondern wollen fragen, in welcher Weise die heute sichtbaren Formen
auf das Grund- und Bildungsgesetz der Lyrik zurückweisen und
es selbst auf neue Weise | erhellen. Wir suchen die Eigentümlich-
keiten des dichterischen Tuns zu bestimmen und dadurch seine
menschliche Bedeutsamkeit sichtbar zu machen. Es genügt nicht,
auf Ideen und Vorstellungen zu achten, die sich auch in prosaisch-
begrifflicher Rede mitteilen lassen, sondern es bleibt zu klären, in-
wiefern die Lyrik eigene Sageweisen ausarbeitet, um die innere
Selbsterfahrung des Menschen vernehmbar zu machen und zu rechtfertigen.

Wir sind es gewohnt, unser Lyrikverständnis an GOETHE zu
orientieren und alles lyrische Sprechen als eine Gefühlsaussprache
aufzufassen, die in engstem Zusammenhang mit dem persönlichen
Erleben steht. Es gehört zu den beglückenden Wesenszügen der
Goetheschen Dichtung, daß hier nicht über Gefühle gesprochen
wird, sondern daß wir im Vers dem Pulsschlag des fühlenden
Herzens begegnen; das Innere scheint im Wort gegenwärtig, weil
Sprachgebärde und Vorstellungsrhythmus es uns entgegentragen.
Die Betroffenheit des Menschen im Fühlen tut sich kund; erst dadurch wird die Lyrik als Erlebnisausdruck wirklich, wie Goethe
selbst beteuert: „Immer hab' ich nur geschrieben, wie ich fühle,
wie ich's meine." Damit scheint die Maxime ausgesprochen, die
seitdem wie selbstverständlich in allem lyrischen Schaffen weiter-
gewirkt und unseren Erwartungen vom Gedicht die Richtung gewiesen hat. Goethes Dichten hat uns hellhörig gemacht, um ein
gefühlsechtes von einem gefühlsunwirklichen Sprechen zu unterscheiden. Die Gebärde des von einem inneren Drang getriebenen
Dichters soll sich den Versen mitteilen, so wie es uns Goethe am
Anfang des ›Ewigen Juden‹ nahebringt:

> Um Mitternacht wohl fang ich an,
> Spring aus dem Bette wie ein Toller ...

Vor diesem Andrang der Gefühlskräfte scheint alle Selbstgenügsamkeit der Form ihr Recht zu verlieren und allein das Lautwerden des Herzens den dichterischen Auftrag zu bestimmen. Gegenüber aller rhetorischen oder witzig-spielenden Selbstgenügsamkeit
der Form gilt nur noch die Einheit von Erlebnis und Ausdruck.
Wo Goethe vom Amt des Dichters spricht, richtet er sich auf den
Wechselbezug zwischen der Gefühlsunmittelbarkeit des eigenen Lebens und der Form und Wahrheit des Gedichts. Aber wir täten
Unrecht, wenn wir die Erlebnisunmittelbarkeit des Goetheschen
Liedes zum alleinigen Maßstab nehmen wollten, um alle Lyrik
von da aus zu beurteilen. Schon in der Goethezeit kommen wir
mit einer solchen Erwartung nicht zu einem Verständnis sehr an-
dersartiger Verhaltungsweisen.

Wir können bei Hölderlin nicht sagen, daß er die bei Goethe erkennbare lyrische Haltung verleugnen wollte; aber offenbar macht
das ihm Wesentliche doch eine ganz andere Kennzeichnung des
Dichteramts nötig. Nicht | das Verhältnis der Gefühlsbewegung
zur Form und Wahrheit des Gedichtes bestimmt ihn, sondern ein
religiös oder metaphysisch begriffener Auftrag. So sind für ihn
ganz andere Worte als für Goethe erhellend; er sagt: „Beruf ist
mir's, zu rühmen Höhers; darum gab die Sprache der Gott und
den Dank ins Herz mir." Oder: „Gut auch sind ... wir, wenn
wir kommen mit Kunst und von den Himmlischen Einen bringen."
Für seine Verse ist es kennzeichnend, daß der Dichter nicht nur auf
sein eigenes Gefühl zurückweist, um sein dichterisches Sprechen zu
rechtfertigen, sondern daß er einen übergreifenden Bezug kennt,
den die Dichter vermitteln; ihr Wort richtet sich auf das Höhere
oder den Höchsten, auf die Himmlischen oder die Götter, auf den
„gemeinsamen Geist" oder — wie es auch heißt — auf den „göttlichen Geist". Die schwebende Ausdrucksweise läßt schon erkennen, daß mit diesem aus der Gefühls- und Erlebniswirklichkeit
hinausweisenden Bezug nicht einfach eine sachliche Gegebenheit
gemeint sein kann, sondern eine Macht des umfangenden Lebens.

Dem entspricht es, daß sich der Dichter nicht einfach auf sein Ausdrucksverlangen, auf das Lautwerden des Gefühls verwiesen sieht,
sondern auf das Rühmen und Danken, auf das Sinnen und Singen;
daß er also in seinem Sprechen einem Gegenüber zugeordnet bleibt,

das man rühmen kann, dem ein Dank gebührt, das durch das Singen vernehmbar wird. Das Dichten erfüllt sich erst dadurch, daß
es im Rühmen einen der Himmlischen bringt und ihn der befreun-
deten Brust vernehmbar macht; daß es im Danken einen Beruf erfüllt, der für die Menschen eine besondere Bedeutung besitzt. Es
ist damit nicht einfach das Ausdrucksverlangen stilisiert und my-
thisiert, sondern der dichterischen Aussage ein übersubjektiver Gehalt zugeordnet: das Rühmen richtet sich auf ein Objektives, und
die Sprache des Dichters erscheint als Gabe, die ihm von einer anderen Macht zukommt. Aber zugleich entzieht sich doch diese objektive Macht jeder gegenständlichen Gewißheit, sofern sie als ein
Höheres, als ein Gott über alles Menschenmaß hinausweist und deshalb gerade ein Rühmen und Danken nötig macht, das nur das dichterische Wort zu leisten vermag. Die Dichtung als Gefühlsaussprache
kommt bei Hölderlin insoweit an ihre Grenze, als das Herz sich
nicht mehr von sich aus versteht, sondern sich auf ein Höheres
verwiesen sieht, das nur in der Innerlichkeit des Geistes sein Recht
besitzt; der Dichter führt aus der Sphäre der Welt in die des Gottes
hinüber und bindet damit die Gefühlswelt an einen umgreifenden
Zusammenhang. Es geht offenbar um die Frage, von wo her sich
das Innere verstehen kann oder wie das Gefühl über sich verfügt.
Dem Goetheschen Wort: „Immer hab' ich nur geschrieben, wie
ich fühle, wie ich's meine" steht deshalb das Hölderlinsche ge-
genüber: „Beruf ist mir's, zu rühmen Höhers." |
  Die Lyrik der Gegenwart kann noch deutlicher zeigen, wie sehr
wir uns von der lyrischen Form Goethes entfernt haben und wie
wir mit den geläufigen Kennzeichnungen des Gedichts nicht mehr
auskommen. Da begegnet uns zunächst das Phänomen des epigo-
nenhaften Sprechens, das uns bewußt macht, daß es nicht genügen
kann, so weiter zu dichten, wie es gültige und anerkannte Vorbilder getan haben. Man kann dichten wie Goethe oder Eichendorff,
wie Storm oder Liliencron, wie George oder Rilke. Darüber hat
Hermann HESSE kürzlich eine ebenso launige wie wissende Betrachtung angestellt: „Begegnungen mit Vergangenem[1]." Er er-

---

[1] Siehe jetzt Hermann Hesse, Gesammelte Schriften, 7. Bd., 1957,
S. 869 ff.

zählt, wie ihm ständig Gedichte zugeschickt werden, denen man
nur zu rasch ihre Herkunft anmerkt; wie ihm dann aber ein eigenes, längst vergessenes Jugendgedicht in die Hände fällt und er
gestehen muß, daß es auch ihm nicht besser ergangen ist, daß auch
er zunächst ganz wie sein Vorbild, wie Eichendorff, zu sprechen
suchte. Es gilt aber offenbar in der Kunst und so auch im Gedicht
nur das unverwechselbar Eigene, das den alten Sinn des Dichtens
wieder neu erfüllt. Daß wir uns gegen das Epigonentum wehren,
werden wir als Hinweis darauf verstehen müssen, daß die Kunst
mit der Geschichtlichkeit des Menschen eng verbunden ist. Aber
wo finden wir das Eigene, das unserer Stunde zugehört und doch
Lyrik bleibt?

Schon in den achtziger Jahren, zur Zeit des beginnenden Naturalismus, regte sich das Bewußtsein, daß die überlieferte lyrische
Formenwelt der eigenen menschlichen Situation nicht mehr angemessen ist. 1885 erschien eine Anthologie ›Moderne Dichtercharaktere‹, von Wilhelm Arent herausgegeben, die schon im Vorwort von Hermann Conradi den Anspruch erhebt, „endlich die
Lyrik geschaffen zu haben, mit der vielleicht wieder eine neue
Lyrik anhebt; ... wir brechen mit den alten überlieferten Motiven ... wir wollen alles epigonenhafte Schablonentum über den
Haufen werfen". In allen Mitwirkenden, den Brüdern Hart, Karl
Henckell, Arno Holz und anderen lebt „das grandiose Protestge-
fühl gegen Unnatur und Charakterlosigkeit". Aber so sehr man
auch im Zeichen der Moderne nach neuen Möglichkeiten der Lyrik
verlangt, das Ergebnis bleibt doch enttäuschend; es lassen sich wohl
neue Stoffe und Gesinnungen wahrnehmen, aber die lyrische
Sprache bleibt in gewohnten Bahnen, verfällt der Rhetorik oder
dem gereimten Alltagsgerede; es fehlt eine eigene lyrische Form.
Am aufschlußreichsten sind wohl die Gedichte von Arno Holz,
die aus dem üblichen lyrischen Ton ausbrechen und ihn parodieren,
dadurch aber nur der Reflexion verfallen: „Der Tonfall meiner
lyrischen Kollegen / ist mir ein unverstandener Dialekt, / denn
meinen Reim hat die Kultur beleckt / und meine Muse wallt auf
anderen Wegen ... Ich seh die Welt sich drehn um ihre Achsen /
als Kind der Großstadt und der neuen Zeit." So greift er nach
Motiven des Groß|stadtlebens, etwa der Elendssituation im Hin-

terhaus. Aber durch solche neuen Motive entsteht kein neuer lyrischer Ton. Holz selber wird sich später dessen bewußt, daß eine neue Kunst eine neue Darstellungsweise voraussetzt und es mit neuen Inhalten und Ideen nicht getan ist. Daß die ›Modernen Dichtercharaktere‹ die Lyrik zu revolutionieren meinten, sei ein naiver Irrtum gewesen: „Man revolutioniert eine Kunst nur, indem man ihre Mittel revolutioniert. Oder vielmehr, da ja auch diese Mittel stets die gleichen bleiben, indem man ganz bescheiden nur deren Handhabung revolutioniert."[2] Für Holz geht es dabei um die Frage, wie in einer im Sinne der Naturwissenschaften gesetzlich erklärbaren Welt der Lyrik eine eigene Aufgabe und Möglichkeit bleibt. Das Gedicht soll zur natürlichen Gebärdung des Lebens in der Sprache werden und verzichtet deshalb auf jedes erkennbare Versmaß wie auf den Reim. Der Bruch mit den überlieferten Formen schafft eine neue Freiheit, aber es bleibt dahingestellt, ob die eigenen Versuche von Holz, seine Phantasusgedichte, über den Charakter des Experiments hinauskommen.

Die Opposition gegen den Naturalismus regt sich früh und ist geradezu gleichzeitig mit dessen erstem Hervortreten. Schon 1891 erscheint die Schrift von Hermann BAHR ›Die Überwindung des Naturalismus‹; 1894 veröffentlicht er seine ›Studien zur Kritik der Moderne‹ mit einem Beitrag über die ›Symbolisten‹: „Die Kunst will jetzt aus dem Naturalismus fort und sucht Neues." Der Symbolismus habe mit Hilfe der Symbole eine neue Technik gewonnen, ein vorher unbekanntes lyrisches Verfahren, eine besondere Methode. Aber seine Erläuterungen beschränken sich auf ein technisches Verfahren, bleiben entsprechend oberflächlich und lassen noch kaum ahnen, wie es dem lyrischen Wort eine neue Bedeutung gibt; das würde erst klar, wenn man die Distanz erläutern würde, die zwischen dem Gefühl und seiner Darstellung zur Geltung kommen kann, wenn sich ein Symbol zwischen beide stellt: durch diese Distanz bleibt der lyrische Ausdruck nicht bei der Gebärdung des Schmerzes stehen, sondern die Sprache gewinnt die Freiheit zu ihren eigenen Bildern und damit zur Gegenüberstel-

[2] Vgl. Arno Holz, Die Revolution der Lyrik, 1899, S. 23.

lung von Werk und Leben, von Schönheit und Alltäglichkeit. Es
ist der Weg, den HOFMANNSTHAL und GEORGE einschlagen.

In den Aufsätzen von 1896 über ›Gedichte von Stefan George‹
und über ›Poesie und Leben‹ betont Hofmannsthal im Anschluß
an Mallarmé, „daß das Material der Poesie die Worte sind". Denn
„das Element der Dichtkunst ist ein Geistiges, es sind die schwe-
benden, die unendlich vieldeutigen, die zwischen Gott und Geschöpf hangenden Worte". Weder die Berufung auf den Inhalt
noch auf das Leben kann die Bedeutung der Dichtung rechtfertigen, sondern nur der dichtende Umgang mit dem Wort. So heißt
es: „Die Worte | sind alles, die Worte mit denen man Gesehenes
und Gehörtes zu einem neuen Dasein hervorrufen und nach inspirierten Gesetzen als ein Bewegtes vorspiegeln kann. Es führt
von der Poesie kein direkter Weg ins Leben, aus dem Leben keiner
in die Poesie... Eine neue und kühne Verbindung von Worten
ist das wundervollste Geschenk für die Seelen... Man lasse uns
Künstler in Worten sein[3]." Auch für Hofmannsthal ist das Leben die letzte Instanz des Daseinsverständnisses; aber er wird sich
dessen bewußt, daß die Kunst auf die Distanz zwischen Leben und
Werk angewiesen ist und nur dadurch das Geistige der Schönheit
zur Geltung bringen kann, daß sie den Worten durch diese Distanz
ihr Eigenleben gibt. „Es ist ein Hauptmerkmal der schlechten Bücher
unserer Zeit, daß sie gar keine Entfernung vom Leben haben: eine
lächerliche korybantenhafte Hingabe an das Vorderste, Augenblickliche hat sie diktiert[4]." In dieser Distanz von Kunst und
Leben geht es nicht um ein artistisches Spiel, sondern um die Art,
wie der Mensch sich durch die Sprache selbst gehört, wie er seinen
eigenen Ton findet; es genügt nicht, Gebärden des Lebens vorzuführen, sondern es kommt darauf an, in der Sprache sich seiner
selbst zu vergewissern. Indem der Dichter den Dingen Sprache
gibt, macht er uns erst im Leben heimisch, zeigt er uns die Welt
als Welt.

Diese neue Sprachkunst ist nicht ein unverbindlicher Ästhetizis-

---

[3] Hugo von Hofmannsthal, Gesammelte Werke, Prosa I, 1950,
S. 307 u. 309.
[4] Ebd. S. 283.

mus, sondern ein entschiedener Versuch, im durchgängigen Deter-
minismus der Natur einen Raum der Freiheit zu gewinnen, in dem
der Mensch sich seiner selbst vergewissert. Im Stellen der Worte
stellt sich der Mensch selbst her, auf die Gefahr hin, daß er damit
der Lüge verfällt. Die Lyrik ist nicht mehr nur das Lautwerden
einer Stimmung, der Ausdruck eines Gefühls, sondern die Selbstvergewisserung des Menschen in der Sprache und durch Sprache.
In der Fatalität der Umstände vermag die lyrische Sprachfügung
ein eigenes Tätigsein des Menschen zu bezeugen. So geht es in dieser Sprachkunst zwar um ähnliche Voraussetzungen wie im Naturalismus, da auch sie den Menschen auf das ›Leben‹ verweist;
aber sie kommt zu radikaleren Folgerungen und bekennt sich zu
der Distanz zwischen Sprache und Leben, um dadurch auf das
Innere des Gefühls zurückzuweisen. Freilich, bei George selbst
wird auf die besondere Situation der modernen Kunst kaum je
reflektiert, er beschränkt sich auf die dichterische Aussage selbst
und auf andeutende Hinweise in den ›Blättern für die Kunst‹,
wo die Merksprüche von der „geistigen Kunst" als einer „Kunst
für die Kunst" sprechen. Seine Selbstvergewisserung in der Sprache
führt zur Stilisierung der Gebärden, der Naturbilder: hier werden
nicht Situationen des Lebens sprachmimisch vorgeführt wie im Naturalismus, sondern in eine stilisierende Form gebracht, die vom
Tätigwerden des Dichters in der Sprache zeugt. |
   Die Begegnung mit der Lyrik der französischen Symbolisten wie
auch die wachsende Entschiedenheit des eigenen Verfahrens führt
in dem ersten Gedichtband, mit dem George hervortrat, den
›Hymnen, Pilgerfahrten und Algabal‹, zu einer dichterisch bedeutsamen Verwandlung der Sprache: sie schafft sich ihr eigenes
Kunstreich und erhebt den Dichter über den Alltag. Die Selbstvergewisserung des Menschen im lyrischen Wort bleibt die entscheidende Aufgabe; die Distanz zwischen Natur und Kunst rechtfertigt die Verwendung der kostbaren, erlesenen Worte, die die
Umkehrung des Natürlichen in das Künstliche, ja, des Lebendigen
in das Tote vollziehen. ›Im Park‹ heißt es:

> Rubinen perlen schmücken die fontänen —
> Zu boden streut sie fürstlich jeder strahl —

> In eines teppichs seidengrünen strähnen
> Verbirgt sich ihre unbegrenzte zahl.
> Der dichter dem die vögel angstlos nahen
> Träumt einsam in dem weiten schattensaal ...

Das Vertraute und Lebensnahe wird ins Künstliche, Fremde und damit ins Stilisierte und Kostbare gewendet. Die Wassertropfen des Springbrunnens werden zu Rubinen und Perlen, das Gras der Wiese zu seidengrünen Strähnen eines Teppichs, der Platz unter den Bäumen zu einem Schattensaal: der Dichter spricht nicht aus dem Einklang mit dem Leben, sondern aus der Selbstbehauptung in ihm und verwandelt deshalb das vermeintlich Wirkliche seiner Umgebung in den Traum seiner Seele. Am eindrucksvollsten, aber auch gewalttätigsten geschieht das in den Versen des Algabal, wo die Stilisierung alles Natürliche aufhebt und die vertrauten Worte fremd werden; dadurch gerät die Sprache in eine unerhörte Eigenbewegung; sie drängt in die Negation aller Erscheinungen und behauptet sich doch als letzte Bezeugung des Menschlichen vor dem Nichts. Das „Nicht" und „Nie" und „Nimmer" löscht das Dasein aus, erzeugt aber die „große schwarze Blume" des Gedichts, in dem die Sprache zu sich selbst zurückkehrt:

> Mein garten bedarf nicht luft und nicht wärme —
> Der garten den ich mir selber erbaut
> und seiner vögel leblose schwärme
> Haben noch nie einen frühling geschaut.
> Von kohle die stämme, von kohle die äste
> Und düstere felder am düsteren rain ...
> Wie zeug ich dich aber im heiligtume ...
> Dunkle große schwarze blume?

Das Gedicht kann aus sich leben, weil die Sprache in der Distanz zum Leben ihre eigene Schönheit gewinnt, sofern sie nur die Entschiedenheit des | Ichs nicht aufhebt. In dem befremdenden Klang dieser Verse begegnet eine dichterische Kraft und Größe, die aus den Grenzen der Stimmungslyrik des neunzehnten Jahrhunderts völlig herausführt und eine neue Situation des dichterischen Wortes zu erkennen gibt. Das Wort rückt auf neue Weise in sein Gefüge,

weil es aus seiner Gegenstandsnähe in die Stilisierung umgewendet
wird. Je weniger diese Lyrik sich mit der Gefühlsunmittelbarkeit
zufrieden gibt, um so mehr wagt sie eine Verfremdung der Sprache,
um einen Formanspruch sichtbar zu machen. Sie verwirklicht eine
geistige Kunst, die nicht ohne Gewaltsamkeit die Gefährdungen
des modernen Menschen durch ihre Formstrenge zu bannen sucht.

Daß die überkommene Stimmungslyrik nicht mehr genügt, um
den inneren Beunruhigungen Sprache zu geben, und daß das Ge-
fühlsleben sich auf neue Weise verstehen muß, ist bei dem frühen
RILKE besonders gut zu beobachten. Die Verse im ›Laren-
opfer‹ von 1896 suchen noch im Sinne der Tradition den lyrischen
Stimmungston; Mensch und Welt scheinen sich gefühlhaft zu
durchdringen; alle Gestalten der dem Dichter vertrauten Prager
Umwelt weisen auf die eigenen inneren Zustände zurück. Die
Beschreibung eines Adelshauses schließt geradezu mit den Worten
„Das nenn ich Stimmung, ja, das nenn ich — Zauber", als wollten
diese Gedichte nur den Stimmungszauber des Lebens wachrufen.
Und doch, wenn man genauer hinhört, zeigt sich, daß die für die
Stimmung wesentliche Übereinstimmung von innen und außen
gar nicht mehr unangefochten gilt, daß es vielmehr höchst unsicher geworden ist, ob die individuelle Gefühlswelt irgend einen
echten Bezug zur Umwelt besitzt oder ob sie nicht ständig in der
Gefahr steht, sich in sich selbst zu verlieren und die Außenwelt
in ein unverbindliches Traumreich des Inneren zu verwandeln. Es
setzt sich eine Sprachgebärde beherrschend durch, die alle Lebens-
erscheinungen nur noch als Metaphern eines subjektiven Inneren
gelten läßt. Die Eindrücke werden zu einem subjektiv gestimmten
„Mir-ist-als-ob" entwertet und dienen nur noch als Vergleich für
die wechselnden Bewegungen des Inneren. So heißt es:

> Mir ist so weh, so weh, als müßte
> die ganze Welt in Grau vergehn,
> als ob mich die Geliebte küßte
> und spräch: Auf Nimmerwiedersehn.
> Als ob ich tot wär und im Hirne
> mir dennoch wühlte wilde Qual,
> weil mir vom Hügel eine Dirne
> die letzte, blasse Rose stahl ...

Hier sucht nur das Gefühl der Verlassenheit und des Schmerzes nach einem Ausdruck, aber so, daß jeder Grund der inneren Zustände zu einem „Als-ob" | entwertet wird und damit die eigene Not bezuglos zu werden droht. Die Stimmung spricht nur noch vom „Als-ob" der möglichen Untreue der Geliebten oder der Verlassenheit im Tode. Das Verhältnis von Innen und Außen scheint sich aufzulösen, so daß ein eigentlicher Stimmungsgrund nicht mehr zur Verfügung steht. Es bleibt nur der Anspruch spürbar, das Innere als ein dem Menschen Wesentliches und Eigenes festzuhalten, ohne daß es sich in einem entschiedeneren Sinn erfassen und verstehen könnte. Die Metaphorik kann immer kühner ausgreifen und eine Vielfalt von Vergleichen in das Gedicht hineintragen, weil die Außenwelt ihren Sinngehalt verliert und zur Metapher der inneren Zustände entwertet ist.

Je weniger aber Innen und Außen wirklich zusammenstimmen, je mehr sie sich nur ineinander spiegeln, um so fremder wird sich der Mensch mit seinem Gefühl; wenn er keine Heimat als Zuflucht kennt, kennt er auch sich selbst nicht. So taucht in Rilkes ›Frühen Gedichten‹ noch eine andere Sprachgebärde auf: der sich selbst fremd gewordene Mensch fragt nach sich selbst und muß es lernen, diese Frage auszuhalten, ohne eine direkte Antwort geben zu können. Das antwortlose Nachfragen nach sich selbst wird zu einer für Rilke entscheidenden lyrischen Geste, die bis in seine späten Gedichte hinein das Sprechen bestimmt und immer zugleich den unaufgebbaren Anspruch auf ein inneres Dasein zu erkennen gibt. So heißt es schon in den Liedern der Mädchen: „Fragt jemand, wer ich sei? / ... Gott, ich bin jung und ich bin blond / und habe ein Gebet gekonnt / und geh gewiß umsonst umsonnt / und fremd an mir vorbei[5]." Im Nachfragen begegnet nur ein fremdes Umsonst; aber gerade dadurch kommt die Sprache an die Grenze des Sagbaren und sinkt in eine neue Tiefe des Namenlosen. Die Dinge des Daseins gewinnen neuen Raum um sich, weil sie nicht mehr stimmungshaft überwältigt werden, sondern sich in einer Fremdheit zeigen, die der Fremdheit des eigenen Innern entspricht. Mensch und Ding gehören beide zur namenlosen Fremdheit eines unüberschaubaren Lebens, in dem sie sich vorfin-

[5] R. M. Rilke, Gesammelte Werke, Bd. 1, 1927, S. 319.

den. Und so bleibt dem Gedicht nur die Aufgabe, Mensch und
Ding so zu nennen, daß dieses Namenlose nicht verdeckt wird,
sondern gegenwärtig bleibt.

Je mehr die Alltagssprache den Anschein erregt, als ob wir mit
den Begriffen über die Dinge verfügten, um so mehr muß das
lyrische Wort zu jenem anfänglichen Sagen zurückkehren, wo das
Wort dem Namenlosen begegnet. In dem Gedicht ›Fortschritt‹
von 1900 aus dem ›Buch der Bilder‹ weiß sich der Dichter mit
dem Dasein in einem neuen Einverständnis, weil er das Namenlose vorausgibt: „Immer verwandter werden mir die Dinge / und
alle Bilder immer angeschauter. / Dem Namenlosen fühl ich mich
vertrauter: / mit meinen Sinnen, wie mit Vögeln, reiche / ich in
die windigen Himmel aus der Eiche . . ." Es ist das Leben selbst,
das namenlos vertraut wird; die Dinge | zeigen sich, ohne etwas
über sich auszusagen. Und dieses schweigende Sich-Zeigen der Dinge, das zu unserem eigenen Dasein gehört, gilt es ins Gedicht zu
holen. Das Vertrautwerden der Menschen mit dem Namenlosen
in sich und den Dingen erscheint als die Aufgabe, die das Gefühl
zu leisten hat und der der Dichter die Sprache gibt. Es ist das
Thema, das Rilke seit dem ›Stundenbuch‹ und den ›Neuen
Gedichten‹ nicht wieder losgelassen hat. Es genügt ihm weder der
lyrische Stimmungston noch die unmittelbare Erlebnisaussprache,
weil er erst einen Boden gewinnen muß, von dem aus das Gefühl
zu sich zurückkehren kann. Im antwortlosen Nachfragen begegnet
er dem Namenlosen eines sich zeigenden Lebens, in das sich das
Gefühl ausgibt. Er führt damit auf die Grundsituation des Lyrikers zurück, der die innere Selbsterfahrung des Menschen nicht als
etwas Bekanntes voraussetzen kann, sondern durch sein Wort erst
wieder vernehmbar macht. So vermag sein Beispiel die Situation
der modernen Lyrik in besonderem Maße zu erhellen und auf die
Voraussetzungen der ihr zugehörigen Sageweisen hinzuführen.

Wir sahen schon, wie bei Hölderlin die Unmittelbarkeit der Gefühlsaussprache an ihre eigene Grenze kam, sofern das fühlende
Ich nach dem Grund fragt, aus dem es lebt, und nach dem Höheren verlangt, das ihm ein rühmendes, dankendes Wort ermöglicht.
Bei Rilke zeigt sich, daß dieses Höhere antwortlos bleibt und nur
in der Gebärde des Nachfragens noch begegnet. Die damit sich

ankündigende Angefochtenheit des Ichs ist nur immer bewußter geworden und hat in wachsendem Maß dem Lyriker die Selbstverständlichkeit und Unbekümmertheit des Sich-Äußerns genommen. Die krisenhaften Erscheinungen in der modernen Lyrik wären also ein Zeichen dafür, daß die frühere Selbstgewißheit der Ich-Aussprache mehr oder minder verlorengegangen ist, ohne daß sich ein neuer Boden zeigte, von dem aus sie wieder sinnvoll würde. Der experimentierende Charakter so vieler Verse wäre daraus wohl verständlich. Die Sprache begnügt sich mit überraschenden Versetzungen der Worthorizonte, mit Überschneidungen der Vorstellungen und Begriffe, mit einem Spiel der Linien und Figuren, ja mit dem kapriziösen Einfall, dem neuen Dessin. Das Gedicht stellt sich her, indem es sich zugleich verleugnet.

Besonders entschieden und bewußt ist diese Situation von Gottfried BENN (1886—1956) zu nutzen gesucht worden. Bei ihm ist die Verlorenheit und Fragwürdigkeit des Ichs zum entscheidenden Thema geworden. Gerade weil der Sprechende sich selbst nicht findet und kennt, jedenfalls in allen entscheidenden Hinsichten vergeblich nach sich selbst fragt, findet er seine Aufgabe vor allem darin, sich im Umgang mit der Sprache wenigstens dieser Erfahrung der Verlorenheit zu vergewissern. In dem Maße, wie die Worte dem Menschen den Zugang zur Welt und zu sich selbst zu verstellen drohen, | gilt es sie beweglich zu halten und zwischen ihnen hindurch in einen freien Raum zu dringen, über die durch die Sprache nahegelegten Fixierungen von Ich und Welt hinauszugelangen und dadurch die eigene Angefochtenheit zu bestehen. Wenn man fragt, wie bei Benn das Ich sich selbst begegnet, obgleich es gerade nicht über sich selbst verfügt, wird nicht nur sein eigenes Dichten verständlicher, sondern auch die Not erkennbarer, in der sich heute das Gedicht befindet. Ich und Welt fordern sich gegenseitig und heben sich gegenseitig auf, wenn eins von beiden zerfällt oder übermächtig wird. Dem Zerfall des Personseins entspricht der Zerfall der Welt in eine unbegriffene Tatsächlichkeit. Davon spricht Benn gelegentlich sehr direkt und ausdrücklich: in den ›Statischen Gedichten‹ (1948) mit den Versen „Verlorenes Ich" und in ›Fragmente‹ (1951) in den gleichnamigen Zeilen. Man mag zögern, auf diese Wortfiguren die Bezeichnung Vers oder

Gedicht anzuwenden, da sie nur sehr bedingt einen vollen Sprach-
leib, eine klanglich-rhythmische Bewegung besitzen und mehr wie
Merksprüche, wie Gedankenextrakte anmuten, die nur insoweit
zum Vers gelangen, als sie auf ein Seiner-selbst-inne-Werden des
Menschen verweisen, auch wenn sie es zugleich in Frage stellen.
Das Ich ist zersprengt von Stratosphären, und die Welt begegnet
nur noch als Flucht, ist zerdacht: „die Mythe log"; das Ich weiß
sich nicht mehr umschlossen von einer gedeuteten Welt, wie sie der
Glaube vergangener Epochen zur Verfügung hielt; so kennt sich
das Ich nur noch, sofern es verloren ist. Es bleiben nur ›Fragmente‹, wie es die so benannten Verse sagen, weil weder Religion noch Wissenschaft auf solche Beunruhigung zu antworten
wissen. Man mag darin zunächst nur Meinungen sehen, wie sie
einer pessimistischen Kulturkritik oder nihilistischen Haltung entsprechen; aber in welchem Sinne haben sie etwas mit dem lyrischen Gedicht zu tun? Wird hier die lyrische Form nicht in dem
Maße zerschlagen, wie sie sich dem Gedankenexperiment überläßt und dem Aphorismus nähert? Müssen wir diese als Verse ge-
druckten Sprachgebilde auch als Verse anerkennen?

> Verlorenes Ich, zersprengt von Stratosphären,
> Opfer des Ion —: Gamma-Strahlen-Lamm —,
> Teilchen und Feld —: Unendlichkeitschimären
> auf deinem grauen Stein von Notre-Dame.
> Die Tage gehn dir ohne Nacht und Morgen,
> die Jahre halten ohne Schnee und Frucht
> bedrohend das Unendliche verborgen —,
> die Welt als Flucht[6].

Wir wagen solchen Zeilen gegenüber nicht ohne weiteres von
ihrem Sinn zu sprechen, und ebenso schwer mag es sein, eine Ge-
fühls- oder Erlebnissituation zu fixieren. Eher können wir fest-
stellen, daß hier etwas mit der | Sprache geschieht, was ihrem
vertrauten Mitteilungscharakter widerspricht: die grammatischen
Beziehungen sind nicht leicht durchsichtig, die Worte scheinen wie
isolierte Blöcke nebeneinanderzustehen, das Verlangen nach An-

[6] Gottfried Benn, Gesammelte Werke Bd. 3², 1963, S. 215.

schauung und bildhafter Vorstellung wird mißachtet, nur einzelne
Wortbrocken springen vor, und im übrigen sieht man sich aufge-
fordert, die Wortkombinationen zu beachten und in ihren Beziehungen zu verfolgen: gibt es mehr als eine Stratosphäre, kann die
Ionentheorie das Ich zum Opfer des Ion machen, was ist Gamma-
Strahlen-Lamm? Oder ist das „Opferlamm" der biblischen Überlieferung durch Ionen und Gammastrahlen „zersprengt" und dadurch erst die Wortkombination möglich geworden? Und wie geht
es von da zu den Chimären von Notre-Dame; warum entspricht
das verlorene Ich den „Unendlichkeitschimären"? Sind seine Erwartungen solche Chimären gewesen? Und was sind Tage ohne
Nacht und Morgen oder Jahre ohne Schnee und Frucht, also Winter und Herbst? Offenbar rein zahlenmäßige Zeiträume, die das
Unendliche und also Ewige verbergen. So bleibt die Welt als Flucht
nur Folge von Zahlen und Teilchen, versachlicht, aber leer und
darum nicht mehr Welt, in der sich ein Ich finden kann.

Wir geraten über diesen Worten ins Spekulieren, aber vielleicht
auch in eine Betroffenheit; gibt es in dieser Kombinatorik noch
etwas anderes als den interessanten Gag, der das, was unser Bewußtsein sonst verschiedenen Sphären zuweist, nun auf den gleichen Boden stellt? Besteht das Dichten darin, daß die Worte „fas-
zinierend montiert" werden; kann das Gedicht der Vorstellung
noch Klang und Gestalt geben oder begnügt es sich damit, uns so
etwas wie ein Begriffs- und Ratespiel vorzulegen? Und was besagt unter diesen Umständen die Vers- und Strophenform? Gewiß,
die Reimordnung des Vierzeilers wird festgehalten, wobei neben
überraschenden auch alltägliche Reime begegnen: Sphären — Chimären; Lamm — Notre-Dame sind so interessant wie Kaldaunen
— Katalaunen; aber Morgen — borgen oder Frucht und Flucht
haben für sich genommen nichts Besonderes und werden erst durch
die sonstige Sprachbehandlung überraschend. Sobald man nach dem
Versmaß fragt, begegnet eine ausgesprochene Lässigkeit; die erste
Strophe läßt vermuten, daß es sich um einen fünftaktigen Vers
handelt, meist alternierend, doch gelegentlich mit freierer Vers-
füllung; aber die zweite Strophe schließt mit einem Zweitakter,
die dritte und vierte mit einem Viertakter; in der fünften Strophe
haben wir nach drei Viertaktern einen Zweitakter usw. Also ein

irgendwie geartetes strengeres Maß kennt dieser Vers nicht mehr;
man nimmt sich alle Freiheit und verzichtet in anderen Gebilden
auch auf den Reim. Diese Verleugnung des Versmaßes erschwert
aber zugleich die Sprechbarkeit; das Gedicht lebt nicht im Hersagen, sondern im Nachlesen. So sagt Benn: „... Daß ich persön-
lich das | moderne Gedicht nicht für vortragsfähig halte, weder
im Interesse des Gedichts noch im Interesse des Hörers. Das Gedicht geht gelesen eher ein[7]." Der Aufnehmende soll sehen, wie
lang es ist, wie die Strophen gebaut sind. Aber was sagt es über
das Gedicht, wenn es nicht mehr gehört, sondern gesehen sein will?
Verzichtet es dann nicht auf einen wesentlichen Teil der Sprache,
daß sie laut werden will? Und ist nicht mit dem Lautwerden ihre
Bildkraft eng verbunden? Wird sie nicht zum gedachten Begriff,
wenn sie sich auf das Druckbild beschränkt? Begriffliche Kombinatorik und Montage können gewiß einen eigenen Reiz besitzen;
aber man muß begreifen, wie sehr sich dadurch die Sprache in die
Enge getrieben sieht. Sie scheint sich selbst in Frage zu stellen, sofern sie Ich und Welt nicht mehr in Eins zu setzen weiß. Sie lebt
nur noch in Fragmenten, halben Lauten, geborgten Worten, die sie
ineinander zu spiegeln sucht, und droht damit umzuschlagen in
eine mehr oder minder unfreiwillige Komik: in der Direktheit
der Begriffe geht die Anschaulichkeit der Vorstellung und die Bild-
nähe verloren, der Mensch sucht nur noch in den täglich gebrauch-
ten Worten seine Identität zu begreifen.

> Ausdruckskrisen und Anfälle von Erotik:
> das ist der Mensch von heute,
> das Innere ein Vakuum,
> die Kontinuität der Persönlichkeit
> wird gewahrt von den Anzügen,
> die bei gutem Stoff zehn Jahre halten.
> Der Rest Fragmente,
> halbe Laute,
> Melodienansätze aus Nachbarhäusern,
> Negerspirituals
> oder Ave Marias[8].

[7] Ebd. Bd. 1, 1959, S. 529.   [8] Ebd. Bd. 3, S. 246.

Und doch bleibt nun bei Benn ein eigentümliches Pathos der Sprache bestehen. Je weniger das Ich über sich verfügt, je weniger es die Welt als Welt begreift, um so wichtiger wird dies Medium der Worte, in dem sich seit je Mensch und Ding gezeigt und zugeordnet haben. So muß es gelingen, im Umgang mit ihnen die Verlorenheit des Ich und die Flüchtigkeit der Welt hinter sich zu lassen und sie so zu stellen, daß sie im Bezuglosen die Spur des menschlichen Daseins sichtbar machen; es kann ihnen gelingen, im Leeren einen Raum zu schaffen oder doch durch alle Verdinglichungen hindurch die eigene Unmittelbarkeit zu erreichen. So steigert sich Benns Vers zum Pathos des Rühmens nur noch da, wo es um die Würde des Gedichts selbst geht. Es finden sich Überschriften wie: ›Verse‹, ›Gedichte‹, ›Bilder‹, ›Die Form‹, ›Satzbau‹. Hier scheinen altvertraute lyrische Gebärden wiederzukehren | und die Sätze ihre übersehbare Gestalt zu behalten, ja feierlich würdevolle Klänge und Metaphern möglich zu sein:

> Wenn je die Gottheit, tief und unerkenntlich
> in einem Wesen auferstand und sprach,
> so sind es Verse, da unendlich
> in ihnen sich die Qual des Herzens brach ...

oder: Es gibt nur ein Begegnen: im Gedichte
die Dinge mystisch bannen durch das Wort[9].

Freilich wird man sich dessen bewußt bleiben müssen, daß auch dieses Pathos die Verlorenheit von Ich und Welt zur Voraussetzung nimmt und dem Flüchtigsten, am schwersten Greifbaren, dem Wort, dem Vers gilt und dadurch in der Hinwendung zur Gottheit einen parodistischen Unterton nicht ganz verleugnet. In dem Vortrag über ›Probleme der Lyrik‹ heißt es: „Das Bewußtsein wächst in die Worte hinein, das Bewußtsein transzendiert in die Worte ... Wir werden uns damit abfinden müssen, daß Worte eine latente Existenz besitzen, die auf entsprechend Eingestellte als Zauber wirkt ... Dies scheint mir das letzte Mysterium zu

---

[9] Ebd. S. 194 u. 196.

sein, vor dem unser immer waches, durchanalysiertes ... Bewußtsein seine Grenze fühlt[10]."

So scheint sich im Wechselbezug von Verlorenheit des Ich und
sprachlicher Selbstbehauptung noch einmal eine Möglichkeit der
Lyrik anzubieten, die freilich alle Unschuld verloren hat und auch
die lyrische Form nur widerwillig anerkennt. Das Figurenspiel
der Worte enthüllt im überraschenden Montieren der auseinander-
liegenden Vorstellungen ein Faszinosum, das sich noch einmal als
Mysterium verstehen möchte: Wachheit, Skepsis und Nähe zur
Begriffssprache führen doch an ein Inkommensurables heran, an
das, was zwischen den Worten als ein Überraschendes aufleuchtet.
Dabei ist in unserem Zusammenhang wichtig, daß die lyrische
Sprache in dem Maße zur Geltung kommt, wie das Ich nach sich
selber fragt, wie es über sich verfügen möchte und ein verschwiegenes Innere laut werden soll. Zugleich aber ist deutlich, daß damit
nichts selbstverständlich Gegebenes gemeint sein kann, sondern
nur ein immer von neuem Fragwürdiges, das sich erst dichtend
herstellt und bezeugt. Und zugleich wird zu bedenken sein, warum
und mit welchen Möglichkeiten die Sprache zur lyrischen Sageweise drängt und sich nicht als Mitteilung oder Gedankengehalt
erschöpft. Wie ist diese Montagetechnik zu verstehen; kann auch
sie noch Hinweis auf die Leistung der Lyrik und besonders der
Sprache im Gedicht sein? Sie hat offenbar die Möglichkeit, der
Verfestigung der Worte zum Begriff entgegenzuwirken und die
scheinbar getrennten Wortsphären in ihrem Auf-einander-Bezo-
gensein fühlbar zu machen. Aber das wird nur gelingen, wenn sie
mit jener notvollen|Entschiedenheit geleistet wird, wie das bei
Benn der Fall ist; die Verlorenheit des Ichs, dem die Welt nicht
mehr zur Welt wird, erfährt sich im Durchblick durch die Worte,
mit denen wir die Dinge zu bezeichnen gewohnt sind. Insofern
erinnern solche Gedichte wohl an das Figurenspiel der abstrakten
Malerei.

Diese Montagetechnik der Worte begegnet nun freilich in vielen
Gedichten heute, offener oder versteckter, selbstgenügsamer oder
im Verein mit gewohnteren Sageweisen. Man mag darin so etwas

[10] Ebd. Bd. 1, S. 510 u. 513.

wie eine Moderichtung finden; aber es mag auch ein Hinweis darauf sein, daß uns beim Lesen des Gedichts weniger die Frage nach
seinem Inhalt, den Gefühlen und Stimmungen beschäftigt, als was
es mit der Sprache zu leisten vermag. Die Gefühls- und Erlebnis-
nuancen der Gedichte mögen uns unberührt lassen und fern liegen;
aber wenn man darauf achtet, was hier der Sprache zugemutet
wird, wie sie in Gang kommt, ob ihr eine eigene Wendung glückt,
gewinnen diese Versuche ein entschiedenes Interesse. Wenn wir in
den Versen nicht Gefühle suchen, sondern den Umgang mit der
Sprache, wird auch das modisch-beiläufige Produkt aufschlußreich.
Es kann sich auch in ihm etwas von der freien Heiterkeit bezeugen, die noch dem ernsthaftesten Kunstwerk eigen ist. Gerade die
Montagetechnik verführt freilich nur zu leicht zum bloßen Spiel
und Experiment und schlägt dann um ins Burleske und Komische.
Das mögen einige zufällig herausgegriffene Beispiele zeigen, wie
sie gelegentlich bei der Lektüre begegneten: die verschiedensten
Gebiete der Technik werden in die Vorstellungswelt und Wort-
wahl hineingeholt und mehr oder minder glücklich in die gefühls-
nahe Sprache der naturgebundenen Dinge hineingeschoben. Die
Sprache der Flieger oder Autofahrer etwa wird der gewohnten
Naturlyrik einmontiert: da heißt es bei Karl SCHWEDHELM (geb.
1915): ›Steigender Tag‹

> Sonne saugt schon den Tauben
> den Aufwind aus dem Gefieder,
> Lerchen, die leichteren, schrauben
> ins Licht die Spirale der Lieder.

Also offenbar Worte aus der Fliegersprache, die dann im weiteren Gang des Gedichts noch ins Metaphorische einer erahnten Beziehung umgesetzt werden:

> Führt einst die Kurve der Reise
> spät unsre Schatten zusammen?[11]

---

[11] Vgl. Karl Schwedhelm, Fährte der Fische, Gedichte 1955.

Heinz PIONTEK, (geb. 1925), dessen Gedichtsammlung ›Die Furt‹ 1952 erschien, scheint in den Strophen ›Den Winter zu Ende zu schreiben‹ eher an Worte des Autofahrers zu denken und sie ins Unwirkliche umzusetzen. Die ‚Windeis|scheiben‘ erinnern an Windschutzscheiben und die ‚Schneehaut‘ an die Regenhaut:

> Gesprungene Windeisscheiben
> spiegeln mich nicht.
> Zart läßt der Tagmond sich treiben —
> Mir zerlöst sich die Sicht.
> Begnüg ich mich mit dem Nächsten:
> Schneehaut, benebeltes Gras —
> hör ich im allerschwächsten
> Elsternlaut, was ich vergaß.[12]

Je mehr man bei diesen Worten an den Autofahrer denkt, um so spielender und humoristischer werden sie.

Die Gefahr, die Montage zu überanstrengen, bleibt ebenso groß, wenn nicht nur Worte einmontiert werden, sondern technische Gegenstände wie die Verkehrsampel oder die verrostete Kriegslokomotive zum lyrischen Sinnbild werden sollen: es bleibt beim witzigen Einfall oder es droht der Umschlag in die Sentimentalität[13]. Es wird in manchen dieser Versuche nicht faßbar, worin die Notwendigkeit besteht, so zu montieren; es scheint nur die seit dem Naturalismus geläufige Erwartung dahinter zu stehen, daß die Technik genau so metaphorisch verwendbar sei, wie die alte Bilderwelt unseres Daseins. Aber gerade darin scheint sich diese Montagetechnik zu täuschen; auch wenn die „Zeichen“ „aller lebendigen Dinge“ zum technischen Zeichen in Gegensatz gestellt werden, werden sie damit noch nicht gegenwärtig. Besonders aufschlußreich sind in dieser Hinsicht wohl die Strophen von Hans Egon HOLTHUSEN (geb. 1913) aus seinem Gedichtband ›Labyrinthische Jahre‹ (1952). In dem Gedicht ›Die Drogistin‹ z. B. wird die

---

[12] Vgl. Heinz Piontek, Die Rauchfahne, Gedichte 1956², S. 58 mit dem Titel ›Schreiber im Februar‹.

[13] So bei Walter Bauer, (geb. 1904) und Gottfried Kölwel, (1889 bis 1958) ›Die alte Lokomotive‹.

Geschäftssprache der Drogerie ins Menschliche hineinmontiert, um die Frage nach dem Eigentlichen in uns aufbrechen zu lassen. „Wer sind wir denn?" heißt es im leisen Nachklang von Rilkes Fragen: „Wen vermögen wir denn zu brauchen?" — „Wer wagte darum schon zu sein?" (1. und 2. Elegie.) Und so wird dann das Menschliche den mythischen Gestalten der griechischen Tragödie, einem Ödipus, einem Dionysos zugeordnet und modern und antik ineinandergeschoben. Aber es fragt sich, ob damit nicht die Alltagssprache in ihrer Bildkraft überanstrengt ist und wieder nur der Einfall bleibt und keine echte Sprachgebärde entsteht. Es ist Montage des Sprachmaterials verschiedener, uns berührender Lebensgebiete: Geschäft, Trieb, Mythos begegnen in einer zweifellos einfallsreichen und auch präzisen Weise; aber blicken wir wirklich zwischen den Worten hindurch in ein Offenes? Nur soweit es dem Gedicht gelingt, durch die Montage aus der Bilderwelt der Sprache in ein Freieres hinauszutreten, rechtfertigt sich diese Technik; sonst wird sie zum humorvollen Spiel und als solches ehr|licher. Siegfried von VEGESACK (geb. 1888) z. B. setzt die Kinowelt in ein freies Montagespiel um, das nur Spiel sein will und gerade dadurch eine freie Heiterkeit erreicht: „Das Warenhaus für Träume". Die Welt des Warenhauses und der Traumfabrik werden so ineinandergeschoben, daß die Unwirklichkeit dieser Bilder nur die geschäftsmäßige Verwendung der Phantasiekräfte humorvoll umspielt.

Damit zeigt sich nun aber doch, daß die moderne Lyrik gewiß nicht allein von der Montagetechnik leben kann; ja daß diese Technik im Grunde eine enge Verwandtschaft mit der lyrischen Technik des Barock und Rokoko hat, die ja auch die Kombinatorik der Worte, Vorstellungen und Einfälle liebte und die Bildkraft der Sprache beiseite ließ. Das Bannen der Lebensbilder im Wort, das Wachrufen der das Innere erfüllenden Bilderwelt scheint dementsprechend eine andere, für die heutige Lyrik wesentliche Haltung zu sein. Auch hier verfügt das Innere des Ichs nicht über sich, kennt sich nicht im eigentlichen Sinn; aber es erfährt sich im Fluten der Bilder und greift in ihrem Nennen nach dem zwischen ihnen stehenden Unaussprechbaren. Das große Beispiel für diese imaginative Kraft des Verses ist Georg TRAKL; auch bei ihm

ist nichts mehr von der alten Stimmungsfülle des Naturgedichts
wahrzunehmen; ebensowenig kehrt er zu einer dinglichen Beschreibung im Sinn der frühen Aufklärung zurück. Aber er ruft das Inbild wach, das in uns lebt, das von unserer Vertrautheit mit den
Dingen, den Menschen, den Zeiten zeugt, von unserem Innesein
und das doch auf alle weiterdrängenden Fragen nach Sinn und Ziel
schweigt. Die Teilhabe am Dasein bezeugt sich, sofern mit den In-
bildern ihr Schweigen aufgerufen wird. Die Sammlung ›Sebastian im Traum‹ von 1914 steht so am Anfang der modernen
Lyrik wie die damaligen Bilder von August Macke und Franz
Marc an dem der Malerei. Als Beispiel mögen die Bilder aus den
Gedichten ›Unterwegs‹ oder ›Landschaft‹ oder ›Die Sonne‹ dienen. Hier wird mit den Worten die Bilderwelt wachgerufen, die
zu unserem Dasein gehört; es sind nur Hindeutungen, ohne daß
eine Beschreibung versucht würde, ohne daß durch Vergleiche ein
Bezug zum menschlichen Inneren hergestellt würde: aber es begegnet im bildnahen Wort das Namenlose, das Schweigen, das
sprachlose Vorkommen, die Stille: „Unsäglich ist das alles."

> Und die gelben Blumen des Herbstes
> Neigen sich sprachlos über das blaue Antlitz des Teichs.
>
> Reglos ragt am bläulichen Weiher
> Das Rohr, verstummt am Abend die Drossel.
>
> Langsam reift die Traube, das Korn.
> Wenn sich stille der Tag neigt,
> Ist ein Gutes und Böses bereitet. |

Dabei ist es merkwürdig, wie diese Verse meist auf jedes erkennbare Maß verzichten, wie weder Reim noch Metrum versucht werden und doch lautere Gebilde entstehen. Im Wachrufen der Bilder,
in ihrer Folge waltet ein geheimer Rhythmus, als wolle er das
Schweigen vernehmbar machen. Die Zeilen sind nicht zufällig in
Strophen abgesetzt; sondern jede Strophe birgt in sich die gleiche
Bewegung, besitzt das gleiche Gewicht; es wird ein inneres Maß
fühlbar, das nicht mehr auf erkennbare Zeichen angewiesen ist
und nur das Gleichmaß der Atemzüge zu besitzen scheint, in der

Folge der Bilder den Pulsschlag des Lebendigen spüren läßt. Das
Gedicht ›Die Sonne‹ besteht aus vier dreizeiligen Strophen,
jede birgt einen eigenen Bildbereich in sich: die Sonne, der Weiher,
das Reifen, die Nacht; dabei wird das sichtbare Bild immer mehr
zu einem inneren Bild und dadurch eine vorwärtsdrängende
Bewegung spürbar. So kann die letzte Zeile wie die erste die
Sonne nennen und ihr doch eine andere geheimnisreichere
Bedeutung geben. Auch der Nacht bleibt eine Sonne zugehörig,
als wollte sie in uns weiterleuchten, als Inbild und Zeichen,
daß sie unseren irdischen Tagen die Gestalt gibt. In ihrem
schweigenden Sich-Zeigen wird das Dasein stille und uns das
Sprachlose vertraut. Die imaginative Kraft der Worte lebt aus dem
Schweigen der Bilder, die uns unser Dasein heimisch machen;
die Verse bannen die Stille des Unsäglichen, des Sprachlosen, des
Verstummens.

Ähnlich wie die Montagetechnik wird man auch dies Wachrufen
einer Bilderwelt der Imagination häufiger in der modernen Lyrik
finden, wobei dann wieder die Frage auftaucht, wie die Sprache
gehandhabt wird und in welchem Sinn ihre Bildkraft zur Geltung
kommt. Dabei mögen sich Überschneidungen mit anderen Möglichkeiten ergeben: die Bilderwelt wird menschlich aktiviert oder
stimmungshaft erfühlt oder zum Gleichnis des menschlichen Verhaltens gemacht oder wieder mit anderen Sprachschichten zusam-
menmontiert. Solche Bildkraft lebt etwa in Versen von Georg
BRITTING (geb. 1891): ›Nach dem Hochwasser‹[14]. Hier scheint
die verwilderte Flußlandschaft fast zum Gleichnis menschlicher
Schicksalslandschaft zu werden und eine unausgesprochene Parallele zwischen naturhaftem und menschlichem Geschehen erst das
Hervorrufen der Bilder zu rechtfertigen; so bleibt die Bilderwelt
vordergründiger und näher bei der Beschreibung als bei Trakl. In
anderen Gedichten kommt die imaginative Kraft noch weniger
zur Entfaltung, weil die bewußte Reflexion ihr eine ausdrückliche
Bedeutung geben will. In einem Gedicht von Karl KROLOW (geb.
1915), ›Tulpen‹, wird das wachgerufene Bild ausdrücklich als

[14] Georg Britting, Gesamtausgabe Bd. 1, Gedichte 1919—1939, 1957,
S. 149.

„Magische Figur" bezeichnet und damit eine Ohnmacht des Wortes deutlich: wir ruhen nicht im Bild, sondern werden aufgerufen, ihm Sinn und Bedeutung zu geben, und verlieren es dadurch wieder: „Kelch, oh, schattentief, ... Traumlaut, der mich rief ... | Magische Figur." Hier wird die Aussage rhetorische Wendung und dadurch ungenau. Aber trotzdem bezeugen auch solche Verse das Verlangen, in die Bildschicht des Wortes zurückzukehren. Krolow hat einen Gedichtband ›Die Zeichen der Welt‹ 1952 veröffentlicht, der auf eigene Weise das namenlose Sich-Zeigen der Dinge ins Wort holt, indem er den zeichenhaften Verweisungscharakter der Sprache verselbständigt und die begegnenden Erscheinungen in eine „Algebra" der Worte zurücknimmt. So heißt es in der ›Ode 1950‹: „Formel der Früchte: Wer nennt sie? .. Ich suche mit Worten inzwischen / Die Flüchtigen aufzuhalten: mit einer Algebra, zart erdacht / Aus atmenden Silben." Das Gedicht sieht sich auf eine Sprache verwiesen, die als Bezugssystem in die Nähe der mathematischen Formel gerät und nur ein Gradnetz, ein „Gitter" zur Verfügung stellt, das es dann doch ermöglichen soll, die „Zeichen der Welt", „des Daseins Schrift" zu lesen, so daß der Vers zum „klingenden Gitter" wird: „Ich lasse die summenden Drähte, das klingende Gitter / Der Worte zurück auf dem Grunde des Seins[15]."

Uns kam es darauf an, einige typische Sageweisen des modernen Gedichts anzudeuten: bei George die Verfremdung der Worte durch die Distanz von Natur und Kunst; bei Rilke die Haltung des antwortlosen Nachfragens, die im Fragen ausdauert; bei Benn die Montagetechnik der verschiedenen Sprachbereichen zugehörigen Worte; bei Trakl die Imaginationskraft der Sprache im Raum des Unsäglichen. Sie alle ermöglichen lyrische Sageweisen, die von dem der Lyrik traditionell zugewiesenen Gefühls- und Erlebnisausdruck aus schwer zu fassen sind und die wir mit bedenken müssen, wenn wir uns über Leistung und Möglichkeiten des Gedichts verständigen wollen. Wir kommen sonst in die Gefahr, unsere Besinnung zu einseitig an einem historischen Befund zu orientieren, den wir im Grunde nicht mehr als für uns bindend aner-

[15] Siehe jetzt Karl Krolow, Gesammelte Gedichte, 1965, S. 51 f.

kennen, weil unsere Praxis schon ganz andere Wege geht. Zugleich wird es dann leichter sein, die paradoxen Auskünfte, die Benn in seinem Vortrag über Probleme der Lyrik gibt, mit den sonst üblichen Antworten in ein Verhältnis zu bringen. Er sagt: „Ein Gedicht ist immer die Frage nach dem Ich, und alle Sphinxe und Bilder von Sais mischen sich in die Antwort ein." Er beruft sich auf das von Valéry mitgeteilte Wort Mallarmés: „Ein Gedicht entsteht nicht aus Gefühlen, sondern aus Worten" und sagt: „Die Lyriker sind keine Träumer; die andern dürfen träumen; diese sind Verwerter von Träumen, auch von Träumen müssen sie sich auf Worte bringen lassen." Und gleich am Anfang gibt er seine These: „Ein Gedicht entsteht überhaupt sehr selten — ein Gedicht wird gemacht. Wenn Sie vom Gereimten das Stimmungsmäßige abziehen, was dann übrig bleibt, wenn dann noch etwas übrig bleibt, das ist dann vielleicht ein Gedicht."|

Wir müssen also versuchen, unsere Erwartungen von der Lyrik derart zu bestimmen, daß wir die uns begegnende Gedicht-Wirklichkeit trotz der verschiedenen Verfahrensweisen der Lyriker nicht überspringen oder verdecken, sondern uns ihnen öffnen können ... | Der Hinweis auf die Stimmung bleibt wichtig, sofern es die Lyrik nicht mit gegenständlicher Wirklichkeit, mit Ereignissen, Menschenschicksalen und Handlungskonflikten, sondern mit dem bewegten Inneren des Menschen zu tun hat, das als Seele, Herz, Gefühl, Empfindung oder Stimmung bezeichnet werden kann und in einem eigenen Bezug zum Dasein steht. Aber wenn man allein die Stimmung als den entscheidenden Wesenszug dieses inneren Daseins bezeichnet, so hat man damit schon eine besondere Auslegung eines vieldeutigeren Zusammenhangs vorgenommen, die nur für eine bestimmte Lyrikgesinnung gilt. Es muß uns darauf ankommen, die Wesensbestimmung des Lyrischen so weit zu fassen, daß das immer neu ansetzende Ringen um seine Verwirklichung im lyrischen Gedicht als notwendig und sinnvoll erscheint und sich ein Verständnis ergibt für die mannigfachen Stilformen des lyrischen Sprechens, für die wechselnden Sageweisen der Gedichtarten. Erst | dann kann uns greifbar werden, inwiefern im geglückten Gedicht sich ein Geistig-Bedeutsames ereignet, das das Selbstverständnis des Menschen erschließt.

... Als wesenhaft Inneres scheint sich die Seele jedem Zugriff zu entziehen und dem Verdacht der Unwirklichkeit ausgesetzt zu sein; sofern sich aber der Mensch in einer besonderen Gestimmtheit erfährt, wird er im Wechsel der Stimmungen dieses seines inneren Daseins gewiß und kann sich dadurch angeregt sehen, dieses so erfahrene Innere sprachlich laut werden zu lassen. Die Stimmung ist also ein bedeutsamer Weg der inneren Selbsterfahrung des Menschen und konnte insofern auch tragende Kraft des lyrischen Sprechens werden. Aber zugleich ist damit gesagt, daß das Selbstbewußtsein sich nicht allein auf die Stimmungshabe angewiesen sieht, sondern auch in anderer Weise zu sich selbst kommen kann, am entschiedensten dadurch, daß es in seiner eigenen Fragwürdigkeit einem tieferen Grund seines Seins begegnet oder doch diesem seinem eigenen Grunde nachfragt ... Wenn Paul Gerhardt singt:

> Befiehl du deine Wege
> Und was dein Herze kränkt
> Der allertreusten Pflege
> Des, der den Himmel lenkt,

dann wollen solche Verse nicht einfach eine Stimmung der Zuversicht kundtun, sondern in eine Dimension jenseits des beunruhigten Herzens vorstoßen; sie sprechen aus der bewegenden Erfahrung, daß das Herz mit seinen immer wechselnden Stimmungen seinen Grund erst im Glauben erfährt und daß die Seele sich nicht von sich aus, sondern nur von Gott her begreifen kann:

> Bist du doch nicht Regente,
> Der alles führen soll:
> Gott sitzt im Regimente
> Und führet alles wohl.

Diese Verse sprechen nicht stimmungshaft und sind doch ganz lyrisch, sofern sie eine innere Selbsterfahrung im Lautwerden bekenntnishaft auslegen.

So läßt sich sagen, daß das im Gefühl sich bezeugende Ich des Menschen in der Lyrik laut werden will, daß damit aber noch nicht umgrenzt ist, wie diese Selbsterfahrung möglich wird und

zur Verfügung steht. Die Ichaussprache in der Stimmungshabe ist
nur ein bestimmter, geschichtlich bedeutsam gewordener Weg, der
aber nicht die Vielfalt der Erscheinungsformen des Lyrischen erschöpft. Die alleinige Orientierung an der Stimmung droht die
dem menschlichen Innern eigentümliche Fragwürdigkeit und Un-
sicherheit ebenso zu verdecken, wie die der Seele mögliche Gewißheit im Glauben. Sofern sie sich vor die Frage nach ihrem eigenen
Grund gebracht sieht, kann sie nicht im Wechsel der Stimmungen
verharren, sondern muß hindurchgreifen nach dem sie Übersteu-
genden und Ermöglichenden. Erst dadurch gewinnt das lyrische
Sprechen eine eigene Geschichtlichkeit, sieht es sich dem Unsag-
baren ausgesetzt, um sich doch im Sagbaren zu behaupten... Es
wiederholt nicht die immer gleiche Aufgabe, eine Stimmung laut
werden zu lassen oder ein Erlebnis auszudrücken, sondern macht
darstellend greifbar, was es mit der Erfahrung der Seele, der Innerlichkeit des Menschen auf sich hat und in welcher Weise sie sich
als Erlebnis, als Stimmungshabe, als Glaube, als Verlorenheit, aber
auch im Spiel oder Einfall kundtun kann. Insofern kann man die
Lyrik als die „enthusiastisch-aufgeregte" Gattung bezeichnen, entsprechend der Goetheschen Formulierung. Aber es genügt nicht, sich
Stimmungen oder Gefühlen zu überlassen, sondern es kommt darauf an, den tätigen Umgang mit der Sprache in seinen wechselnden Erscheinungsformen zu beachten.

Denn die Selbsterfahrung des Menschen gewinnt in der Lyrik
nur so weit Klarheit über sich selbst, als sie eine eigene Sageweise
entwickelt. In der lyrischen Vergegenwärtigung der Gefühlswelt
geht es nicht um theoretische oder empirische Erkenntnisse, sondern
um die Sageweisen, in denen sich das verschwiegene Innere seiner
selbst und seines Daseinsgrundes vergewissern kann. Die Art des
Sprechens ist selbst schon die entscheidende Art der Auslegung, da
im einzelnen Vers eine bestimmte Art des Weltverhaltens mit-
schwingt und greifbar werden kann... So könnte man sagen, daß
der Lyriker nur darum bemüht ist, die Sprache in eine seelisch bedeutsame Bewegung zu versetzen, ihr eine Sangesweise abzugewinnen, die auf ein Inneres zurückweist. Hier herrscht das gebundene Wort, weil es durch sein Maß fühlbar macht, wie die Sprache
von innen her zu schwingen beginnt. Nur darum hat es guten Sinn,

daß man in früheren Epochen vom Dichter erwartete, daß er nicht
nur über|kommene Weisen benutzt, sondern eigene zu erfinden
weiß. Man darf das nicht meistersingerlich als Erfindung eines
metrischen Formschemas mißverstehen, sondern muß darin die
Erwartung ausgesprochen finden, daß der Dichter in der Sprache
eine Gebärdung, eine Tonlage ausarbeitet und sie in einen vom
Innern her bewegten Gang versetzt. Wo solche in ein wenn auch
noch so inkommensurables Maß gebundene Sprache begegnet, stehen wir im Bannkreis des Lyrischen.

Wenn der Mensch sich an die Grenze des Verstummens, des Un-
sagbaren gebracht sieht, sucht er zugleich zu erproben, was sich
mit der Sprache und in ihr tun läßt. So beginnt die Lyrik damit,
daß wir den amorphen Redefluß des Alltags unter ein Gesetz des
Versmaßes stellen, daß wir im Wechsel der Redeinhalte die Wiederkehr der Metren und Reime beachten und dadurch dem Sprechen
eine bestimmte Gangart, eine Sageweise aufnötigen. Das tätige Umgehen mit der Sprache steigert sich zur Herausarbeitung von Redefiguren, die ins Ohr fallen und als gemessene Bewegungen eine
eigene rhythmische Bedeutung gewinnen, je mehr sie mit dem
Rhythmus des Atems oder des Pulsschlags zusammenwirken und
dadurch ein menschliches Maß bezeugen. Der Sprachfluß entsteht
durch ein Widerspiel von Rhythmus und Metrum; die Satzbewegung kann sich innerhalb eines regelmäßig wiederkehrenden
Reimklangs vollziehen, so daß sinnlich faßbar wird, was
sich mit der Sprache tun und wie sich in ihr arbeiten läßt. Das
Metrum scheint ein starres Schema anzubieten, das aber auf
ständig wechselnde Weise gefüllt wird, sofern ja in diesem
Metrum ein lebendiger Satzrhythmus zur Wirkung kommt. Es begegnen sich im Vers zwei Bewegungsarten, das metrische Maß
und der dynamische Rhythmus des Satzes, des Sprechenden. Am
einfachsten Vers schon läßt sich das verdeutlichen, etwa an Goethes
›Erinnerung‹:

> Willst du immer weiter schweifen?
> Sieh, das Gute liegt so nah.
> Lerne nur das Glück ergreifen,
> denn das Glück ist immer da.

Es ist ein regelmäßiger Vierzeiler mit einem vierhebig alternierenden Vers in der Reimstellung a b, a b und dem Wechsel von weiblichem und männlichem Versschluß; aber die Satzbewegung bringt in dieses Maß einen sehr lebendigen Wechsel, durch einfachste Mittel; wohl fallen Vers- und Satzschluß zusammen und doch hat jede Verspause ein anderes Gewicht und damit auch die Sprachbewegung eine wechselnde Dynamik: auf die Frage folgt die durch die Anrede pausierte Antwort, während die Mahnung der Schlußzeilen durch die Begründung einen ganz anderen Tonfall erhält. | Indem sich metrische Form und Satzrhythmus gegenseitig steigern und fühlbar machen, entsteht der eigentümliche Zauber und das besondere Leben solcher Gebilde.

Dabei ergeben sich aus dem Zusammenwirken beider Bewegungsarten, der Metren und Rhythmen, sehr wechselnde Möglichkeiten, sofern nicht nur gleichlaufende, sondern auch gegenläufige Formen angestrebt werden können. Hölderlins Odenmaße unterscheiden sich von der liedhaften Reimstrophe durch eine viel stärkere Herausarbeitung der Satzdynamik, eine nachdrücklichere Gegenbewegung innerhalb der metrischen Form. Der Satzbau gliedert sich kühner und erhält durch Neben- und Unterordnungen, durch Inversionen und Anakoluthe eine fühlbarere Spannung, die sich dann doch dem Odenmaß einfügt. Der asklepiadeische Vers bestimmt z. B. das Gedicht ›Die Liebe‹, aber in wie wechselnder Form, wenn man auf das Verhältnis von Strophenmaß und Satzbewegung achtet; ständig kann der Satz über das Zeilenende hinausgreifen, ja mehrere Strophen umfassen und dadurch eine sich steigernde, vorwärtsdrängende Dynamik bezeugen:

> Wenn ihr Freunde vergeßt, wenn ihr die Euern all,
> O ihr Dankbaren, sie, euere Dichter schmäht,
> Gott vergeb es, doch ehret
> Nur die Seele der Liebenden.

Im Unterschied dazu gewinnt die zweite Strophe eine eigene Gedrungenheit, sofern auf je zwei Zeilen ein Satz kommt; dagegen werden die dritte bis fünfte Strophe in die Bewegung eines einzigen Satzes hineingerissen. Hier wird spürbar, wie die Sprachfiguren des Verses dem unendlich flüssigen Element der Rede eine lebendige Gestalt geben und das vergängliche Wort eine eigene Dauer erhält. Im Widerspiel von Metrum und Satzrhythmus stellt sich die Sprache unter ein Gesetz, das sich doch nur durch ständige Variationen behauptet; sie entfaltet sich innerhalb eines frei gewählten Gesetzes. Die Lyrik kommt schon dadurch in eine gewisse Nachbarschaft zu Tanz und Musik: wie im Tanz die menschliche Bewegung sich unter ein Gesetz stellt, wie in der Musik sich die Töne in eine eigene Ordnung fügen, so wird im Gedicht das so rasch entgleitende Wort in ein Figurenspiel genötigt. Dabei bleibt aber das Spiel nicht bloßes Spiel, weil das Arbeiten in der Sprache zugleich bezeugt, wie der Mensch an der Grenze des Unsagbaren doch dem Verstummen zu entgehen weiß. Sofern das Verschwiegenste die Innerlichkeit des Gefühls ist, steht das Figurenspiel der Verse in einem eigentümlichen Bezug zum Bezeugen dieses Innern: es wird Gebärde des Unsagbaren. |

So gilt nun in der Lyrik überhaupt nicht der Begriff, sondern die Gebärde. Der Dichter beschränkt sich nicht auf die rhythmisch-metrische Formung der Sprache, sondern kann alle Sprachgestalten zur Gebärde ausarbeiten. Solch Arbeiten in der Sprache bemächtigt sich vor allem der Bildgehalte der Rede. Die menschliche Sprachfähigkeit steht in einem besonders engen Bezug zum Imaginationsleben und bildet ihre Begriffe durchweg im Hinblick auf die Bilderwelt der Einbildungskraft; so wird es für die Lyrik wesentlich, daß ihre Sprache auf die Unmittelbarkeit des Vorstellungslebens zurückführt und der Bildgehalt der Worte wirksam bleibt; die Metaphorik zeugt davon, daß die Sprachfähigkeit an die Ausarbeitung der Bildvorstellungen gebunden bleibt und das Unsagbare durch den Vergleich doch noch sagbar macht. Aber auch Vorgänge und selbst Betrachtungen oder Gedanken können diesen gebärdenhaften Charakter annehmen und zu erkennen geben, was sich mit der Sprache tun läßt. Das Ungreifbare wird faßlich, sofern der Verweisungszusammenhang der Sprache als solcher bedeutsam wird.

Während in einer sachlich begriffenen Welt die Seele kaum erweisbar scheint, ist in der Lyrik die Sprache so an ihre Grenze gebracht, daß sie die Versachlichung selbst in Frage stellt und das

Innere laut werden läßt. Damit ist aber zugleich gesagt, warum die Lyrik aus der gewohnten Mitteilungsrede herausführt und dem Sprachehaben des Menschen die äußersten Möglichkeiten abgewinnt. Die Sprache gibt sich hier als Bedingung des Menschseins zu erkennen. Der Ursprung der Lyrik weist nicht auf praktische Bedürfnisse zurück, als entstünde sie zur Heraushebung eines Arbeitsrhythmus oder aus mnemotechnischen Gründen; vielmehr führt sie an die Grenze des Sagbaren und lebt aus dem tätigen Umgehen mit der Sprache; sie erprobt unsere Sprachfähigkeit. Ihre Sprachfiguren deuten auf ein Verschwiegenes, das sie in wechselnden Sageweisen zu erkennen geben: die Aneignung des Gedichts geschieht deshalb erst im Hersagen, im Einschwingen in die Sprachbewegung; es genügt nicht die inhaltliche Kenntnisnahme, sondern nur die Erprobung im Lautwerden; es ist eine tätige Mitarbeit nötig, die die Gebärde als Gebärde vollzieht. Erst so wird der Zusammenhang von Sprache, Seele und Geist erfahrbar.

Das menschliche Innere ist reich genug, um die vielfältigsten Gangarten der Sprache zu ermöglichen; denn immer stehen alle Kräfte des Gefühls in engem Zusammenhang sowohl mit der dunklen Macht der sinnlichen Empfindung wie auch mit dem hellen Licht des Geistes; das schlichte, naive Wort gewinnt hier ebenso ein Recht wie das durch Anfechtungen und Zweifel hindurchgegangene; das unbeschwerte Spiel kann die Sprache so gut bewegen wie der Tiefsinn des Glaubens oder die Ernüchterung der Glaubens|ferne; gesellschaftliche Grazie so gut wie das Mitschwingen in einer Gemeinschaft erzeugen besondere Sprachbewegungen; überall, wo der Mensch sich in seinem Inneren beteiligt weiß, kann das lyrische Wort erklingen. Wesenhaft wird es immer dort, wo es den Menschen vor sich selbst bringt und auf den Grund seines inneren Seins zurückweist, und das heißt, wo die Sageweise eine ihr eigene Unendlichkeit des Lebendigen bezeugt. |

ERGÄNZUNGEN

Die Gedanken und Beobachtungen dieses 1953 zuerst erschienenen Aufsatzes wurden in einigen späterhin veröffentlichten Arbeiten wieder aufgegriffen und weitergeführt. Ich nenne:

114		Paul Böckmann: Die Sageweisen der modernen Lyrik

1. Klang und Bild in der Stimmungslyrik der Romantik. ›Gegenwart im Geiste‹, Festschrift für Richard Benz, 1954, S. 103—125. Jetzt in dem Buch des Verfassers: ‚Formensprache, Studien zur Literarästhetik und Dichtungsinterpretation‘, 1966, S. 425—452, unter dem Titel: ‚Formen der Stimmungslyrik‘.

2. Der Strukturwandel der modernen Lyrik in Rilkes ›Neuen Gedichten‹. ›Wirkendes Wort‹, Jg. 12, 1962, S. 336—354.

3. Deutsche Lyrik im 19. Jahrhundert. ›Formkräfte der deutschen Dichtung vom Barock bis zur Gegenwart‹. Hrsg. v. H. Steffen, 1963, S. 165—186.

4. Der hymnische Stil in der deutschen Lyrik des 18. Jahrhunderts. Einleitung zu der von mir herausgegebenen Anthologie: ›Hymnische Dichtung im Umkreis Hölderlins‹, Schriften der Hölderlingesellschaft Bd. 4, 1965, S. 3—23.

5. Gottfried Benn und die Sprache des Expressionismus. ›Der deutsche Expressionismus. Formen und Gestaltung‹. Hrsg. v. H. Steffen, 1965, S. 63—87.

6. Interpretation von Christine Busta: In der Morgendämmerung. ›Doppelinterpretationen. Das zeitgenössische deutsche Gedicht zwischen Autor und Leser ‹, hrsg. v. Hilde Domin, 1966, S. 116—119.

Akzente 1 (1954), S. 423–435.

NACH DER MENSCHHEITSDÄMMERUNG

Notizen zur zeitgenössischen Lyrik

Von Walter Höllerer

Viele lehnen es heute ab, sich mit moderner Lyrik zu befassen. Wird ihr nicht zu Recht Unverständlichkeit und Disharmonie vorgeworfen? Die Beschäftigung mit diesen Gedichten ist zu anstrengend. Sie prägen sich nicht leicht ein. Man kann sie nicht hersagen. Man weiß nicht, wenn man in der Mitte ist, wie es weitergeht, während sich bei den gewohnten Lesebuch-Gedichten aus dem 19. Jahrhundert die Zeilen regelmäßig schließen. — Dazu kommt ein anderes: das Gedicht unserer | Jahre beruhigt nicht. Es hat nicht die Intention, unbedingt zu lobpreisen und zu bestätigen. Es will nicht Ornament geben. Wer also etwas Schmückendes, Unterhaltendes von diesem Gedicht erwartet, der ist enttäuscht.

> and the Serpentine will just look the same
> and the gulls be as neat on the pond
> and the sunken garden unchanged
> and God knows what else is left of our London
>   my London, your London
> and if her green elegance
>   remains on this side of my rain ditch
>   puzz lizard will lunch on some other T-bone
> sunset grand couturier

> und die Serpentine wird genau so aussehn
> und die Möven gerad so blank auf dem Teich
> und der tiefe Garten unverändert
> und Gott weiß, was übrig ist von unsrem London
>   meinem London, deinem London

116 Walter Höllerer [424/425]

bleibt seine grüne Eleganz
diesseits von meinem Regen-Graben
wird Tiger-Echslein an andern Rippen nagen
Abendglanz grand couturier.

(Ezra Pound)

Diese Vorwürfe sollte man nicht leichthin abtun. Man soll zwar
nicht vergessen, daß die Zeitgenossen schon immer über die Unverständlichkeit der Gedichte ihrer eigenen Zeit geklagt haben. Viele
Gedichte von Klopstock, Novalis, Goethe, Hölderlin galten ihnen
als völlig undurchschaubar. Eines der schönsten Gedichte von Else
Lasker-Schüler ›Ein alter Tibetteppich‹ wurde von der Presse
mit dem Kommentar „Gehirnerweichung" abgedruckt. — Das Gedicht steht immer dort, wo die Sprache in der gegenwärtigen Situation gerade noch zufassen, also an der Grenze dessen, was ausgedrückt werden kann. Aber die Vorwürfe häufen sich in unserer
Zeit. Hat sich diese Grenze wirklich so unendlich weit von den gewohnten Formulierungen unseres Betriebslebens entfernt? Oder
liegt es daran, daß völlig unnotwendig und aus Effekthascherei mit
der Sprache gespielt wird? |
Mit Trakl und mit den Dichtern um 1910 ist eine dichterische
Konzeption erschienen, die dem, was man bislang von einem Gedicht erwartete, widerspricht. Diese schockierende Sprachbewegung
hatte sich aber in der abendländischen Literatur schon um die
Mitte des 19. Jahrhunderts durchgesetzt: in den Jahren 1856 und
1857, den Erscheinungsjahren der ›Leaves of grass‹ von Walt
Whitman und der ›Fleurs du mal‹ von Baudelaire. Die Literaturen des Abendlandes, einschließlich der slavischen, nord- und
ibero-amerikanischen rücken seitdem eng zusammen. Die ›Menschheitsdämmerung‹, diese von Kurt Pinthus 1920 herausgegebene
zusammenfassende Gedichtsammlung der Generation des ersten
Weltkrieges, zeigt, wie jene Generation, als sie ihre eigene Gegenwart selbständig aussprach, mitten in dieser abendländischen Bewegung stand. Zwar finden sich bereits im Vorwort der zweiten
Auflage, 1923, Sätze, welche die Epoche dieser Gedichte, „den
Expressionismus" als etwas Abgeschlossenes bezeichnen. Heute sehen wir aber, daß der Expressionismus, wie die anderen -ismen des

20. Jahrhunderts, keine isoliert dastehende Kabine, die ›Menschheitsdämmerung‹ kein verriegelnder Abschluß war.

Alle diese durch Programme und Manifeste verschieden benannten Gruppen versuchten das Gedicht zu schaffen, dem andere Erfahrungen und ein anderer Kristallisationsvorgang zugrunde liegen als die poetisch-realistische Umwandlung oder „Verinnerung" eines Erlebnisses, d. h. einer für selbstverständlich hingenommenen Wirklichkeit. Die Staatsverskunst des Dritten Reiches konnte diesen Vorgang äußerlich wohl hemmen, ihn aber nicht überholen.

Ist es wahr, daß die Lyrik unserer Tage beim Expressionismus anknüpft? — Insofern wohl, als sie weiterhin in der seit Baudelaire lebendigen abendländischen Bewegung steht und damit auch durch die Sprache der ›Menschheitsdämmerung‹ hindurchgegangen ist. Bestimmte Wesenszüge dieser Gedichtsammlung gehören zu den Merkmalen der neuen abendländischen Lyrik seit ihrem Beginn. Dazu zählt das scharfe Anblenden der Nähe, das zu einer offenen Ferne hinreißt, und das Aushalten von Spannungen. Gerade *diese* Merkmale gaben sich nicht als abrupt Neues, sondern ruhten auf der großen Dichtung der Vergangenheit auf. So beantwortet sich die Frage, wie eine Anknüpfung daran in der veränderten Situation möglich und berechtigt sei. — Andere Züge hingegen, und zwar die programmatischen, | das Pathos der Weltverbesserung, Sturz und Schrei, Aufruf und Empörung erscheinen entweder als Relikte des Pathos hohen Stils oder im Thema zeitgebunden.

Ein Gedicht, in dem programmatische und andere inhaltlich leicht faßbare direkte Aussagen *nicht* gemacht werden, ist für den Leser noch schwerer zu verstehen. Der Verruf der Unverständlichkeit mußte sich also nach der ›Menschheitsdämmerung‹ verstärken, der Vorwurf der Disharmonie ist geblieben. Die Vorwürfe richten sich nicht gegen eine bestimmte Generation. Sie treffen die Dichtung sowohl der älteren als auch der jungen Dichter unserer Zeit.

Es könnte selbst die eifrigsten Reformatoren vorsichtig machen, daß die modernen Gedichte nicht Zufallsprodukte einzelner sind, sondern daß sie in der europäischen Literatur seit nunmehr hun-

dert, in der deutschen seit guten fünfzig Jahren sich immer wieder
mit diesen „negativen" Merkmalen zeigen; daß die künstlerisch
gelungenen Gedichte diese Merkmale tragen; daß dort, wo mit
Willensanstrengung versucht wurde, sie hinwegzureglementieren,
wesentliche Kunstwerke nicht entstanden.

Die abendländische Lyrik seit Baudelaire scheint die gewohnte
Wirklichkeit abtragend zu deformieren. Damit dringt das Er-
schreckende und das Häßliche, die Disharmonie ins Gedicht ein.
Warum aber dichten die Dichter nicht harmonisch? Warum geben
sie nicht geschlossene Synthesen und kehren nicht zurück zu einer
Dichtungsart, in der doch unbestreitbar große Meisterwerke geschaffen worden sind?

Hugo von Hofmannsthal hat in mehreren Aufsätzen zwischen
den Jahren 1901 (Ein Brief) und 1917 (Raoul Richter) über Voraussetzungen und Merkmale dieser Wandlung in der Lyrik gesprochen. Eine bisher zusammenhängende Wirklichkeit erscheint
zersplittert in unzählige Einzelheiten: „Es zerfiel mir alles in Teile,
die Teile wieder in Teile, und nichts mehr ließ sich mit einem Begriff umspannen." An der Zersplitterung aber entzündet sich ein
anderer Erlebnisvorgang. Ein belangloser Einzelgegenstand, eine
Bruchstelle der Scherben gleichsam, kann einen Augenblick wachrufen, der die gewohnten Grenzen sprengt. Es wird spürbar, daß
etwas über die geläufigen Ausdrucksformeln hinaus vorhanden
ist. Es sind Ausblicke aus einer geschlosse|nen, eng begrenzten
Zelle wie durch Ritzen auf etwas Ganzes und Ungetrenntes hin.
Ist dieses direkt nicht Formulierbare einem anderen, dem Leser
überhaupt verständlich zu machen? Nur dann wird es ihm verständlich, wenn er selbst diesem Erlebnisvorgang nahesteht.
Diese Augenblicke mit den geläufigen Mitteln zu beschreiben ist
nicht möglich. Es werden Zeichen aufgerichtet für diesen Moment
‚es ist'. Die Zeichen dürfen nicht in einem Verhältnis von vordergründiger Erscheinung und hintergründiger Bedeutung aufgefaßt
werden; sie ‚sind' dieser Augenblick.

Durch solche Vorgänge wird die Entfernung der lyrischen Sprache von der Sprache des Gedichtes im 19. Jahrhundert verständlich. Sie beruht auf anderen „Erlebnis"-Voraussetzungen und auf

einem anderen lyrischen Schaffensprozeß. Daß die Lyrik im 20. Jahrhundert höchstens auf diesem Wege noch sagen konnte, was ist, bestätigte sich an den Dichtern der ›Menschheitsdämmerung‹, deren Gedichte nur dort gelangen, wo Erlebnis und Sprache in dieses unmittelbare Verhältnis zueinander traten.

Das bestätigte sich auch in der Situation von 1945, wo sich die Wirklichkeit der Übereinkunft und der Programme und ihre Wichtigkeit als Unwirklichkeit erwiesen. Damit wurde die Nichtigkeit jeder lyrischen Aussage, die in diesem Karussell verstellender Formulierungen verharrt, offenbar. Was je wieder abfallen konnte an Hüllen und ungültigen Gespinsten: Verbrämungen, Beschwichtigungen, Verniedlichungen, Scheintrosten, Scheinmonumentalität, Scheinpathetik wollte man aus dem Gedicht fernhalten. Das *notwendige* Gedicht beschränkt sich auf die engste Materie und sucht dort, ohne programmatische Verkündigung, etwas zu sein, als Dichte und erfüllte Gestalt. Das verlangt die nächste Nähe zu den Dingen, das Vergessen der Dinge und das Wiederheraufholen.

Die sprachliche Einstellung auf den lyrischen Augenblick zeigt sich in Erscheinungen, von denen ich im folgenden nur wenige herausgreife: die *Überkreuzung* von Nächstem und Abstraktem im Wechsel | der Perspektiven; das Abstimmen von Worten und Bildern durch ihre *Nachbarschaft*; den *Ausschnitt*; befremdliches Ausweiten, Einengen oder *Umwerten grammatischer Beziehungen*. — Diese Verfremdungen durchbrechen die gewohnte Sprache in der Intention auf den offenen lyrischen Augenblick hin. Mehr und mehr wird dabei die Lyrik durch knapp und straff gegliederte Formen ähnlicher Art im Roman und im Drama bestätigt.

Im Gedicht finden sich Bildelemente, die untereinander in Spannungen stehen. Diese Spannungen sind wichtiger als das bloße Bildermachen. *Sie* bewirken das In-die-Mitte-Treffen, viel mehr als die Bilder es vermögen.

In den Strängen der Stille hängen die Glocken (Bachmann); Meere — Eros der Ferne (Benn); Der Vogel meiner Sehnsucht sitzt auf deiner Schulter (Bender); Soviel Himmel hat Baal unterm Lid (Brecht); Schwarze Milch der Frühe (Celan); Nun glänzen die Türme im Morgenglück (Britting); Hab ich die Einsamkeit, die lauernde, im Visier (Eich); Meine Lust ist verteilt an blaue Falter (Goll); Dazwischen das weiße Entsetzen des Augenblicks, / das aus einer schirmlosen Glühlampe brach (Holthusen); Amboß der Nacht (Huchel); Begrünung, von Vergessen schwer (Krolow); Kein Messer schneidet den Schlaf der Erde (Lehmann); Ihrer großen klugen Ohren / Schlaf durchhallt das Meergebraus (Loerke); Herzschlag der Furcht (Piontek); Im Urwald aus Schlaf (Sachs).

Soviel diese *Überkreuzungen* von Gegenständlichstem und Abstraktestem, diese supranaturalistischen Versuche, nicht nur eine gegebene Wirklichkeit zu deformieren, sondern in dieser Ballung Überhöhung und Offenheit zu erreichen, im Grunde miteinander zu tun haben, so verschieden und so bezeichnend für jeden der Dichter sind sie im einzelnen. In kleinsten Elementen zeigt sich Wesentliches der Gesamtkonzeption, nicht etwa nur dem Stoff nach, sondern in der Art, wie diese Überkreuzungen nun dastehen. — Alle diese offenen Formen aber können zu Formeln erstarren, dann nämlich, wenn sie dem dekorativen Arrangement und dem bloßen Spiel um Interessantheit dienen. Sie fallen dann einem Pseudo-Avantgardismus anheim, der „hinter den Linien wild um sich schießt". Es ist ja nicht getan mit der Interessantheit. Immer ist irgendein Unheil in dem Winkel, das bereit ist, langsam hervorzukriechen; immer das unbefreite Glück hinter den Gittern. | Jenes müßte anhalten und dieses sich zeigen, wenn das Gedicht den Augenblick bestünde. Nicht, daß das Gedicht so ohne weiteres in diese Welt der „Härte des Realen" eingriffe; aber diese *Bewegung* wohnt seit Anfangszeiten und auch heute noch in ihm. Wir leben nicht in kurzen Bogen von Epochen. Es gibt einige wenige menschliche Erfahrungen, die im lyrischen Augenblick zusammenkommen, gleichsam in einem Vorgang überindividueller Erinnerung (in jedem Wort schlummert sie); die zu allen Zeiten, immer unter veränderten Bedingungen, von Rhythmen und Versen umkreist werden; die immer neu erfüllt sein wollen. Die Augenblicke, von denen Hofmannsthal spricht, und der Vorgang der Gedichtentstehung selbst sind nahe zusammengerückt und nicht mehr zu trennen. — Diese offenen Figuren, auch die „Wortschnüre",

die Katachresen sind aufs engste verbunden mit dem Pathos und
mit dem Ton, in dem sie vorgebracht werden, und überhaupt mit
ihrer syntaktischen und bildlichen Umgebung. Ein falscher und
leerer Ton läßt sich auf die Dauer nicht überspielen. Bei so differenzierten Gebilden, die unmöglich in den „Zutaten" berechnet
werden können, erweist sich Hohlheit alsbald als Hohlheit, setzt
sich das Befremdlichste durch, wenn es notwendig so und nicht
anders erscheinen mußte.

Diese Feineinstellung der lyrischen Sprache macht die Übersetzung von modernen Gedichten fast unmöglich. Denn solche „kleinen" Züge geben nicht am Rande liegende formal-ästhetische Probleme auf, sondern sie machen zusammen die Sache selbst aus; und
damit tragen sie auch den Inhalt oder die Gesinnung oder den
Sinnzusammenhang in sich. Sie geben die Spannung zwischen innerer und äußerer Landschaft, die in diesen Gedichten herrscht,
das heißt ausgehalten und nicht beredet wird.

In dem Gedicht ›Campo‹ von Garcia Lorca bekommen die
Worte und Zeilen in der Beziehung zum Ganzen des Gedichts und
in ihrer Beziehung zueinander ihre Aussagekraft:

> Suena en un gris rojizo
> La esquila del rebaño
> Y la noria materna
> Acabó su rosario.

Die Übersetzung Becks trifft zwar den Rhythmus; aber die
Spannungen der Bilder und Worte in den Bild- und Wortfeldern
können nicht mit herübergenommen werden.|

> Ins Graurote klingen
> die Glocken der Herden,
> das mütterlich' Schöpfwerk
> beschließt Paternoster.

"gris rojizo", rötliches Grau, beschwört in der *Nachbarschaft* der
vorhergehenden Bilder von Asche, Stoppelfeldern, Kohlen, ver-
trocknetem Blut etwas anderes als das „Graurote". Es bezieht sich
ebenso aufs folgende: auf die Herde; steht also in Beziehung zum
ganzen Gedicht. „La esquila del rebaño", die Glocke der Herde,

klingt ins „rötliche Grau"; *die* Glocke, eine große, aus den All-
tagserfahrungen herausgehobene, erhöhte Glocke der Herde, nicht
die realistisch geschilderten „Glocken der Herden". Das Gedicht
hat in den Schwingungen des Urtextes mehr von einer inneren als
von einer äußeren Landschaft, und das wird durch diesen Singular
von „Glocke" und „Herde" mitbewirkt, der aus der Vielheit des
realen Einzelnen auf nur *einen* angeblendeten Gegenstand, auf
eine Stimme hinlenkt. Sagt man nun in der Übersetzung aber
wirklich „Glocke", so muß es zwangsläufig heißen „klingt", und
damit ist andererseits der Rhythmus nicht mehr eingehalten. Die
„Glocke" steht in der Nähe jener Figuren, die in Ruth Lorbes Aufsatz über Kinderlied und Lyrik *Ausschnitt* genannt wurden („Es
kamen drei Pantoffeln herein" — „da nämlich ist Ulrich gegangen"; s. AKZENTE. 1954, H. 3). Diese Figur tritt in der abendländischen Lyrik unserer Jahre öfter auf denn je zuvor. Sie gehört zu
den Mitteln, mit denen äußere Wirklichkeit in innere Wirklichkeit
umgeformt, der offene Augenblick bezeichnet wird.

Diese Feinheiten von *Nachbarschaft* und *Ausschnitt* wirken zusammen in den folgenden beiden Zeilen, wo die Kreisbewegung des
Göpels oder Schöpfrades (noria) korrespondiert mit dem Rosenkranz (rosario), andererseits das Beiwort „mütterlich" (materna)
ebenfalls mit dem Rosenkranz, an den die Vorstellung der Gottes-
mutter anklingt. Eine ähnliche Bewegung, eine ähnlich offene innere Landschaft wird kaum im deutschen Leser durch „Schöpf-
werk" und „Paternoster", besonders nicht in dem Zweiklang
„mütterlich" und „Paternoster" hervorzurufen sein, der als ein
zusammengehöriger Zweiklang nicht erkannt wird. —

Ähnliche Rätsel geben die befremdlichen *Umwertungen grammatischer Beziehungen* dem Übersetzer auf. Es wäre in einer nicht
lyrischen | Zeile nicht lange zu überlegen, aber es macht für das
Gedicht ›A l'ombre de ma Porte‹ von Paul Eluard viel aus, ob
ich den Satz

le dernier bec d'oiseau se ferme sur mon œil

übersetze mit „der letzte Vogelschnabel schließt sich über meinem
Auge" oder „des letzten Vogels Schnabel schließt sich über meinem

Auge". Es läßt sich trotz grammatischer Eindeutigkeit der Stelle über beide Übersetzungsversionen diskutieren. Es kann die richtige grammatische Übersetzung zuweilen die Intention der modernen Lyrik verfehlen. Es ist zum Beispiel fraglich, ob die Zeile von Ernst Stadler

> Straßen waren aufgewühlt von Lenzgeruch und grünem Saatregen,

in eine andere Sprache grammatisch richtig übersetzt, in der Übersetzung dann noch „trifft" (das heißt *das* trifft, was Stadler meinte und was den deutschen Leser trifft, weil er von diesen Zeichen an einen Augenblick herangeführt wird, für den Stadler diese Zeichen errichtet hat). Die Untersuchungen Schirokauers und Michels zum Eigenwert und zur mehrfachen Beziehung des Eigenschaftswortes in moderner Dichtung geben Hinweise auf solche Feineinstellung. (K. M. Michel, Die Utopie der Sprache; A. Schirokauer, über Ernst Stadler; s. AKZENTE 1954 S. 23 ff. und S. 320 ff.).

Die Sprengung der gewohnheitsmäßigen Realität, das In-Spannungsetzen von Außen und Innen scheint der Lyrik vorbehalten zu sein. Gedichte können sich auf solche Augenblicke der nächsten Nähe und größten Ferne gerade noch berufen. Das hat zu der Behauptung geführt, Lyrik sei in der Mitte des 20. Jahrhunderts die einzige dichterische Gattung, deren gattungsmäßige Gesetzlichkeit durch das veränderte Aussprechen nicht verletzt wurde. Der moderne Roman bezieht solche lyrischen Entscheidungsaugenblicke und lyrischen inneren Landschaften mit ein. Marcel Proust spricht von diesen Augenblicken: « da wir etwa den Umschlag eines Buches, das wir gelesen haben, vor uns sehen, in dessen Titelschrift nun die Mondstrahlen einer fernen Sommerwelt eingewoben sind ». Er kennt die Polarität solcher Augenblicke (und er vermag sie besser zu *beschreiben*, als ein Lyriker das vermöchte); er kennt den Nexus, der dieser Spannung innewohnt, und den Kampf um sprachliche Bewältigung:

> „Die Wahrheit beginnt erst in dem Augenblick, wo man zwei verschiedene Dinge hernimmt, ihre Beziehung zueinander festlegt (die | in der Welt der Kunst dem entspricht, was in der Wissenschaft das Kausalgesetz ist!) und beide dann in einem schönen Satz zusammenfaßt."

Ebenso Robert Musil:

„Etwas Unzusammenhängendes, das für das suchende Gefühl recht
wohl breite Zackigkeit, dunkel malvenfarbiges Blaurot sein konnte, löste
sich aus einem noch nicht erhellten Winkel des Traumbildes wie ein
Nebel. In diesem *Augenblick* trat jene Helle des Bewußtseins ein, wo
man mit einem Blick seine Kulissen sieht, samt allem, was sich dazwischen
abspielt, auch wenn man diesen Eindruck bei weitem nicht darlegen
kann."

Das ist eine ähnliche Feststellung wie die Hofmannsthals, daß
dieser Augenblick plötzlich heraustrete „wie eine Fichte am Berg-
hang aus dem Nebel heraustritt". Gerade die entscheidenden Stellen des modernen Romans stehen den Augenblicken des modernen
lyrischen Gedichts nahe. Es scheint zuweilen, daß diese Stellen
nichts anderes sind als in den Roman eingespannte, auch für sich
mögliche Kunstwerke. Der moderne Roman ist mit diesen lyrischen
Augenblicken durchsetzt, und an diesen Stellen ist er sprachlich am
besten gelungen und trifft am besten seine Gegenwart. Heming-
way läßt in ›Schnee auf dem Kilimandscharo‹ in dem sterben-
den Schriftsteller solche Augenblicke seines Lebens auftauchen, in
denen da war, was nicht ausgesprochen und gestaltet werden
konnte. Auch er setzt dafür Erinnerungszeichen: Pappeln, Block-
hütte, einen Weg über Hügel hinauf, zuletzt das Zeichen des
schneebedeckten flachen Kilimandscharogipfels.

Auch im modernen Drama sind diese Augenblicke eingesprengt,
dort, wo die gewohnte Wirklichkeit durch eine Gegenwirklichkeit
geöffnet und unsicher gemacht, verfremdet wird. So wenn Piran-
dello in seinem Stück ›Sechs Personen suchen einen Autor‹ die
Rollen als selbständige Akteure den Schauspielern gegenüberstellt,
oder Thornton Wilder in ›Unsere kleine Stadt‹ die Toten den
lebendigen Alltagsmenschen, die als Regenschirmträger auf der
Bühne erscheinen; so wenn Giraudoux den Engel in die gewohnte
Wirklichkeit treten läßt (in ›Sodom und Gomorra‹). Diese Momente des Aufeinanderpralls von Wirklichkeiten formen sich zuweilen sogar zu lyrischen Versen (die ›Terzinen über die Liebe‹
stehen an einer solchen Stelle als ein Zwiegesang in ›Mahagonny‹
von Bertolt Brecht).|

Besonders die von den Epikern umrissenen Situationen haben

etwas von der Nüchternheit und Knappheit der Aussage, auf die
sich die Lyrik nach der ›Menschheitsdämmerung‹ und besonders
nach 1945 zurückgezogen hat. Wenn man also von einem Herein-
nehmen des Lyrischen in den Roman spricht, so muß man zugleich
sagen, daß die epische Gestaltung dieser Augenblicke nicht belanglos für die Lyrik bleiben konnte; sie korrespondiert mit dem *Ausschnitt*. — Den Vorgang der *Überkreuzung* fand, als Funkensprung zwischen den Polen solcher Augenblicke, die moderne Lyrik
im Drama bestätigt.

Wo ein größerer, zyklischer Zusammenhang versucht wird, tauchen noch erheblichere Schwierigkeiten des Verständnisses auf. Es
besteht ja nicht mehr eine geschlossene Fabel und nicht mehr *ein*
Thema, das von einem Anfang zu einem Ende hin abgehandelt
wird. Der größere Zusammenhang kann nur noch durch Konfigu-
ration solcher Einzelzustände und inselhaft gesetzter Zeichen vollzogen werden, im Wechsel der Perspektiven; im Voraus- und Zurückbeziehen; im Abbrechen und Wiederaufnehmen. Diese Kon-
figurationen sind schwerer verständlich als eine geschlossene, ausgesprochene Ideenführung. Schon Hofmannsthal spricht von der
„Welt der Bezüge". In den großen lyrischen Zyklen (T. S. Eliot
›The Waste Land‹) wird so verfahren. Auch hier zeigt sich eine
Nähe zur modernen Epik, etwa zu ›Ulysses‹ von James Joyce.

In der Lyrik nach 1945 sind diese großen Zusammenhänge kaum
zu finden. Askese und der Versuch, unter allen Umständen konzis
zu bleiben, äußerstes Mißtrauen gegen ein weitergreifendes Pathos
und gegen eine Häufung von Aussagen lassen nur dichtgedrängte
Formen zu. Das Verklingen der Sprache steht mehr im Mittelpunkt als das Lautwerden. Wenn sich diese Verse durchgekämpft
haben durch die geschlossenen Formeln der Übereinkunft, werden
sie nicht lange mehr weitergeführt. Sie gleiten aus in eine gelöste
Bewegung, die letzte vor einer unermeßlichen Landschaft. Die
steht nun offen:

> Denn
> wenn du schweigst
> drängen die Säume herab
> pappelbestanden und schon kühler.
>
> (Benn) |

Zu dieser Gelöstheit tragen die Disharmonie und die Häßlichkeit bei. Die Frage nach der Disharmonie ist mit der Frage nach der Unverständlichkeit und dem Entspannen des Unverständlichen verknüpft. Die Häßlichkeit erscheint, sobald sie in die Gestalt hereingenommen und nicht nur inhaltlich ausgesprochen wird, als Schönheit. Sie steht wie die anderen Verfremdungselemente, etwa der Ausschnitt und die polare Komposition der Überkreuzung, als etwas Deformierendes und Aufdeckendes zugleich.

> Wo Deutschlands Himmel die Erde schwärzt,
> Sucht sein enthaupteter Engel ein Grab für den Haß
> Und reicht dir die Schüssel des Herzens.
>
> (Bachmann)

Sie löscht die Schönheit der Utopie aus, weil sie bei der Wahrheit bleiben will, und zieht auf dieser Stufe eine andersgeartete Schönheit nach sich. Durch die privatio bekommt das Häßliche Schönheitswert. Schönheit wird nicht immer ausdrücklich mehr dargestellt. Sie blitzt aus der Spannung, die durch das Häßliche hervorgerufen wird, so daß die Atmosphäre der Befreiung, die Atmosphäre von Offenheit zugleich eine Atmosphäre der Schönheit wird. Das zeigt sich schon in dem Gedicht ›Das Aas‹ von Baudelaire. Während der inhaltlich formulierten Schönheit, wenn sie in modernen Gedichten zu aufdringlich sich gibt, oft Sentimentalität anhaftet, ersteht in der Gestalt eine Schönheit, in der der Funkensprung nistet, die oszilliert und fasziniert. Das ist ein anderes Schönheitsideal als das klassische, aber es ruht dennoch auf diesem klassischen Schönheitsideal auf.

Diesem Gestus geht die große ausholende Gebärde verloren, er schafft ein anderes, gedrängteres Pathos. Es kommen so Gedichte zustande, die nicht auf abschließende Perfektion ausgehen, sondern die durch das Eingeständnis ihrer Unvollkommenheit einen Schritt näher zur Kreatur und zugleich einen Schritt zur fragmentarischen Vollkommenheit hin tun. Wenn sich so die Erstarrung löst, ist auch auf dieser Stufe im Gedicht Glück. Dazwischen stehen die Versuche der Umwertung mit ihren Lichtern der Ironie und der Skepsis.

So wollen diese Gedichte den Ausdruck des Leidens an der Welt ungeschmälert in ihre Gestalt aufnehmen. Erst über diesen Weg scheinen Schönheit und Wahrheit noch in Einklang zu kommen in einem Gedicht, das nicht aus der Gegenwart flieht.|

Die wenigen gelungenen Gedichte zeigen, daß erst dort, wo die Erfahrung der Grenzen dieser Kunst als Leid mit in die Gestalt des Gedichts eingedrungen ist, es noch zu künstlerischen Ereignissen kommt. *Dann* erhebt sich nicht mehr die Frage nach Hermetismus oder lyrischem Realismus, nach Frost-Dichtung oder Trost-Dichtung. Solche Gedichte stehen wie Wellenspitzen über dem Hin und Her des leicht Beeinflußbaren und leicht Vergeßlichen, bis ins letzte gefüllte Gegenwart, und erst dadurch Überwindung der Zeit.

Metamorphoses of Modern Poetry. In: Comparative Literature VII (1955), pp. 97–99. Aus dem Eng-
lischen übersetzt von Josefa Nünning. – Métamorphoses de la Poésie Moderne. In: Claude Vigée,
Révolte et Louanges, Essais sur la Poésie Moderne. Librairie José Corti, Paris 1962, pp. 9–43.
Aus dem Französischen übersetzt von Ronald Weber.

METAMORPHOSEN DER MODERNEN LYRIK

Von CLAUDE VIGÉE

Mir ist das All,
ich bin mir selbst verloren.

(Goethe)

In den Fußstapfen Hegels wandelnd, definiert Jacques Maritain Dichtung als „die wechselseitige Kommunikation zwischen
dem inneren Wesen der Dinge und dem inneren Wesen des menschlichen Selbst, die eine Art Vorahnung ist" (Creative Intuition
in Art and Poetry, p. 3)[1]. Diese wechselseitige Kommunikation
ist durch historische Faktoren, materielle und geistige, bestimmt,
die sowohl unser Wahrnehmen der Dinge als auch unsere Kenntnis des Selbst berühren. Für das moderne Empfinden haben diese
Faktoren letztlich zwei Wurzeln.

Der erste Faktor beruht auf der christlichen Tradition vom Haß
gegen die Welt und auf der Entfremdung von der Natur. Dieser
typisch westliche Zug ist — durch ein eigenartiges Paradox der
Geschichte — durch das kartesianische *cogito* und die daraus folgende Entwicklung eines autonomen Selbst, die in dem ich-bezo-
genen romantischen *moi* ihren Höhepunkt erreicht, noch gesteigert
worden, während die zunehmende Häßlichkeit des äußeren Lebens, verursacht durch die übermäßige Industrialisierung, Mecha-
nisierung und Kommerzialisierung, einen noch entschiedeneren
Rückzug der Empfindsamkeit aus ihrer unfreundlichen Umgebung
hervorruft. Der zweite Faktor ist die antichristlich-humanistische
und stoische Tradition, die mit der Renaissance beginnt, auf der
ideologischen Seite im Kartesianismus und Atheismus der Aufklärung ihren Triumph feiert und auf der Seite der Empfindsam-

[1] Pantheon Books, Bollinger Series, New York, 1953.

keit den universalen Nihilismus der letzten hundert Jahre gebiert. Nietzsches Proklamation vom „Tode Gottes" ist die logische Folge dieser Entwicklung.

In der Dichtung ist das Auftauchen der Symbolik als vorherrschendes Ausdrucksmittel eng mit diesen Phänomenen verbunden. Echte moderne Symbole sind, im Gegensatz zu Mythos und Allegorie, das Zeichen für das Fehlen oder Nichtexistieren dessen, was man früher für die ewige göttliche Realität hielt. „Le ciel est mort" (Mallarmé 1864). Sie enthüllen zum erstenmal die Qual, die durch eine schnell entschwindende transzendentale Gottheit hervorgerufen wird, die nicht durch einen Mittler erreichbar und zugänglich ist. Später, an der Grenze dieses Entschwindens des göttlichen Absoluten, offenbaren sie den „Tod Gottes", die Nähe des Abgrundes, | des Nichts — eine negative Transzendenz. Wenn und wo ein transzendentales Absolutes dahin tendiert, negativ zu werden, taucht das Symbol im modernen strengeren Sinne als Ausdruck dieser geistigen Aufhebung des Seins auf. Der Beginn dieses Prozesses ist in der frühen Renaissance und in der barocken metaphorischen Sprache zu finden. In der Vorstellung des 19. und 20. Jahrhunderts hat das Symbol — durch das Medium gehäufter und verzerrter Objekte, ohne eigene Substanz und Realität — die Funktion, das fundamentale Fehlen *jeglicher* Realität in der menschlichen Existenz anzudeuten und schließlich auf den „Tod Gottes" und auf den Triumph des „néant" in allen Kategorien menschlicher Werte hinzuweisen. Moderner Symbolismus ist deshalb nicht vom modernen Nihilismus zu trennen, der sich in der fortschreitenden Entwicklung zur Verzweiflung und Selbstzerstörung hin anzeigt.

Die Geschichte der modernen Dichtung im Westen ist die Geschichte dieser Fortentwicklung; sie spiegelt wider, auf welche Weise die dichterische Empfindsamkeit zu verschiedenen Zeiten der Situation begegnete, die durch das Zunehmen nihilistischer Geisteshaltungen entstanden war; sie führt uns die Mittel vor Augen, die das *moi* gesucht hat, um diese Entwicklung zu beschleunigen oder um sich von seinem Leiden abzulenken. Es hat die verschiedensten Reaktionen auf diese qualvollen Erfahrungen der Leere gegeben. Sie aufzählen hieße die Hauptrichtungen der westlichen Dichtung in eine Ordnung bringen und die Einmaligkeit der Absicht aufdecken, die ihrer scheinbaren Unordnung zugrunde liegt[1a].

Viele moderne Kritiker, die mit Recht von der Bedeutung der Proklamation Nietzsches vom Tode Gottes besessen sind, haben das überlebende christliche Ethos vernachlässigt. Aber eines dieser kontrapunktisch zueinander stehenden Themen zu übersehen, verurteilt den Literaturforscher dazu, das im tiefsten dialektische Wesen unserer affektiven Erfahrung aus dem Blick zu verlieren, die ständigen Widersprüche in unserer Dichtung, die Schwankungen zwischen äußerster Verneinung und äußerster Bejahung, zwischen reinem Nihilismus und ekstatischer, dionysischer „Lebensbejahung" unerklärt zu lassen.

Wie Albert Camus in ›L'Homme révolté‹ gezeigt hat, fand die Welt der Antike ihr Ende, als der Mensch sich außerhalb der Natur, das heißt der Welt der Dinge, stellte. Die siegreiche christliche Welt begann in ihren Fundamenten zu wanken, als der Mensch

décide de s'exclure de la grâce et de vivre par ses propres moyens. Le progrès, de Sade à nos jours, a consisté à élargir de plus en plus le lieu clos où, selon sa propre règle, régnait farouchement l'homme sans dieu. On a poussé de plus en plus les frontières du camp retranché, face à la divinité, jusqu'à faire de l'univers entier une forteresse contre le dieu déchu et exilé. L'homme, au bout de sa révolte, s'enfermait; sa grande liberté consistait seulement, du château tragique de Sade au camp de concentration, à bâtir la prison de ses crimes. Mais l'état de siège peu à peu se généralise, la revendication de liberté veut s'étendre à tous. Il faut bâtir alors le seul royaume qui s'oppose à celui de la grâce, celui de la justice, et réunir enfin la communauté humaine sur les débris de la communauté divine ... Dieu mort, restent les hommes, c'est-à-dire l'histoire qu'il faut comprendre et bâtir. (pp. 131—132)

In diesen wenigen Zeilen skizziert Camus die grundsätzliche Entwicklung, die die westliche Welt | seit dem 18. Jahrhundert durchmacht und die ihre Hauptzeugen, Kunst und Dichtung, wesentlich beeinflußt.

[1a] Siehe Claude Vigée, Les Artistes de la Faim, Paris, 1960, S. 15—109 und S. 161—164.

Das Leben des mittelalterlichen Christen war auf das göttliche Wesen, das nicht in der Natur anwesend ist, ausgerichtet. (Deshalb schließt der Mensch sich in der Suche nach Gott auch von der Natur aus, mit der sich das heidnische Empfinden so eng verbunden fühlte.) Gott ist nicht als greifbarer Faktor in der Natur zugegen, aber er ist in der Welt durch eine ganze Schar von „Gesandten" vertreten. Im christlichen Kosmos gibt es eine sichtbare Jakobsleiter, auf der verschiedene Mittler, Fürsprecher, Boten ständig vom *Deus absconditus* zu den Gläubigen, vom großen Mittler, dem Fleisch gewordenen Christus, der Gott und Mensch zugleich ist, bis zum niedrigsten Dorfpriester eilen. Für den Menschen des Mittelalters waren die durch einen Mittler mit der Menschheit verbundene christliche Gottheit und ihre Schöpfung positive, wenn auch ungleiche Seinskategorien. Für den Individualisten der Renaissance, den kartesianischen Rationalisten und den Skeptiker der Aufklärung ist nur das vernünftige menschliche Ich die Quelle allen echten Wissens und richtigen Handelns, das fraglos *Eine* und *Wirkliche.* |

I

Das Bewußtsein, die Welt und sich selbst verloren zu haben, kommt in der europäischen Lyrik seit dem Ende des 18. Jahrhunderts zum Ausdruck. Im ersten Monolog von Goethes ›Faust‹, in Jean Pauls blasphemischer ›Rede des toten Christus vom Weltgebäude herab‹, bei dem „vom Schrecken heimgesuchten" Coleridge des ›Limbo‹ und der ›Ode to Dejection‹, bei Wordsworth (in ›The world is too much with us‹ und in der ›Ode on the Intimations of Immortality‹), in Byrons ›Childe Harold‹ (IV, CXIII), bei Hölderlin (›Brot und Wein‹, ›Der Rhein‹) und schließlich in den Hauptwerken Alfred de Vignys erkennen die modernen Dichter zum erstenmal die fortschreitende Veränderung des Wirklichkeitssinnes in der abendländischen Seele. Bestürzt entdecken sie ein geistiges Phänomen, das Valéry hundert Jahre später nüchtern ausspricht: „Die Wirklichkeit ist das, was sich mit nichts vergleichen läßt." Der Grabschrift Coleridges entnehmen wir, daß er „den Tod im Leben" fand. Dieser Ausspruch

erscheint wörtlich in einem berühmten Gedicht Hölderlins. Überall ertönt der Widerhall einer großen Entzauberung des Daseins
und überall wird die Loslösung des Menschen von der Welt offenbar.

Coleridge ruft beim Anblick der Sterne aus: |

> I see them all, so excellently fair,
> I see, not feel, how beautiful they are.[2]

Wordsworth fährt zum gleichen Thema fort:

> Little we see in Nature that is ours …
> For this, for everything, we are out of tune;
> It moves us not.[3]

Byron schließlich fordert zugleich die Natur und die Menschheit heraus:

> I have not loved the world, nor the world me …
> I stood among them, but of them.[4]

Vigny fühlte bereits voraus, daß die Welt mißraten ist, „un
monde avorté", die eine kalte, schweigende und ferne Gottheit
sich selbst überläßt. Man ahnt die Agonie und vielleicht schon den
Tod dieses stummen Gottes. Vigny kann diese feindselige Abwesenheit nicht ertragen, er zieht sich in seinen Elfenbeinturm
zurück, den er auf intellektuellen Hochmut und den Verzicht
auf Hoffnung gründet. Angesichts der Ungastlichkeit oder der
Ohnmacht des Vaters entschließt sich der Dichter, als der verlassene Sohn mit dem Absoluten zu brechen:

[2] Ich sehe sie alle, so wunderbar hell,
   Ich sehe, aber ich fühle nicht, wie schön sie sind.
[3] Wenig erkennen wir von uns in der Natur,
   hier und überall sind wir fremd,
   es bewegt uns nicht.
[4] Ich habe die Welt nicht geliebt,
   noch die Welt mich, ich stand unter ihnen,
   aber ich gehörte nicht zu ihnen.

Le juste opposera le dédain à l'absence
Et ne répondra plus que par un froid silence
Au silence éternel de la Divinité.[5]

Mangels eines Besseren wird er sich als stoisches Opfer gebärden,
gleich den Helden Corneilles, wird sich aber nicht offen auf die
Seite der Nihilisten und Atheisten stellen.

Das untergehende Christentum übt einen widerspruchsvollen
Einfluß auf die unbeständige Gefühlswelt Baudelaires aus. Diese
unterliegt, wie bei seinem Zeitgenossen Gérard de Nerval, einer pen-
delartigen Bewegung, die sie ständig zwischen dem göttlichen Absoluten und dem Nichts schwanken läßt. In dieser metaphysischen
Schwingung gewinnt der negative Pol immer größere Bedeutung,
wie die zunehmende Faszination beweist, die die Leere auf Baudelaire ausübt:

Comme tu me plairais, ô nuit! sans ces étoiles . . .[6] |

Die geistige Ambivalenz, die Jacques Maritain in der von Sein
und Nichtsein gespaltenen modernen Lyrik sieht, ist schon ganz
und gar bei Baudelaire vorhanden. In seinen Gedichten gibt es
unzählige Anspielungen darauf, denn sie stellt gerade das Objekt
seiner Inspiration dar. Baudelaire beschreibt sie in seinen Tage-
büchern in fast klinischen Ausdrücken. *Jeder Mensch,* sagt er,
*wird zu jeder Stunde gleichzeitig von zwei Forderungen bewegt,
die eine führt zu Gott, die andere zum Satan hin.* Bei Baudelaire
strebt der Mensch zu den „höheren Lüften" des Guten, des Wirklichen, der göttlichen Vollkommenheit und zugleich, von den scheuß-
lichen Grimassen des Abgrunds verführt, zu den „stinkenden Fin-
sternissen" des Bösen und des Nichts. Diese zweifache Tendenz erscheint bald als „Verflüchtigung" (der Teufel ist der „gelehrte
Chemiker", der seinen schöpferischen Willen und das Vermögen,
Formen der Schönheit zu erzeugen, verdunsten läßt), bald als

[5] Der Gerechte setzt der Abwesenheit Verachtung entgegen
   und antwortet nur noch mit kaltem Schweigen
   auf das ewige Schweigen der Gottheit.

[6] Wie gefielst du mir, Nacht, ohne diese Sterne . . .

„Konzentration", als eine Kristallisation des Willens, die zu Kunst-
werken führt, zu sittlichen Taten, zur *Tugend* im vornehmsten
Sinne des Wortes.

Manchmal erlebt Baudelaire den Pol, der sein geistiges Wesen
anzieht, als die Quelle aller Wirklichkeit; dann wieder fühlt er
aus der Tiefe seines Selbst ein Nichts aufsteigen, das alle Dinge
befällt. Wie Verlaine, der in seinem Leben und in seiner Kunst
diesen Zweifel bis zum Äußersten des Komischen und Traurigen
treibt, hat Baudelaire keine Gewißheit über das Wesen seiner
Transzendenz. Daher stößt er immer wieder sein eigenes Wert-
system um, wenn sich seine Intuition wandelt. Sie kann ihn immer
zu der Schönheit der Wirklichkeit, zum Sein, zu der transzendentalen Ebene des „Azurs" führen, denn jene Huldigung
wird fast nie, wie bei Goethe, Shelley, Blake, Hugo oder Rimbaud,
zur Lobpreisung der einfachen existentiellen Wirklichkeit herab-
gewürdigt. Sie führt ihn auch zu einer radikalen Verneinung, zum
„Durst nach dem Nichts" wie zur „Angst vor dem Nichts". In
dieser Schwingung zwischen verbotenen Grenzen, die eine ständige und schreckliche Spannung zur Folge hat, spielt das Instrument Baudelaires seine widerspruchsvollen Weisen; die Hymnen
auf die Schönheit und auf das Dasein und die Gesänge, die dem
Menschen sagen, was für ihn schlimmer ist als der Tod, gehen alle
aus einer Innerlichkeit hervor, die zerrissen ist von einer immer
näher kommenden Hölle und einem sich immer weiter entfernen-
den Paradies.

Wenn Baudelaire die Transzendenz in negativer Weise erfährt,
schreibt er dieser anderen Gottheit Attribute zu, die denen des
platonischen Gottes entgegengesetzt sind. Wie Nerval ist er sich
nicht sicher, ob die herkömmlichen Werte, wie Schönheit, Wissen,
Tugend, ihren Ursprung nicht im Nichts haben und ob sie nicht
in einer wesenhaften Verdorbenheit verwurzelt sind. Sogar die
Dichtung (wie die sexuelle Liebe, die in anderen Augenblicken
seine einzige Gottheit und Zuflucht bleibt) | trägt nun Züge der
ihn beherrschenden Negation. Man sieht oft bei ihm, neben dem
„Bewußtsein im Bösen", ein *Behagen am Bösen* erscheinen, das
eine Entsprechung und Stellvertretung für die ewige Seligkeit
des Himmels ist, die man im Reich göttlicher Vollkommenheit

findet. Oft sind diese beiden Bereiche nur wenig voneinander entfernt. Aber der eingefleischte Jansenist in Baudelaire kann sich diesen Abstand, der den ganzen Unterschied zwischen dem Heil und der Verdammung ausmacht, nicht mit dem Begriff des freien Willens erklären. Gott — oder der Teufel ist schuld. Seinem angeborenen Manichäismus fügt der Dichter die augustinische Prädestination hinzu. Wenn der Teufel handelt, „ist alles Abgrund": Tat, Wunsch, Traum, Worte — sogar die Worte, die zum Gedicht werden. Ihre Mehrdeutigkeit, ihre Unergründlichkeit, widersprechen der Erschaffung jedes vollendeten Gedichts. Oft gleitet bei Baudelaire Gott in die Gewänder des Teufels:

> Je change l'or en fer,
> Et le paradis en enfer[7].

Die Destillate dieser Alchemie des Schmerzes sind Zweifel, Schrekken, Lähmung, — Übel, die den Dichter selbst quälen.

Neben jener Schwingung erkennt man den zunehmenden Abscheu vor dem Leben und der Natur, der überall in der Gedichtsammlung der ›Fleurs du Mal‹ zum Ausdruck kommt. Bei Baudelaire, wie bei seinem Zeitgenossen Matthew Arnold, können Natur und Mensch niemals gute Freunde werden: "Nature and man can never be fast friends." Das Leben in dieser Welt wird als Fluch, als Fallstrick empfunden, denen man nur durch den Sprung in die andere Welt entkommen kann. Das Individuum bleibt entzweit von den verhängnisvollen „Forderungen", die ihn zum Sein und zum Nichts führen. Die Geschichte an sich erscheint als Friedhof, und die revolutionäre Welt des 19. Jahrhunderts ist kaum mehr als ein Schauplatz sinnloser Zerstörung, wo, wie Arnold in einem berühmten Gedicht schreibt, „in der Nacht unwissende Heerscharen aufeinanderstoßen".

„Leben ist ein Übel. Das bleibt niemandem verborgen." Hier finden wir bereits die Spuren des „verlorenen Ichs" von Gottfried Benn. Der Mensch hat nicht nur die Welt, sondern die Einheit

---

[7] Ich verwandele Gold in Eisen
und das Paradies zur Hölle.

seiner eigenen Persönlichkeit verloren; er ist das Opfer wider-
streitender Kräfte, die ihn wie Dämonen beherrschen. Ausgesetztsein
wird zum Synonym für Existieren. Die Natur und die Triebe för-
dern diese Qual und sind dabei zugleich die verachteten Zielschei-
ben. Infolgedessen ist es nicht zu verwundern, daß der verzweifelte Dichter bisweilen die Vernichtung anruft, die sein anderes,
noch im Dasein verankertes Ich ausstößt. Baudelaire drückt sein
„Behagen am Nichts" in den Augenblicken aus, wo die Angst ihn
niederstreckt. Er spricht von | der „Hölle, in der sich mein Herz
gefällt". Dieses „Herz, das die Wahrheit flieht", kann, als es ein
übereifriger Engel zwingt, das Heil zu ergreifen, nur antworten:
„Ich will nicht." In solchen Lagen verwandelt sich die schwankende
Persönlichkeit Baudelaires in ein „Phantom"; er wird sein eigener
Vampir:

> Dans les caveaux d'insondable tristesse ...
> Où, seul avec la nuit, maussade hôtesse ...
> ... cuisinier aux appétits funèbres,
> Je fais bouillir et je mange mon coeur ...[8]

Den Anzeichen für die Forderung, die nach unten führt, müssen
wir jedoch die leuchtenden Sätze gegenüber stellen, die die entgegengesetzte Tendenz ausdrücken: „Dem Abscheu vor dem Leben"
entspricht die „Ekstase des Lebens". Über einer veröedeten Welt,
in einer finsteren Stadt, übernehmen die Poesie und der Mensch,
sofern er Dichter ist, die Aufgabe der Sonne („wenn sie wie ein
Dichter in den Städten untergeht"). Der Dichter kann mit Blind-
heit geschlagen sein. Seine Augen bleiben nach oben gekehrt,
blicken starr in Richtung des Himmels, auch wenn sie nichts als
Dunkelheit sehen. In der Sehnsucht nach der Kindheit offenbart
sich für Baudelaire die Nähe eines anderen Daseinsbereichs. In
dem Gedicht „Elévation" beschreibt er diesen helleren Raum.
Baudelaires System der sinnlichen „Entsprechungen" beruht auf

---

[8] In den Kellern unergründbarer Trauer ...
   wo einsam nur der Nacht gesellt,
   der mißlaunigen Wirtin ...
   ... Koch mit grausigen Gelüsten,
   mein eigenes Herz ich koche und verzehre ...

dem Glauben an ein solches Reich. Sein Urlicht scheint durch die
vielfältigen synästhetischen und begrifflichen Beziehungen, die in
der Poetik Baudelaires die eigentlichen Symbole darstellen. Doch
wie stets in diesem dualistischen Universum, bleibt der Dichter
unentschlossen, wenn es um deren endgültige Sinngebung geht.
Häufig werfen die symbolischen Spiegel das reine Licht nicht mehr
zurück:

> Puisée au foyer saint des rayons primitifs,
> Et dont les yeux mortels, dans leur splendeur entière,
> Ne sont que des miroirs obscurcis et plaintifs![9]

„Die lebendige Fackel . . ., die mich errettet vor jedem Fallstrick,
vor jeder schweren Sünde", verwandelt sich nun zum Brand des
Bösen, dessen höllischer Schein das Reich der absoluten Verneinung
erleuchtet. Die funktionelle Ambivalenz der „correspondances"
verrät sich in den Terzetten des berühmten Sonetts mit diesem
Titel. Die Zeit verschlingt unser Herz. Das individuelle Leben —
für Baudelaire gibt es kein anderes — erscheint uns als „Oase des
Schreckens in einer Wüste der Langeweile". Seit das Paradies der
Kindheit verloren ist, bleibt das wahre Wesen von uns fern:

> Mais mon coeur, que jamais ne visite l'extase,
> Est un théâtre où l'on attend
> Toujours, toujours en vain, l'Etre aux ailes de gaze!
>
> (›L'Irréparable‹)[10]

In diesem Zusammenbruch bleiben die Kunst und die Dichtung,
„die wunderbare dichterische Fähigkeit", vor dem Abgrund, dem
einzigen Gott der Welt, als Zeugen der menschlichen Würde bestehen. Die „Leuchtfeuer" sind „wie ein von tausend Wächtern
wiederholter Ruf", Ehrenretter der wahren menschlichen Sprache,

[9] Dem heiligen Herd des ersten Strahles entschöpft, das in den
Augen der Sterblichen, trotz ihres vollen Glanzes, sich nur wie in kläg-
lichen, trüben Spiegeln bricht.
[10] Mein Herz jedoch, dem die Entzückung fern bleibt, ist eine Bühne,
wo man immer, immer vergeblich wartet, daß es käme, das Wesen mit
den Gazeflügeln.

die an den Gestaden der schlechten Ewigkeit ersterben würde. Und
wenn die Kunst versagt, greift die Unzucht oder der Tod nach den
Menschen, der sie als Hilfe duldet. Vergessen wir jedoch nicht, daß
die Werte Baudelaires wie die Kunst, der sinnliche Traum, die Liebe
und der erlösende Tod stets dem Prinzip der Umkehrung unterworfen sind. Baudelaire ist sich der ontologischen Begriffe ihres
Wesens nie ganz sicher. Ihr Wesen entgleitet ihm unaufhörlich. Die
Spannung zwischen „Engel" und „Sirene" kann daher nur größer
werden. Sie bleibt unbewältigt bis zum Ende seines Lebens.

> Que tu viennes du ciel ou de l'enfer, *qu'importe,*
> O Beauté ...
> O Mort, vieux capitaine, il est temps! Levons l'ancre ...
> Nous voulons, tant ce feu nous brûle le cerveau,
> Plonger au fond du gouffre, Enfer ou Ciel, *qu'importe?*[11]

Gleichviel! Baudelaire drückt ostentativ diesen grundlegenden
Zweifel unter dem herausfordernden Titel „L'Amour du mensonge" aus. Ebenso lobt er die Verleugnung des heiligen Petrus:

> Saint Pierre a renié Jesus ... il a bien fait![12]

Das heißt aus der Verzweiflung einen Kult und aus der Er-
niedrigung eine Tugend machen. Auch Verlaine liebte bis zur
Selbstparodierung jenes Wechselspiel zwischen *Weisheit* und *Wollust,* devoten Chorknabengesängen und ungeheuerlichen Blasphe-
mien.

Das unerschöpfliche Werk Baudelaires enthält den Keim für alle
Schaffenshaltungen, die in den folgenden Generationen europäischer Dichter jeweils erscheinen werden. Diesen fällt auch das
widerspruchsvolle Erbe des Glaubens und des egozentrischen Ni-

---

[11] Ob du vom Himmel oder von der Hölle kommst, gleichviel, o
Schönheit ... O Tod, alter Kapitän, es ist Zeit, laß uns die Anker
lichten ...
Wir wollen, so sehr sengt uns dieses Feuer das Hirn, zur Tiefe des Abgrunds tauchen, Hölle oder Himmel, gleichviel.

[12] Sankt Petrus hat Jesum verleugnet ... er hat recht getan!

hilismus zu. Was aber bei Baudelaire Gegenstand einer einzigen
Entscheidung bleibt, was ihn schwanken läßt und ihn schließlich
so lähmt, daß er zum Selbsthenker, zum „Héautontimorouménos"
wird, zerfällt nach ihm in mehrere feindliche Ideologien.

Allen gemeinsam ist die bereits bei Baudelaire ausgedrückte
Faszination des „Nichts". Diese Strömung, der Mallarmé ange-
hört, sollte bald durch den Ausspruch Nietzsches vom Tod Gottes
zum europäischen Maßstab erweitert werden. Sie stellt die Haupt-
richtung der modernen Literatur und deren eigentliche Tradition
dar. Wir nennen sie die Dichtung des Menschen im Exil.

Gleichzeitig erscheint eine Reaktion gegen den Nihilismus in
Form eines religiösen Erwachens oder einer entschiedenen Rückkehr zum christlichen Glauben. Diese Bewegung hat manche Ähnlichkeit mit dem französischen Jansenismus. Ebenso hatten sich
Pascal und Racine gegen den egozentrischen Kartesianismus gerichtet, der im 17. Jahrhundert den Sieg über das ruinöse ortho-
doxe Mittelalter errungen hatte. P. J. Jouve und T. S. Eliot sind
Vertreter jener asketischen Richtung. Sie sind, wenn ich sie so
nennen darf, die Jansenisten des nihilistischen Jahrhunderts. Letztere hatten, wie der Logiker Pascal, ein zweideutiges Verhältnis
zur maßgebenden Tradition ihrer Zeit. Die christlichen Dichter,
ob Puritaner oder nicht, gingen oft durch eine Bekehrung daraus
hervor (T. S. Eliot, Robert Lowell, Charles Péguy, Jean Cocteau,
P. Claudel oder Max Jacob). Am Urquell des europäischen Nihilismus aufgezogen, schöpften sie daraus oft ein hartnäckiges Vorurteil gegen die Welt, die Gesellschaft und gegen sich selbst. So
machten es vormals die Jansenisten auf einem anderen Wege, den
die Stoiker und der Heilige Augustinus gebahnt hatten. Eine dritte
Gruppe besteht aus jenen, die außerhalb des Nihilismus und des
„Neo-Mediaevismus" stehen. Nur unter ihnen kann man die authen-
tischen Dichter der Avantgarde aus den Jahren um 1950 finden.
Die Dichtung des Nihilismus ist fadenscheinig geworden, zersetzt
vom Sarkasmus, der zur Manie wurde oder geschwächt durch den
Mißbrauch des Symbols, das Träger eines unmenschlichen Idealismus ist. Sie verwerfen seine Schablonen, ohne jedoch die sakramentalen, vielleicht veralteten Einrichtungen, die das Abendland aus
dem Mittelalter übernahm, wieder aufleben zu lassen.

Die Dichter, die außerhalb der kirchlichen Tradition stehen, frei von der Illusion eines wohlmeinenden politischen „Engagements", und die, ohne scheinheilig um eine armselige Aktualität zu werben, in ihrem Leben und in ihrem Werk für sich eine Lösung des Problems suchten, können „Sucher einer neuen Wirklichkeit" genannt werden. Sie bemühen sich um eine Wahrheit, die dem modernen Menschen entspricht, der zugleich einsam und solidarisch in dieser Welt sein unsicheres, aber leidenschaftlich gelebtes Dasein aufs Spiel setzt. Durch sie geht die moderne Dichtung ein neues Abenteuer ein: sie beginnt mit der unmittelbaren Erforschung des irdischen Erfahrungsbereiches.

II

Irrender zwischen zwei Welten,
die eine ist tot, die andere kann sich nicht entfalten.

M. Arnold

Bei Mallarmé, Lautréamont und um einen Grad weniger bei Rimbaud, siegt der Glaube an die Negation über die aufwärtsstrebende Kraft, die noch in der gespaltenen Seele Baudelaires wie eine ruhmreiche Erinnerung fortlebte. Die Dichtung ist nun dazu berufen, | die geheimsten subjektiven Bereiche zu erforschen. Ihre intellektuellen Mittel sind die schonungslose Selbstanalyse des Bewußtseins („Mein Denken hat sich selbst gedacht", Mallarmé) und die magische Kraft der Imagination, der Verwandlerin der Sprache, der Welt und der Persönlichkeit („Ich wurde eine Märchenoper", Rimbaud). Ihre große Entdeckung ist die trostlose Vision des Nichts. Das Abenteuer des *Igitur* endet wie das der *Saison en Enfer* im Scheitern und in der Verzweiflung. Lautréamont, besessen von einer bösartigen Transzendenz, nimmt den zwar logisch geführten, aber absurden Kampf gegen die gesamte Schöpfung auf und hofft, den monströsen Gott und zugleich seine unmenschliche Welt zu vernichten. Als Rimbaud zu seinen trügerischen Schlüssen kam, verzichtete er, der im Scheitern noch vollkommen klarsichtig blieb, auf die ohnmächtige Dichtung, verwarf jeden Anspruch, die Wirklichkeit zu meistern oder eine magische

Erkenntnis zu erlangen und widmete sich lohnenderen Arbeiten
in einer Welt, die er verachtete, die er aber weder beherrschen
noch verwandeln konnte.

Lange vor Nietzsche hatte Mallarmé verkündet: „Der Himmel
ist tot". Er führte seine Erforschung des Nicht-Seins, das sich hinter den Dingen, den Bildern und der Struktur der Sprache verbirgt, bis zum Ende durch. Bei dem allgemeinen Zusammenbruch
des Wirklichen rühmt er den poetischen Akt als den höchsten Wert.
Er ist die Operation, in der die zweifache Leere des Raumes und
des Geistes, die sich wie bei einem Spiel mit Spiegeln in der reinen
Sprache spiegelt, wieder in ihrer ursprünglichen Einheit erschaffen
und unserer Einbildungskraft zugänglich gemacht wird. Das Wesentliche im Menschen verwandelt sich hier zum Wort. Nur im
schöpferischen Akt, durch das Gedicht, erreicht der Mensch die absolute Wirklichkeit, die eins ist mit dem Nichts:

> C'est de nos vrais bosquets déjà tout le séjour.
>
> (›Toast funèbre‹).

Mallarmé teilt jene metaphysische „Logomanie" mit den letzten Romantikern, mit Baudelaire und der gesamten „Ecole du
Parnasse". Dieses Prinzip galt sogar noch für Valéry, den skeptischen Schüler Mallarmés; der Autor von ›Mon Faust‹, der
nur die sprachlich-formalen Kunstgriffe beibehält, jene durchsich-
tigen Schwingen einer weltumfassenden Illusion, wird seine bis
zum allmächtigen Nichts reichende Verachtung sogar auf jene
Dinge ausdehnen, für die der religiöse Dichter des ›Coup de
Dés‹ noch auf seine Weise Verehrung empfand.

Zu Beginn des Jahrhunderts wurde durch Hofmannsthal und
Stefan George die Herrschaft des Wortes auf Deutschland ausge-
dehnt, während sie in England ein wenig früher, durch Swinburne,
Symons, Oscar Wilde und den frühen Yeats vertreten wird. In
Italien trat sie ihren Siegeszug mit der klangvollen Rhetorik
Carduccis und D'Annunzios an, in der spanischen Welt mit Ru-
bén Darío und den „Modernistas", | für die nur die Dichtung
heilig war; in den Vereinigten Staaten im Kult der dichterischen Ein-
bildungskraft und in der „schöpferischen Kraft des Selbstbewußt-

seins" eines Wallace Stevens, auch mit Robert Frost, wenn er als
reiner Formalist auftritt, als geschickter „Korbflechter", der sich
um keine höheren Werte kümmert. „Werkleute sind wir": dieses
rein ästhetische Prinzip hielt Rilke in einem Großteil seiner Werke
aufrecht, wie die ›Neuen Gedichte‹ oder das 1908 geschriebene
›Requiem‹ für Wolf Graf von Kalckreuth bezeugen. Es wurde
zu einer Glaubensformel für Juan Ramón Jiménez, den spanischen Meisterdichter der absoluten Schönheit, der „Poesía desnuda",
für den „Prismatiker" Gottfried Benn, während seiner langen
nachexpressionistischen Schaffensperiode, wie auch für den Griechen Konstantin Kavafis, dessen tausendjährige Tradition sich in
seltsamer Weise mit der des untergehenden Abendlandes verbunden hat. Dieser verfeinerte Alexandriner sollte der Lyrik der Gegenwart das volle Bewußtsein der geschichtlichen Ironie schenken,
welche stets eine Begleiterscheinung des Untergangs von Kaiser-
reichen und Zivilisationen war. „In der Zerstörung aller Werte,
die der eigentliche Inhalt des Lebens sind" beschwört Benn ein
neues absolutes Prinzip, die „Transzendenz der schöpferischen
Lust". Über den Schutthalden der Weltkulturen kann sich die
dichterische Erkenntnis nur ihrer eigenen Aktivität zuwenden.
„Stil ist der Wahrheit überlegen", schreibt Benn nach Valéry, „er
trägt in sich den Beweis der Existenz!"

> ... Kein Werden,
> Du bleibst gebannt und bist
> der Himmel und der Erden
> Formalist.

Es ist die Epoche des universalen Ästhetizismus. Man darf die
Formbesessenheit und den Wortkult bei Mallarmé und seinen
Schülern nicht als neoklassizistische Suche nach Schönheit oder der
Eleganz des Ausdrucks auffassen. Das hieße die metaphysische
Absicht ihrer Bestrebungen völlig mißverstehen. Die katastro-
phale Erfahrung des äußeren Lebens und die noch trostlosere Erkenntnis einer negativen, unergründlichen Natur in jeder geistigen Wirklichkeit — die innere Entdeckung des „Nichts" — bilden für Mallarmé den Kern des intellektuellen und affektiven

Lebens. „Du, die mehr weiß von dem Nichts als die Toten", nennt der Dichter seine Muse. Diese Botschaft der Abwesenheit kann im Gedicht nur durch eine von existentieller Schlacke gereinigte Sprache | vermittelt werden, die auf „den Abgrund", den sie verkündigt, „zurückgerichtet" ist. Er wird durch eine rein persönliche Symbolik der Negation ausgedrückt, durch eine Metaphorik, die der Einsamkeit und Leere entsprechen soll, in der das Bewußtsein verlischt.

Der Inhalt irdischer Erfahrung und die herkömmliche Sprache als deren Ausdruck werden in sprachliche Äquivalente des Nicht-Seins und der Abwesenheit verwandelt, die für Mallarmé die Grundlage der Wahrheit darstellen. Durch die neuen Strukturen einer esoterischen Syntax und Metaphorik, die die Wirklichkeit verdünnen und sich zu verflüchtigen streben, wird das Wesen des Lebens und des Seins schließlich durchscheinend für das Antlitz des Abgrunds. „Ich nenne sie Umsetzung", lautet die Beschwörungsformel des Zauberers Mallarmé. In der Berührung mit dem absoluten Nichts besteht die Gefahr, daß sich das Gedicht, als eine Hyperbel der Negation, im Schweigen auflöst: „Auf dem leeren Blatt, das die Weiße schützt". „Im übrigen will ich nichts Menschliches" — geht der Musikant des Schweigens über die Grenzen des Lebewesens hinaus und stößt er auf das, was er beschworen hat, so verstummt er. „Abgeschaffter Tand, klingend vor Vergeblichkeit." Damit endet alle symbolische Umsetzung[13]!

Gleiche Gefahr droht den Schülern Mallarmés: der Glaube an die einzige — gespenstische — Wirklichkeit des Gedichts wird seinerseits durch den von uns beschriebenen inneren Vorgang negiert. Durch ihn wird der poetische Akt, dem jeder existentielle Gehalt fehlt, widerspruchsvoll und unmöglich gemacht. Das Hindernis liegt nicht in der formalen Forderung einer rigorosen Sprache, sondern in den nihilistischen Voraussetzungen, die dieser zugrunde liegt. Hier ist die innere Grenze des modernen Ästhetizismus. Sie kann nur durch „eine Wandlung des Herzens" (wie Auden sagte) überschritten werden und nicht durch eine technische Modifikation der Syntax oder der Metaphorik.

[13] Cf. Maurice Blanchot, La part du feu, Paris 1949, S. 42 und 48.

Der ›Algabal‹ Stefan Georges, unmenschlicher Sucher der „Schwarzen Blume", der baudelairesche Despot und Herrscher über einen unterirdischen, künstlichen Palast aus Stein und Metall, wo selbst die Bäume aus Kohle sind, mußte an sich selbst zugrunde gehen, bevor George ›Das Jahr der Seele‹ schreiben und bevor er es wagen konnte, so offene Dichtungen wie ›Stern des Bundes‹ und das ›Neue Reich‹ in Angriff zu nehmen.

Auch jene Dichter müssen wir zu den Nachfolgern Baudelaires und Mallarmés zählen, die sich in einer Zeit der Verzweiflung als wichtigste Aufgabe stellten, ungeschminkt und ohne Anleihe beim Ästhetizismus zu machen, von der Lage des Menschen zu sprechen. In jener Nachfolge finden wir Thomas Hardy mit seinen kaustischen Gedichten, A. E. Housman, Corbière, Laforgue und ihren amerikanischen Schüler, den T. S. Eliot des ›Prufrock‹, ›Sweeney‹, ›The Hollow Men‹ und ›The Waste Land‹. Vor Eliot hatte Housman von der Desillusion gesprochen, die das Absterben des Naturgefühls und der Niedergang der aristokratischen Kultur in dem modernen England mit sich bringen.

> In all the endless road you tread,
> There's nothing but the night.[14]

In ›The Shropshire Lad‹ siegt der totale Nihilismus. Nur ein unsicherer, schwacher Hochmut des *Ich* bleibt bestehen. In solchen Werken wird die Verzweiflung zur Gewohnheit und die sühnende Lebenshaltung zur Zwangsvorstellung. Der nihilistische Aufruhr richtet sich sowohl gegen das Ich als auch gegen die Welt. Der Sarkasmus und die Schmährede gehören nun, wie in manchen ›Cantos‹ von Pound, zu den bevorzugten Ausdrucksmitteln der Dichtung.

Unter den gleichen Aspekten kann man den deutschen Expressionismus betrachten. Für den jungen Gottfried Benn, der einer seiner wichtigsten Wortführer ist, ist das höchste Ziel der gesteigerte Ausdruck des fragmentarischen „späten Ich". Er offenbart sich zunächst in dem grotesken oder grausigen Rahmen einer von

---

[14] In den endlosen Straßen, die du durchstreifst, ist nichts als Nacht.

Baudelaire und Mallarmé bereits vorausgeahnten, in ein riesiges Krankenhaus verwandelten Welt, einer „Krebsbaracke"[15].

Als rein menschliche Erfahrung gilt hier nur die Agonie, die sich als Verhöhnung jedes Lebens präsentiert, und schlimmster körperlicher Verfall. Der Expressionismus sammelt die Trümmer einer zerfallenen Welt in einer ebenso zerrissenen Sprache. Er liebt zusammenhanglose Aufzählungen, die die Zerrüttung der Welt suggerieren. Er beschwört auch die Einsamkeit eines Menschen, der die Welt verloren hat und der wie Chamissos Peter Schlemihl dem verkauften Schatten nachläuft. Als um 1920 die letzten idyllischen Dichter der „ländlichen Gartenfeste" abgelehnt wurden, traten in England die geschickten Techniker des Imagismus auf. Sie stellten sich blind für die verfälschten Werte einer untergehenden Tradition. Eliot verband sich mit ihnen während seiner Anfänge. In Deutschland riefen die gleichen Bedingungen zunächst die Konvulsionen eines oft formlosen und geräuschvollen Expressionismus hervor. Bei Trakl wurden ein wenig später die rhetorischen Effekte und Auswüchse der expressionistischen Avantgarde beseitigt. Die Verzweiflung über die Lage des Dichters „in dürftiger Zeit" findet nun durch eine wahrere und empfindsamere Stimme, voll erschütternder Melancholie, ihren Ausdruck.

> Über den weißen Weiher
> Sind die wilden Vögel fortgezogen.
> Am Abend weht von unseren Sternen ein eisiger Wind.
> (›Untergang‹)

> Hirten begruben die Sonne im kahlen Wald.
> Ein Fischer zog
> In härenem Netz den Mond aus frierendem Weiher.
> (›Ruh und Schweigen‹)

In jener allzu stillen Welt sind die Fenster gähnend leer; nur das Schweigen wohnt in ihnen.

> Ein Schweigen in leeren Fenstern wohnt.   (›Die Ratten‹)

---

[15] Ein klinisches Bild von der Welt finden wir auch in T. S. Eliots ›Four Quartets‹.

Trakl führt uns in eine gespenstische, winterliche und postume
Welt — in unsere Welt. Fast zur gleichen Zeit finden Ungaretti,
Montale und Saba in Italien und Pierre Reverdy in Frankreich
einen ähnlichen Ton in ihren konzisen unrhetorischen Gedichten,
obwohl sie mehr Bitterkeit und weniger Resignation zeigen.

Das Thema der leidenschaftlichen Liebe wird im nihilistischen
Ästhetizismus unterdrückt (Benn) oder geleugnet und lächerlich gemacht (Valéry). Es wird durch einen Narziß-Kult oder durch eine
bittere und ernüchterte Sinnlichkeit, à la Don Juan, ersetzt, die
den Menschen über das Nichts hinwegtrösten, wie das Opium, der
Traum und die Trunkenheit in den erotischen Gedichten Baudelaires und Mallarmés. In seinem ganzen Werk versichert Eliot, daß
die Liebesleidenschaft eine Illusion oder ein Betrug sei. Rilke be-
streitet, wenn auch widerstrebend, ihren etwas romantischen Anspruch, dem Menschen Zugang zur höchsten geistigen Erkenntnis
zu verschaffen. Er betrachtet sie als eine unvollkommene und trügerische Offenbarung der Wirklichkeit der Existenz. Henri Peyre
hob vor kurzem hervor, daß im französischen Roman des zwan-
zigsten Jahrhunderts der menschlichen Liebe nicht mehr jene Bedeutung zukommt, die sie seit dem Mittelalter in der Literatur
und in der Empfindungswelt hatte. Diese Feststellung gilt ebenso
für die Hauptströmungen der zeitgenössischen Lyrik. | Wo das
Thema der fleischlichen Begierde bei unseren Dichtern ein wichti-
ges Motiv darstellt, erfährt es eine neue und paradoxe Sinngebung, auf die wir noch zu sprechen kommen. Statt Ausdruck der
Vereinigung der Menschen zu sein, ist sie ein Symptom eines ständig zunehmenden Einsamkeitsgefühls des abendländischen Menschen: „Niemand versteht den anderen", schrieb Gustave Flaubert
in seinen Briefen.

Das Schwinden des Wirklichkeitssinnes muß zugleich mit dem
inneren Zerfall der Dichtung und dem Absterben menschlichen
Gefühls bezahlt werden. Wenn die Welt, wie Hölderlin zu Beginn
des 19. Jahrhunderts voraussagte, aller Werte beraubt, ein Schatten wird, muß das Herz der Menschen ebenfalls zugrunde gehen:

> Seit der gewurzelte
> Allentzweiende Haß Götter und Menschen trennt,

> Muß, mit Blut sie zu sühnen,
> Muß der Liebenden Herz vergehn.

Manche Dichter des 20. Jahrhunderts folgen einem ähnlichen Weg.
Sie beschreiben mit großer Genauigkeit gewisse Aspekte des allgemeinen Elends, zeigen eine durchdringende Kenntnis seiner politischen, sozialen und ökonomischen Seiten und verwenden zum Beispiel das Vokabular des Argot, der für die gefühllose und unpersönliche Situation zeugt, die nunmehr unsere Situation ist. Dies
ist nicht nur der Fall bei Queneau oder Prévert, sondern auch bei
Pound, Auden, Brecht und sogar bei Eliot, in einigen seiner realistischen Gedichte. Aber einfach die Atmosphäre von ›The Waste
Land‹ hinzunehmen, wird auf die Dauer unerträglich. Heftige
Reaktionen wurden dagegen geäußert. Sie sind jedoch meistens
in dem Nihilismus verankert und daher von vornherein zum
Scheitern verurteilt. „Es gibt kein Fortgehen", sagte Rimbaud in
einem vieldeutigen Satz, der zugleich die Erfolgslosigkeit, die Un-
möglichkeit des Aufbruchs und den heroischen Verzicht darauf bedeutet. Während er versuchte, der Verzweiflung in der bürgerlichen Welt seiner Zeit durch die dichterische „Hellsichtigkeit" und
durch die Wortmagie zu entfliehen, nahmen die Surrealisten Zuflucht zum Unbewußten, um in sich selbt die Fülle oder zumindest eine freiere Form des Seins zu erreichen. Ihr Sesam-öffne-
dich, die » écriture automatique « sollte das Joch der Vernunft und
der herkömmlichen Moral zerbrechen und die Monotonie einer falschen Alltagswirklichkeit in das ständige Wunder der Surrealität
verwandeln — in das „tägliche Wunder"[16]. Dennoch | vermochte der
psychische Automatismus der gequälten und unbefriedigten Empfindsamkeit des heutigen Menschen weder zu entsprechen noch
sie in vollem Maße auszudrücken. Zu Unrecht identifizierten die
Surrealisten die Einbildungskraft mit dem höheren Dasein und
die Worte mit den Dingen. Ähnlich der „Logomanie" der Ästheten des Parnasse, die er so entschieden ablehnte, bestand der Irrtum des Surrealismus als Phänomenologie darin, in der Beziehung

[16] Siehe meinen Essay: L'Invention poétique et l'automatisme mental,
in: Claude Vigée, Révolte et Louanges, Paris, 1962, S. 83 ff.

von sich zum Wort die Lösung eines Problems zu suchen, die heute
nur in den wesentlicheren Beziehungen von sich zur Welt gefunden werden kann. Eine Identifikation des Wortes mit der Welt,
die in einer normalen historischen Zeit üblich ist, entspricht nicht
mehr unserer zersplitterten Kultur. Sie ist das trügerische Erbe der
alten, allzu selbstsicheren cartesianischen „Fabel der Welt" und
das Vermächtnis des philosophischen Nominalismus, der das Wunder des Lebewesens durch das „Wunder eines Namens" ersetzt[17].
An jener Verwechslung scheitert der Versuch des Surrealismus den
Nihilismus zu überwinden. Wie alle intellektuellen „Terroristen",
wie Dada und jene rasenden Nihilisten, die ihrem Elend ein Ende
bereiten durch Selbstmord, Wahnsinn, Trunkenheit oder sexuelle
Orgien, gehen die Surrealisten an den wirklichen Problemen unserer Zeit vorbei oder über sie hinweg.

Überzeugender erscheinen die entwurzelten Dichter, die ihre
gegenwärtige Verzweiflung zu überwinden suchen, indem sie sich
den vergangenen Kulturen und ihrer eigenen Kindheit zuwenden,
um dort Trost oder Heilung zu finden. "I think continually of
those who were truly great"[18], schrieb Stephen Spender auf der
Suche nach den verlorenen Quellen. Man kann diese Sehnsucht bei
vielen amerikanischen Dichtern finden, deren Vorliebe Italien, der
mittelalterlichen Provence, dem klassischen oder chinesischem Altertum gilt, so bei Ezra Pound und Allen Tate oder bei den konser-
vativen „Agrarians" J. C. Ransoms. Oft glaubt der Dichter seinen Ursprung in den „grünen Paradiesen kindlicher Liebe" wieder-
zufinden. Rilke macht sich diese baudelairesche Anschauung seit
seiner ersten Schaffensperiode zu eigen, ebenso wie Milosz in
seinen ›Symphonies‹, St-John Perse in den ›Eloges‹, Dylan
Thomas in ›Fern Hill‹, Patrice de la Tour du Pin schließlich in
dem jugendlichen Abenteuer seiner ›Quête de Joie‹.

Rilke stand sein ganzes Leben dem feindlichen „Anderen" gegenüber. Er führte einen ständigen Kampf mit der Fremdheit seiner Umwelt und wurde stets von der Empfindung gequält, seiner
eigenen Persönlichkeit entfremdet zu sein. Einen großen Teil sei-

[17] Mallarmé, ›Toast funèbre‹.
[18] Ich denke stets an jene, die wirklich groß waren.

nes täglichen Lebens empfand er als Leere, der er seit seiner Jugend ausgesetzt war. Das bewog ihn zu schreiben, sein Schicksal bestünde darin, keins zu haben, | oder daß er lebe, um sich vom Leben abzuwenden. Die meisten Kritiker Rilkes stellten ihn als Introvertierten dar, dessen außerordentliche Empfindsamkeit sich in eine innere Welt abschloß, die vom Traum, von den Emotionen und von der Kontemplation beherrscht wird. Andere sahen in seiner Dichtung den Beweis für ein unaufhörliches Bemühen, um, von jenem subjektiven Zufluchtsort aus, die verlorene „wahre" Welt der Kindheit und der Natur zurückzuerlangen. Es läßt sich nicht bezweifeln, daß Rilke immer wieder zu einer Selbstbesinnung angeregt wurde. Der Versuch, sich der ungesunden Introversion zu entziehen, um zu den „Dingen" von Raum und Zeit zu gelangen, hat bei ihm den Anschein von Glaubwürdigkeit. Gleichzeitig hat aber jene Aktivität alle Merkmale einer Maskierung. Der entscheidende Konflikt entsteht für Rilke nicht auf dieser Ebene. Nicht zwischen der Introversion und der faustischen Aktivität, der asketischen Entsagung oder der Eroberung der Welt hatte er wirklich zu wählen. Hier findet eine Auseinandersetzung statt, die tiefer und bedeutsamer ist als die herkömmliche Gegenüberstellung der inneren und äußeren Welt, des sich liebenden Subjekts und der verachteten Dinge. Die bei diesem Dichter vorherrschende Spannung scheint nicht nur von jenem Schwung herzurühren, der das vereinsamte Ich in die verwirrte Welt emporheben kann. Sicherlich ist dies auch im Leben und in der Dichtung Rilkes der Fall: jene erhalten dadurch etwas Heldenhaftes, trotz zahlreicher Rückfälle, die den Dichter in die Einsamkeit zurückwerfen und ihn wieder zum Elfenbeinturm des Ästhetizismus zurückkehren lassen. Aber das wirkliche Problem liegt woanders. Rilke konnte nicht auf die Wiedereroberung des Paradieses aussein, das für ihn die Außenwelt ist, indem er als Ausgangspunkt seinen unversehrten Grund oder irgendeinen anderen geistigen Hafen hatte. Tatsächlich glaubte er keinen Zufluchtsort in seinem Innersten zu besitzen, von dem er sich nach außen wagen konnte. Er verfügte nicht *a priori* über eine eigene Energiequelle, um mit der äußeren Wirklichkeit fertig zu werden. Das Ziel seines Suchens war vielmehr die Überwindung der unsäglichen Qualen eines „reinen" Bewußtseins, dem der Wirklichkeitssinn für sich selbst wie für die räumliche Welt fehlt. Dieses vom Sein enterbte Bewußtsein fühlt sich ständig in eine Urform zurückgeworfen, die aus Selbstabwesenheit, der Leere, des Nichtseins besteht, aus der es wieder aufzutauchen gilt, aber der man zunächst nachgeben und die man überleben muß: „überstehen ist alles!". Das war, meiner Meinung nach, die Grunderfahrung Rilkes.

In jener Sicht versteht man besser, warum die Eroberung einer lebendigen, glühenden, sinnreichen, geistigen Welt („die freie schöpferische Subjektivität" Maritains) für Rilke bald identisch wird mit dem Einfangen von Tönen, Farben, von Raum und Dingen der eigentlichen räumlichen Realität. Der „Weltinnenraum", von dem Rilke später sprechen wird, läßt uns | an die paradiesischen Visionen der ›Confessions‹ Rousseaus (XII) und vor allem an die „Inscape" von Gerald Manley Hopkins denken. Auch er ist mit einem von einer reichen Empfindungsstruktur gebildeten, ekstatischen Zustand verbunden, der aus einer ursprünglichen agonieartigen Leere des vereinsamten Bewußtseins hervorging. Durch diese sensible Landschaft, die nach einem eigenen Formgesetz geordnet ist, wird die sprachlose innere Erfahrung gemäß der Magie des „Bezugs", der allumfassenden Beziehungen, objektiviert, worin Rilke das Wesen des poetischen Aktes sieht. Nun werden die isolierten Gegensätze, „Welt", „Innen" und „Raum", zu Synonymen und verschmelzen in der Seligkeit der *einen* Intuition. Ihre gemeinsame Bedeutung liegt in jener Gleichwertigkeit, die Rilke so lange herbeisehnte und die im Gegensatz steht zu der tiefen Armut im anfänglichen Bewußtsein Rilkes. In der Zeit, in der der Dichter ›Das Buch von der Armut und vom Tode‹ und die ›Aufzeichnungen des Malte Laurids Brigge‹ schrieb, kannte er in der dürftigen Zufluchtsstätte seines Geistes nur die Erfahrung der „Armut", des doppelten Mangels geistiger und räumlicher Realität.

Das übrige Werk bis zu den ›Elegien‹ und den wunderbaren ›Späten Gedichten‹, die in Frankreich noch zu wenig bekannt sind, macht den endlosen Kampf offenbar, der ihn aus seinem fundamentalen Mangel — der Hölle seiner unbewohnten Abgeschiedenheit — zu den lebensvollen Bereichen des „Weltinnenraumes" führen sollte. Ob der Dichter seine Berufung als Pionier und seine Mission als Eroberer des „Hierseins" gänzlich erfüllen konnte, hat wenig zu besagen. Wie Eliot in den ›Vier Quartetten‹ sagt: „Für uns zählt nur der Versuch." In diesem Lichte betrachtet, erhält die Entwicklung im Werk Rilkes eine neue und wertvolle Bedeutung. Obwohl es in bestimmten romantischen und symbolistischen Traditionen verwurzelt ist, geht es über diese hinaus, da es auf eine ontologische Ent-deckung ausgerichtet ist. Es ist jenseits aller literarhistorischen Kategorien und zeugt mit Ursprünglichkeit von jener zentralen Erfahrung der europäischen Dichtung, die gleicherweise den Werken Hölderlins, Baudelaires, Mallarmés, Hopkins', Yeats' und Eliots zugrunde liegt. Auch Rilke gehört zu den großen „Brückenbauern" der Moderne. Das ›Stundenbuch‹, der ›Malte‹, die ›Neuen Gedichte‹, die ›Elegien‹, die ›Sonette‹ und die ›Späten Gedichte‹ verraten die Spannung zwischen einem stummen Bewußtsein in Agonie, ohne eigenen Ort, und seiner Vision vom Haus der irdischen Sprache, das der Mensch allein im Lichte seines wirklichen Wesens erbaut. In dieser Hinsicht erreicht Rilke im Leben und in seinen Schriften eine Einheitlichkeit der Intention und eine dichterische Logik, die in den neuen, sogenannten „existentiellen" Interpretationen nicht deutlich hervorgehoben werden. So lassen die Gedichte ein Entwicklungsgesetz erkennen, das, im Rückblick, auch als das Hauptgesetz erscheint, das das persönliche Werden des Dichters bestimmt: er hatte | tatsächlich nur sein Sagen zum Ziel, jene hartnäckige Erforschung des Seins im Innern der vergänglichen Erscheinungen.

Seine dichterische Karriere begann der junge Rilke, die sentimentalste Dichtung Heinrich Heines nachahmend, in der Nachfolge des *Weltschmerzes,* der für das Deutschland der Mitte des 19. Jahrhunderts charakteristisch ist. Seine erste Gedichtssammlung ›Leben und Lieder‹ (Straßburg 1897) enthält ungeschickte Verse romantischer und „dekadenter" Stimmung:

> Ich möchte einst im Frühling sterben ...

Wie Richard von Mises, Besitzer eines Originals dieses beinahe unauffindbaren Buches, mir gegenüber einmal bemerkte, ist dies

der einzige Vers aus den ersten ›Liedern‹, den Rilke in seine
späteren Gedichte übernommen hat. Er änderte jedoch ein Wort,
und diese Einzelheit — um Frost zu parodieren — „machte den
ganzen Unterschied aus". Was der zu seinem jugendlichen Roman-
tizismus zurückkehrende Dichter wünschte, war, *nicht* im Frühling
zu sterben.

Diese Änderung offenbart eine völlige Wandlung in der Sensibilität Rilkes und in seiner Grundhaltung zum Leben und zur
Welt. Sie sollte ihn von der quälenden Vorstellung des Todes und
des Verfalls, die den ›Malte Laurids Brigge‹ und das ›Buch
von der Armut und vom Tode‹ bestimmt, zu der mutigen Aussage in seiner Reifezeit führen:

> Hiersein ist herrlich.

Bei diesem erlösenden Vorgang spielt die „Rückkehr zur Kindheit" eine wichtige Rolle. Sie war wie eine Brücke, die Rilke zur
Entdeckung des Wirklichen in dieser Welt führte. Andere, jüngere
Dichter wie Wolf von Kalckreuth, suchten sich im Tode von der
feindlichen Welt zu befreien oder ihre erstickende, gequälte Persönlichkeit zu zerbrechen. Rilke fand den Ausgangspunkt des
langen Weges, der ihn aus dem Nihilismus führte, durch die Hingabe an die harte und unablässige Arbeit der dichterischen Schöpfung, die ihn sein Lehrer Rodin gelehrt hatte, und durch das völlige
Eintauchen in ein Gefühl der Sehnsucht nach seiner Kindheit, jenes
verlorenen Reichs, das er als Erwachsener, wenn er es benötigte,
wiedererfand. Die Sehnsucht ist das Verlangen des ausgeschlosse-
nen Intellekts nach einer zugänglichen Welt, an die er sich seit
seiner wahren Kindheit erinnert, oder nach dem so tief in uns verwurzelten Bild vom goldenen Zeitalter. Sie ist verbunden mit
unserem innigen Wunsch, wiedergeboren zu werden, nach jenem
„schicksalhaften Glück", das Rimbaud in der ›Saison en Enfer‹
so ergreifend heraufbeschwört. Die Sehnsucht geht somit den ver-
schiedenen Anstrengungen voraus, | die das Gefühl macht, um
dem „Wüsten Land", unserem gegenwärtigen Schicksal, zu entkommen. Sie zwingt das vereinsamte Bewußtsein, die eigene Lage
und die der Welt im Licht der Beziehungen zu durchforschen, die

einst in der glücklichen Frühjahrszeit des Lebens zwischen dem
Menschen und den Dingen bestanden und die schließlich wieder
wahr werden müßten, aber auf eine neue, klarere und selbst-
sicherere Weise.

Die Sehnsucht ist eine Reflexion über das Scheitern im gegenwärtigen Leben. Nur durch den Mangel, durch den „Ennui", entsteht ein Sehnen. Sie führt uns zurück zur Freiheit unseres Ursprungs. Damit erschließt sie einen Weg für das Heil, das entweder
in der Zukunft liegt, wie für Rilke in der Reifezeit („du mußt
dein Leben ändern") oder, im Gegenteil, in der schließlich von der
Zufälligkeit unseres Daseins befreiten Vergangenheit und Ewigkeit.
Dies geschieht durch die erlösende Inkarnation des verlorenen und
in der Sprache der Kunst wiedergewonnenen Wesens. Die Zeit
wird losgekauft in einer „höheren" Wirklichkeit, die aus den
wiedergefundenen, in dem Heiligtum — oder dem Grab? — der
Sprache verwirklichten Erinnerungen entsteht. Eine solche Verwandlung geschieht bei Baudelaire und bei Proust.

Es ist offenkundig, daß der Rilke des „Ölbergs", der den apokalyptischen Atheismus Jean Pauls und die Entsagung Vignys in
sich vereinigt, die nihilistische Auffassung des Daseins aus den
ersten Jahren dieses Jahrhunderts kannte. Wie bei Eliot, jedoch
zwanzig Jahre vor dem ›Waste Land‹, kommt bei Rilke das
Bewußtsein der Irrealität, das sich von allem in seiner Umwelt
und besonders von den Elendsvierteln der Industriestädte abwen-
det, zum kraftvollen Ausdruck: „Die großen Städte sind nicht
wahr." In dieser fremden, gespenstischen Welt empfindet das
menschliche Bewußtsein sich selbst fremd und künstlich. Die zerrissene Persönlichkeit des Dichters steht nicht wirklich lebenden
Geschöpfen, sondern geometrischen *Figuren* gegenüber. Jene bewegen sich, wie Victor Lange gesagt hat, in einem „Raum von
abstrakten Dimensionen". „Hampelmann, Vogel, Fledermaus,
Gazelle oder Akrobat" sind nur „die negativen Bilder des
Menschen". Rilke betrachtet vor allem „die Veränderung an
den Dingen, wie an einer Schleuder, an einem Ball, einem Schwanken, einem Wurf, die in ihren Bewegungen eine über das Menschliche, über Raum und Zeit hinausreichende Kurve von Beziehungen bilden". Und dennoch hatte er eine vielleicht harte, aber natür-

liche und innige Kindheit. Durch seine Vermittlung konnte der
reife Rilke über jedes Leid hinweg eine neue Verbindung mit dem
wirklichen Raum und dem wirklichen Wesen herstellen. In einem
kurzen, 1925 in Paris geschriebenen Gedicht spricht Rilke, der
bereits von der Leukämie befallen war, die ihn nach einigen
Monaten dahinraffen sollte, | mit Leidenschaft seine Liebe und
Sympathie für die ganze Schöpfung aus:

> Ach, nicht getrennt sein,
> nicht durch so wenig Wandung
> ausgeschlossen vom Sternen-Maß.
> Innres, was ist's?
> Wenn nicht gesteigerter Himmel,
> durchworfen mit Vögeln und tief
> von Winden der Heimkehr.

In seiner letzten Periode kehrt Rilke aus dem Exil zurück:

> Hier sei uns alles Heimat: auch die Not.
> Wer wagt, was uns geschieht, zu unterscheiden?

In den Gedichten jener Zeit findet Rilke hier auf Erden die
„süße Muttersprache" der Seele, die von Baudelaire beschworen
wurde und die jenseits des gequälten Nihilismus seiner Jugendzeit
ist: „Jenseits des Eises, des Nordens, des Todes, unser Leben, unser
Glück." Was bei Nietzsche Sehnsucht und eine unerfüllte Verheißung bleibt, wird bei Rilke allmählich, unter Qualen und zahlreichen Rückfällen in den Zweifel und in die Verzweiflung, Wirklichkeit. Alles ist nun da bis zum Übermaß. Dasein bedeutet Überfluß. Selbst der Verlust ist ein wertvolles Gut:

> Auch noch verlieren ist unser . . .

> Alles atmet und dankt.
> O ihr Nöte der Nacht,
> Wie ihr spurlos versank.

Zehn Jahre zuvor, am Vorabend des ersten Weltkrieges, hatte er eine Eingebung von seinem geistigen Weg: |

> Es winkt zu Fühlung fast aus allen Dingen . . .
> Durch alle Wesen reicht der *eine* Raum:
> Weltinnenraum. Die Vögel fliegen still
> durch uns hindurch.

Sicherlich mußte diese Entdeckung von einem einzigen kosmischen und geistigen Raum, dem „Weltinnenraum", und die Vision von den Vögeln der Weite, die still durch uns hindurchfliegen, im Laufe langer Jahre des Suchens mit der Qual der Selbstverleugnung und mit Einsamkeit bezahlt werden. Aber schließlich konnte uns Rilke in einem klaren, einfachen Gedicht wie ›Alle die Stimmen der Bäche‹ eine Botschaft hinterlassen, die von der Gemeinsamkeit göttlicher Realität, der Menschen und der konkreten Welt kündet und die in der Vollendung des Gedichtes ihre Verschmelzung preist:

> Alle die Stimmen der Bäche,
> jeden Tropfen der Grotte,
> bebend, mit Armen voll Schwäche,
> geb ich sie wieder dem Gotte
> und wir feiern den Kreis . . .
>
> Oh, ich weiß, ich begreife
> Wesen und Wandel der Namen;
> in dem Innern der Reife
> ruht der ursprüngliche Samen,
> nur unendlich vermehrt . . .
>
> Daß es ein Göttliches binde,
> hebt sich das Wort zur Beschwörung;
> aber, statt daß es schwinde,
> steht es im Glühn der Erhörung
> siegend und unversehrt. |

Rilke kann in seiner letzten Periode nicht mehr im Rahmen des modernen „existentiellen Nihilismus" verstanden werden, von dem

er, wie Stefan George, ausgegangen ist. Seine Treue zur Welt hat
die anfängliche Verzweiflung besiegt. Er ist einer der ersten, der
die Erregung der Freude fühlt, mitten im Klagereich, wo unser
Tod-im-Leben sich unermüdlich fortsetzt:

> Doch der Tote muß fort, und schweigend bringt ihn die ältere
> Klage bis an die Talschlucht,
> wo es schimmert im Mondschein:
> die Quelle der Freude. In Ehrfurcht
> nennt sie sie, sagt: „Bei den Menschen
> ist sie ein tragender Strom."
>
> (›Duineser Elegien‹ X)

In den letzten Versen der Elegie werden die Toten mit den
hängenden „Kätzchen der leeren Hasel" oder mit dem „Regen,
der fällt auf dunkles Erdreich im Frühjahr" verglichen.

> Und wir, die an steigendes Glück
> denken, empfänden die Rührung,
> die uns beinah bestürzt,
> wenn ein Glückliches fällt.

Andere moderne Dichter, die ebenfalls vom Nihilismus ausgegangen sind, versuchten sich diesem Fluch zu widersetzen oder ihn
mit verschiedenen Exorzismen auszutreiben — durch die Erschaffung persönlicher Mythen, durch Okkultismus, Erforschung mystischer Erfahrungen oder Halluzinationen, wie Henri Michaux,
durch Magie und Alchemie oder durch eine Rückkehr zu dem
provençalischen Liebeskult in verwandelter Form. W. B. Yeats
hatte von Anfang an ein klares Bild von der chaotischen Situation, in der sich die europäische Zivilisation befand. 1897 schrieb
er: „Ich war überzeugt, | daß die Welt jetzt nur mehr aus einem
Trümmerhaufen bestand." Um die verstreuten Teile seiner eigenen Erfahrung zu ordnen, versuchte er ein eklektisches System
aus Mythen und Symbolen zu schaffen, „eine unfehlbare Kirche
dichterischer Tradition", in der sich die neuplatonischen Elemente,
die magischen Formeln und irländischen Märchen kaum vereinigen ließen. Der junge Yeats von 1890 unterscheidet sich nicht sehr
von Patrice de la Tour de Pin, der sich um 1935 bemühte, legen-

däre und persönliche Motive mit denen der christlichen Mystik zu
einer dichten Einheit zu verbinden, die später seine ›Somme de
Poésie‹ darstellen sollte. Das „Spiel für sich", der Solipsismus
und die Dunkelheit sind die Klippen, die solche privaten Mythen
erwarten. Yeats läßt sich nicht von seinen Träumen, seinen Zaube-
reien und pseudomystischen Visionen gefangennehmen, nicht einmal von der irischen Volkskunst, die er in seiner Dichtung verwendet. Er ist ein moderner Faust, ein Zauberer ohne Glauben und
ein großer Künstler, der von dem Bewußtsein des Nihilismus zerfressen wurde, der Magie betreibt, um sich von ihm abzulenken.
Wie Stefan George, Valéry und Benn kommt Yeats später (in ›The
Tower‹ und ›The Winding Stair‹) zu dem Begriff einer Stätte
des Genies und des Künstlichen, die außerhalb der Zeit ist, einer
letzten Welt des Geistes, die dem physischen Tod entspricht. Hier
wohnt „The pure unaging intellect" — in Byzanz, der Stadt der
Anti-Natur und des „golden handiwork". Doch läßt sich in der
vielseitigen Entwicklung Yeats' noch ein anderer Weg erkennen,
jenseits der privaten mythologischen Synkretismen und des unmenschlichen byzantinischen Ideals. Er ist ausgerichtet auf die unmittelbare Erfahrung, die einfache Aussage über das Dasein und
den Menschen. Mit jener letzten, zugleich „realistischen" und
„ontologischen" Tendenz gehört Yeats teilweise der nach-nihili-
stischen Dichtung an und befruchtet die Intelligenz der neuen
Generation.

Bei den Beschwörern des Nichts im 20. Jahrhundert verbindet
sich der Kult der menschlichen Liebe oft mit einem Hermetismus
oder mit einer kabbalistischen Spekulation. Eluard, der, ohne ausdrücklich dem Okkultismus ergeben zu sein, durch die Verbindung
mit dem Surrealismus und seinen Glauben an das „Wunder" einige
seiner Grundgedanken mit diesem teilt, spricht in zahlreichen Gedichten von der Beziehung zwischen der Geliebten, der Welt und
den Worten. In ›L'Amour la Poésie‹ schreibt er zum Beispiel:

> Il fallait bien qu'un visage
> Réponde à tous les noms du monde[19]. |

[19] So ist es not, daß ein Gesicht auf alle Namen der Welt Antwort
gebe.

Die Verbindung dieser beiden Worte im Titel ist sehr bezeichnend. Tatsächlich haben die *Liebe* und die *Dichtung*, wie für andere
Dichter die Einbildungskraft, die magische Schöpfung, die Trunkenheit, der Traum, die Unzucht, der Schlaf oder die Gewaltsamkeit der Orgie — eine gleichwertige Funktion in der modernen
Gefühlswelt, die sich des Abgrundes bewußt geworden ist. Für
ein Dasein ohne wirkliche Grundlage sind das Gedicht und das
Objekt der sinnlichen Liebe die einzigen wirklichen Erscheinungsformen der Realität, die bestehen bleiben. Aber sie werden nicht
wie die Délie des Maurice Scève zum „object de la plus haulte
vertu" erhoben, zu Führern, Boten und Mittlern zwischen dem
Dichter — dem antiken Weisheitssucher — und seinem geistigen
Zentrum. Die Rolle der modernen Beatrice ist das Gegenteil von
jener, die die Dame Dantes spielte. Sie führt ihren Liebhaber nicht
ins Paradies, sondern in das Grab. Wie Richard Exner in seiner
Studie über die deutschen Gedichte Iwan Golls bemerkt, verdeckt
das Idol der Frau für einen Augenblick die gähnende Leere vor
den Augen des Dichters. Wie ein Schutzschirm tritt sie zwischen
den Menschen und seine *Angst* vor dem Nichts und dem Tod mit
weit geöffneten Augen (denn hier gilt, wie Hölderlin bereits
sagte, „Leben ist Tod, und Tod ist auch ein Leben"). Zum Thema
der Liebe im Werke Golls schreibt Exner: „Und auch das war
nicht Heimat: sondern nur ein sich *Den-Abgrund-verstellen-
Lassen*. Die Liebe ist nur deshalb unendlich, weil der Abgrund,
den sie verbergen soll, unendlich ist." Die Aufgabe des modernen
Eros besteht nunmehr darin, „sich den Abgrund verstellen zu
lassen". Bezeichnet sie nicht in paradoxer Weise den verzweifelten
Schritt Mallarmés *als Dichter*? Das Schweigen aber ist berufen,
über die Liebe und die Dichtung zu siegen. Der „Staubbaum"
ist das letzte Bild, das im postumen Werk Golls erscheint:
Wir sehen darin die düstere Grabschrift der nihilistischen
Weltanschauung über einem menschlichen Schicksal. Es ist kein
Zufall, daß gerade Goll neben Charlie Chaplin und den ab-
strakteren „Hollow Men" Eliots eine wirklich mythische Persönlichkeit dieser Zeit geschaffen hat. Sein › Jean Sans Terre‹
zeigt uns die wesentlichen Züge des modernen Menschen im
Exil seines Selbst und der Realität. Er ist kein anonymes oder

dunkles Symbol, sondern ist tragikomische Gegenwart — unsere Gegenwart.

Eine subtilere Form des „Abgrund Verstellens" ist in der neueren europäischen Dichtung das politische Engagement. Jedoch, durch die verfremdende, durchaus aggressive, fordernde Haltung, die die Ausgangsposition solchen Engagements für das Bewußtsein der Moderne ist, | wird das Dichten für jene Strömung zur Verneinung der Dichtung selbst, zur heftigen Satire und zur Parodie. Ihr Gesang ist die Anklage. Mit Ausnahme der am Krieg und an kollektiven Katastrophen inspirierten Dichtung — die durch Aragon, Eluard, Pierre Emmanuel, Dylan Thomas, Machado, Hernandez oder Auden vertreten wurde — bleibt die militante und „positiv" engagierte Dichtung auf dem Niveau einer armselig gereimten Propaganda. Die besten Dichter, wie Bertolt Brecht, Pound, Auden und Prévert, machen aus den alten falschen Werten eine Satire und stellen die Heuchelei eines absterbenden Systems bloß, das sich noch mit Mühe halten kann. Sie weisen auf dessen sprachliche Verfallserscheinungen hin, die sichere Merkmale des Verschleißes sind und seine empörende Immoralität verraten. Ihre Poesie ist, wie in Voltaires ›Candide‹ oder in Jarrys ›Ubu-Roi‹, eine negative, umgekehrte Lyrik, aus Sarkasmen bestehend, die sich an kalt zur Schau gestellten, ungeheuren Häßlichkeiten nährt. Sie suchen das Gefühl zu verletzen, um die Entrüstung oder das Lachen über eine Gesellschaft hervorzurufen, die starrsinnig an ihrem Elend und an einem leichenartigen Zustand festhält. Nur so gelingt es jenen Dichtern, ihrer politischen Richtung treu zu bleiben und dabei den inneren Anforderungen ihrer Kunst zu genügen.

Die letzte nihilistische Revolte in der Dichtung ist die „Anti-Dichtung", die einst den Bürgern und Philistern vorbehalten war. Der anerkannte Anführer aller zeitgenössischen „Anti-Dichter" und „A-Poeten" in Frankreich ist Raymond Queneau. Sein Hauptanliegen in seinen heiteren verbalen Buffonnerien besteht darin „das Lied vom Nichts klagend zu flüstern". Damit endet Mallarmé in einem Pariser Kabarett, wo modische Existentialisten die Gedichte aus ›Si tu t'imagines‹ singen und wo ihre amerikanischen Cabriolets vor den regennassen Gehsteigen parken.

Diese maßlose und verzweifelte Liebe der „unmöglichen Reinheit"
führt dazu, die Dichtung als Verräterin des Ideals zu verwerfen.
Wir sehen hier wieder den Nihilisten, der ein äußerliches Heil
und nicht eine grundlegende Verwandlung seiner sterilen Persönlichkeit sucht. Er verlangt von der Kunst gerade das, was ihren
Tod bedeutet: das Gleichgewicht zu zerstören, das zwischen der
Innerlichkeit der Dinge und der eigenen Innerlichkeit besteht und
ohne das die Dichtung gar nicht existieren kann. Damit wird die
Haltung eines George Bataille in seinem paradoxen Buch ›Haine
de la Poésie‹ verständlich. Die Surrealisten opferten bereits die
Kunst und die Dichtung auf ihrer Suche nach einer höheren Be-
wußtseinsform, der „Surrealität". Die „Anti-Dichter", die „Lettristen" und die „A-Poeten" der Vierzigerjahre machen sich über
die Lyrik lustig und zerstören sie aus Wut oder Verzweiflung, da
ihre formalen Themen und ihre sinnlichen Metaphern ihren uner-
sättlichen, zerstörerischen Instinkten nicht entsprechen können. Für
die ersten hatte die Dichtung nicht genug Wirklichkeit. Sie erschien
ihnen | in ihrer Einfachheit nur wie ein Gesellschaftsspiel ohne
Konsequenz. Für die zweiten sind deren bescheidene Ansprüche auf
einen relativen Wert in der Ästhetik ein Ärgernis oder eine Farce
in Anbetracht des Fehlens aller humanen Werte in einer so lächer-
lichen Welt wie der unseren. Die Surrealisten, die mit der Sprache
einen übermenschlichen Zustand erreichen wollen, stellen so hohe
Ansprüche an die Dichtung, daß die eigentlichen Grenzen derselben gesprengt werden. Die Dadaisten und ihre Erben, die Anti-
Dichter, verachten sie so, daß sie sie nicht am Leben erhalten können. Die Fanatiker zerstören alle irdischen Werke, da ihnen der
versöhnende Sinn für das menschliche Maß fehlt.

III

Vor dem Aufstieg des Nihilismus geben die christlichen Dichter
die wankenden, skeptischen und liberalen Positionen auf und ver-
schanzen sich in der alten, seit langem verlassenen Glaubensburg.
Wenn diese Gruppe auch einer im historischen Sinne rückläufigen
Bewegung gehorcht, bildet sie bei weitem keine geschlossene Ein-

heit. Ihre Haltungen sind unterschiedlich; sie reichen vom puritanischen, welt- und lebensfeindlichen Glauben eines Eliot bis zu den Jubelklängen des ›Magnificat‹ Claudels, der in seinem Loblied auf den Schöpfer die Schöpfung einschließt. Auch ihre formalen Versuche sind sehr verschieden. Welche unmittelbare Beziehung besteht zwischen den Litaneien Péguys, dem reichen Claudelschen Vers, der sprachlichen Strenge in den besten Gedichten P. J. Jouves und der essentiellen Armut Eliots in seinen ›Vier Quartetten‹? Ihre Ähnlichkeiten bestehen eher im Ideologischen: im Namen einer gemeinsamen religiösen Tradition richten sie sich gegen die Herrschaft des Nihilismus.

Einer ihrer großen Vorläufer im 19. Jahrhundert war G. M. Hopkins. Sein Werk macht zunächst auf sich aufmerksam durch das persönliche Drama, das in ihm offenbar wird, und vor allem durch die entscheidende Rolle, die es in der jüngsten Entwicklung der angelsächsischen Lyrik hat.

Hopkins stand vor einem nahezu unlösbaren Problem: er wollte ein christlicher Asket sein, war aber ein Dichter, also ein sensitiver Mensch. Obwohl keine dieser beiden Zustände in ihm ein Gefühl des Hasses gegen das Seiende weckte, standen sie doch miteinander im Widerstreit. Während Hopkins als Jesuit nach einer Transzendenz strebte, die von der Erde loslöst, fühlte sich Hopkins als Dichter sehr zur Welt hingezogen. Seine Religion, | die ihn dem Himmel verband, und seine der Erde verhafteten Sinne schenkten ihm jede für sich eine erregende Erfahrung des Daseins. Die wichtigsten Elemente seiner Poetik gingen aus jener widerspruchsvollen Anschauung hervor. Zunächst der Begriff des abgehackten Rhythmus oder „sprung rhythm", eine Art metrischer Dialektik, die es ihm gestattet, seine zwiefache Huldigung in kontrapunktischer Form auszudrücken. Dann seine Suche nach der *Inscape*, „jener inneren Einheit und Form, die der Einmaligkeit, ja dem Jetzt der ausgedrückten Erfahrung entspricht". An seinen Freund Bridge schrieb Hopkins: „Nun ist es die vorzüglichste Eigenschaft der Komposition, des Musters oder der *inneren Landschaft*, *bestimmt* zu sein ..." In der Vollendung der *Inscape*, jener inneren Landschaft, zeigt sich für Hopkins der Sieg des sinnlichen Moments über das abstrakte, asketische Moment seiner Persönlichkeit. Letzteres ist vorübergehend von dem rein sinnlichen Gehalt des Gedichts aufgesogen und gebändigt. Auf der Suche nach der *Inscape,* nach einer reichen Naturdichtung, scheint Hopkins Walt Whitman näher zu stehen als der katholischen Askese. In einem anderen Brief an Bridge schreibt er: „Ich habe in meinem Herzen immer gewußt, daß Walt Whitmans Geistesart der meinigen ähnlicher ist als die irgendeines anderen lebenden Menschen. Da er ein großer Halunke ist, fällt mir dieses Geständnis nicht gerade leicht." Mit seinem christlichen Glauben und seinem whitmanschen Temperament steht Hopkins am Gegenpol jenes metaphysischen Nihilismus, den man bei seinem Zeitgenossen Mallarmé findet. Dennoch hat Hopkins, vom Sprachlichen her gesehen, die gleichen Probleme zu lösen wie Mallarmé, und er überwand seine Schwierigkeiten beinahe in mallarméscher Weise. Seine künstlerische Aufgabe bestand nicht darin, das „Nichts", sondern die Vielfalt des Seins auszudrücken, die bald durch den Heiland, bald in der lebendigen Natur offenbart wird. Zu diesem Zweck mußte Hopkins das abgenützte sprachliche Instrument der dekadenten viktorianischen Zeit umformen. Die Notwendigkeit, die herkömmliche Sprache zu reinigen und zu erneuern, macht ihn zu einer Art umgekehrten Mallarmé. Auch Hopkins, den das Erbe einer unbrauchbaren Dichtung belastete, litt unter dem Problem Hölderlins: Dichter zu sein in einer dürftigen Zeit. Er fühlte den Drang, die verachteten Dinge und die kraftlosen Worte, die sie bezeichnen, zu verwandeln, um sie zu einem Kelch zu formen, der würdig ist, in sich die göttliche Immanenz zu enthalten. Er macht es sich zur Aufgabe, eine neue Eucharistie zu erfinden und das Wunder der Verwandlung des in der viktorianischen Zeit schal gewordenen Brotes und Weines möglich zu machen. Deshalb unternahm er eine geniale Umgestaltung der Sprache. Er schuf einen neuen Wortschatz (reich an angelsächsischen Wörtern) zugleich mit einer neuen Syntax, neuen Rhythmen und neuen Metaphern. *Instress* ist das Ergebnis einer geglückten Verwandlung von Worten des Volksstammes, die nicht mehr als | Schatten waren, in wirkliche Präsenz, wie die der Natur oder die der Heiligen Species im christlichen Kult.

In ›Creative Intuition in Art and Poetry‹ stellt Jacques Ma-

ritain zu dieser von uns beschriebenen Gruppe fest: „Die Entschei-
dung für die Wirklichkeit des Absoluten lehrt die moderne Dich-
tung entweder die Erkenntnis ihrer eigenen Verwandtschaft zum
Evangelium oder die Erfahrung der Gegenwart Gottes und der
Wundmale des Heilands oder jene kontemplative Erkenntnis der
Welt und der Seele. Die inneren Kämpfe und Abenteuer von
Francis Thompson und von Hopkins, von Verlaine und Max
Jacob, von Milosz und von Léon Bloy, von Eliot, Claudel und
Péguy stellen ebenfalls einen wesentlichen Anteil an der geistigen
Erfahrung der modernen Dichtung dar." (op. cit. S. 181-182) Für
den Kritiker oder Historiker, der die neuchristliche Dichtung stu-
diert, liegt das Hauptproblem in der Gültigkeit eben dieser Entscheidung, innerhalb eines bestimmten religiösen Rahmens. Durch
den Umstand, daß einige der größten französischen und englischen Dichter des 20. Jahrhunderts zu jener Gruppe gehören, wird
diese wichtige Frage nicht unterdrückt. Bis zu welchem Punkt läßt
sich die Entscheidung für eine christliche Renaissance auf dem
Wege Pascals und Augustins mit der echten Situation des „späten
Ichs" unserer Zeit vereinbaren? Um jene Frage zu beantworten,
müßte man eine Untersuchung anstellen, die sich auf die Geschichte
des Weltgefühls erstreckte. Ist eine solche Umkehr im Laufe der
geistigen Entwicklung einer Zivilisation möglich? Und wie wird
der Haß gegen die Welt, der so nachdrücklich von der abendländischen Tradition des Christentums betont wird, unsere ohnmäch-
tige Furcht vor der Wirklichkeit heilen? Dieses wertvolle Wirk-
lichkeitsbewußtsein wurde ursprünglich gerade durch die Ausbreitung des geschichtlichen Christentums und durch dessen spätere Entwicklung, die auch nach dem Mittelalter die Seele des abendländischen Menschen prägte, verdorben. Es ist nicht reiner Zufall, wenn
der Großteil der zeitgenössischen christlichen Dichter, wie Coven-
try Patmore im vorigen Jahrhundert, den politischen, sozialen
und ökonomischen Problemen ihrer Zeit wirklichkeitsfremd und
durchaus reaktionär gegenüberstehen. Mit Ausnahme Péguys, der
sich der sozialistischen Ketzerei schuldig machte, wenden sich die
wichtigsten Persönlichkeiten der neuchristlichen Gruppe, ob sie nun
Anglikaner, Calvinisten oder Katholiken sind, in der Dichtung
und auch sonst dem Mittelalter zu. |

IV

Manche Dichter schließlich, die mit der nihilistischen Tradition brachen und sie bekämpften, gedachten der „Forderung", die nach oben führte und die schon Baudelaire heimsuchte. Aber sie wollten es wagen, ihr zu folgen, ohne zu den aus dem Mittelalter geerbten sakramentalen Formen Zuflucht zu nehmen, wie es die neuchristlichen Dichter taten. Wir finden hier nicht mehr Uniformität in der Technik als bei den Vorgängern und nicht einmal eine deutlich erkennbare geistige Gemeinschaft. Dennoch besteht zwischen ihnen eine Übereinstimmung in der metaphysischen Anschauung. Diese Dichter bekämpfen die allseits in unserer Zeit feststellbare Apathie und Indifferenz dem Leben gegenüber und suchen die Funktion des Wirklichen in unserer Empfindsamkeit zu erneuern. Sie versuchen einen unmittelbaren Kontakt mit einer Wirklichkeit herzustellen, die *hic et nunc* in unserer Welt ist — eine Ketzerei, die in den ersten Jahrhunderten vom heiligen Paulus und den Kirchenvätern sofort beseitigt wurde. Diese Dichter der Immanenz sind tatsächlich an der Grenze der Empfindungswelt des heutigen Menschen. Ihr Forschen nach einer inneren Beziehung zur Welt ist ein sehr kühnes Wagnis. Es ist das einzige Unternehmen, das in dieser Richtung gewagt wurde, seit dem Verfall des mittelalterlichen Christentums, der Reformation und der nachfolgenden einsamen Herrschaft des cartesianischen Ich. Aber jenes Abenteuer bedeutet eine offene Herausforderung an unsere gesamte Vergangenheit. Es widerspricht sowohl der stoischen und christlichen Tradition, die die Welt entwerteten, wie auch der cartesianischen Autarkie und dem romantischen Solipsismus. Es verwirft schließlich den Nihilismus, der nach Nietzsche kam, der zugleich die geleugnete Welt und das zersetzte Ich hinwegfegte — (schon Baudelaire beschrieb im Vorwort zu seinen ›Fleurs du Mal‹ den Vorgang jener doppelten Zerstörung).

Zu den Vorläufern der immanenten Richtung müssen wir den spinozistischen Goethe in der Reifezeit und im Alter zählen, William Blake, Walt Whitman und Victor Hugo, den „homme-océan", dessen allumfassende Vision *das Ende Satans* und *Gott* aus dem Chaos der Natur, der Geschichte und aus dem widerspruchsvollen

Denken des Menschen hervorgehen läßt. Wahrscheinlich müssen
wir das Geheimnis von dem Einfluß Hugos auf gewisse zeitgenössische Dichter in seiner machtvollen und ursprünglichen metaphysischen Intuition suchen.

L'art pour l'art kann jenen Meistern und ihren modernen
Schülern nicht entsprechen. Wichtiger als Worte sind Leben und
Welt. Durch sie erlangt der poetische Akt | Substanz und mensch-
liche Würde ohne Anmaßung. Wir sind hier am äußersten Gegenpol des nihilistischen Ästhetizismus. Der Kritiker Erich Heller
stellte in der neueren abendländischen Lyrik eine Strömung fest,
die dem *l'art pour l'art* so fern steht wie der glanzvollen (oder
tödlichen) Selbstisolierung. Er führt als Beleg für jene neue Richtung einen Vers aus T. S. Eliots ›Four Quartets‹ an: "The
poetry does not matter". Zweifellos wollte Eliot mit diesem
Wort sagen, daß heute nur die nackte, von allem Beiwerk ent-
blößte Rede, die den Weg zur göttlichen Transzendenz offen zeigt,
dem nach Wahrheit dürstenden Intellekt etwas bedeuten kann.
Die Exaltation des Absoluten und Jenseitigen in seinem Werk ist
die einzige Antwort auf den modernen Nihilismus. Was Erich
Heller in der zitierten Stelle zu erkennen glaubt und was er dar-
legt, ist die Abkehr sowohl vom Formalismus und vom Ästhetizismus als auch von einer im Jansenismus und Calvinismus wur-
zelnden transzendentalen Spiritualität. Er deutet sie als eine positive Rückwendung des Künstlers zu den Dingen und dem menschlichen Leben. Gerade das versuchen die Sucher einer neuen Wirklichkeit, viel eher als Eliot, jeder auf seinem Wege und mit seinen
eigenen Mitteln zu erreichen.

Manchmal erscheint dieses Streben, einen Kontakt mit der Welt
herzustellen, als konkrete Beschreibung der Gegenstände — eine
Tendenz, die schon bei den ersten Gedichten Francis Jammes' und
dem *Dinggedicht* Rilkes sichtbar wird. So sind die stilisierten Gegenstände, die Ponge in ›Le Parti-Pris des Choses‹ beschreibt,
scheinbar ohne metaphysische Absicht oder ohne einen direkten
menschlichen Sinnbezug. Ponge neigt jedoch dazu, mit ihnen „die
Landschaft zu moralisieren". Er versucht ein treueres und wirk-
licheres Bild des Menschen zu entwerfen, dank der heftigen und
aktiven Wechselbeziehung im Umgang mit Dingen, die für bürger-

liche Philister, christliche Asketen, stoische Cartesianer und moderne Nihilisten nur ein einfaches Stück Materie darstellen. Robert Frost und William Carlos Williams sind die amerikanischen Meister dieser „gegenständlichen" Richtung. Wie Ponge schenken sie der Form außerordentliche Beachtung. Doch ist die Leidenschaft Williams' vielleicht universeller und freier von jedem Ästhetizismus; sie umfaßt sowohl die soziale als auch die natürliche oder schlicht persönliche Welt. Bei Dichtern wie W. C. Williams, Jules Supervielle, Eluard, René Char, Dylan Thomas ist das geistige Ziel noch deutlicher als bei Ponge: sie wollen dem menschlichen Geist einen Beweis für seine wirkliche Existenz im Bereich einer wirklichen, sinnvollen Welt geben. So ist auch der letzte Abschnitt im Werke Rilkes der Huldigung des „Hierseins", der Existenz in der Welt gewidmet, „jener Ort, wo selbst die Träume entstehen" und aus dem sie ihre Inhalte beziehen. Vor Eluard war Apollinaire der Führer und Wegbereiter | jener Befreiung vom Nihilismus. Er war einer der ersten des Abendlandes, der die brüderliche Bedeutung in der Allgegenwart, die hellsichtige Liebe zu allen Geschöpfen wieder entdeckte. Wie Rilke erkannte er die Freude und Größe im Leid der Menschen und er vermochte diese höhere Erkenntnis in Worten auszudrücken:

O Soleil! C'est le temps de la Raison ardente[20].

So beruft sich auch der amerikanische Dichter Hart Crane auf Walt Whitman, auf dessen überschwengliche Bejahung des Lebens und begeisterte Huldigung einer neuen Welt. Seine zusammenhanglose, dunkle und übertriebene Mythologie neigt dazu, aus der trübseligen Großstadtlandschaft des industrialisierten Amerika den Ausdruck eigener Kultur zu machen. Für Crane wie für Rilke war es 1920 vielleicht noch zu früh, jene Hochzeit Fausts und der Helena zu erhoffen, den nur geträumten Bau des versöhnenden Bogens zu rühmen und zu glauben, daß die Vision von der Brücke zwischen sich und der Welt verwirklicht war. In der Errichtung dieser Brücke sah Rilke die zukünftige Aufgabe des Dichters:

[20] O Sonne, es ist die Zeit der glühenden Vernunft.

> Baue jetzt der unerhörten Brücken
> Kühn berechenbaren Bug.

Für René Char ist das überwiegend konstruktive, elliptische Gedicht der auserwählte Ort, wo sich der Geist mit der Welt einläßt. Nur das vermittelnde Wort hält die einmal gefundene Brüderlichkeit zwischen der Erde und dem Menschen aufrecht. Hat die Sprache ihre ursprüngliche Reinheit erreicht und damit den Menschen das richtige Maß gegeben, so sorgt der poetische Akt von selbst für den Ausgleich der heraklitischen Spannung zwischen der Natur und dem Bewußtsein. Wir können die künstlerische Verwandtschaft wie auch die radikalen Unterschiede nachweisen, die in den Anschauungen über den Menschen, die Natur und die Dichtung zwischen René Char und dem in der Negation verwurzelten Mallarméschen Ästhetizismus bestehen.

MacLeish in ›Conquistador‹ und St-John Perse[21] in ›Anabase‹ oder in dem kosmischen Gedicht ›Vents‹ wagen es, die vom Menschen vernachlässigte Welt zurückzuerobern. Aber Supervielle ist weniger an den alten Ästhetizismus gebunden. Mit froher Vertrautheit läßt er in seiner ›Fable du Monde‹ die Welt als ein riesiges lebendiges Lebewesen erscheinen, das uns gleicht. Auch Yeats verwirft in seinen letzten Gedichten, wie zum Beispiel in ›The Circus Animals' Desertion‹, seine symbolische Menagerie. Als er sich schließlich aller Puppen entledigt hat, verkündet er: |

> I must lie down where all the ladders start,
> In the foul rag- and- boneshop of the heart[22].

Er entdeckt nun in sich die große einfache Gegenwart des Seins wie eine aufgehende Sonne:

> I would be ignorant as the dawn,
> That merely stood, rocking the glittering coach

[21] Siehe Claude Vigée, Révolte et Louanges, op. cit., „La Quête de l'origine dans la poésie de Saint-John Perse", S. 199—218.
[22] Ich muß mich niederlegen, wo alle Stufen beginnen, im stinkenden Knochen- und Lumpenladen des Herzens.

Above the cloudy shoulders of the horses;
I would be — for no knowledge is worth a straw —
Ignorant and wanton as the dawn[23].

Auf dem literarischen Schauplatz der Moderne scheinen jedoch
die spanischen Dichter dem Ausdruck dieser neuen ontologischen
Erfahrung am nächsten zu kommen. Man kann dies dem Umstand
zuschreiben, daß die spanische Lyrik, zum Unterschied von der
französischen, italienischen oder anglo-amerikanischen Dichtung,
im Laufe ihrer langen Geschichte den Kontakt zu ihren lebendigen
Quellen und populären Techniken nie verloren hat. Ob es sich
nun um einen Dichter des barocken *Culteranismo* handelt, wie
Góngora, oder um Ästheten eines raffinierten „Modernismus",
wie Darío oder Jiménez, bleibt der echte spanische Künstler den
Elementen der spanischen Mentalität und ihren Volksliedern
selbst in der Prosodie nahe. Das Bewußtsein von der Erde, den
Bergen und den Leiden der Menschen macht den Chilenen Pablo
Neruda zum größten epischen Dichter seit Victor Hugo. Er singt
vom Menschen und einer gegnerischen Welt in einem historischen
Kampf, dessen Einsatz ein glücklicheres Leben wäre. Wie Dylan
Thomas läßt Lorca eine baudelairesche Dualität erkennen: auch
er erlebt „den Schrecken des Lebens" und die „Ekstase des Lebens".
Die Themen und sogar der Aufbau seiner Theaterstücke beruhen
auf dieser unübersteigbaren Gegensätzlichkeit. Als authentischer
Erbe der romantischen Entzauberung macht sich Lorca keine Illu-
sionen über die tragische Wertlosigkeit des individuellen Lebens,
der Liebe und des Todes. Selbst als der größte Stierkämpfer seiner
Zeit, Ignacio Sánchez Mejías, stirbt, wird seine ganze Kraft,
seine Eleganz und seine Schönheit dem Vergessen preisgegeben.
Seine Seele „ging ein in die Abwesenheit".

> No te conoce el toro ni la higuera,
> ni caballos ni hormigas de tu casa. |

---

[23] Ich wäre unwissend wie die Morgendämmerung, die einfach aufstieg, die glitzernde Kutsche schaukelnd über den wolkigen Schultern
der Pferde; ich wäre — denn kein Wissen ist einen Strohhalm wert —
unwissend und leicht wie die Morgendämmerung.

No te conoce el niño ni la tarde
porque te has muerto para siempre ...

Porque te has muerto para siempre,
como todos los muertos de la Tierra,
como todos los muertos que se olvidan
en un montón de perros apagados.

                               (›Alma ausente‹)[24]

Aber in seiner ›Ode an Walt Whitman‹ fragt Lorca: „Welche vollkommene Stimme wird die Wahrheit des Kornfeldes sprechen?" Und in den letzten Versen dieser Ode prophezeit Lorca die Ankunft eines schwarzen Kindes: „... und künden soll ein schwarzes Kind den Weißen des Goldes, daß das Reich der Ähre gekommen sei."

Während die lyrischen Gedichte und die leidenschaftlichen ›Romances‹ Lorcas mit der Erde seiner Heimat Andalusien verwurzelt sind, findet man eine universellere, wenn auch manchmal intellektuellere Sprache in den Gedichten Antonio Machados und Jorge Guilléns. Bei diesen Dichtern entdecken wir den vollkommensten Ausdruck eines wiederauflebenden Wirklichkeitssinnes. Wie einst in ›El Cristo de Velásquez‹ für Unamuno, besteht das Grundanliegen Machados darin, über die Vermittlung des irdischen Daseins sich selbst zu entdecken. Ein „Pochen" entsteht in ihm; ein ständiges Schwingen vereint sein — manchmal für kurze Zeit von den Dingen losgelöstes — subjektives Ich mit dem herrlichen Land Kastilien, mit „la hermosa tierra de España". Die Einheit und die Wirklichkeit ergeben sich in diesem Pochen für die innere Dauer eines jeden Herzschlages, der auch unser Leiden und unseren Tod anzeigt:

[24] Nicht kennt dich der Stier, nicht der Feigenbaum, nicht Pferde, nicht Ameisen deines Hauses, nicht kennt dich das Kind, nicht der Abend, denn du bist für immer gestorben.
Denn du bist für immer gestorben, wie alle Toten der Erde, wie alle Toten der Erde, vergessen in einem Haufen verendeter Hunde.

> Como otra vez, mi atención
> está del agua cautiva;
> pero del agua en la viva
> roca de mi cortzón[25]. |

Die direkte und ergreifende Botschaft Machados ist eine Zustim-
mung zur Wirklichkeit des Lebens, erfüllt mit Anteilnahme: sie
drückt einen hartnäckigen Lebensmut aus, der im Widerspruch
steht zu unserer tragischen Situation und jenseits von Hoffnung
und Verzweiflung ist.

Die unermüdliche Entdeckung der Welt erhellt bis heute das
Werk Jorge Guilléns. In seinem ›Cántico‹ findet sich neben
der formalen Perfektion und dem Schliff der französischen symbolistischen Meister ein Gehalt, der im Gegensatz steht zu der von
den Symbolisten eingeschlagenen Richtung. Der aussagende Gehalt in dem Werke Guilléns erfüllt die reinen Formen, die Mallarmé oder Valéry dem schillernden Widerschein des Nichts wid-
meten, mit dem freudigen Überfluß der Sonne. In ›Cántico‹
haben wir ein Zeugnis für die klarsichtige Begeisterung für das
Wunder in jedem Sonnenaufgang und in jedem Sommertag. Die
Gefühle der Angst, der Nacht, des Winters, der Einsamkeit, des
Exils, die das Hauptthema des modernen Nihilismus sind, fehlen
seltsamerweise in dieser Kristall-Welt der Freude, des Lichts und
der Kraft:

> Es la luz del primer Vergel[26].

In der übermäßigen Betonung seiner strahlenden Kraft erscheint
vielleicht die menschliche Grenze dieses wunderbaren Werkes.
Denn das Exil, die Nacht und der Winter sind unwiderlegbare
Wirklichkeiten, die ausgedrückt werden müssen und die die Stimme des Menschen nicht negieren kann. Der ›Lobgesang‹ auf die
Welt erfordert den ›Klageruf‹, der ihm seinen endgültigen
historischen Widerhall gibt und ihn der dunklen Zeit unserer Ge-

[25] Wie einst ist meine Aufmerksamkeit von dem Wasser gefesselt,
aber von dem Wasser in dem lebendigen Felsen meines Herzens.

[26] Es ist das Licht des ersten Gartens.

neration zuordnet. Diesem weitreichenden Kontrapunkt widmet sich der spanische Meister, nach der Vollendung von ›Cántico‹. In formaler Hinsicht bezeugt ein Großteil dieser Dichter eine große Vorliebe für Klarheit des Ausdrucks und eine deutliche Gliederung: sie wollen in ihren Worten die lichte Evidenz des Seins sichtbar machen — im Gegensatz zu den rätselhaften, irreführenden und symbolträchtigen Kompositionen der anderen Tradition. Die dunklen Anspielungen auf eine negative Transzendenz werden durch den unmittelbaren Ausdruck der vitalen Erfahrung ersetzt. Den unmittelbaren Charakter erkennt man an der freimütigen Handhabung der Sprache, die stets mit einer tiefen metaphysischen Absicht untrennbar verbunden ist. Diese Dichter suchen nach der Mitteilbarkeit: mit einfacheren sprachlichen Mitteln drükken sie die Evidenz der ihnen erscheinenden Wirklichkeit aus. Seit mehr als einem Jahrhundert fehlte eine solche Haltung in der von einer esoterischen, die Wirklichkeit leugnenden Tradition beherrschten europäischen Lyrik. Auf die | sprachliche „Umsetzung" Mallarmés folgt die „Setzung" von allen Dingen und von allen menschlichen Gefühlen, die aussagen über die entdeckte Wahrheit. Die Strukturveränderungen (sowohl in der Syntax als auch in den Bildern) sind an die geistige Intention gebunden, die sie hervorgerufen hat. Diese Dichter gedachten der Ermahnung Hölderlins:

> Die Seele, der im Leben ihr göttlich Recht
> Nicht ward, sie ruht auch drunten im Orkus nicht.

Suchen wir die wirklich revolutionären Dichter, die Abtrünnigen der nihilistischen Orthodoxie der Gegenwart, finden wir sie in den unkonventionellsten Nachfolgern Baudelaires. Tatsächlich besteht ihre Verwandtschaft zum gemeinsamen französischen Stamm nicht in der „Forderung", die nach unten führt, sondern, im Gegenteil, in der aufwärtsstrebenden und befreienden Bewegung, die Baudelaire in ›Elévation‹ beschrieben hat.

In ihrer Vorstellung vom Paradies unterscheiden sie sich jedoch vom „poète maudit". Während sich der platonisierende Christ Baudelaire die Wirklichkeit und die Schönheit nur auf dem transzendentalen Niveau der „höheren Lüfte" denken kann, erfahren diese zeitgenössischen Dichter die Wirklichkeit im Leben selbst. „Das Licht Edens", schreibt Guillén, „leuchtet in diesem Garten auf meinem Gesicht": „Ante mi faz, ... en ese jardín". Für ihn wird das Reich der Erde, der Zeit, des Fleisches und des Leidens mit der absoluten Gegenwart des Seins beschenkt. Der Mensch ist seinem Herzen nach „Vencedor, hecho mundo". Dies ist in historischer Hinsicht eine große Neuerung — *unsere Zeitgenossen brechen sowohl mit dem transzendentalen Idealismus Baudelaires als auch mit seiner nihilistischen Orientierung.* Damit überwinden sie den Zwiespalt Baudelaires und die Spannung zwischen den beiden entgegengesetzten „Forderungen", die, wie wir in diesem Essay zu zeigen versuchten, im Zentrum der ganzen Entwicklungsgeschichte der modernen Lyrik stehen. Sie eröffnen so einen neuen Abschnitt in der europäischen Literatur. Diese Dichter, die nicht nur Künstler und Schriftsteller sind, sondern vor allem Wegbereiter der menschlichen Empfindsamkeit, preisen Werte, die seit der Zeit des Parmenides im Abendland geschwiegen hatten: das Sein, die ontologische Erkenntnis, das Wunder der ewigen Gegenwart und der inkarnierten lebendigen Form. Das ist das „wirkliche Leben" Jorge Guilléns.

> ¡ Oh presente sin fin, ahora eterno,
> Con frescura continua de rocío, |
> Y sin saber del mal ni del invierno,
> Absoluto en su cámara de estío[27]!

> ¡ Oh forma presente, suma
> Realidad! Contigo triunfo.
> Contigo logro soñar
> El sueño mejor, el último[28].   (›La vida real‹)

[27] O endlose Gegenwart, ewiges Jetzt der dauernden Taufrische, und nicht das Böse noch den Winter kennend, absolut in seiner Wohnung des Sommers.

[28] O gegenwärtige Form, vollständige Wirklichkeit! Mit dir siege ich. Mit dir will ich zuletzt den besten Traum träumen. — Siehe unseren Essay „Jorge Guillén et les poétes symbolistes français", in Révolte et Louanges, op. cit., S. 138—197.

Merkur 10 (1956), S. 336–363.

ÜBER MANIERISMUS
IN TRADITION UND MODERNE

Von Gustav René Hocke

Für Ernst Robert Curtius

Francesco Mazzola aus Parma, genannt Il Parmigianino, stellte sich im Jahre 1523 vor einen Konvexspiegel und malte ein verblüffendes Selbstporträt. Es geschah dies am Anfang einer neuen modischen Stilgewohnheit, die den Namen Manierismus erhielt. Für die Dauer von 150 Jahren sollte diese Pointenkunst das geistige und gesellschaftliche Leben von Rom bis Amsterdam, von Madrid bis Prag bestimmen. Das maskenhaft schöne Jünglingsgesicht Mazzolas ist glatt, undurchdringlich, rätselhaft; fast abstrakt wirkt es durch die Aufgelöstheit der Flächen. In der perspektivischen Verzerrung des Konvexspiegels wird der Vordergrund von einer riesigen, anatomisch allerdings abstrusen Hand beherrscht. Der Raum dreht sich in einer schwindelerregenden konvulsivischen Bewegung. Nur ein schmaler, ebenfalls verzerrter Teil des Fensters wird sichtbar; er bildet ein verbogenes langschenkliges Dreieck, und Licht und Schatten erzeugen seltsame Zeichen in ihm, staunenerregende Hieroglyphen. Das medaillonartige Bild stellt sich als Illustration zu einer geistreichen Formel dar; es ist, um mit einem Begriff dieser Zeit zu sprechen, ein ingeniöses *Concetto*, eine scharfsinnige Pointenfigur, in optischer Form. Inhaltliche und formale Bestimmungen enthält es, die man zwischen 1530 und 1680 in der Kunst wie in der Literatur des damaligen Europa beachten mußte, um *modern* zu sein. Einer der italienischen Theoretiker, Peregrini, nannte in seinem Traktat über die Sinnfiguren (›Trattato delle acutezze‹, 1639) deren sieben: „das Unglaubliche, das Zweideutige, das Gegensätzliche, die dunkle Metapher, die Anspielung, das Scharfsinnige, den Sophismus". Das Bild ist nicht nur das Porträt des frühverstorbenen Parmigianino. Es weist über diese Epoche hinaus auf den manieristischen Menschentypus, auf den geistvoll-melancholischen Dandy, dessen ganzes Streben, nach Baudelaire, darauf gerichtet sein müsse, „erhaben zu sein", „vor einem Spiegel zu leben und zu schlafen" (›Mein entblößtes Herz‹). Die merkwürdige Tendenz von mehreren Generationen in diesem damals politisch so chaotischen Zeitalter Europas enthüllt es: den Drang nach dem Absonderlichen, nach dem Exklusiven, nach Extravaganz, nach dem Verborgenen jenseits und innerhalb der physischen, „natürlichen" Wirklichkeit, nach gesellschaftlicher Abson|derung auch, nach aristokratischer Sonderstellung. Legitimiert wird sie durch das „scharfsinnige" Talent, und dieses fühlt sich nicht mehr an einen klassischen Kanon gebunden.

Dieser Menschentypus, der die Unmittelbarkeit scheut, die Dunkelheit liebt, sinnliche Bildhaftigkeit nur in der verkleidenden abstrusen Metapher gelten läßt, der das wunderlich (meraviglia) Überreale in das intellektuelle Zeichensystem einer äußerst stilisierten Sprache einzufangen sucht, ist weder historisch noch soziologisch ein Sonderling und erst recht keine Originalfigur. Er tritt im Zusammenhang mit einer problematisch gewordenen religiösen und politischen Wertordnung in bestimmten Phasen der europäischen Geistesgeschichte immer wieder auf und stets innerhalb einer mehr oder weniger „alexandrinischen" Kultur, an Höfen, in bürgerlichen Salons oder in den Konventikeln der Bohème. Ernst Robert Curtius hat den Begriff Manierismus, mit welchem im 16. Jahrhundert Vasari die künstlerische Ausdrucksweise des späteren Michelangelo kennzeichnete (maniera) — weil sie von der klassischen Harmonievorstellung abwich —, historisch erweitert. In seinen (für die literarhistorische Manierismus-Forschung) wegweisenden Untersuchungen (Kapitel ›Manierismus‹ in seinem Buch ›Europäische Literatur und lateinisches Mittelalter‹) schlägt Curtius vor, den Begriff Manierismus zu wählen „für alle literarischen Tendenzen, die der Klassik entgegengesetzt sind, mögen sie vorklassisch oder nachklassisch oder mit irgendeiner Klassik gleichzeitig sein". In diesem Sinne sei „der Manierismus eine Konstante der europäischen Literatur", „die Komplementär-Erscheinung zur Klassik aller Epochen". Seinen Höhepunkt finde man in der Spätantike, im Mittelalter, im 16. und 17. Jahrhundert. „Vieles von dem, was wir als Manierismus bezeichnen, wird heute als ‚Barock' gebucht. Mit diesem Wort ist aber so viel Verwirrung angerichtet worden, daß man es besser ausschaltet. Das Wort Manierismus verdient auch deshalb den Vorzug, weil es, verglichen mit ‚Barock', nur ein Minimum von geschichtlichen Assoziationen enthält." Wie Benedetto Croce weist Curtius auch kurz auf Parallelen im 20. Jahrhundert hin.

Es wird hier versucht, nachdem Curtius die Beziehung zwischen dem Manierismus in der lateinischen Literatur des Mittelalters und der antiken Rhetorik und auch die Weiterwirkung rhetorischer Kunstformen auf den Manierismus des 16. und 17. Jahrhunderts dargestellt hat, Stilmerkmale dieser Epoche näher zu charakterisieren und die „Wahlverwandtschaft" in der Literatur ausführlicher zu schildern und zu belegen, die sich zwischen dem damaligen Manierismus und der Literatur des 20. Jahrhunderts ergibt, obwohl den meisten literarischen Protagonisten des 20. Jahrhunderts eine unmittelbare Beziehung dieser Art nicht oder nur wenig bewußt ist. Eine ganze Epoche kann somit der List der Geschichte unterliegen. Ihre | eigengeartete Mitwirkung an der schöpferischen Kontinuität des europäischen Geistes wird dadurch nicht vermindert. Im Gegenteil. Die Einbeziehung des Überindividuellen, des anscheinend beziehungs- und geschichtslosen Geistes in den Strom der Tradition verleiht dem umstrittenen „Revolutionären", dem epochal „Einmaligen" Ahnenschaft und damit — nach Novalis — Adel und Würde.

Parmigianino schuf das Antlitz des europäischen Manieristen, und der kaum erkennbare Raum, der um ihn schwingt, ist sicherlich das: ein poetisches Labyrinth, wenn auch noch dasjenige Gottes. Die Welt mit ihren gestörten politischen und ethischen Ordnungen bildet keinen harmonischen Kosmos mehr. Sie ist eine « terribilità » (so nannte man Bilder Michelangelos), eine angstvolle Beziehungslosigkeit, ein Schrecken, der sich nicht mehr mit den Regeln der Klassik darstellen ließ, eine *Verdrehung*. Man wollte das Schreckliche, Seltsame, das raum- und zeitlich Heimatlose einfangen, um es zu bannen. In Florenz begann das Streben, durch individuelle *maniera* diese Welt der zerstörten Ordnungen darzustellen. In der Malerei gehen dort Pontormo, Rosso und Beccafumi den neuen Weg, in Rom die Brüder Taddeo und Federico Zuccari, in England Nicolas Hilliard und Isaac Oliver, in Prag am Hofe Rudolphs II. Giuseppe Arcimboldi, Bartholomäus Spranger und die Brüder Jamnitzer, in Holland Karel van Mander, in Frankreich Jean Coussin, in Deutschland Hans Reichle, um nur einige dieser Künstler-Nomaden zu nennen, welche in den Hauptstädten Europas mit staunenerregenden Kunstwerken *Zeichen* gaben, Zeichen, durch die man immer wieder wissen sollte, daß der « Cortegiano », der damalige Hof-Dandy, wie der „scharfsinnige" Geistige im Ansturm der lebenshungrigen Masse in seinem verwickelten So-Sein verharrt, daß er das unkomplizierte Da-Sein nobel verachtet. Eine säkularisierte Rangordnung wird hergestellt: Geist (mente) hat jeder, Talent (ingegno) wenige; über Genie (genio) verfügen nur seltene Halbgötter. Der Edelmann Castiglione verflachte diese im Jünglingsbild von Parmigianino so ergreifende Stilisierung im Knigge-Stil für Literaten: „Wenn die Worte, die ein Schriftsteller gebraucht, etwas verborgenen Scharfsinn enthalten, so wird er mehr Autorität gewinnen. Der Leser wird über sich selbst hinausgeführt, er wird die geistvolle Begabung und die Ideen des Autors viel mehr zu würdigen wissen." Es handelt sich hier um eine Protokoll-Regel für den höfischen Dandyismus des 16. Jahrhunderts, und es wird damit ein soziologischer Hintergund für den literarischen Geschmack sichtbar. Das Wort « acutezza recondita » (verborgener Scharfsinn) wurde zur Zauberformel für die|sen damaligen Manierismus, der alles prägt: die Hof-„Manieren", das Kunstgewerbe, die Mode.

Wie sich zeitgenössische Stilisierungen und Abstraktionen im Kunsthandwerk und im Werbestil ausbreiten, so drang auch damals die neue „Revolution" in fast alle Lebensgebiete ein. Die klassische Standardisierung galt als rückschrittlich. Sie bot dem individuellen Geschmack nicht genügend Raum. Vasen mußten verdreht, Broschen aufgeblasen, Uhren schief sein. Gebrauchs- und Schmuckgegenstände galten als schön, wenn sie kaum noch mit Natur vergleichbar waren. Am Mittelmeer wurde das umrißlos Nordische Mode. Das erste Bild des Anregers zur « maniera »,

Michelangelos Antonius, wurde nach einem Stich von Schongauer
gemalt. Vasari berichtet, Pontormo habe seine Malweise geändert,
nachdem er Stiche von Dürer gesehen hatte. In den Einleitungen
zum Katalog der Ausstellung „Der Triumph des europäischen
Manierismus" im Rijks-Museum zu Amsterdam (1955) belegt R.
van Luttervelt die internationale Ausbreitung dieser Modekrankheit und vergleicht den „Serpentinata-Stil" mit dem « Style
Métro » des 20. Jahrhunderts. Die Amsterdamer Ausstellung hat
übrigens wie kaum ein ähnliches Ereignis in Europa seit 1920 dazu gedient, die „Moderne" von ihrer vermeintlichen „Beziehungslosigkeit" zu befreien. Gerade dort gewann man den Eindruck,
daß diese tausendfältige Transponierung des Realen ins Irreale
mit intellektuellen Mitteln zu einem der charakteristischen Merkmale des europäischen Geistes gehört. Auch die Kunst kündet von
wiederholter Weltflucht, von stets erneuertem Bestreben, das
„Diesseitige", sobald politisch und soziologisch eine babylonische
Sprachverwirrung einsetzt, in eine akausale Traumwelt zu versetzen, gleichzeitig aber auch — mitten in der politischen Auflösung — einen neuen gemeineuropäischen „Stil" zu finden. In
der Literatur hat er nur ein einziges überragendes, wirklich kraft-
volles Talent hervorgebracht: Góngora, in der Malerei nur ein
einziges Genie: Greco.

Man ist also auf die Darstellung eines Menschentypus und auf
die Analyse vielfältiger und häufig sehr reizvoller „Kulturdoku-
mente" angewiesen, wenn man das Zeitalter der « maniera » zu
deuten versuchen will, um seine vielfach auch nur verborgene Beziehung zur Gegenwart sichtbar werden zu lassen, dieses Zeitalter,
das auch in Shakespeare Spuren hinterlassen hat. Wie dieser, so
wuchs auch ein anderer « genio puro » der Epoche darüber hinaus,
Lionardo da Vinci. Man wäre versucht, auch ihn, den Hermetiker,
den unergründlichen Magier, den rätselhaften Grübler, der die
Sprache und das Denken aus der Technik erneuert, als Manieristen zu bezeichnen. Lionardo, die Verkörperung des „Ingeniums",
die Valéry faszinierte, die höchste Form des scharfsinnigen Talents, das die Theoretiker des Manierismus, wie Gracián, Pere-
grini und Tesauro, als „cherubinisch" | preisen, er steht, weil er
sich „universal" verhielt, weil er vor dem Politischen, dem Ethi-

schen, dem denkerisch Systematischen nicht zurückscheute, vor,
über und hinter der Epoche wie ein Riese. Parmigianinos Bild
weist immer wieder auf den richtigen manieristischen Phänotypus,
wenn es auch seiner „Rätselhaftigkeit" wegen aus der Werkstatt
Lionardos kommen könnte, dieses Bildnis, in welchem sich eine
verdünnte Welterfahrung in einer allzu frühen Jugend und in
einer zu frühen Resignation spiegelt. Er, Parmigianino, wie seine
Brüder im Stil, findet, im Gegensatz zur vitalen Fülle Lionardos,
den Schluß am Anfang. Allerdings, es hat hamletische Züge, das
Bildnis des genialischen Jünglings, aber es fehlt ihm jede Dramatik,
jede Spannung aus dem Zwang zur Auseinandersetzung. Parmigianino starb, verzweifelt nach „magischen" Weltgeheimnissen
suchend, im Wahnsinn. Man empfand die Welt zwar als poetisches Labyrinth Gottes, suchte aber nicht mehr nach dem Eingang
oder auch nur nach dem Ausgang. Man blieb im Unentwirrbaren
stecken. An der Verlorenheit fand man Gefallen, und mit dem
„Wahnsinn" begannen andere zu spielen ... auch damals.

Eine Fundgrube für äußerst komplizierte Selbstentwürfe des
Manierismus im 16. und 17. Jahrhundert ist das heute fast ver-
gessene Monumentalwerk, das Buch des Humanisten Emanuele
Tesauro (1591—1667), mit dem zeitgerechten preziösen Titel:
›Das aristotelische Fernrohr oder die Idee der scharfsinnigen
Schreibweise ... erläutert mit den Grundsätzen des göttlichen
Aristoteles‹ (erschienen zu Genua im Jahre 1654; bis 1682 acht
Ausgaben). Das Buch Peregrinis, dem Manierismus gegenüber viel
kritischer, erschien 1639; Baltasar Graciáns berühmteres Werk
über den Pointenstil wurde 1642 veröffentlicht. Es ist anzunehmen, daß diese drei für den literarischen Geschmack Europas vor
300 Jahren maßgebenden programmatischen Traktate unabhängig
voneinander entstanden sind. Das Buch von Tesauro steht, im Gegensatz zum Bildnis des Parmigianino, fast am Ende der damaligen manieristischen Phase. In einem enzyklopädischen Wälzer
voller preziöser Stilvorschriften und Beispiele aus der antiken Literatur wird Rezept an Rezept gereiht: was muß ein Dichter tun,
um dem Geschmack der Zeit gerecht und damit den Engeln und
Göttern ähnlich zu werden? Es fasziniert darin die logische Durch-

dringung der literarischen Gattungen und stilistischen Formen, die
Fülle der für sprachliches Können vortrefflichen antiken Zitate,
die Mischung von Ernst und Witz, die freundliche Gelassenheit,
mit welcher man literarische Autorität sein wollte, ein literarischer
Brummel. Tesauro, Conte e Cavaliere di | Gran Croce Don
Emanuele, eine wirkliche Schatzkammer, bietet Formeln an,
welche die These von Curtius über die historische Periodizität des
Manierismus bestätigen.

Schon prologisch erklärt Tesauro, es unterscheide sich der scharf-
sinnig Begabte vom Plebejer. Er trenne, bevor er verbinde. Es sei
daher geboten, alles andere als einfach zu sein. Man verhalte sich
füglich geziemend, wenn man einer bestimmten Stilvorschrift des
Aristoteles folge, dem, was er in seiner Poetik „Schemata", was
die Lateiner „Figurae" oder „acuta figura" nannten, die Italiener
« acutezze », d. h. geistvolle Abbreviaturen einer abkürzenden,
elegant-tiefsinnigen und zugleich staunenerregenden schockierenden
Ausdrucksweise. Sentenz und Metapher müßten orakelhaften Charakter haben. Man habe sich dem Unbekannten in der Natur zu-
zuwenden, dem „Hieroglyphischen". Ein wahrer Dichter sei derjenige, der fähig sei, *„entfernteste Zusammenhänge miteinander
zu verbinden"*. Das ist eines der verbreitetsten und allgemeinsten
Stilmerkmale für den damaligen *literarischen* Manierismus Europas unter seinen verschiedenen Namen gewesen: in Spanien » *con-
ceptismo* « oder » *Gongorismo* «, in Italien » *Concettismo* « oder
» *Marinismo* « (nach dem Dichter Giambattista Marino, 1569 bis
1625), in England » *Euphuism, wit* « und » *conceit* «, in Frankreich » *préciosité* «, in Deutschland Sinnspiel (Sinngedicht). Diese
discordia concors Tesauros wurde damals in England erklärt:
„Kombination ungleichartiger Bilder oder Aufdeckung verborge-
ner Ähnlichkeiten in anscheinend verschiedenartigen Dingen".
Nach Tesauro entspreche diesem Stilmittel in der Architektur die
Illusionsperspektive, die in Parmigianinos Bild zu erkennen ist.
Tesauro weist auf die berühmte Säulengalerie im römischen Palazzo Spada hin und meint, man solle auch schreibend „perspektivische Durchblicke" schaffen. Giambattista Marino, der „König"
des italienischen Manierismus, faßt es in einem ›Concetto‹ zu-
sammen: « E del poeta il fin la meraviglia, | Chi non sa far

stupir vada alla striglia ». Es ist also das „Wunderliche, Wunderbare" Ziel der Dichtung — wer nicht verblüffen kann, soll zum
Stallknecht gehen.

Hier zwingen sich erste Vergleiche mit Zeitgenössischen auf.
André Breton schreibt im ›Manifeste du Surréalisme‹: „Das
Wunderbare ist immer schön, ganz gleich, welches Wunderbare;
es ist sogar nur das Wunderbare schön." (« Merveilleux » hat hier
den Sinn des seltsam Wunderbaren, des Erstaunlichen.) Wie wird
dieses „Wunderbare" im Surrealismus erschlossen? Breton zitiert
einen seiner Freunde, Pierre Reverdy, der mit Tesauro fast wörtlich übereinstimmt: „Das Bild ist eine reine Schöpfung des Geistes.
Es kann nicht aus dem Vergleich, vielmehr nur aus der *Annäherung von zwei mehr oder weniger voneinander entfernten Wirklichkeiten* geboren werden. Je entfernter die Beziehungen dieser
Wirklich|keiten zueinander und je genauer sie sind, desto stärker
wird das Bild sein." Schon früher hatte Lautréamont geschrieben,
es wirke nur die Vereinheitlichung des Disparaten schön, nach dem
Vorbild: „die zufällige Begegnung eines Regenschirms und einer
Nähmaschine auf dem Operationstisch". Differenzierter ist die
ästhetische Sentenz Baudelaires: „Was nicht unmerklich entstellt
ist, wirkt kühl und empfindungslos; — hieraus ergibt sich, daß das
Unregelmäßige, d. h. das Unerwartete, die Überraschung, das Erstaunen ein wesentliches und charakteristisches Merkmal des Schönen darstellt" (aus ›Raketen‹, 1855—1862). Praktisch entstanden daraus bei Baudelaire, dessen schöpferische Kraft die Ver-
spieltheit des Dandy überwand, die ›Correspondances‹ zwischen
Tönen, Gerüchen und Gefühlen. Gracián hatte das metaphorische Sinnspiel definiert als „intellektuellen Akt", der die „Verbindung" (correspondencia) zwischen den Dingen herstellt. Wer
denkt nicht vor allem an Rimbaud, wenn Tesauro den wahren,
den „ingeniösen" Dichter als denjenigen preist, der „alles in alles
verwandeln kann, eine Stadt in einen Adler, einen Mann in einen
Löwen, eine Schmeichlerin in eine Sonne"?

Ein Gedicht schreiben, sagt Tesauro, heißt Verse „konstruieren",
sich nach der Windstille der Gefühle etwas „ausdenken", aus Empfindungen ein „Worttheater" bauen. Dichten heißt demnach
« fabbricare », was der zeitgenössischen Handschrift von Gott-

fried Benn und vorher Mallarmés entspricht, wenn er schreibt, ein Gedicht werde „gemacht". Immer wieder taucht bei Tesauro und seinen Zeitgenossen das Wort « fabbricare » im Zusammenhang mit « ingegno » auf. Der Dichter wird zum subtilen Wort-Ingenieur, zu einem Zwitterwesen zwischen dem Ansturm von Gefühlen und einem äußerst wachen „Sinn", daraus etwas zu basteln, was in keiner Weise des allgemeinen Verständnisses bedarf. 300 Jahre vor André Breton stellt Tesauro unbefangen fest: „Die Irren (i matti) sind besonders dazu befähigt, in ihrer Phantasie schillernde Metaphern und scharfsinnige Symbole zu schaffen: genau genommen ist der Wahnsinn nichts anderes als ein Gleichnis für die Fähigkeit, eine Sache in eine andere zu verwandeln. Die subtilsten Genien, die Dichter und Mathematiker, neigen am stärksten zum Irresein." Dieser denkwürdige Satz entspricht zentralen Dogmen der surrealistischen Gnostik Bretons. Nur Irre könnten „echte" Metaphern schaffen, dekretiert Tesauro weiter, ja der Wahnsinn sei geradezu ein „Synonym für Metapher". Das Verhältnis von Schöpfer und Wirklichkeit muß „konvulsivisch" sein. Am Ende seines Romans ›Nadja‹ schreibt André Breton: „Die Schönheit wird konvulsivisch sein oder sie wird nicht sein." Später, in ›L'Amour Fou‹, kommentiert er: „Die konvulsivische Schönheit wird verschleiert-erotisch, explosiv-starr, magisch-zufällig sein oder sie wird nicht sein." Salvador Dali plädierte zeitweise für eine | „paranoische Kunst". Wahnsinn und Logik! Nicht das gestalthafte, geordnete „Humane" steht im Mittelpunkt des Selbstporträts Parmigianinos, sondern ein überdimensionaler, „paranoischer" Teilaspekt des Menschlichen, die hybride, im „Serpentinata-Stil" bewegte, „konvulsivische" Riesenhand. Hinter der „Änigmatik" steckt der kunstvoll „verschleierte", auf Eis gelegte, gewollte, verspielte „Wahnsinn" des Outrierten um jeden Preis: Diesem Wahnsinn fehlt die „enthusiastische" *Re-ligio* Platons. Der Manierismus hat seine Wurzel in der aristotelischen Poetik. Aber er kombiniert beide, „Wahnsinn" und „Logos". Es ist, als wolle ein Hermaphrodit mit sich selbst zeugen. Nur Mythos (gestaltbildender „Wahnsinn") und Logos werden im höchsten Sinne schöpferisch.

Es dürfte leichter sein, schwierigste Gleichungen zu lösen, als

den Manierismus von der Spätantike über Martial, über die vielfältigen Verzweigungen in der lateinischen Literatur des Mittelalters bis zu Mallarmé, Joyce, Eliot, Proust u. a., bis zu den großen „Modernen", die alle noch im 19. Jahrhundert geboren sind,
eindeutig zu definieren. Der Abstand, den das Historische schafft,
macht alte Formeln aktuell. Daher noch einiges aus Tesauro. Er
empfiehlt noch Schockwirkung durch brutale Originalität. Dazu
sei die Metapher ein vorzügliches Mittel. Den Leser könne man
durch eine ungewöhnliche Metapher verzaubern. In der Rhetorik
müsse man durch klare Argumente überzeugen, in der Poesie durch
logische Nicht-Logik, durch *„Paralogik"* gefallen. Man müsse sich
bewährter alter rhetorischer Stilmittel bedienen, vor allem der
Hypotyposis und der Hyperbole, sie aber mit neuem, überraschen-
dem Inhalt füllen. Scharf zusammengefaßte, intellektuell-emotio-
nale Formeln habe man zu finden, « argomenti urbanamente
fallaci »; metaphorische Pointen, die nichts geradeaus sagen und
daher der breiten Öffentlichkeit nichts bedeuten können und sollen. Zur „Täuschung" also müsse man sich entschließen. „Das beste
Kompliment für eine gute metaphorische Pointe, für ein ›Concetto‹: es ist ‚schön gelogen'." Rimbaud hat solche irrational-
intellektuelle poetische Abkürzungen, *nach* der Erfindung der
Dampfmaschine, als « Sophismes magiques » bezeichnet und in
genialer Weise davon Gebrauch gemacht.

Wenn die Klarheit eines der künstlerischen Ideale der Klassik
bildete, so ist die Dunkelheit, wie schon gesagt, dasjenige der Manieristen. Wie für die heutigen Surrealisten, so waren für die damaligen Manieristen die Sinnsprüche Heraklits vorbildlich. Die
Marino-Schule verteidigte sich gegen Unverständlichkeit mit dem
Motto: „Die Sterne leuchten im Dunkeln." Rausch (Wahnsinn,
Giordano Brunos « furore ») und Neigung zu magischer Undurch-
dringlichkeit verbinden sich. Die Literatur wird zu einem Laster,
zu einem Beziehungswahn. Man kombiniert Literatur. Man schreibt
Literatur für Literaten. Der Literatur-Dandy nimmt mandarinen-
hafte Züge | an. Mit Poesie will er weder trösten noch erheben,
belehren, erbauen. Man sucht daher die « Novità », die Neuheit,
um jeden Preis. Die Marino-Schule schreibt vor: » *titillare le
orecchie dei lettori con la bizarria della novità* » (Das Ohr des

Lesers mit dem Seltsamen der Neuheit kitzeln). Später fordert in Frankreich Laforgue: „Neuheit, Neuheit, immer wieder Neuheit", und Rimbaud schreibt: „Verlangen wir vom Dichter Neuheit". Der Marino-Schüler Chiabrera sagt es gezierter: „Die Dichtung muß dazu führen, daß man die Augenbrauen hochzieht." (Highbrow!) Als weiteres Mittel wird die bloße Andeutung („allusivo") empfohlen. Sie sei wichtiger als der „Ausdruck". Mallarmé erstrebte « littérature vague ». „Ein Ding bezeichnen heißt drei Viertel der Kraft einer Dichtung unterdrücken." Schließlich beginnt man damals schon die Grenzen zwischen Lyrik und Musik zu verwischen. Für Marino ist das Universum nicht nur ein poetisches Labyrinth Gottes; es ist auch ein schwingendes Klangsystem. („Die Welt ist eine riesige Orgel; sie gibt der Welt ihre Form.") Auch heute werden Mißverständnisse von damals wiederholt, z. B. im sog. « Lettrisme ». Der sprachliche Logos löst sich ganz auf, das Gedicht wird zu einer bloßen rhythmisierten Lautfolge. Schon im 17. Jahrhundert versucht man sich an solcher „Wortmusik", „Dichtung" ohne Logos wie heute Polyphonismus ohne Melodie und Malerei ohne Gegenstand. Das geht stufenweise vor sich. Lodovico Lepóreo (in Rom im 17. Jahrhundert geboren) verfaßt Gedichte, die mit allem gebührenden künstlerischen Abstand, wenigstens was die künstlerische Tendenz angeht, an Mallarmé erinnern. Der Bologneser Jesuit Mario Bettini schrieb 1614 ein Gedicht ›Die Nachtigall‹, das damals in ganz Europa erschien. Bettini ahmte seinerseits Aristophanes (›Die Vögel‹) nach:

> Quitó, quitó, quitó, quitó
> quitó, quitó, quitó, quitó
> zí zí zí zí zí zí zí zí
> quoror tiú zquá pipiquè.

Man kann sich den Ruhm damaliger Concettisten von Rang heute kaum noch vorstellen. Sie wurden gefeiert wie Helden, man verglich sie mit Adlern und Engeln. Sie schrieben Inschriften für Triumphbögen und Embleme der Könige, Epitaphe für die Gräber der Fürsten, Devisen für die Wappen aller Vornehmen Europas. Sie erhielten ehrenvolle Aufträge, sie waren unermüdliche Arbeiter. Man kann gegen die Manieristen der Nachrenaissance

manches einwenden, Dilettantismus kann man ihnen nicht vor-
werfen. Es hat kaum eine Zeit nach dem Mittelalter gegeben, wo
Schreibende sich so um eine Verfeinerung ihres Handwerks be-
müht haben wie damals. |

Ernst Robert Curtius hat für den Manierismus in der europäischen Literatur des Mittelalters sieben Stilmittel des *formalen*
Manierismus angeführt: die leipogrammatischen Spielereien, die
pangrammatischen Künsteleien, die Figurengedichte (Gedichte in
Form eines Naturgegenstands, wie Herz, Flügel, Flasche usw., die
Apollinaire und andere zeitgenössische Dichter als „ultra-revolu-
tionär" wieder aufgenommen haben), die Logodaedalia, das verse-
füllende Asyndeton, der versus rapportati und das „Summations-
schema". Genauso gibt es zwischen Renaissance und Aufklärung
einen Manierismus der *handwerklichen* Form, nicht also nur der
Weltanschauungen, Empfindungen und Ideen oder nur sehr allgemeiner Stilprinzipien. Man kann den Manierismus zwischen
1530 und 1680, ohne diese „rhetorischen" Voraussetzungen zu beachten, ebensowenig verstehen wie die „moderne Musik", ohne
die Harmonie- oder „Disharmonie-"Lehre zu kennen. Die Literatur im Manierismus dieser Epoche verlangt auch (und fast in erster
Linie) handwerkliches Können. Valéry: « Perfection, c'est travail ». Man muß die „Regeln" kennen, um schreiben zu können.
Man wollte antiklassisch, aber nicht barbarisch sein. Der „schöpferische" Geist wurde nur mit den Attributen der artistischen Ge-
schultheit, der « virtuosità », verherrlicht. Wenn man Welt,
Mensch und Ding stilisierte, so konnte dies nur wissend, bewußt
geschehen. Das „Naturgenie" ohne « virtuosità » hätte als eine
der vielen „Seltsamkeiten" der „natura naturans" gegolten. Seiner
plebejischen oder kleinbürgerlichen Erscheinung nach hätte es schon
allein dem aristokratischen Geschmack der Zeit nicht entsprochen.
Man fürchtete sich weniger vor dem Epigonalen als vor dem Di-
lettantischen.

In einer Konfrontierung des damaligen mit dem heutigen Manierismus wird, außer den gegenüber der Klassik verwandelten
dichterischen Intentionen und der differenzierten literarischen
Technik, die außerordentliche Bereicherung der Sprache — diesmal

unterschiedslos in *beiden* Phasen — anzuführen sein. Der „Manierist" glaubt, in einer alternden Kultur zu leben. Religiös-mystische
Ergriffenheit fehlt bei manchen nicht, aber die kirchlichen Bindungen lockern sich. Die „klassischen" Formen des Glaubens und
des Denkens, das „klassische" Staatsbewußtsein empfindet er, wie
den „klassischen" Kunstkanon, als Bestandteile eines versinkenden Zeitalters. Schaudernd erlebt er einen fortschreitenden Wirk-
lichkeitsschwund. Eine seiner vitalsten Reaktionen besteht darin,
Realitätsfragmente aus allen möglichen Zonen des Erfahrens an
sich zu reißen und aus ihnen neue, bunte, schillernde, „eigenartige"
Wörter zu sammeln. Er füllt | seine Sprache mit oft fremdartiger
Nomenklatur auf. Der verspielte Melancholiker, der epikureische
und gar nicht selten invertierte Erotiker mit seiner Tendenz, sich
zu verschleiern („velare" gehört zu den Lieblingswörtern), begibt
sich „staunend" in die Bezirke der Naturwissenschaft, der Medizin,
der Technik. Sein « parlar figurato » erweitert sich zu einem
« parlar descrittivo ». Zur Zeit Marinos empfand man die sprachliche Askese der Klassik als unpoetisch. Verse und Sinnfiguren,
Epigramme, Devisen und Embleme, Romane und Theaterstücke
spickte man voll mit wissenschaftlichen Neologismen, mit seltenen
Pflanzennamen, mit Termini aus Mechanik und Optik, aus Schiff-
fahrt, Geographie und Astronomie. Vor allem Meßinstrumente
und das lukrezische Atom wurden modern. Man glaubte, den Ge-
heimnissen von Raum und Zeit auf die Spur gekommen zu sein.
Der Begriff der „Zeit" (als Symbol für Vergänglichkeit und Tod)
faszinierte die besten Geister. Bessere und vollkommenere Uhren,
gerade damals gebaut, wurden geradezu als Sensation empfunden.
Die Sekunde wird zum „Zeit-Atom". Lukrez, der „Atomist" der
Antike, erlebt wie kaum ein anderer antiker Schriftsteller seine
Auferstehung im 16. Jahrhundert. Der französische Humanist
Lambin nennt den genialischen Darsteller der demokritischen
Atomtheorie: „scriptorem omnium Latinorum politissimum, ele-
gantissimum". Das „Atom" wird zur „okkultesten" Weltkraft.
Es geht in die modische Metapher ein. 1953 begründet Salvador
Dali, wie Picasso Sohn eines der manieristischen Länder Europas,
die „mikro-korpuskulare" Malerei und löst damit, wie er selbst
sagt, seine „paranoische" und „manieristisch-hypnagogische" Epoche

ab. Ein Bild dieser Zeit heißt „Sphärenmysterium". Die Uhr ist — wie das Atom — eins der bevorzugtesten „konvulsivischen" Symbole Dalis. Zu « terribilità », « acutezza », « bizarría », « morbosità » kommt also « varietà ». Im Manierismus weitet sich die Sprache, noch gehemmt von den Zügeln der antiken Rhetorik, zu einem strömenden Fluß. Er mündet in das brandende Meer des Hyper-Manierismus, des kraftgenialisch-hektischen Manierismus, des sog. „Barocks" in der deutschen Literatur des 17. Jahrhunderts. Ein neuer „Realismus" kündet sich an, der allerdings entweder noch „magische" oder „burleske" Züge hat. (Beides bei Breughel.) Die thematischen, formalen und sprachlichen Errungenschaften der besten Manieristen sind, über viele sehr verzweigte historische Kanäle, in die „Moderne" gelangt. Dafür eine Reihe von Beispielen aus der damaligen Zeit und aus der Gegenwart als unerläßliche „Illustrationen" zu einem solchen Thema.

Giambattista Marino schreibt: „müde Ruhe", „freiwilliger Wahn", „schädliche Nützlichkeit", „kühne Angst". Ganze Reigen solcher Oxymora findet man. Metaphern: Marino nennt die Rose „Aprilauge" oder „Rubinkelch", „Lächeln der Liebe, vom Himmel gelacht". Über die Nachtigall: | „Sie vergießt ihre zitternde, zarte Seele, die Zauberin der Wälder, man fragt sich, wie es möglich sei, daß dieses winzige Geschöpf so viel Kraft in Adern und Gebein speichert." Sie ist ein „tönendes Atom". Eine typische Klangfolge die beiden Verse Marinos: « Treman l'ombre leggiere ai venticelli / Ch'empion d'odori il disvelato cielo ». Von einem dichten Wald sagt Marino, es „vermodern in ihm die Schatten". Der Morgenröte ruft er zu: « Mattutine rugiade, ormai chiudete le vostre urne d'argento », und den Mond nennt er « dall'aureo melon l'argentea fetta ». Die Sonne wird besonders „konvulsivisch" geschildert. Sie ist der „Henker, der mit Strahlensicheln die Schatten köpft". Paoli nennt die Augen seiner Geliebten „leuchtende Abgründe", ihre Haare „geile Schlangen". Chamäleon in Cupidos Hand ist Symbol des Wechsels. Wenn die Kühnheit der Metapher nicht genügte, griff man zum Wortspiel. Berühmt war damals der Vers von Bernard von Banhuysen: „Tot tibi sunt dotes, Virgo, quod sidera caelo". Man hat ausgerechnet, daß man diesen

Vers 1022mal umschreiben, neu kombinieren könne, der Zahl der
damals bekannten Gestirne entsprechend. Er hieß deswegen „Mi-
racolo omerico". Solche Spielereien waren der Antike und dem
lateinischen Mittelalter geläufig. Im Manierismus werden sie aufgenommen und in den Dienst einer „magischen Hieroglyphik" gestellt, insbesondere in der weitverbreiteten Emblemen- und Devi-
senliteratur, von welcher Mario Praz behauptet, sie habe auf die
Lyrik mindestens den gleichen Einfluß ausgeübt wie die Bibel. Ein
Manierist bezeichnet den Himmel als « Biade d'eternità, stalle
di stelle ». Die Liebe galt als « inversus crocodilus », weil man
glaubte, es weine das Krokodil, wenn es tötet, während die Liebe
lache, wenn sie vernichtet.

Zahllose ›Concetti‹ kann man im Werk des bedeutendsten
aller damaligen Manieristen Europas nachlesen, bei Don Luis de
Góngora y Argote (1561—1627), speziell in seinen « Soledades »
(1613), einem ganzen Epos im Stile der ›Agudeza‹. Hier (in der
Übersetzung von Hermann Brunn) ein kurzes Beispiel wenigstens,
auch für die Kraft dieses Mannes, der mit Horaz und Ovid einer
der größten Anreger für Verfeinerung der sprachlichen und künstlerischen Mittel bleibt.

(Der Fluß)   Von Farnen überhöht dann fließt er breit,
          In majestätischer Geschlossenheit,
          Bis wiederum in Glieder
          Der Inseln Schar mit grünen Parenthesen
          Des Stroms Periode teilt, die allzu große.
          So wechselt er sein Wesen
          Von hoher Grotte an, die ihn gebiert,
          Bis hin zum Jaspisschwall, in dessen Schoße
          Sein Feu'r verraucht, sein Name sich verliert. |

An damalige Stiche, Darstellungen von « terribilità », wie an
Schauerszenen in den ›Chants de Maldoror‹ von Lautréamont
erinnert eine Strophe des französischen Dichters Théophile de
Viau (1590—1626):

          Dieser Bach fließt bergauf,
          Ein Ochse klettert auf einen Kirchturm,

> Blut fließt von diesem Felsen,
> Eine Natter begattet eine Bärin
> auf einem alten Turm,
> Eine Schlange zerreißt einen Geier,
> Feuer brennt im Eis,
> Die Sonne wurde schwarz.

In der deutschen Literatur, vor allem in den Dramen von Lohenstein und in der Lyrik des Präsidenten des Breslauer Ratskollegiums, Hofmann von Hofmannswaldau, machte insbesondere der italienische Manierismus Schule. Er erklärte: „Geistreiches Erfinden ist die Seele der Poesie". Beide stehen am Ende der damaligen manieristischen Epoche. „Barocker" Schwulst und auch Verzopfung ergeben sich, weil man die modischen Formen ohne Kontrolle des viel sichereren italienischen Geschmacks übernimmt, weil die spanische „Geistesschärfe" fehlt, weil vor allem das dichterische Vermögen geringer ist. Hofmannswaldau gibt in der Vorrede zu seinen Übersetzungen und Gedichten so etwas wie einen „Abriß" der Literaturgeschichte Europas. „Kein Volk in Europa", schreibt er, (hat) „so zeitlich die Poesie zur Annehmlichkeit und in Ansehen gebracht, als die Welschen." Marino und seine Schüler lobt er besonders. Ihm selbst fehlt ihre Melodie, die Anmut, die selbst in der « terribilità » durchschimmert. Ein Beispiel im Stile der ›Concetti‹:

> Sein eigen Hertze fressen
> Ist eine Kost, die Fleisch und Witz verzehrt,
> Der hat gantz Gottes Macht, und Menschen Pflicht vergessen,
> So sich durch Kummerbrodt und Thränenwasser nährt,
> Ein leichter Fliegenfuß kann Narren traurig machen,
> Und ein gesetzter Geist wird auf den Dornen lachen."

Straffer und ernster, schon der religiösen Concetti-Literatur angehörend, sind die ›Deutschen Poemata‹ von Paul Fleming, 1646, sechs Jahre nach seinem Tode erschienen. Die letzten Verse seines Gedichts ›Gedanken über die Zeit‹ lauten:

> Die Zeit ist, was ihr seid, und ihr seid, was die Zeit,
> nur daß ihr wen'ger noch, als was die Zeit ist, seid.

> Ach daß doch jene Zeit, die ohne Zeit ist, käme
> und uns aus dieser Zeit in ihre Zeiten nähme,
> und aus uns selbsten uns, daß wir gleich könnten sein,
> wie der itzt jener Zeit, die keine Zeit geht ein! |

Zeitgenössische ›Concetti‹ im Stile der Devisen und Embleme schreibt René Char (geb. 1907), sie werden jedoch zu einer noch unfaßbareren „surrealen" Unbestimmbarkeit aufgelöst. Der französische Essayist und Lyriker Rousselot nennt diesen Stil « crispé ». Da Übersetzungen bei diesen Proben aus der zeitgenössischen Lyrik Frankreichs der Wortspiele und sonstiger grammatischer und syntaktischer Elemente wegen kaum möglich sind, muß der Originaltext zitiert werden. Concetti: « L'amour qui sillone est préférable à l'aventure qui humilie, la blessure à l'humeur ». « Temps aux lèvres de lime en des visages successifs, tu t'aiguises, tu deviens fiévreux ». Stimmungsmäßig sehr manieristischer Naturlyrik entsprechend: « Dans le bois on écoute bouillir le ver / La chrysalide tournant au clair visage / Sa délivrance naturelle ».

Geradezu ein manieristisches « Stupore »-Bild, mit « monstruosità » und paralogischer Schlußmetapher, ist Iwan Golls (1891—1950) surrealistische Ekloge, an Viau erinnernd:

> J'ai couché dans les champs de véronique
> et j'ai gobé les oeufs du rossignol
> J'ai dépecé l'unicorne magique
> Et dévoré l'oiseau sans digérer le vol.

Das „unicorne magique", das hier genannte magische Einhorn, bis zur Renaissance Symbol der Jungfräulichkeit, verdient eine besondere Würdigung. Es ist geradezu das Lieblingstier des Manierismus. Mit dem Löwen steht es im englischen Wappen. Peter de Mendelssohn hat das merkwürdige Paar geistreich definiert: der Löwe ist das Symbol für Würde, Maß, Gesetz, Weisheit; das Einhorn dasjenige für Augenblicks-Versessenheit, für Scherz, Satire, Ironie, Verrücktheit und Verdrehtheit, Schnörkel, düster-skurrile Spinnerei, Poesie, Narretei, Trick und Taschenspielerei. Jean Cocteau schreibt das Libretto für ein Balett ›Die Dame und das Ein-

horn‹, W. B. Yeats eine Oper ›Einhorn von den Sternen‹. García Lorca, der geniale Neo-Manierist Spaniens, dichtet:

> Durch das kleine Gäßchen kommen
> Sonderbare Einhörner.
> Welchen Feldes,
> Welchen Mythenwaldes sind sie?
> Näher —
> Scheinen sie gar Astronomen.
> Höchst phantastische Merline,
> Ecce Homo,
> Durandarte auch, die frohe.
> Roland rasend. |

Die Welt, so sagen sich so viele französische Kafka-Schüler, ist
verlogen, sinnlos, unerkennbar, unzurückführbar. Wozu nicht eine
Welt ohne Zahl und Wort schaffen, so meint Artaud und dichtet:

> Y am camdou
> Y an daba
> camdoura
> yan camdoura
> a daba roudou.

Dieser « Lettrisme » hat also, wie überhaupt die zeitgenössische
Lyrik (darüber später), ganz andere geistige und emotionale Ursprünge wie das onomatopoetische Nachtigallen-Idyll des manieristischen Jesuiten vor 300 Jahren. Der „Kunstgriff" ist auch hier
der gleiche.

Wortspiele im manieristischen Sinne schätzt vor allem der er-
folgreiche Jacques Prévert (geb. 1900):

> Un vieillard en or avec une montre en deuil
> une reine de peine avec un homme d'Angleterre
> Et des travailleurs de la paix avec des gardiens de la mer etc.

Gracián und Marino hätten an solchen Gymnasiasten-Kunst-
stückchen wahrscheinlich weniger Freude gehabt als an dem Vers
von Raymond Queneau (geb. 1903): « La piqûre d'éclair dans
la cuisse des terres ».

Ein „existentialistisches" Concetto dichtet hingegen Lucien Bek-
ker (geb. 1911):

> Seul tu poursuis dans l'espace sans gare
> les traînes de ton passé muet
> pas un mort ne te voit pas un mort ne te cherche
> les univers sont seuls comme une main coupée
> L'éternité t'affole se gonfle autour de ta fuite
> mesure d'étoile en étoile ce qui la sépare de toi.

Wie sehr auch heute noch in Italien Dichter sich rhetorischer
Mittel im Sinne manieristischer Stilprinzipien bedienen, beweist
ein Gedicht aus der Sammlung ›La Restituzione‹ (Florenz 1955)
von Edoardo Cacciatore. Der erste Buchstabe des ersten Wortes
ist Z, jeder weitere Anfangsbuchstabe des ersten Wortes der nächsten Zeile folgt der Reihenfolge des Alphabets bis A. Jeder Vers
weist starke Alliterationen auf. Sie werden von den jeweiligen
ersten Buchstaben des ersten Worts jeder Verszeile lautlich bestimmt. Nachfolgend als Beispiel die ersten vier (unübersetzbaren)
Verse:

> Zampilla uno zodiaco da ogni zero
> Vieni vieni verso la via che va al vero
> Unisci l'udito all'unanime universo
> Tempera alla tastiera un tuo tema terso.

Man kann zahllose weitere Beispiele in der neuen Literatur
Frankreichs (Apollinaire, Jacob, Salmon, Eluard, Cocteau), Eng-
lands (Eliot, MacNeice, Dylan Thomas), Spaniens (Eugenio d'Ors,
García Lorca), Rußlands (Konstantin Balmont, Alexander Blok),
Italiens (Marinetti, Ungaretti) und auch Amerikas (Poe, Pound,
Cummings, Auden) finden — um nur einige zu nennen. Von Dy-
lan Thomas ein Beispiel für zeitgenössische Figurengedichte:

I
Who
Are you
Who is born
In the next room
So loud to my own
That I can hear the womb
Opening and the dark run
Over the ghost and the dropped son
Behind the wall thin as a wren's bone?
In the birth bloody room unknown
To the burn and turn of time
And the heart print of man
Bows no baptism
But dark Alone
Blessing on
The wild
Child

Schließlich noch eine kleine Sammlung bezeichnender Texte aus der deutschen Literatur der Gegenwart. Die „lyrischen Errungenschaften" in der neuen deutschen Dichtung hat H. E. Holthusen in seinen Untersuchungen über Karl Krolow, Heinz Piontek, Walter Höllerer und Paul Celan mustergültig dargestellt (›Ja und Nein. Neue Kritische Versuche‹, 1954). Thematisch und auch formal gleichen sie der Lyrik im 16. und 17. Jahrhundert „fast aufs Haar". Er hebt hervor „Kühnheit und Unternehmungslust im Metaphorischen" und zitiert Krolows Zeilen: „Mondtier lauert im Klaren", „bitterer Dolch des Winters", „die Auferstehung aus Rosen und Wind / Reicht jäh ans verfärbte Gesicht." Es gibt eine sehr ähnliche Stelle bei Marino über den hl. Stephan — was gar nicht bedeutet, | daß Krolow sie zu kennen braucht. Der manieristischen Welt von Traum, Tod, Monstren und legendären Tierbüchern entsprechen stark die Verse Krolows:

> Traurig ist ihr Mund vom Tode
> Und vom gelben Haifischgott,
> Arme, Hüften in sich schlingend
> Wie ein Tier des Herodot.

Holthusen hebt hervor, es hänge diese „paralogische Bilderreihung" stark von französischen Vorbildern ab, insbesondere von Apollinaire und Eluard. Das gilt speziell für Celans „phantastische Assoziationen". Für diese und ähnliche „Techniken", die den revolutionären Stilregeln Graciáns und Tesauros im 17. Jahrhundert entsprechen, hier noch andere Beispiele, was Strophen in Form von zeitgenössischen ›Concetti‹ angeht:

Einer Stirne Schatten,
so mich denkt, das bin und
atm' ich, weiß ein Schein bloß,
Kelch und seinen Ingrund
will kein Hauch begatten,
wie die kleine Glocke regungslos.

(Konrad Weiß)

Aufgestanden ist er, welcher lange schlief,
Aufgestanden unten aus Gewölben tief.
In der Dämmrung steht er, groß und unbekannt,
Und den Mond zerdrückt er in der schwarzen Hand.

(Georg Heym)

Süßer Lamasohn auf Moschuspflanzenthron,
Wie lange küßt dein Mund den meinen wohl
Und Wang die Wange buntgeknüpfte Zeiten schon?

(Else Lasker-Schüler)

Komm — laß sie sinken und steigen,
Die Zyklen brechen hervor:
Uralte Sphinxe, Geigen
Und von Babylon ein Tor,
Ein Jazz vom Rio del Grande,
Ein Swing und ein Gebet —
An sinkenden Feuern, vom Rande,
Wo alles zu Asche verweht.

(Gottfried Benn)

Die Ritzengräser heben sich und sinken,
Wenn Windeskrüppel durch die Stille hinken.
Die gehn vorbei, sie haben keinen Stecken,
Die Jugend im Gemäuer aufzuwecken.

(Oskar Loerke)

Die Erde spricht, Heuschreck ihr Mund,
Blaugrüne Diemen, wigwamrund.

(Wilhelm Lehmann)

Wo waren wir
in Orchideenwäldern,
in Bärlapphainen, Schachtelhalm und Farn?
Ein Larentier
ging zwischen Lilienfeldern,
und Gletscher wuchsen langsam zu den kältern
Gezeiten an. Es wuchsen Blut und Harn.
Die Blätterschar,
wie todesstarre Speere,
entsprang sehr still dem ungeteilten Keim.
Der Götter Haar
hing allverwandt ins Leere,
und ohne Zeugung schloß in sich der schwere
Hermaphrodit den schöpferischen Reim.

(Elisabeth Langgässer)

Oktober, und die letzte Honigbirne
hat nun zum Fallen ihr Gewicht,
die Mücke im Altweiberzwirne
schmeckt noch wie Blut das letzte Licht,
das langsam saugt das Grün des Ahorns aus,
als ob der Baum von Spinnen stürbe,
mit Blättern, zackig wie die Fledermaus,
gesiedet von der Sonne mürbe.

(Peter Huchel)

Wenn man in der Gegenwart die mehr oder weniger bewußte
Anwendung literarischer Techniken aus dem 16. und 17. Jahrhundert wiederfindet, so wird man auch zumindest auf Ähnlichkeiten der Bewußtseinsinhalte, Emotionen, Interessen, ja auch des beunruhigten und sich übersteigernden Lebensgefühls stoßen. Dennoch kann und sollte man den Unterschied zwischen den beiden historischen Situationen nicht übersehen. Der Begriff „Manierismus" selbst sollte nicht „konvulsivisch" verfließen. Seit Marino und Góngora haben sich nicht nur die Bewußtseinsinhalte verändert.

Die | technisierte Welt tritt dem heutigen Menschen als eine neue Realität entgegen. Protest und revolutionärer Elan sind stärker, ja systematischer geworden; dafür ist die Geschmackskultur gesunken. Bei Baudelaire schon, der mit Poe am Anfang der neo-manieristischen Phase steht, verbindet sich Ästhetik mit „Groll" und „Rache" gegen die menschliche Gesellschaft. Drei Monate vor seinem Tode (am 23. Dezember 1865) schreibt Baudelaire: „Ich werde meinem Zorn in entsetzlichen Büchern Luft machen. Ich möchte das ganze menschliche Geschlecht gegen mich aufbringen." Mystische Religiosität und künstlerische Selbstzucht lassen aber Baudelaire, gegenüber den Surrealisten zwischen 1924 und 1939, noch als „halben Klassiker" erscheinen. An diesem Wendepunkt der neo-manieristischen Zeit wurde das „Paranoia" erweitert. Aus den « Matti » des Tesauro, welche „konvulsivische Verse" noch mit *Logik* formen (fabbricare) wollten, wurden „paranoische Zerstörer", die lediglich Zustände des Unterbewußtseins ohne Kontrolle der Logik und ungeachtet des künstlerischen Geschmacks durch „automatisches Schreiben" auf Papier gleiten ließen. Nicht mehr nur das „Seltsame" und „Verblüffende" wurde gesucht; in der neuen Phase wurde das Häßliche, das Verbrecherische, das Perverse Mode. Zur Zeit Marinos und Góngoras war Apollo noch ein Idol. Die Surrealisten vergötterten den Marquis de Sade. Die Manieristen des 16. und 17. Jahrhunderts verhalten sich gegenüber den kirchlichen und politischen Konflikten ihrer Zeit indifferent, die Surrealisten wollten „jede geistige und moralische Entwicklung" bekämpfen (Breton). Ein radikaler Anarchismus wurde gepredigt, ja die Existenzberechtigung von Poesie und Literatur überhaupt bestritten. Breton schrieb: « Le Surréalisme n'est pas une forme poétique ». Die „surrealistische Aktivität" sollte nur dazu dienen, einen „gewissen Punkt immer wieder zu entdecken, wo Leben und Tod, Wirkliches und Vorgestelltes, Vergangenes und Zukünftiges, Mittelbares und Unsagbares, Oben und Unten nicht mehr als Gegensätze wahrgenommen werden." Daraus ergäbe sich allerdings keine neue poetische Schule, „sondern der totale Ungehorsam, die regelrechte Sabotage und vor allem nichts anderes als die Gewalt". Die existentielle Bedrohtheit war zwischen dem Sacco di Roma von 1527 und dem Dreißigjährigen

Krieg allerdings auch nicht gering. Das Jahr 1527 hat für das damalige Rom, später das erste europäische Zentrum des Manierismus, ebenso einen Einschnitt bedeutet wie das Jahr 1914 für das heutige Europa. Damals plünderten Truppen Karls V. die Ewige Stadt mehrere Monate lang. Der Papst floh mit 13 Kardinälen in die Engelsburg, die überlebenden Künstler, Dichter und Schriftsteller und Gelehrten nach Norden. Der Traum des erneuerten, „klassischen" Roms schien zu Ende. Selbst die Papstgräber waren durchwühlt, Erinnerungen an das antike | Imperium zerstört, Kirchen verwüstet worden. Ein Teil der Stadt lag in Trümmern; vier Fünftel waren unbewohnt. Erasmus schrieb 1528 über den « Sacco » „In Wahrheit, dies war nicht der Untergang der Stadt, sondern der Welt." Damals breitete sich also auch „Weltangst" aus, aber Zerstörungskräfte und Zerstörungsmittel blieben noch übersehbar. Man suchte nach der „verborgenen Weltkraft", wußte aber noch nichts von Atomzertrümmerung. Einem heutigen Lyriker würde es kaum noch einfallen, eine Nachtigall mit einem „tönenden Atom" zu vergleichen.

Den Höhepunkt der neuen manieristischen Phase findet man im Werk der Großen der zwanziger Jahre, von Joyce bis Proust, viel stärker als im rein schulisch gefaßten Surrealismus mit seinen Tendenzen, Literatur, Metaphysik und soziale Revolution miteinander zu vermengen. Man kann seit der Renaissance drei manieristische Phasen unterscheiden: den „Concettismus" von 1530 bis 1680, die „Romantik" und die „Moderne". Allen ist die Wahl manieristischer Kunstmittel geläufig. Der Concettismus bleibt noch formal und thematisch der Antike verbunden. Die Phantasie wird vom Intellekt gesteuert. Es dominiert geradezu die Phantasie des Verstandes. Nach der Rezeption des Neuplatonismus (Marsiglio Ficino, Pico della Mirandola) wird die platonische Idee säkularisiert. Die „Idee" des Künstlers selbst, seine in ihm wirkende Vorstellungskraft, wird maßgebender als die Beobachtung der Natur. Ja, je naturfremder, je subjektiver dieser intellektuelle Entwurf (disegno) des Künstlers ist, desto wertvoller wird sein Werk. (Vgl. Erwin Panofsky, ›Idea‹. Warburg Inst. Leipzig 1924.) Objekt und Subjekt werden in der Idee identisch, mehr noch: das Subjekt beginnt im extrem vorgetriebenen intellektuellen Entwurf das Objekt aufzulösen. Es entsteht ein intellektueller Irrationalismus.

Die Romantik gibt die vorwaltende Subjektivität nicht auf; sie will aber, vor allem in Deutschland, die Phantasie vom *Gefühl* beherrscht wissen. Wenn auch der Concettismus der Antike, allerdings einer Antike der Seltsamkeiten und Kuriositäten, verbunden bleibt, sucht er doch unermüdlich die « novità », das Neue, das Zukünftige. Die Romantik „historisiert". Sie entdeckt das christliche Mittelalter, sie sehnt sich nach einer „absolut" gebliebenen Gefühlswelt. Zwischen Spätrenaissance und Frühbarock findet man, vor allem im Erotischen, psychopathische Züge. Es wird jedoch nicht, wie in der französischen Romantik, das Pathologische, das Krankhafte, die Kombination „Fleisch, Tod oder Teufel" zur Mode. Das Pervertierte wird nicht Programm. Die Concettisten lieben den Scharfsinn, die Romantiker das Erlebnis. Marino sucht das Neue wie ein Mathematiker — auch in der Dunkelheit. Baudelaire will in „Abgründe" tauchen, gleichgültig, ob solche des „Himmels" oder der „Hölle". Er will „in der Tiefe" das „Neue finden". Baudelaire will erleben und erschüttern. Marino | will konstruieren und verblüffen. Gerade mit Seltsamkeiten und Ungeheuerlichkeiten. Wie Goya könnte er geschrieben haben: « El sueño de la razón produce monstruos. » Gewiß, auch bei den Romantikern, in Deutschland wie anderswo, fehlt es nicht an Bewußtheit, Intellekt, Wachheit. Meist wird aber das Über-Bewußte als Gegensatz zum Lebendigen empfunden. Der Romantiker leidet, er liebt den Schmerz, er preist ihn; nicht zuletzt, weil er den Intellekt als Last empfindet. Die Concettisten verherrlichten den Scharfsinn, das Rationale, die Logik, als Epikuräer verabscheuten sie den Schmerz.

In der „Moderne" findet man natürlich Interferenzen beider Phasen, und es kommt hinzu die Erweiterung der Bewußtseinsinhalte, der soziale Protest, die neuen Konfliktstoffe im andersartigen Verhältnis von Individuum und Masse, von Kultur und Technik. Während in der „Moderne" Deutschlands eine „Interferenz" von Spätrenaissance und Romantik festgestellt werden kann, läßt sich in Frankreich, in Italien und selbst in England eine unmittelbare Beziehung zum Concettismus belegen, zumal dort die rheto-

rischen Stilfiguren — auch im Schulunterricht — viel länger zum
Gemeingut der Bildung gehört haben. Der zeitgenössische Manierismus bleibt viel reicher an Spannungen. Zu den erweiterten Be-
wußtseinsinhalten muß gerade dieses Element hervorgehoben werden. Dadurch besteht die Hoffnung, daß dieser so äußerst vielfältige „Pointenstil" in der zeitgenössischen Literatur fruchtbarere
Möglichkeiten einleiten kann. Betrachtet man die totale „Befreiung der Vorstellungskraft" (Breton) — ganz abgesehen von den
Verschiedenheiten — als ein *gemeinsames* Merkmal für den Manierismus des 16. und 17. Jahrhunderts und der Zeit von Baudelaire bis Breton, so wird man auch die Ansicht von Jacques Maritain über den französischen Surrealismus für beide gelten lassen
können: „Die ekstatische Befreiung der magisch-psychischen Mechanismen, die auf der logischen Bewußtseinsstufe des abendländischen Geisteslebens ausgeschieden wurden, aber als virtueller
Untergrund alles schöpferischen Gestaltens gegenwärtig bleiben."
Das damalige und jetzige Verhältnis zur Sprache, d. h. die Tendenz, „die Wörter mit der Wurzel auszuziehen" (Rudolf Pann-
witz), führt an einen anderen „gewissen Punkt", an die Stelle,
wo auch ein freierer Ausblick auf Überwirklichkeit möglich wird,
wo das im Nur-noch-Spiel oder Nur-noch-Protest ausgetriebene
Humanum wieder mit überweltlichem Geheimnis in Berührung
kommt.

Man unterscheidet in der italienischen Literatur « Calligrafi »
und « Contenutisti », Dichter und Schriftsteller, die der „Form"
ihre besondere Aufmerksamkeit zuwenden, oder solche, die den
„Inhalt" vorziehen. Man könnte heute geneigt sein, bei der Lektüre italienischer, spanischer, französischer und englischer Manie-
risten zwischen Renaissance und Aufklä|rung Lob zu spenden
ihrer formalen Virtuosität, ihre „Inhalte" aber als mangelhaft zu
empfinden. Bei aller Kritik an diesem säkularen Phänomen sollte
man nicht übersehen, daß sie nicht nur Anreger (nach dem Gesetz
der Reaktion) der späteren europäischen Klassik waren und in
mancher Hinsicht nicht nur Vorläufer der „modernen" Literatur
sind: die formal von ihnen beeinflußten großen Sonderlinge der
damaligen Geistesgeschichte (wie Jakob Böhme) haben die auffallende neugierige Unruhe, die universale « curiosità » der Ma-

nieristen zur Zeit der Glaubenskriege, ihre rastlose Voraussetzungslosigkeit, ihr Streben nach einer stärkeren Aggressionskraft der Sprache gegenüber der Wirklichkeit als anregend für ihre Ausdrucksprobleme empfunden. Die religiösen Polemiker von damals, vor allem die unorthodoxen mystischen Denker, haben aus der revolutionierenden Bildersprache des Manierismus mit vollen Händen geschöpft, und zwar Protestanten in ihrem Kirchenlied wie die gegenreformatorischen Jesuiten in ihrer Kasuistik und in ihren Schuldramen. Eine veraltete Sprachschicht brach zusammen in dieser Zeit eines brillant-verworrenen Übergangs. Didaktische Systeme hielten die Welt eingemauert. Durch neue sprachliche Mittel riß man sie ein, der Blick auf die innere Wahrheit subjektiven religiösen Lebens wurde in beiden Konfessionen frei. Die frühchristliche Bild- und Symbolsprache fand in der nicht theologisch-akademischen Literatur ihr Recht wieder, nachdem Rabelais und andere spätscholastische Formalismen karikiert hatten.

Die „kühne" Metapher wurde zu einer hermeneutischen Metaphorik, zu einem neuen Schlüsselsystem für die Aufschließung des absoluten Seins. Die an manieristischen ›Concetti‹ orientierte mystische Emblemenliteratur ging im 17. Jahrhundert parallel mit den so bildhaften Seinsinterpretationen der damaligen großen Mystiker. Es ist das Verdienst von Mario Praz, in seinen für die Motiv-Forschungen des Warburg-Instituts geschriebenen Untersuchungen über die Emblemen- und Devisen-Literatur dieser Zeit, diese Zusammenhänge überzeugend dargestellt zu haben (›Studies in Seventeenth Century Imagery‹, London 1939). Wieder muß man Tesauro als Kronzeugen anführen, wenn er meint, der Himmel sei ein weites „Wachsschild" (cerula), in welches die Natur das einzeichnet, „was sie meditiert"; sie schaffe dabei geheimnisvolle Sinnbilder und Symbole für ihre Geheimnisse. Gott sei ein „scharfsinniger Erzähler", der sich Menschen und Engeln durch die verschiedenartigsten Unternehmungen manifestiere und vor allem durch bildreiche Symbole, seine „allerhöchsten ›Concetti‹". Allmählich wird das Universum zu einem System von Bildzeichen (cifera), das man erschließen könne, indem man „ein Ding durch ein anderes" *bezeichne*. Die ganze Welt erscheint als „Wachsschild", in welchem Zeichen des Absoluten eingegraben sind. Nur mit einer ebenso | „absoluten" Sprache kann man sie erfassen und wiedergeben. Dichtung als mystische Kontemplation heißt, im „Wachsschild" der Wirklichkeit lesen, die Wirklichkeit erobern können. Auch Baudelaire will die Sprache und Schrift betrachtet wissen als „magische Verrichtungen" und als „Beschwörungszauber". Mallarmé schreibt zum ›Coup de dés‹: « Je l'exhibe avec dandysme mon incompétence sur autre chose que l'absolu ». Man versucht, die „erschütterte" Welt in einen Zusammenhang von „sympathischen" Beziehungen zu stellen, eine geheimnisvolle, nur subjektiv erfahrbare Einheit wiederherzustellen. 1645 veröffentlichte Juan Nievemberg S. J. in Barcelona ein Werk: ›Oculta Filosofia de la Sympatia‹. Die antirationalen theologischen Kombinationen des Hellenismus und Spätmittelalters wiederholen sich in der manieristischen Epoche. Die paralogische Metapher wird zu einem Code Gottes, man kann ihre „Zeichen" zwar mit dem Verstand nicht ganz begreifen, aber sie schließen dem Ahnungsvermögen metaphysische Wirklichkeit auf. (Man las damals mit Vorliebe die ›Hieroglyphica‹, eine Hieroglyphensammlung von Horus Apollo aus hellenistischer Zeit. Aus ihr empfingen Lionardo, Mantegna, Dürer und Bellini Anregungen.) Auch in der Mystik ging man von Graciáns Rezept aus, es sei das ›Concetto‹ « un acto del entendimiento que exprime la correspondencia que se halla entre los objetos ». Also kann jedes und alles als Bildmaterial benützt werden, um an die Existenz Gottes heranzuführen. Bei den großen Mystikern aller Zeiten gab es, wie bei den wirklichen Dichtern, eine Grenze des Geschmacks und des Instinkts. Sie wählten Symbole, die der Vorstellung des höchsten Wertes würdig waren. Nicht alle verfügten in der Zeit zwischen Parmigianino und Bernini über diese Selbstkritik. Das von Wollust zerbrochene Gesicht der hl. Theresa von Bernini in Rom — durchaus Folge des manieristischen Aufschlüsselungssystems — berührt in der bildenden Kunst schon die Grenze. Für alle jedoch galt, bei allem Unterschied des „Ranges", das Axiom: das ›Concetto‹ mit seiner paralogischen Metapher schließt „arkane" Wirklichkeit auf; es ist ein Mittel, um in die Mysterien einzudringen. Es befähigt dazu, Naturgesetze zu überschreiten, es setzt den Geist in das Unnennbare aus und läßt ihn zumindest ahnend dem Weltgeheimnis begegnen. Aus dem literarischen Metaphorismus wird ein mystischer Metamorphismus.

Die Ewige Liebe wird metaphorisch wie in uralten Mythen zur Schlange, die sich in den Schwanz beißt, oder, wie es in einem ›Concetto‹ des Spaniers Ledesma heißt: „Die Liebe mehr als Nägel durchbohrt die Hände Gottes." Die Finger der menschlichen Hand werden zu Symbolen der Zehn Gebote. Es gibt zahllose Beispiele dieser Art von neuer mystischer Metaphorik. Sie erreichte damals einen schöpferischen Höhepunkt in den Schriften Jakob Böhmes (1575—1624), bei den « metaphysical poets » Englands und in der | Malerei bei Greco. Der Görlitzer Schuster ging von der Vorstellung einer Sprache vor dem Sündenfall aus, einer « lingua adamica », in welcher sprachliche Laute und Zeichen das UrWesentliche vollkommen wiedergeben. Diese Sprache ist eine bruch- und lückenlose „Signatur". Es ist die Sprache des PfingstGeistes. Alle Völker verstehen sie. In diesem Wort-Logos ist Gott enthalten, und Gott ist daher durch eine Rekonstruierung dieser elementaren Signatur-Sprache erschließbar. Die babylonische Sprachverwirrung entstand, als diese Natursprache verloren wurde, durch menschliches Zweckwollen, durch den Sieg des Individuationsprinzips. Die „dunkle" Metapher führt zum „inneren Wort" der gottnahen Ursprache. Wortspiele, Etymologien, Silben- und Buchstabentausch, Verschleierungen und „Verdrehungen" dienen nun gnostischen Zwecken. Die paralogische Metapher wird zum theognostischen Gleichnis.

Es ist aber, als bewege sich der Manierismus stets auf des Messers Schneide. Als „Mode" führt er zur Trivialität, zur Maßlosigkeit, zum süßen und „sauren" Kitsch. Der Manierismus hatte sich als Aufstand gegen Regelzwang zugunsten individueller Schöpferkraft entfaltet. Wo diese fehlt, kommt es, wie bereits angedeutet, zu den oft unerträglichen, manchmal rührenden Geschmacklosigkeiten, die diese Zeit so lange in Verruf brachte. Die Regel Tesauros und Graciáns, alles durch alles, durch paralogische Metaphern erklären zu können, führt auch in der religiösen Literatur zu „barocken" Übersteigerungen. Bezeichnend sind die abenteuerlichen Titel einiger religiöser Bücher, und man denkt auch dabei an zeitgenössische Sekten im heutigen Amerika und Europa: ›Die

geistige Tabakdose, dazu dienend, die fromme Seele zum Herrn
hin niesen zu lassen.‹ ›Das süße Mark, die zarte Tunke der Heiligen und der saftige Knochen des Advents.‹ ›Mystischer Einlauf,
um die Seelen zu retten, die an religiöser Verstopfung leiden‹.
Das sind Entgleisungen. Interessanter ist, daß in der neuen Literatur religiös-mystischer ›Concetti‹ die gleiche Kontinuität
sichtbar wird wie in der profanen Literatur der Manieristen. Christus wird erklärt durch Metaphern aus Ovid und Horaz. Darüber
hinaus: auch dieser mystische Metaphorismus wirkt in die Zukunft. Wien und besonders Prag blieben im 17. Jahrhundert geistige Mittelpunkte des Manierismus, während Paris zur Klassik
zurückfand. Umgeben von preziösen Kostbarkeiten, magischen
Steinen lebte in Prag Rudolph II. in einer phantastischen Schein-
welt. Giuseppe Arcimboldi, der Köpfe aus Gegenständen bildete
und Landschaften in menschliche Figuren verwandelte, ein Vorläufer Picassos, war sein Lieblingsmaler; er machte ihn zum Reichs-
grafen. Das überfeinert groteske Streben nach abstruser Vereinheitlichung des Heterogenen wurde gerade in Prag gepflegt wie in
überreifen Kulturepochen Chinas. In Prag wuchs 300 Jahre später
Franz Kafka auf. Könnte | man ihn, in dieser historischen
Filiation, nicht als einen der genialsten „Nachfolger" Parmigianinos, des düsteren, geistreich Verzückten, als einen „metaphysischen
Manieristen" betrachten? Wird bei ihm nicht das *ganze* menschliche Dasein zur hieroglyphischen Metapher? Man begreift, daß bei
Marcel Proust, einem der subtilsten modernen Manieristen, die
Kenntnis der ›Concetti‹- und Emblemliteratur als Voraussetzung für differenzierte Geschmackskultur und geziemendes lite-
rarisches Wissen empfohlen wird. Prousts Welt selbst ist im künstlerischen Sinne eine geniale „Ikono-Mystik".

Je weniger Welt sich die nur ästhetischen Manieristen über die
Literatur hinaus aneigneten, desto mehr kamen ihre Schwächen
zutage. Schon Peregrini und Tesauro hatten sie gewarnt. Sie hatten
im Rahmen der Zucht die größte Lizenz als möglich bezeichnet,
also die Gefahr der Anarchie angedeutet. Beide merkten, daß der
virtuose Gebrauch der Metapher allmählich zum zentralen Anliegen zu werden drohte. Tesauro tadelte die Modekrankheit mit
dem polemischen Neologismus: « metaforeggiare ». Er kritisierte

ihren Mißbrauch, denn man begann sogar die Sprache im Drange
nach Metaphorisierung als unzulänglich zu empfinden. Man be-
nützte das „Dingbild", die „Rebusschrift". Ganze Sonette werden
in Rebusschrift gezeichnet. Es gehörte zu den elegantesten Geistes-
übungen, sie entziffern zu können; man war außerdem überzeugt,
dadurch „magisches" Dasein zu erschließen. Allerdings auch bei
Tesauro und Peregrini wird nur der *Geschmack* als korrigierendes
Element aufgerufen. Sie erklären, die Metapher dürfe nicht sein:
„lächerlich, geschwollen, unrein, kalt, schief, leer, töricht". Über-
ladene ›Concetti‹, stellt Peregrini fest, stören Ergriffenheit,
hemmen Überzeugungskraft, verhindern „ernste Gefühle". Sie
wirken vor allem auf die Dauer langweilig. Entscheidender ist,
daß die Metapher, als Bestandteil einer Bildersprache, keine echte
Symbolik mehr erzeugt. Das ›Concetto‹ verfällt immer wieder
dem Allegorischen. Das Symbol stammt aus tieferen Schichten des
mythischen Denkens. Ästhetische Virtuosität und artistische Bra-
vour verhinderten die Begegnung mit Welt, mit Geschehen, mit
menschlicher Unmittelbarkeit. Das Genie, Shakespeare, persifliert
(in ›Heinrich IV.‹ und in der ›Verlorenen Liebesmüh‹) Zier-
lichkeit und Geschwollenheit, das Fehlen echter schöpferischer
Kraft. Selbst die Spanier sind sich noch nicht einig, ob der bedeu-
tendste Manierist der Nachrenaissance, Góngora, einer ihrer
größten Dichter sei. Die Italiener empfinden heute Marino als Anreger, als sprachlichen Erneuerer, sie zählen ihn nicht unter die
Großen ihres Olymps. Sie werfen ihm „Fragmentarismus" vor,
zu viel „Eklektizismus", und zwar nicht nur Croce, sondern auch
jüngere Deuter.

Dennoch hat die mittelbare oder unmittelbare Nachwirkung
des „Pointenstils" und der ›Concetti‹ gezeigt, daß vielfältige
anregende Bedeu|tung bis zur Gegenwart geblieben ist, vor allem
als antiklassizistische Kunstlehre und als Ausgangspunkt für
sprachliche Erneuerungen. Die Gefahr bei jedem Versuch, dort
wiederanzuknüpfen, liegt darin, daß man kritische Voraussetzungen außer acht läßt, den eigenen „Erneuerungs"-Versuch über-
schätzt, weil man die Grenzen des Pointenstils nicht sieht, seine
historische Eigenart verkennt und sich über psychologisch-soziolo-
gische Bedingtheiten in Vorbildern nicht klar genug wird. Eine

Epoche, in welcher nur noch die *Sprache* als seinsaufschließend gilt, neigt einem linguistischen Pantheismus zu. Seinen Höhepunkt seit der Antike erreichte er im Alterswerk von James Joyce. In der Mystik des 16. und 17. Jahrhunderts wie in der heutigen Logistik hat man auf diese Weise hermeneutische Erfolge erzielt. Bleibt man aber im Raum des bloß Ästhetischen stecken, im Streben lediglich nach Reizwirkung und Suggestion, so verfällt man einem poetischen Nominalismus, der mit Dichtung nur noch wenig zu tun hat. Gerade die Verabsolutierung der Metapher, damals und heute, führt zu einem metaphorischen „Fiktionalismus". In der manieristischen Verblüffungstechnik, Ergebnis eines scharfen intellektuellen Kalküls, verliert die Sprache ihre „demiurgische" Kraft, weil sie auf ihren mitteilenden „Ausdruck von etwas" verzichtet, weil sie nur noch *vielfältig* deutbare Zeichen gibt. Diese abstrakte Choreographie von Metaphern führt zu einer Mechanik der Bilderfolge. Gedankenlyrik ohne Gedanken ist die Folge, Poesie ohne Menschen, Rede ohne Gegenüber. Es ergibt sich eine esoterische Liturgie der Dichtung. Alles kreist nur noch in einer Spiegelkammer metaphorischer Reize. Literatur wird zum Religionsersatz. Das Göttliche wird nicht mehr als Logos, sondern als Buchstabe erlebt, das Universum als bedrucktes Papier, als ›Concetti‹-Sammlung. Vier Jahre vor Tesauros ›Aristotelischem Fernrohr‹ veröffentlicht Don Giovanni Azzolini (Mailand 1650) ›Paradossi Retorici‹, eine Musterkollektion von « Concetti predicabili » für zeitgenössische Predigten nach spanischem Muster. Darin heißt es: „Gott entfaltet die Sphären wie riesige Schreibblätter; die Sterne sind darin künstlich eingedruckt; geschmückt sind sie mit strahlenden Goldlettern. Gott prägt darin auch wie Miniaturen die Himmelszeichen ein. Mit dem Rhythmus gelehrter Worte werden die Bewegungen der Himmelskörper geregelt. Der Jahresablauf entspricht einer gut gebauten Satzperiode, und in ihnen wirken die Jahreszeiten wie richtig gesetzte Kommata. Die Planeten erscheinen als wichtige neue Satzabschnitte. Gebundene Blätter sind die Weltenräume und ein gut gebundenes Buch der Himmel." Der Concettismus hat hier einen graphomanischen Rausch erzeugt. Mallarmé wollte wenigstens nur, daß „ein ganzes *Leben* in ein Buch münden" müsse. Die Concettisten des

17. Jahrhunderts faßten *Gott* und das gesamte *Weltall* in die Metapher des „Großen Buches". In einem Ka|pitel seines Werkes ›Europäische Literatur und lateinisches Mittelalter‹ (›Das Buch als Symbol‹) sammelt und deutet Ernst Robert Curtius Buchmetaphern von der Antike bis zur Goethezeit. Sie waren besonders im mittelalterlichen Manierismus beliebt. Dieser übte einen starken Einfluß auf den spanischen ›Siglo de oro‹ aus. Azzolini übernimmt die wichtigsten Elemente seines ›Concetto‹ von dem spanischen Prediger und Mystiker Luis de Granada (1504—1588).

Concettisten und so viele Romantiker bleiben Anreger, sie werden nicht Erfüller. Beider Wirken ist für die Bewußtseinserweiterung der Menschheit gleich wichtig, wenn man diese Relation anerkennt. Beide sind als Menschentypen allerdings so verschieden wie Tag und Nacht. Noch einmal taucht das Jünglingsbildnis des Parmigianino auf. Die Einsamkeit in seinen Augen kündet nicht von Weltschmerz. Sie treibt Ehrgeiz, Intelligenz, Selbstbehauptung im Absonderlichen an. Entschiedenste egozentrische Haltung, zarter Hedonismus der Gebärde, maskenhafte Absonderung des Antlitzes! Die Trauer im Mundwinkel wirkt kalt; sie weiß zuviel davon, wie man Schmerz mit raffiniertem Lebensgenuß verbinden kann. Sie deutet Erotik des Verzichts oder der Invertiertheit an, und immer neues Versuchen, Sorge, Gebrochenheit vor dem Einfachen, ständige Furcht des Scheiterns im Natürlichen — genau wie die riesig vorgewölbte Hand den Willen überbetont, durch abenteuerliche Seltsamkeit gefallen zu wollen. Die Manieristen liebten Prometheus, aber Prometheus nach der Fesselung am Felsen. Sie liebten sich als Leidende mit zerrissener Leber, aber sie setzten ihren Schmerz nicht um in eine Liebesmystik, in klagende Nachtgesänge oder gar in romantische Aktion. Parmigianinos Jüngling ist gescheit, sensibel, aber etwas blutleer. Er liebt die Verkleidung und an Hand des Konvexspiegels das berechnete Doppelspiel. Welcher Concettist hätte die Definition der Poesie verstanden, die Novalis in seinen ›Fragmenten‹ gegeben hat: „Poesie ist die große Kunst der Konstruktion der transzendentalen Gesundheit. Der Poet ist also der transzendentale Arzt."

Das gemeinsame Schicksal der Concettisten wie so mancher Ro-

mantiker aber ist, daß sie in der europäischen Geschmackskultur
umstritten bleiben. Völlig negativ bleibt die Kritik Schopenhauers. Er weist auf die „ächten" Werke hin, die „keinem Zeitalter" angehören, auf die Sehnsucht nach einer anderen Vollkommenheit, welche die Manieristen als verschworene Antiklassiker
selten gehabt haben: „Nachahmer, Manieristen, *imitatores, ser-
vum pecus,* gehen in der Kunst vom Begriff aus: sie merken sich,
was an ächten Werken gefällt und wirkt, machen sich es deutlich,
fassen es im Begriff, also abstrakt, auf, und ahmen es nun, offen
oder versteckt, mit | kluger Absichtlichkeit nach. Alle Nachahmer,
alle Manieristen fassen das Wesen fremder musterhafter Leistun-
gen im Begriffe auf; aber Begriffe können nie einem Werke inneres Leben ertheilen. Das Zeitalter, d. h. die jedesmalige stumpfe
Menge, kennt selbst nur Begriffe und klebt daran, nimmt daher
manierirte Werke mit schnellem und lautem Beifall auf: dieselben
Werke sind aber nach wenigen Jahren schon ungenießbar, weil die
herrschenden Begriffe sich geändert haben, auf denen allein jene
wurzeln konnten. Nur die ächten Werke, welche aus der Natur,
dem Leben, unmittelbar geschöpft sind, bleiben, wie diese selbst,
ewig jung und stets urkräftig. Denn sie gehören keinem Zeitalter,
sondern der Menschheit an."

Sie ist nicht nur ungerecht, diese Kritik Schopenhauers; es fehlt
ihr die Gelassenheit, die Weisheit. Man findet gerade Weisheit
auch in diesem Zusammenhang bei Goethe, der oft, auf den verschiedensten Lebensstufen, über Sinn und Bedeutung von „Manier"
nachgedacht hat. Das Manierierte, schreibt er in den Maximen
und Reflexionen, sei zwar ein „verfehltes Ideelle, ein subjektivier-
tes Ideelle", doch fehle es ihm „nicht leicht an Geist". Er stellt im
Jahrhundert der Concettisten anläßlich des Werkes von J. B. Porta
›De Magia Naturali‹ die „entschiedene Neigung zum Wahn,
zum Seltsamen und Unerreichbaren" fest. In seinen ›Fragmenten
eines Reisejournals: Über Italien‹ schreibt er eine längere Betrachtung über ›Einfache Nachahmung der Natur, Manier,
Styl‹. Die Grundzüge zu einem Porträt des bloßen Naturnach-
ahmers: „eine zwar fähige, aber beschränkte Natur", „seine Gegenstände müssen leicht und immer zu haben sein; sie müssen be-
quem gesehen und ruhig nachgebildet werden können; das Gemüt,

das sich mit einer solchen Arbeit beschäftigt, muß still, in sich gekehrt, in einem mäßigen Genuß genügsam sein". „Eingeschränkte
Menschen" dieser Art pflegen eine Kunst, welche „ihrer Natur
nach eine hohe Vollkommenheit" nicht ausschließe. Der Manierist
hingegen findet eine solche „Art zu verfahren zu ängstlich, oder
nicht hinreichend. Er sieht eine *Übereinstimmung vieler Gegenstände*." „Er findet sich selbst eine Weise, macht sich selbst eine
Sprache", eine „Sprache, in welcher sich der Geist des Sprechenden
unmittelbar ausdrückt und bezeichnet". „Jeder Künstler dieser Art
wird die Welt anders sehen." „Die Manier (ergreift) die Erscheinung mit leichtem und fähigem Gemüt." Das Wort Manier will
Goethe „in einem hohen und respektablen Sinne" genommen wissen. Er stellt allerdings über Naturnachahmung und Manier das,
was er — wie schon Kunsttheoretiker des Frühen Klassizismus —
„Styl" nannte. Der „Styl" kombiniert gleichsam Natur und Manier. Er ruht auf den „tiefsten Grundfesten der Erkenntnis, auf
dem Wesen der Dinge". Mit dem Wort „Styl" bezeichnet er „den
höchsten Grad, welchen die Kunst je erreicht hat und erreichen
kann".

Hugo Friedrich, Die Struktur der modernen Lyrik. Hamburg: Rowohlt 1956 (S. 10–16).

VORBLICK UND RÜCKBLICK

Von HUGO FRIEDRICH

Vorblick auf die gegenwärtige Lyrik; Dissonanzen und Abnormität

Die europäische Lyrik des 20. Jahrhunderts bietet keinen bequemen Zugang. Sie spricht in Rätseln und Dunkelheiten. Aber sie ist von einer auffallenden Produktivität. Das Werk der deutschen Lyriker vom späten Rilke und von Trakl bis zu G. Benn, der französischen von Apollinaire bis zu Saint-John Perse, der spanischen von García Lorca bis zu Guillén, der italienischen von Palazzeschi bis zu Ungaretti, der angelsächsischen von Yeats bis zu T. S. Eliot kann in seiner Bedeutung nicht mehr angezweifelt werden. Es zeigt, daß die Aussagekraft der Lyrik für die geistige Lage der Gegenwart nicht geringer ist als die Aussagekraft der Philosophie, des Romans, des Theaters, der Malerei und der Musik.

Der Leser macht bei diesen Dichtern eine Erfahrung, die ihn, auch ehe er sich darüber Rechenschaft ablegt, sehr nahe an einen Wesenszug solcher Lyrik heranführt. Ihre Dunkelheit fasziniert ihn im gleichen Maße, wie sie ihn verwirrt. Ihr Wortzauber und ihre Geheimnishaftigkeit wirken zwingend, obwohl das Verstehen desorientiert wird. Man darf dieses Zusammentreten von Unverständlichkeit und Faszination eine Dissonanz nennen. Denn es erzeugt eine mehr nach der Unruhe als nach der Ruhe hinstrebende Spannung. Dissonantische Spannung ist ein Ziel moderner Künste überhaupt. Strawinsky schreibt in seiner ›Poétique musicale‹ (1948): „Nichts nötigt uns, die Befriedigung immer nur in der Ruhe zu suchen. Seit mehr als einem Jahrhundert häufen sich die Beispiele für einen Stil, worin die Dissonanz sich selbständig gemacht hat. Sie wurde zu einem Ding an sich. Und so geschieht es, daß sie weder etwas vorbereitet, noch etwas ankündigt. Die Dissonanz ist ebensowenig ein Träger der Unordnung wie die Konsonanz eine Gewähr der Sicherheit." Das gilt in vollem Umfang auch für die Lyrik.

Ihre Dunkelheit ist vorsätzlich. Schon Baudelaire schrieb: „Es liegt ein gewisser Ruhm darin, nicht verstanden zu werden." Für Benn heißt Dichten „die entscheidenden Dinge in die Sprache des Unverständlichen erheben, sich hingeben an Dinge, die verdienten, daß man niemanden von ihnen überzeugt". Ekstatisch redet Saint-John Perse den Dichter an: „Zweisprachiger unter zwiefach spitzen Dingen, Du selbst ein Streit zwischen allem Streitenden, redend im Vieldeutigen wie einer, der irregeht im Kampf zwischen Flügeln und Dornen!" Und wieder nüchterner Montale: „Keiner schriebe Verse, wenn das Problem der Dichtung darin bestünde, sich verständlich zu machen."

Man wird dem Willigen zunächst nichts anderes raten können, als daß er seine Augen an die Dunkelheit zu gewöhnen sucht, die moderne Lyrik umhüllt. Überall beobachten wir ihre Neigung, sich so weit wie möglich von der Vermittlung eindeutiger Gehalte fernzuhalten. Das Gedicht will vielmehr ein sich selbst genügendes, in der Bedeutung vielstrahliges Gebilde sein, bestehend aus einem Spannungsgeflecht | von absoluten Kräften, die suggestiv auf vorrationale Schichten einwirken, aber auch die Geheimniszonen der Begriffe in Schwingung versetzen.

Jene dissonantische Spannung des modernen Gedichts äußert sich auch in anderer Hinsicht. So kontrastieren Züge archaischer, mystischer, okkulter Herkunft mit einer scharfen Intellektualität, einfache Aussageweise mit Kompliziertheit des Ausgesagten, sprachliche Rundung mit gehaltlicher Ungelöstheit, Präzision mit Absurdität, motivische Geringfügigkeit mit heftigster Stilbewegung. Das sind teilweise formale Spannungen, und oft nur als solche gemeint. Aber sie treten auch in den Gehalten auf.

Wenn das moderne Gedicht Wirklichkeiten berührt — der Dinge wie des Menschen —, so behandelt es sie nicht beschreibend und nicht mit der Wärme eines vertrauten Sehens und Fühlens. Es führt sie ins Unvertraute, verfremdet sie, deformiert sie. Das Gedicht will nicht mehr an dem gemessen werden, was man gemeinhin

Wirklichkeit nennt, auch wenn es sie, als Absprung für seine Freiheit, mit einigen Resten in sich aufgenommen hat. Die Wirklichkeit ist aus der räumlichen, zeitlichen, sachlichen und seelischen Ordnung herausgelöst und den Unterscheidungen entzogen, wie sie einer normalen Weltorientierung notwendig sind: zwischen schön und häßlich, zwischen Nähe und Ferne, zwischen Licht und Schatten, zwischen Schmerz und Freude, zwischen Erde und Himmel. Nach einer an der romantischen Poesie abgelesenen (und sehr zu Unrecht verallgemeinerten) Bestimmung gilt Lyrik vielfach als die Sprache des Gemüts, der persönlichen Seele. Der Begriff des Gemüts deutet auf Entspannung durch Einkehr ins Vertraute, in einen seelischen Wohnraum, den auch der Einsamste mit allen teilt, die zu fühlen vermögen. Eben diese kommunikative Wohnlichkeit ist im zeitgenössischen Gedicht vermieden. Es sieht ab von der Humanität im herkömmlichen Sinne, vom „Erlebnis", vom Sentiment, ja vielfach sogar vom persönlichen Ich des Dichters. Dieser ist an seinem Gebilde nicht als private Person beteiligt, sondern als dichtende Intelligenz, als Operateur der Sprache, als Künstler, der die Verwandlungsakte seiner gebieterischen Phantasie oder seiner irrealen Sehweise an einem beliebigen, in sich selbst bedeutungsarmen Stoff erprobt. Das schließt nicht aus, daß ein solches Gedicht dem Zauber der Seele entspringt und ihn weckt. Aber das ist etwas anderes als Gemüt. Es ist eine Vielstimmigkeit und Unbedingtheit der reinen Subjektivität, die nicht mehr in einzelne Gefühlswerte zerlegbar ist. „Gemüt? Gemüt habe ich keines", bekannte Gottfried Benn von sich. Wo gemütsähnliche Weichheiten sich einstellen wollen, fährt ein Querschläger dazwischen, zerreißt sie mit harten, dissonantischen Worten.

Man kann von einer aggressiven Dramatik modernen Dichtens sprechen. Sie waltet im Verhältnis zwischen den Themen oder Motiven, die mehr gegeneinander gerichtet als aufeinander zugeordnet werden, ferner im Verhältnis zwischen diesen und einer unruhigen Stilführung, die Zeichen und Bezeichnetes so weit wie möglich auseinandertreibt. Aber sie bestimmt auch das Verhältnis zwischen Gedicht und Leser, erzeugt eine Schockwirkung, deren Opfer der Leser ist. Er fühlt sich | nicht gesichert, sondern alarmiert. Zwar war dichterische Sprache schon immer unterschieden von der normalen Sprachfunktion, Mitteilung zu sein. Von einzelnen Fällen abgesehen — Dante etwa oder Góngora —, handelte es sich aber um einen maßvollen, graduellen Unterschied. Plötzlich, in der zweiten Hälfte des 19. Jahrhunderts, wurde daraus eine radikale Verschiedenheit zwischen üblicher und dichterischer Sprache, eine übermäßige Spannung, die, im Verein mit den dunklen Gehalten, Verwirrung hervorruft. Das geläufige Wortmaterial tritt in ungewohnten Bedeutungen auf. Wörter, die entlegenstem Spezialistentum entstammen, werden lyrisch elektrisiert. Die Syntax entgliedert sich oder schrumpft zu absichtsvoll primitiven Nominalaussagen zusammen. Das älteste Mittel der Poesie, Vergleich und Metapher, wird in einer neuen Weise gehandhabt, die das natürliche Vergleichsglied umgeht und eine irreale Vereinigung des dinglich und logisch Unvereinbaren erzwingt. Wie in der modernen Malerei das autonom gewordene Farben- und Formengefüge alles Gegenständliche verschiebt oder völlig beseitigt, um nur sich selbst zu erfüllen, so kann in der Lyrik das autonome Bewegungsgefüge der Sprache, das Bedürfnis nach sinnfreien Klangfolgen und Intensitätskurven bewirken, daß das Gedicht überhaupt nicht mehr von seinen Aussageinhalten her zu verstehen ist. Denn sein eigentlicher Gehalt liegt in der Dramatik der äußeren wie inneren Formkräfte. Da ein derartiges Gedicht immerhin noch Sprache ist, aber Sprache ohne mitteilbaren Gegenstand, hat es die dissonantische Folge, daß es den, der es vernimmt, zugleich lockt wie verstört.

Solchen Erscheinungen gegenüber setzt sich beim Leser der Eindruck der Abnormität fest. Dazu stimmt, daß ein Grundbegriff moderner Theoretiker der Dichtung lautet: Überraschung, Befremdung. Wer überraschend befremden will, muß sich abnormer Mittel bedienen. Gewiß, Abnormität ist ein gefährlicher Begriff. Er weckt den Anschein, als gäbe es eine zeitlose Norm. Immer wieder stellt sich ja heraus, daß das ›Abnorme‹ einer Epoche zur Norm der nächsten wurde, sich also assimilieren ließ. Dies freilich gilt nun nicht für diejenige Lyrik, mit der wir es hier zu tun haben. Es gilt schon nicht mehr für ihre französischen Gründer. Rimbaud und Mallarmé sind von einem größeren Publikum nicht mehr assimiliert worden, noch heute nicht, so viel auch über sie geschrieben wird. Die Nichtassimilierbarkeit ist ein chronisches Merkmal auch der Modernsten geblieben.

Indessen wollen wir die Bezeichnung ›Abnormität‹ heuristisch gebrauchen, ebenso wie die Bezeichnung ›normal‹. Ohne Rücksicht auf geschichtliche Verhältnisse setzen wir als normal diejenige Seelen- und Bewußtseinslage an, die etwa einen Text von Goethe oder auch von Hofmannsthal zu verstehen vermag. Dies gestattet, um so deutlicher diejenigen Erscheinungen zeitgenössischer Lyrik zu erkennen, die so weit von einem Dichten in der Art der Genannten abweichen, daß sie als abnorm bezeichnet werden müssen. ›Abnorm‹ ist kein Werturteil und heißt nicht ›entartet‹; das kann nicht kräftig genug unterstrichen werden. Der unkritische Bewunderer moderner Dichtung pflegt sie in Schutz zu nehmen gegen bürgerliche Befangenheit, gegen Schul- und Hausgeschmack. Das ist kindisch, trifft auch gar nicht den Antrieb sol|cher Dichtung und beweist im übrigen Ahnungslosigkeit gegenüber drei Jahrtausenden europäischer Literatur. Moderne Dichtung (und Kunst) ist nicht vorsätzlich zu bestaunen und nicht vorsätzlich zu verwerfen. Als ein beharrliches Phänomen der Gegenwart hat sie das Recht, von der Erkenntnis gewürdigt zu werden. Aber der Leser hat auch ein Recht, seine Maßstäbe älterem Dichten zu entnehmen und sie so hoch wie möglich anzusetzen. Wir enthalten uns, mit solchen Maßstäben zu werten. Aber wir gestatten uns, anhand ihrer zu beschreiben und zu erkennen.

Denn Erkennen ist auch bei einer Dichtung möglich, die nicht primär das Verstehen erwartet, weil sie, nach einem Wort Eliots, keinen Sinn enthält, „der eine Gewohnheit des Lesers befriedigt". Eliot fährt fort: „Denn einige Dichter werden diesem *Sinn* gegenüber unruhig, weil er ihnen überflüssig erscheint, und sie sehen Möglichkeiten dichterischer Intensität, die dadurch entstehen, daß man sich des Sinnes entledigt." Erkennbar und beschreibbar ist ein derartiges Dichten durchaus, auch wenn in ihm eine so große Freiheit wirkt, daß das Erkennen höchstens die Freiheit selber feststellen, nicht mehr aber die von ihr erreichten Inhalte verstehen kann, zumal sie (wiederum nach einem Wort Eliots) so unabsehbar in ihren Bedeutungen sind, daß sogar beim Dichter selbst das Wissen vom Sinn des Gedichteten äußerst begrenzt ist. Das

Erkennen solcher Dichtung nimmt ihre schwierige oder unmögliche Verstehbarkeit als ein erstes Merkmal ihres Stilwillens auf. Weitere Merkmale können festgestellt werden. Die Erkenntnis darf sich einige Hoffnung machen, weil sie sich auf geschichtliche Bedingungen richtet, auf die poetische Technik, auf die unleugbare Gemeinsamkeit in der Sprache der verschiedensten Autoren. Das Erkennen folgt schließlich der Vieldeutigkeit dieser Texte, indem es sich selbst in den Prozeß eingliedert, den sie beim Leser in Gang bringen wollen: den Prozeß der weiterdichtenden, unabschließbaren, ins Offene hinausführenden Deutungsversuche.

Negative Kategorien

Das Erkennen moderner Lyrik steht vor der Aufgabe, Kategorien zu suchen, mit denen sie zu beschreiben ist. Man kann der Tatsache nicht ausweichen, und die gesamte Kritik bestätigt es, daß sich vorwiegend negative Kategorien einstellen. Entscheidend ist allerdings, daß sie nicht abwertend, sondern definitorisch angewendet werden. Ja, diese definitorische statt abwertende Verwendung ist selbst schon ein Teil des geschichtlichen Vorgangs, mit dem sich die moderne Lyrik von der älteren abgelöst hat.

Die Veränderung, die im 19. Jahrhundert in der Poesie eingetreten ist, hat eine entsprechende Veränderung in den Begriffen der Dichtungstheorie und der Kritik mit sich gebracht. Bis an die Wende zum 19. Jahrhundert, teilweise darüber hinaus, stand die Poesie im Schallraum der Gesellschaft, war erwartet als ein idealisierendes Bilden geläufiger Stoffe oder Situationen, als heilender Trost auch in der Dar|bietung des Dämonischen, wobei die Lyrik selbst zwar als Gattung von anderen Gattungen unterschieden, doch keinesfalls über sie gesetzt wurde. Dann aber geriet die Poesie in Opposition zu einer mit ökonomischer Lebenssicherung beschäftigten Gesellschaft, wurde zur Klage über die wissenschaftliche Weltenrätselung und über die Poesielosigkeit der Öffentlichkeit; ein scharfer Bruch mit der Tradition entstand· dichterische Originalität rechtfertigte sich aus der Abnormität des Dichters; Dichtung gab sich als Sprache eines in sich selbst kreisenden

Leidens, das keine Heilung mehr anstrebt, sondern das nuancierte Wort; als reinste und höchste Erscheinung der Dichtung wurde nunmehr die Lyrik bestimmt, die ihrerseits in Opposition trat zur übrigen Literatur und sich zur Freiheit ermächtigte, grenzenlos und rücksichtslos alles zu sagen, was ihr eine gebieterische Phantasie, eine ins Unbewußte ausgeweitete Innerlichkeit und das Spiel mit einer leeren Transzendenz eingaben. Diese Wandlung spiegelt sich sehr genau in den Kategorien, mit denen Dichter und Kritiker von der Lyrik sprechen.

Die ältere Epoche wies in der Beurteilung von Gedichten vorwiegend auf inhaltliche Qualitäten und beschrieb sie mit positiven Kategorien. Den Gedichtrezensionen Goethes entnehmen wir Bewertungen wie: Behagen, Freude, liebevoll übereinstimmende Fülle; „alles Gewagte beugt sich unter ein gesetzliches Maß"; Katastrophen wenden sich ins Segensreiche; das Gemeine wird erhöht; die Wohltat der Dichtung ist, „daß sie den Zustand des Menschen als wünschenswert verstehen lehrt"; sie hat „innere Heiterkeit", einen „glücklichen Blick ins Wirkliche" und erhebt das Individuelle ins allgemein Menschliche. Die formalen Qualitäten heißen: das Bedeutende (Bedeutungshaltige) des Worts, eine „gefaßte Sprache", die „mit stiller Vorsicht und Genauigkeit verfährt", jedes Wort richtig und „ohne Nebenbegriff" wählt. Schiller bedient sich ähnlicher Begriffe: das Gedicht veredelt, gibt dem Affekt Würde, ist „Idealisierung seines Gegenstands, ohne welche es aufhörte, seinen Namen zu verdienen"; es vermeidet „Seltenheiten" (Absonderlichkeiten), die dem „idealisch Allgemeinen" zuwiderlaufen würden; seine Vollkommenheit beruht auf einer heiteren Seele, seine schöne Form auf der „Stetigkeit des Zusammenhangs". Da solche Forderungen und Bewertungen von ihren Gegensätzen abgegrenzt werden, muß die ältere Epoche auch negative Kategorien verwenden, aber durchweg zum Zweck der Verurteilung: fragmentarisch, confus, „bloßer Zusammenwurf von Bildern", Nacht (statt Licht), „geistreicher Skizzismus", „schaukelndes Träumen", „flatterndes Gewebe" (Grillparzer).

Und nun, mit dem anderen Typus des Dichtens auch andere, fast durchweg negative Kategorien, zudem in wachsendem Maße nicht mehr inhaltlich, vielmehr formal bezogen. Schon bei Novalis

werden sie nicht tadelnd, sondern beschreibend, ja rühmend gebraucht: Poesie beruht auf „absichtlicher Zufallsproduktion"; sie
stellt das Gesagte „in zufälliger, freier Katenation"[1] dar; „je
persönlicher, lokaler, temporeller ein Gedicht ist, desto näher steht
es dem Centro der Poesie" (man be|achte, daß „temporell" usw.
in der damaligen Ästhetik gemeinhin das unzulässig Begrenzte
bedeutete).

Die dichteste Häufung negativer Kategorien findet sich dann
bei Lautréamont. 1870 entwarf er hellsichtig ein Bild der nach
ihm kommenden Literatur. Zwar scheint das — soweit man diesen
in wechselnden Masken sich verbergenden Chaotiker überhaupt
deuten kann — als Warnung gemeint gewesen zu sein. Doch ist
das Verblüffende, daß er, der die spätere Lyrik mit vorbereitet
hat, ihre Merkmale in einer Weise zu kennzeichnen wußte, die es
gleichgültig macht, ob er — vielleicht — die vorausgeahnte Entwicklung aufhalten wollte. Seine Kennzeichnungen lauten: Ängste,
Wirrnisse, Entwürdigungen, Grimasse, Herrschaft der Ausnahme
und des Absonderlichen, Dunkelheit, wühlende Phantasie, das
Finstere und Düstere, Zerreißen in äußerste Gegensätze, Hang
zum Nichts. Und dann, unvermittelt zwischen der Flut solcher
und ähnlicher Begriffe: Sägen. Aber wir finden diese Sägen[2]
auch anderswo. In einem Gedicht von Eluard ›Le Mal‹ (1932),
das aus gehäuften Bildern des Zerstörten besteht, lautet die erste
Zeile: „da gabs die Türe wie eine Säge". Mehrere Bilder von Picasso zeigen, ohne gegenständliche Notwendigkeit, quer durch geometrische Flächen gelegt, eine Säge oder auch nur Zacken einer
Säge; ein andermal erscheinen die Saiten einer Mandoline als säge-
ähnliche Gebilde. An irgendwelchen Einfluß braucht nicht gedacht
zu werden. Man darf das Auftauchen dieses Symbols der Säge in
solchem zeitlichen Abstand als eines der bedeutungsvollsten Zeichen ansehen für den Strukturzwang, der moderne Dichtung und
Kunst seit der zweiten Hälfte des letzten Jahrhunderts beherrscht.

---

[1] Verknüpfung, von lat. catena = Kette.
[2] Das französische Wort (« scies ») hat zwar auch die Nebenbedeu-
tung ›Ticks‹, ›Belästigungen‹, ist aber an der herangezogenen Stelle
zunächst in seiner konkreten Bedeutung gemeint.

Aus deutschen, französischen, spanischen, englischen Schriften über die gegenwärtige Lyrik seien weitere Stichworte angeführt. Wir betonen, daß sie jeweils beschreibend, nicht abwertend verwendet wurden. Nämlich: Desorientierung, Auflösung des Geläufigen, eingebüßte Ordnung, Inkohärenz, Fragmentarismus, Umkehrbarkeit, Reihungsstil, entpoetisierte Poesie, Zerstörungsblitze, schneidende Bilder, brutale Plötzlichkeit, dislozieren, astigmatische Sehweise, Verfremdung... Und schließlich der Satz eines Spaniers (Dámaso Alonso): „Im Augenblick gibt es kein anderes Hilfsmittel, als unsere Kunst mit negativen Begriffen zu benennen." Das wurde 1932 geschrieben und konnte, ohne Verkennung der Sachlage, 1955 wiederholt werden.

Es ist redlich, in solchen Begriffen zu sprechen. Gewiß kommen auch andere zu Wort. Verlaine nennt die Verse Rimbauds „vergilisch". Aber vergilisch sind auch die Verse Racines. Die positive Bezeichnung hat also nur vagen Annäherungswert und trifft solange nicht das Genaue, als sie die sachlichen und lexikalischen Dissonanzen Rimbauds unterschlägt. Ein französischer Kritiker spricht von der „eigentümlichen Schönheit" der Poesie Eluards. Doch dieser positive Begriff steht verloren inmitten einer Reihe völlig negativer; erst diese charakterisieren aber | jene „eigentümliche Schönheit". Bei den Deutern der Malerei macht man ähnliche Erfahrungen. Sie nennen einen von Picasso gemalten Hals „elegant". Das trifft zu und trifft doch nicht die besondere Eleganz dieses Halses, nämlich die Eleganz eines völlig irrealen Gebildes, das keine menschliche Figur mehr ist, sondern eine hölzerne Montage. Warum hat man nicht den Mut, dies mit in die Definition solcher Eleganz aufzunehmen?

Die Frage entsteht, warum modernes Dichten weit genauer mit negativen als mit positiven Kategorien zu beschreiben ist. Es ist die Frage nach der geschichtlichen Bestimmung dieser Lyrik — eine Zukunftsfrage. Sind uns alle diese Dichter so weit voraus, daß noch kein gemäßer Begriff sie einholen kann und das Erkennen sich darum an jene negativen Begriffe halten muß, um einen Notbehelf zu haben? Trifft die vorhin angedeutete Möglichkeit zu, daß es sich um eine endgültige Nichtassimilierbarkeit handelt, die ein Wesenszug modernen Dichtens wäre? Beides könnte sein, aber wir wissen es nicht. Nur die Tatsache der Abnormität ist feststellbar. Aus ihr folgt die Notwendigkeit, im genauen Erkennen der Elemente solcher Abnormität diejenigen Begriffe zu gebrauchen, die sie selbst den willigsten Beobachtern aufgezwungen hat.

Deutsche Vierteljahrsschrift für Literaturwissenschaft und Geistesgeschichte 32 (1958), S. 71–98.

ERLEBNISDICHTUNG UND SYMBOLISMUS*

Von Heinrich Henel

Der Zweck dieses Aufsatzes ist, nachzuweisen, daß ein Zusammenhang besteht zwischen der romantischen Naturauffassung und der Erlebnisdichtung einerseits, und zwischen der Auffassung der Naturwissenschaft und dem Symbolismus andrerseits. Es soll also der Versuch gemacht werden, zwei Formen der dichterischen Aussage in Beziehung zu setzen zur Stellung des Menschen zu seiner Umwelt. Wenn der Versuch gelingt, so wäre zugleich ein Prinzip gefunden, wonach sich die Entwicklung der deutschen Lyrik im 19. Jahrhundert als sinnvoller historischer Vorgang begreifen ließe, denn die Ablösung der Erlebnisdichtung (und erst recht des Realismus und Naturalismus) durch den Symbolismus ist als internliterarischer Prozeß unverständlich und ist auch bisher nicht befriedigend erklärt worden. Von der geistesgeschichtlichen Methode der zwanziger Jahre unterscheidet sich unser Versuch insofern, als Erlebnisdichtung und Symbolismus nicht als radikales Gegensatzpaar verstanden werden, sondern nur als ein historisch gegebenes Nacheinander. Jede prinzipielle Dichotomie, das hat die Entwicklung der Geistesgeschichte gezeigt, führt sehr rasch zu dem Glauben, die Möglichkeiten künstlerischer Gestaltung erschöpften sich in dem jeweils angenommenen Gegensatzpaar, und sie führt damit von der Betrachtung geschichtlicher Vorgänge weg zu einer ästhetischen Systematik, die zu allen Zeiten mögliche und häufig wiederkehrende Grundformen zu beschreiben sucht. Ein solcher Anspruch wird bei unserem Versuch nicht erhoben.

Die erste Hälfte der eingangs aufgestellten These möge zu-

---

* Ein Teil dieser Arbeit wurde im September 1955 auf dem Ersten Internationalen Germanistentag in Rom vorgetragen.

nächst an einem Beispiel erläutert werden, Friedrich Rückerts Gedicht ›Der Himmel‹:

> Der Himmel ist, in Gottes Hand gehalten,
> Ein großer Brief von azurblauem Grunde,
> Der seine Farbe hielt bis diese Stunde
> Und bis an der Welt Ende sie wird halten.
>
> In diesem großen Briefe ist enthalten
> Geheimnisvolle Schrift aus Gottes Munde; |
> Allein die Sonne ist darauf das runde
> Glanzsiegel, das den Brief nicht läßt entfalten.
>
> Wenn nun die Nacht das Siegel nimmt vom Briefe,
> Dann liest das Auge drin in tausend Zügen
> Nichts als nur eine große Hieroglyphe:
>
> „Gott ist die Lieb', und Liebe kann nicht lügen!"
> Nichts als dies Wort, doch das von solcher Tiefe,
> Daß Niemand es auslegen kann zur Gnügen.

In dem Gedicht ist die Natur aufgefaßt als Träger eines geheimen
Sinnes, als Gefäß einer göttlichen Botschaft. Der Mensch aber hat
verlernt, die Gestalten der Natur zu verstehen und so die Sprache
Gottes zu vernehmen. Für den Menschen des Tages, des nüchternen Verstandes, ist der Himmel ein physikalisches Phänomen und
nichts weiter. Erst bei Nacht öffnet sich der Brief, nur für die
schauende Seele wird die Hieroglyphe deutbar. Dies ist der Inhalt
des Gedichts. Seiner Form nach ist es eine erweiterte Metapher:
der Himmel ist ein Brief, die Sonne das Siegel darauf, die Nacht
entfernt das Siegel, und die Sterne sind die Schrift in dem Briefe.
Das Merkwürdige an dem Gedicht ist nun, daß es uns trotz seines
bedeutenden Gedankens und seiner präzisen Form gleichgültig
läßt: es bewegt weder unseren Geist noch unser Gemüt. Der Grund
dieses Versagens ist nicht nur darin zu suchen, daß das Kosmische
und Gewaltige unter der Metapher des Kleinen und Alltäglichen
veranschaulicht wird, sondern noch mehr in dem Widerspruch zwischen Gehalt und Gestalt des Gedichts. Daß Gott nicht in der Natur zu finden ist wie ein Brief im Umschlag, und daß die Sternen-

schrift nicht ebenso lesbar ist wie die Schrift eines Briefes, braucht
man kaum zu sagen; und ebensowenig, daß der Satz „Gott ist die
Liebe" nicht am gestirnten Himmel abzulesen ist. Setzen wir aber
statt dessen die sinnvollere Deutung „Gott ist die Unendlichkeit",
so ist weder uns noch dem Gedicht geholfen. Das Übel ist also
nicht nur, daß die Vergleiche hinken und die Deutung willkürlich
ist, sondern überhaupt, daß das Undeutbare gedeutet und das
Unbeweisbare bewiesen werden soll. Daß die Natur nicht bloß
Materie, sondern mit Sinn geladen ist, und daß sie die Gedanken
des göttlichen Schöpfers in ihren Gestalten ausdrückt, sind Über-
zeugungen, die nicht aus Beweisen geschöpft sind und sich nicht
durch Beweise verbreiten lassen. Rückert aber verwendet seine
Metaphern zu einer Analogie und erweckt durch die strenge Handhabung der Sonettform den Anschein eines bündigen Analogie-
schlusses. Das empfinden wir bestenfalls als geistreiche Spielerei.

Die Dichtkunst, schreibt Jean Paul, soll „das schöne Angesicht
des urschönen Allgeistes werden... Sie soll die Wirklichkeit, die
einen göttlichen Sinn haben muß, weder vernichten noch wieder-
holen, sondern ent|ziffern"[1]. Fast möchte man glauben, Rük-
kert habe die Stelle aus der ›Vorschule der Ästhetik‹ gekannt
und allzu wörtlich genommen. Was Jean Paul mit dem Wort „entziffern" meint, ist nicht die Reduktion der Wirklichkeit auf einen
Begriff, sondern ihre Darstellung auf solche Weise, daß ihr göttlicher Sinn hervortritt. Um diese Art Naturdarstellung haben sich
die romantischen Dichter bemüht, und Eichendorff insbesondere
ist das geglückt, was in dem Rückertschen Gedicht mißlungen ist.
Auch für Eichendorff ist die Natur nicht erst vom Menschen be-
seelt oder gar personifiziert, sondern sie ist mit Sinn begabt von
ihrem Schöpfer. Sie ist die Schwester des Menschen, seine andere
Hälfte und Ergänzung, bei der er Trost und Zuflucht findet. Als
selbständige und gleichberechtigte Offenbarung Gottes vermag sie

---

[1] ›Vorschule der Ästhetik‹, Dritte Abteilung, III. Vorlesung (Jean
Pauls Sämtliche Werke, 3. Aufl., Berlin: Reimer 1861, XIX, 121). Zitiert
von Matthijs Jolles, Das Bild der Dichtung und des Dichters bei Jean
Paul und Goethe, Deutsche Beiträge zur geistigen Überlieferung, hrsg.
von Arnold Bergsträsser, München und Chicago 1953, S. 90 f.

ihn von der Vereinzelung, von der Individuation zu erlösen. Überall, im Säuseln des Windes, im Rauschen des Wassers, im Wald und in der weit ausgebreiteten Landschaft hört er die Stimme Gottes und sieht das Werk seiner Schöpferhand. In der Natur und durch die liebende Vereinigung mit ihr findet der Mensch Frieden und kehrt schon im irdischen Leben in Gottes Schoß zurück.

Auch Eichendorff deutet bisweilen das Geheimnis der Natur. Das dritte Stück des Zyklus ›Jugendandacht‹ beginnt mit der Frage:

> Was wollen mir vertraun die blauen Weiten,
>
> Des Landes Glanz, die Wirrung süßer Lieder?

und beantwortet sie mit den Worten:

> Wohl weiß ich's — dieser Farben heimlich Spreiten
>
> Deckt einer Jungfrau strahlend reine Glieder;
>
> Es wogt der große Schleier auf und nieder,
>
> Sie schlummert drunten fort seit Ewigkeiten.

Das ist zwar zarter und verhaltener als Rückerts Aussage (erst der Zusammenhang des Zyklus macht es deutlich, daß die Jungfrau Maria gemeint ist), aber das Gedicht gehört nicht zu denen, die heute noch wirklich leben und die wir sofort als „echten Eichendorff" erkennen. Auch dies Gedicht ist ein Sonett, und es erhält durch die Form eine Bestimmtheit, die zwar zu der entschiedenen Deutung, nicht aber zu dem paßt, was uns als Eichendorffsches Naturgefühl lieb und vertraut ist. Anders empfinden wir bei dem Gedicht ›Im Walde‹: |

> Es zog eine Hochzeit den Berg entlang,
>
> Ich hörte die Vögel schlagen,
>
> Da blitzten viel Reiter, das Waldhorn klang,
>
> Das war ein lustiges Jagen!
>
> Und eh' ich's gedacht, war alles verhallt,
>
> Die Nacht bedecket die Runde,
>
> Nur von den Bergen noch rauschet der Wald,
>
> Und mich schauert im Herzensgrunde.

Wie bei Rückert enthüllt die Natur auch hier ihr Geheimnis bei Nacht. Am Tage ist alles verworren; das fröhliche Lärmen der Hochzeit und der Vögel klingt durcheinander, und wir wissen nicht recht, ob die Reiter zu dem Hochzeitszug gehören oder zu einer Jagdpartie, die zufällig des gleichen Weges zieht. Nur das Klingen und Blitzen, nur die Lust des Lebens und die Schönheit der Welt zeigen sich bei Tage. Erst im Dunkel und in der Einsamkeit, erst im Rauschen des Waldes erfährt der Dichter den Sinn dessen, was seine Augen am Tage gesehen.

Fragen wir uns nun, warum die Auffassung der Natur als einer Gestaltensprache Gottes uns bei Eichendorff ergreift, während sie uns bei Rückert gleichgültig läßt, so müssen wir den Grund in dem Unterschied der Formen, also dem Unterschied zwischen Metaphergedicht und Erlebnisgedicht suchen. Jene Naturauffassung entstammt dem persönlichen Erleben und verlangt deshalb für ihre Mitteilung die Form des Erlebnisgedichts. Nur indem der Dichter selbst sich uns zeigt, indem er sich für die Wahrheit des Unbeweisbaren verbürgt, kann er überzeugen und rühren. „Und mich schauert im Herzensgrunde": damit ist alles gesagt. Weil es den Dichter schauert, muß sein Glaube wahr sein, und so zwingen uns die einfältigen Worte zum gläubigen Miterleben wie kein noch so kluger Beweis[2].

Es mag befremden, daß von der Erlebnisdichtung als einer Form gesprochen wird, denn wir sind gewöhnt, bei dem Wort an Inhalte und nicht an Formen der Dichtung zu denken. Die Berechtigung dieser Gewohnheit gilt es zu prüfen. Daß der Begriff „Erlebnisdichtung" nicht biographisch zu verstehen ist, dürfte heute allgemein anerkannt sein. Niemand ist mehr naiv genug zu glauben, daß je ein Dichter ein tatsächliches Erlebnis wortwört-

---

[2] Daß die Überzeugungskraft der Erlebnisdichtung auf dem Zeigen des Erlebenden beruht, sagt Goethe im ›Werther‹. Nachdem er die Geschichte des jungen Bauernburschen erzählt hat, fährt er im Brief vom 4. September fort: „Und hier, mein Bester, fang' ich mein altes Lied wieder an, das ich ewig anstimmen werde: könnt' ich dir den Menschen vorstellen, wie er vor mir stand, wie er noch vor mir steht! Könnt' ich dir alles recht sagen, damit du fühltest, wie ich an seinem Schicksale teilnehme, teilnehmen muß!"

lich in einem Gedicht wiedergegeben habe. Selbst Goethe, bei dem
sich Privatperson und Dichter weit weniger trennten als bei den
meisten, hat in | seinen Werken seine tatsächlichen Erlebnisse ver-
mengt und verbunden, und das heißt, er hat sie konzentriert und
gesteigert. Wenn es überhaupt der Beweise bedarf, so sei daran erinnert, daß das Gedicht ›An den Mond‹ aus einem Liebesgedicht in ein Freundschaftsgedicht umgewandelt wurde, und daß
Mörikes ›Gesang zu zweien in der Nacht‹ ursprünglich kein
Dialog zwischen Mann und Frau war, sondern ein reines Naturgedicht, dem die Dimension der Liebe fehlte. Das Erlebnis in der
Dichtung ist also nicht gleichzusetzen mit gewissen Ereignissen
im Leben des Dichters, sondern mit dessen gesamter Haltung, mit
der Summe seines Wesens und seiner Lebenserfahrung. Die Mitteilung dieser Haltung ist aber auf mehr als eine Art möglich. Sie
ist nicht ausschließlich an jene Form gebunden, die wir gewöhn-
lich als Erlebnisgedicht bezeichnen, denn auch Gryphius und Rilke,
die keine Erlebnisgedichte schrieben, haben ihr innerstes Wesen in
ihren Dichtungen enthüllt. Wenn uns also das Wort „Erlebnisgedicht" weiterhin dienen soll, so können wir damit nur einen
Formbegriff meinen. Es ist eine Art Gedicht, in der die Vorgänge
in der Form eines Erlebnisses dargestellt werden. Dabei ist es
gleichgültig, ob die poetischen Vorgänge frei erfunden oder an
reale Ereignisse angelehnt sind. Wichtig dagegen ist, daß der Leser an die Realität der Gedichtvorgänge glaubt, denn die Sinn-
haftigkeit des Gehalts wird nur dadurch bewiesen, daß der Dichter von wirklichen Erlebnissen spricht. Das entscheidende Kennzeichen der Erlebnisdichtung ist also die Ich-Form: der Dichter
spricht in der ersten Person und verbürgt sich damit für die Echt-
heit der mitgeteilten Empfindung. Viele lyrischen Gedichte vom
jungen Goethe bis zum Ausgang der Romantik sprechen von Dingen, die für den nüchternen Verstand nicht nur unfaßbar, sondern
sinnlos oder gar widersinnig sind. Nur die Ich-Form, der Ton der
Ergriffenheit, die rückhaltlose menschliche Identifizierung des
Dichters mit seinem Gegenstande machen seine Aussage glaubhaft.
Erlebnisdichtung als Form ist also hervorgerufen von dem Wun-
sche des Dichters, sich über Dinge mitzuteilen, die er auf keine
andere Art glaubhaft machen kann, als indem er sie als wirkliche

Erlebnisse ausgibt. Sie ist die Dichtform des deutschen Irrationalismus[3]. |

Die romantische Naturauffassung *ist* irrational. Die Natur birgt ein göttliches Geheimnis, das der Mensch enthüllen soll. Er kann es ihr nicht abfordern oder abzwingen, er muß es ihr abschmeicheln. Er muß sich von der Natur berühren und rühren lassen, er muß ihr lauschen, um ihre Sprache zu verstehen. Wir verstehen jetzt, warum romantische Dichtung Gefühlsdichtung ist, und warum der Dichter im Zustand der Rührung erscheint. Nicht der ganze Mensch erscheint in dem romantischen Gedicht, sondern nur der empfindende. Für den Beobachter und den Denker ist wenig Raum. Umgekehrt erscheint die Natur als Ganzes, denn nur als Ganzes

[3] Das Gesagte soll keineswegs bedeuten, daß das Ich, das aus Gedichten zu uns spricht, völlig von dem Dichter getrennt ist. Wir gehen also nicht so weit wie einige neuere Forscher, besonders in Amerika, die für jedes einzelne Gedicht einen „Sprecher des Gedichts" annehmen und daher genötigt sind, über Werke ohne Autoren und Dichter ohne Gedichte zu reden. (Vgl. Horst Oppel, Methodenlehre der Literaturwissenschaft, in: W. Stammler, Deutsche Philologie im Aufriß, I, 49.) Das Ich, der Sprecher des Gedichts, ist kein Anonymus, sondern der Dichter selbst, aber allerdings nicht die Privatperson, sondern das poetische Ich. Wären die im Gedicht mitgeteilten Erlebnisse, Gedanken und Gefühle die eines Unbekannten, so wären sie uns schlechterdings gleichgültig. Werthers Erlebnisse waren nicht Goethes Erlebnisse (obwohl gerade dieses Beispiel zeigt, daß der Dichter und die Privatperson verschwistert sind und ineinandergreifen), aber der Dichter hat die Leiden seines Helden im Innersten empfunden, und nur deshalb war es ihm möglich, seine Leser so tief zu bewegen. Erlebnisdichtung ist eine Form, aber keine leere Form, keine bloße Täuschung. Sie ist authentisch, weil sie eine dem Dichter vertraute und von ihm erlebte Art des Menschseins darstellt, nicht weil sie ein wirkliches Erlebnis mit allen seinen Zufälligkeiten wiedergibt.

Im Grunde glauben die "new critics" ebensowenig an das poetische Ich wie die biographischen Interpreten. Diese schaffen es aus der Welt, indem sie es mit dem Alltagsmenschen identifizieren; jene, indem sie jedem Gedicht ein eigenes Ich zuschreiben. Das poetische Ich ist jenes, das so leben möchte, oder so zu leben fürchtet, oder innerlich so lebt, wie das Ich der Gedichte. Innere Biographie und wahre Literaturgeschichte sind nur auf Grund dieser Annahme möglich.

enthält sie jenes göttliche Geheimnis. Sie wird unklar gesehen, verschleiert, und vorzugsweise bei Nacht. Was an Beobachtungen mitgeteilt, an Einzeldingen aufgefaßt wird, ist meist so wenig, daß es für die simpelste Prosabeschreibung nicht ausreichen würde. Nicht nur das Bildliche im imitativen, naturnachahmenden Sinne ist schwach entwickelt im Erlebnisgedicht, sondern auch die sogenannten Redefiguren, die poetischen Bilder werden nur sparsam verwandt. Allegorien kommen kaum vor, Metaphern und Gleichnisse werden nur beiläufig gebraucht, denn eine Redefigur ist immer eine Zutat des denkenden Menschen, eine Deutung, die er den Dingen aufdringt. Ein Gedicht wie Rückerts ›Der Himmel‹, das ganz und gar aus *einer* Metapher besteht, ist der vollendete Gegensatz des Erlebnisgedichts, eben weil es eine Erklärung und nicht eine Offenbarung enthält.

An die Stelle der mangelnden Bildlichkeit tritt der Klang. Im Erlebnisgedicht gleitet die Melodie über das Metrum hin, spielt mit ihm und verhüllt es. Der Dichter spricht nicht, er singt, und in diesem Singen hören wir das Wogen seiner Empfindung. Das Überspielen des Metrums bedeutet zugleich eine Entwertung des einzelnen Gegenstandes. Eichendorffs ›Im Walde‹ hält nur ein paar flüchtige Impressionen fest, aber sie werden zu einer Welt durch den Fluß der sie vereinenden Melodie. Durch ungleiche Füllung der Senkungen und durch Hebungen von sehr verschiedenem Gewicht, durch feinste Nuancierung der Längen und Kürzen wird ein Erlebnis vermittelt, das alles Einzelne, Gesehene auflöst in ein geheimnisvolles, nur dem Ohre vernehmbares Dasein. Ganz anders ein Gedicht mit gleichmäßigem Metrum: | das schafft einen neutralen Raum und weist jedem Ding einen Ort an, wo es unangetastet für sich bestehen kann. Ein regelmäßiges Metrum vermittelt wenig Empfindung, aber dafür sind die Dinge selbständig und können auch außerhalb der dichterischen Erlebnissphäre bestehen. Wie sehr die Überzeugungskraft des Erlebnisgedichts von der Melodie abhängt, zeigen Verse des jungen Conrad Ferdinand Meyer, einer Handschrift aus dem Jahre 1860 entnommen[4]:

---

[4] Mitgeteilt von Adolf Frey, Conrad Ferdinand Meyer. Sein Leben und seine Werke, 4. Aufl., Stuttgart und Berlin 1925, S. 136.

Frommer Wunsch

Einmal noch, o könnt' ich lauschen,
Halb entschlummert, halb erwacht,
Was in Rom die Brunnen rauschen
In dem Schoß der Mitternacht.

Das harte Metrum, die völlig regelmäßigen vierfüßigen Trochäen,
die wie im Parademarsch daherkommen, widersprechen der Weich-
heit des sehnsuchtsvollen Gehalts. Der junge, noch tastende und
seiner selbst ungewisse Dichter hat sowohl die Ich-Form wie den
Inhalt seiner Aussage der Romantik entlehnt, aber die unmelo-
dische Härte seiner Verse zeigt bereits, daß er kein Romantiker
ist und bald völlig neue Inhalte und Formen finden wird. Wäre
das Gedicht ein echt romantisches, wäre es von Eichendorff, so
klänge es anders. Etwa so:

O könnt' ich noch einmal lauschen,
Halb schlummernd und halb erwacht,
Was die römischen Brunnen rauschen
Im Schoße der Mitternacht.

Ich-Form, der Dichter als gerührter, hingegebener, empfindender
Mensch, die Natur als Ganzes gesehen, verschleiert und vorzugsweise bei Nacht, der Mangel an beobachtetem Detail, der spar-
same Gebrauch von Redefiguren und das Überwiegen der Melodie über das Metrum — das wären so ziemlich die Kennzeichen
des romantischen Erlebnisgedichts. Sie alle treten zurück in der
weiteren Entwicklung der deutschen Lyrik im 19. Jahrhundert
und verschwinden schließlich völlig — verschwinden zugleich mit
der romantischen Naturauffassung und dem Aufkommen einer
völlig anderen. Die Grenze des romantischen Naturgefühls ist erreicht in dem Augenblick, wo der Mensch aus der Stimmung in die
Nüchternheit tritt und versucht, die Offenbarung, die ihm in der
Natur zuteil ward, in Worte des Verstandes zu fassen. Diese
Grenze wurde schon vom jungen Mörike erreicht. In dem Gedicht
›Besuch in Urach‹ (1827) kehrt der Dichter an die Stätte ju-
gendli|chen Naturerlebens zurück und erwartet, noch einmal so
ergriffen zu werden wie einst. Aber die Natur hat keine Antwort

auf die Frage des bewußt Forschenden, sie bleibt stumm, sie kann nicht „aus ihrem eignen Rätsel steigen". Der Mensch muß ihr Sprache verleihen, aber das könnte er nur, wenn er sich gänzlich mit ihr vereinigte: in seiner Verzweiflung ist der Dichter gewillt, sich in dem Wasserfall zu ertränken. Was ihn für diesmal rettet, ist der Ausbruch eines Gewitters: die neue, gewaltigere Offenbarung Gottes in der Natur löst seine Erstarrung und versetzt ihn noch einmal in den Zustand des Empfindenden und Erlebenden.

Die Lösung des Gedichts war nicht zugleich die Lösung für Mörike. Schon im nächsten Jahre schrieb er zwei weitere Gedichte über die gleiche Situation. Die Bestürzung des jungen Dichters, der durch sein Irrewerden an der romantischen Naturauffassung aufs tiefste erschüttert war, scheint in diesen Gedichten allmählich zu weichen. In ›Mein Fluß‹ steht die Strophe:

> Du murmelst so, mein Fluß, warum?
> Du trägst seit alten Tagen
> Ein seltsam Märchen mit dir um
> Und mühst dich, es zu sagen;
> Du eilst so sehr und läufst so sehr,
> Als müßtest du im Land umher,
> Man weiß nicht wen, drum fragen.

Auch hier trägt die Natur ein göttliches Geheimnis, ein seltsam Märchen in sich, aber sie lallt es nur, sie kann es nicht deutlich aussprechen. Der Mensch, der Dichter glaubt sich berufen, der Natur ihr Geheimnis abzulauschen und es für sie zu verkünden. Dies wird in den nächsten zwei Strophen versucht. Der Himmel, so heißt es, ist die Seele des Flusses, und die tiefe Himmelsbläue ist tief wie die Liebe. Die Deutung scheint den Dichter nicht zu befriedigen, und mit Recht; denn genau wie Rückert hat er ein längst besessenes Wissen als Sinn des geheimnisvollen Märchens ausgegeben und ist zugleich von der Erlebnisform ins Metaphorische abgeglitten. Er hat bloß eine Unbekannte durch eine andere, x durch y ersetzt. Daß der Himmel die Seele des Flusses ist, bedeutet, daß dieser sein Wesen und Geheimnis von Gott empfangen hat; aber was der Himmel ist, kann der Dichter nicht wirklich sagen: er kann ihn „nicht erschwingen". So endet auch dies

Gedicht mit dem Versuch des Dichters, sich zu ertränken. Er will
sich völlig auflösen in der Natur, um durch die liebende Vereinigung ihr Geheimnis zu durchdringen. Der Fluß aber weist ihn
schmeichelnd zurück und trägt ihn ans Ufer. Das Märchen bleibt
unausgesprochen und ungedeutet, Mensch und Fluß bleiben getrennt und werden sich erst vereinen, wenn sie „nach tausend
Irren" „zur ewgen Mutterquelle", zu Gott zurückkehren.

Was hier in den sanften Tönen einer Elegie vorgetragen ist, hat
Mörike noch einmal gesagt mit dem leisen Humor seines ›Liedes
vom Winde‹. Auch | der „Sausewind, Brausewind" bleibt die
Antwort schuldig auf des Dichters Frage, wer er sei und wo seine
Heimat sei. Und als der Dichter die zweite Frage stellt, was denn
die Liebe sei, wird er vom Winde ein „schelmisch Kind" genannt.
Damit wird angedeutet, daß die zweite Frage die Antwort auf
die erste enthält, die der Dichter dem Winde in den Mund legen
will: der Wind ist wie die Liebe, *spiritus flat ubi vult.* Der Wind
aber durchschaut die Absicht des Dichters und läßt sich auch diesmal auf keine Antwort ein. „Du Schelm", so sagt er gewissermaßen, „wenn du es weißt, warum fragst du mich, der ich nichts
weiß?" Der Dichter empfängt also wiederum keine echte Offenbarung, sondern hält am Ende nur seinen eigenen Deutungsver-
such, ein dürres Wort, in Händen. Das Wichtigste für uns ist jedoch, daß bei diesem dritten Gedicht die Form des Erlebnisge-
dichtes nicht mehr ernst zu nehmen ist. Während der ›Besuch in
Urach‹ und ›Mein Fluß‹ durchaus verlangen, daß der Leser
an die Realität der Gedichtvorgänge glaubt, ist das Gespräch mit
dem Winde bloß eine liebenswürdige Fiktion: wir dürfen, ja wir
sollen darüber lächeln, daß der Dichter vorgibt, ein solches Gespräch geführt zu haben.

Es ist das große Verdienst Wolfgang Liepes, in seinem Aufsatz
über ›Hebbel und Schelling‹ die romantische Naturauffassung
mit letzter philosophischer Klarheit dargestellt zu haben. Liepe
sagt: „Die Auffassung der Natur als ursprünglicher Gestaltensprache Gottes, die der ihm entfremdeten Menschheit zur Hieroglyphe und damit auch zur Deutungsaufgabe geworden ist, war
Gemeingut der deutschen Romantik." Der letzte Dichter, der mit
dieser Naturauffassung gerungen hat, war Hebbel, und das Ge-

dicht, worin seine Lösung des Problems am deutlichsten ausgesprochen ist, heißt ›Zwei Wanderer‹. Es ist wiederum Liepe,
dem wir die Deutung des Gedichts verdanken. Die zwei Wanderer
sind die Natur und der Mensch. Die Natur ist ein Stummer, der
Mensch ein Tauber. Gott selber hat sie auf die gemeinsame Fahrt
geschickt, aber der Natur hat er die Lippe versiegelt, dem Menschen das Ohr verriegelt. „Einst aber, wenn im Prozeß der Selbst-
entwicklung Gottes, die ‚Scheidung‘ von Natur und Geist vollendet sein wird, dann wird der Mensch das Zauberwort, das die
Natur erlöst, das Rätselwort der Sphinx ... ergründet haben,
dann werden sie sich in ihrer wesenhaften Einheit erkennen"[5]:

> Dann wird der Stumme reden,
> Der Taube vernimmt das Wort,
> Er wird sie gleich entziffern,
> Die dunklen göttlichen Chiffern,
> Dann ziehn sie gen Morgen fort.

Der Kern von Hebbels Lösung ist der Gedanke, daß die Selbst-
entfaltung Gottes in der Natur und in dem Menschen, im Mate-
riellen und im Ideellen, ein dialektischer Prozeß ist. Auf die unbewußte, dumpfe Identität von Natur und Geist folgt die bewußte und vollkommene Trennung, und erst auf der dritten Stufe
gelingt ihre Wiedervereinigung. Aber diese Wiedervereinigung
liegt erst am Ziel des Weltprozesses, ihr Datum ist der Jüngste
Tag. Die Aufgabe des Menschen ist also nicht, schon jetzt das Geheimnis der Natur zu enträtseln, sondern sich immer mehr von der
Befangenheit im Naturhaften zu befreien und immer entschiedener Geist zu werden.

Der Glaube Schellings und Hebbels, daß der Mensch die Natur
erst verstehen werde, wenn er sich völlig von ihr geschieden hat,
hat sich in einem ganz anderen Sinne bewahrheitet als dem von
den beiden Denkern gemeinten. Auch die Naturwissenschaft setzt
eine vollkommene Scheidung von Natur und Geist voraus, aber sie

[5] Wolfgang Liepe, Hebbel und Schelling, Deutsche Beiträge zur geistigen Überlieferung, München und Chicago 1953, S. 121—188, besonders S. 143 f.

braucht die Erforschung der Natur nicht bis zum Jüngsten Tage
zu verschieben, denn sie erwartet keine göttliche Offenbarung von
ihr, sondern Antwort auf menschliche Fragen. Die Natur, mit der
es die klassische Physik zu tun hat (von der Physik der letzten 50
Jahre ist erst am Ende dieses Aufsatzes die Rede), hat keinen göttlichen Sinn; sie hat nur materielle Eigenschaften, die empirisch
wahrnehmbar und mathematisch voraussagbar sind. Der Natur-
wissenschaftler lauscht nicht auf die Stimme der Natur, sondern er
formuliert Hypothesen, die er durch Beobachtung und Experimente
prüft. Er stellt Fragen, auf die er ein Ja oder Nein erzwingt. Seine
Fragestellung determiniert die Art der Antwort. Schon Francis
Bacon (1561—1626) beschrieb die naturwissenschaftliche Methode
als "putting Nature to the question", und das hieß in der Sprache
des 17. Jahrhunderts, „mit den Methoden der Inquisition be-
fragen"[6]. Wenn Faust im Gegensatz dazu ausruft,

> Geheimnisvoll am lichten Tag
> Läßt sich Natur des Schleiers nicht berauben,
> Und was sie deinem Geist nicht offenbaren mag,
> Das zwingst du ihr nicht ab mit Hebeln und mit Schrauben,

so entspricht seine Meinung durchaus der Zeit seines historischen
Vorbilds, des früheren 16. Jahrhunderts vor Bacon und Galilei.
Aber hier spricht nicht nur Faust; hier spricht Goethe selbst. Sein
Aphorismus „Die Natur verstummt auf der Folter" beschreibt mit
aller Deutlichkeit den Grundsatz, dem er in seiner Naturforschung
folgte, und dieser Grundsatz widerspricht nicht nur der Naturwissenschaft, sondern auch Kant. In der Vorrede zur zweiten Auf-
lage der ›Kritik der reinen Vernunft‹ sieht Kant in Bacon den |
Urheber einer „Revolution der Denkart" und erklärt, Bacon,
Galilei und ihre Nachfolger hätten „begriffen, daß die Vernunft
nur das einsieht, was sie selbst nach ihrem Entwurfe hervorbringt,
daß sie mit Prinzipien ihrer Urteile nach beständigen Gesetzen
vorangehen und die Natur nötigen müsse, auf ihre Fragen zu ant-

---

[6] Zitiert von Mary B. Hesse, Science and the Human Imagination,
London 1954, S. 36. Ich verdanke den Hinweis auf das Buch meinem
Freunde Dr. Michael B. Foster in Oxford.

worten". Der Naturforscher müsse sich von der Natur belehren lassen, „aber nicht in der Qualität eines Schülers, . . . sondern eines bestallten Richters, der die Zeugen nötigt, auf die Fragen zu antworten, die er ihnen vorlegt". Jene Revolution der Denkart, sagt Kant, sei „dem Einfalle zu verdanken, demjenigen, was die Vernunft selbst in die Natur hineinlegt, gemäß, dasjenige in ihr zu suchen (nicht ihr anzudichten), was sie von dieser lernen muß, und wovon sie für sich selbst nichts wissen würde".

Kant hat die Revolution in der Physik nicht um ihrer selbst willen beschrieben, sondern weil er in ihr das Vorbild für seine eigene Umstürzung der Metaphysik sah. Er lehrte zweierlei: die Dinge nur als Erscheinungen zu nehmen, und das in den Dingen Erscheinende, also das Ding an sich, als der Vernunft unzugänglich auf sich beruhen zu lassen; und zweitens, das die Erscheinungen Bedingende nicht in einem jenseits der Dinge liegenden Unbedingten zu suchen, sondern in dem Erkenntnisvermögen des Menschen. Seine Philosophie ist also zugleich phänomenologisch und kritisch. Alle Vernunfterkenntnis richtet sich nur auf Erscheinungen, und alle Gegenstände sind bloße Tatsachen der Erfahrung; das Unbedingte wird an den Dingen nur „sofern wir sie nicht kennen, als Sachen an sich selbst, angetroffen". Sofern wir sie aber kennen, richten sich die Gegenstände als Objekte der Sinne nach der Beschaffenheit unseres Anschauungsvermögens.

Wir sind nun in der Lage, den zweiten Teil der eingangs aufgestellten These zu prüfen, nämlich die Behauptung, daß ein Zusammenhang bestehe zwischen der Naturauffassung der Naturwissenschaft und dem Symbolismus. Wenn man, wie füglich, zugibt, daß die Naturwissenschaft und Kants Philosophie die bestimmenden Tendenzen der europäischen Geistesgeschichte darstellen, so war die romantische Naturauffassung (und damit auch die romantische Dichtung) nur ein großartiges Zwischenspiel. Sie war ein letzter Versuch der europäischen Menschheit, sich eine zeitgemäße Religion zu schaffen, nämlich eine Religion, die sowohl der verfeinerten Geistigkeit des modernen Menschen wie seinem Glauben an die Autonomie der materiellen Welt gerecht wird. Sie verwarf jeglichen Anthropomorphismus, dachte Gott rein als Geist, und suchte ihn in seiner Schöpfung — *in herbis et lapidibus,* wie Goethe schrieb. So wie nun Kant erst 150 Jahre nach der Revolution in der Naturwissenschaft die Revolution in der Metaphysik bewirkte, so, scheint mir, hat die Dichtung nochmals zwei bis drei Generationen gebraucht, um sich des neuen Denkprinzips zu bemächtigen. Sie gab es allmählich auf, das Unendliche im Endlichen zu suchen, auf die Stimme der | Natur zu lauschen und eine Antwort zu erhoffen, die aus dem Geheimnis der Natur entspringt und deshalb völlig anders sein könnte als die Erwartung des Fragenden. Sie suchte nicht mehr Gott in der Natur, sondern den Menschen. Gott, so hatte Kant gelehrt, ist an keinerlei Gegenständen der Erfahrung zu finden und durch keinerlei Art der Erkenntnis, sondern nur durch Glauben. Aber der Mensch ist in der Natur zu finden: an der Art, wie er sieht und erfährt, erkennt er sein Wesen. Die Naturwissenschaft setzt das menschliche Erkenntnisvermögen als gegeben voraus und beschäftigt sich mit seinen Objekten; Kant untersucht die Formen der Erkenntnis; die neueren Dichter forschen nach dem Erkennenden. Sie sind sich bewußt, daß sie bei der Begegnung mit der Natur schon etwas mitbringen, und sie erkennen an der Art ihres Beobachtens und Erlebens, wer sie sind. Und da die Kunst, anders als Philosophie und Wissenschaft, es nicht mit dem Allgemeinen zu tun hat, sondern mit dem Besonderen, richtet sich ihre Erkenntnis nicht auf das Wesen des Menschen überhaupt, sondern auf das des einzelnen, also des Dichters selbst.

Für den Romantiker ist der Mensch das Verläßliche und Bekannte, und er fragt nach dem geheimnisvollen Wesen der Natur. Nur weil er sich als bekannt voraussetzen darf, kann er sich mit der eigenen Person für sein Naturerlebnis verbürgen. Für den Symbolisten dagegen ist der Mensch das Gesuchte, und er befragt die verläßlichen, erkennbaren Dinge bei der Suche nach sich selbst. Er glaubt nicht mehr an eine gottgegebene Harmonie von Mensch und Natur, die in begnadeten Stunden erlebt wird und sich dann als völliges Ineinander von Innen und Außen offenbart. Für ihn ist die Natur das andere, Objekt des Menschen, sein Gegenstand, das ihm Entgegenstehende und sogar Widerstehende. Aber gerade an diesem Gegenstand kann er sich orientieren, nämlich das über

sich lernen, „wovon er für sich selbst nichts wissen würde". Die
Natur ist ihm nicht nur stumm, sondern stumpf und dumpf und
sinnentleert, aber sie hat materielle Eigenschaften, Formen, Farben,
Oberflächenqualität usw. Diese Eigenschaften muß er erfassen,
denn je energischer er in sie eindringt, um so besser versteht er sich
selbst. Die Dinge sind verläßlich, eben weil sie keinen Sinn haben:
der Sinn, der an ihnen gefunden wird, gehört dem Menschen an, es
ist seine Art des Erfahrens und Erlebens. Ein wechselseitiger Prozeß also: je genauer der Dichter beschreibt, desto deutlicher sieht
er sich selbst; und je mehr er sich seiner Subjektivität bewußt wird,
desto schärfer kann er beschreiben. Er weiß, daß das beschriebene
Objekt kein Ding an sich ist, sondern Antwort auf seine Frage.
Wie die Kantische Philosophie ist also die symbolistische Dichtung
sowohl phänomenologisch wie kritisch.

In der Romantik sucht der empfindende Teil des Menschen die
ganze Natur zu erfassen, im Symbolismus der ganze Mensch einzelne Gegenstände in der Natur. Über die Natur als Ganzes kann
der neuere Dichter so wenig | etwas aussagen wie der Naturwis-
senschaftler. Er muß sich ihr schrittweise nähern, sie Stück für
Stück studieren, denn er hat kein aprioristisches Verhältnis zu ihr.
Aber er nähert sich ihr mit allen seinen Kräften, beobachtend, den-
kend und empfindend. Dem Romantiker geht es um Erlebnisse:
er ist von der Natur ergriffen und erlebt das Wunder. Dem Symbolisten geht es um Erkenntnisse: er ergreift die Dinge und versteht sich selbst. Nicht daß er erlebt, ist dem Symbolisten wichtig,
sondern wie er erlebt, denn er fragt nicht nach dem Wesen des
Dinges an sich, sondern nach dem Wesen des Erlebenden. Der Romantiker, so sagten wir, stellt sich als Erlebenden dar: damit ist
die Wahrheit seiner Offenbarung verbürgt. Der Symbolist dagegen stellt den Gegenstand dar, an dem ihm die Art seines Erlebens bewußt geworden ist: damit ist die Wahrheit seiner Erkenntnis demonstriert. Die „kopernikanische Drehung" in der Dichtung des 19. Jahrhunderts bestand also in der Wendung vom Naturgedicht zum Dinggedicht und vom Erlebnisgedicht zum symbolischen Gedicht.

Emil Staiger hat die Frage aufgeworfen, mit welchem Recht der
Symbolismus seinen Namen führe, denn alle Lyrik sei in dem

Sinne symbolisch, daß Äußeres und Inneres im lyrischen Wort zusammenfalle. Gegen diese Definition ist einzuwenden, daß sie
„lyrisch" und „symbolisch" gleichsetzt und somit das ohnehin unzureichende Vokabular der literarischen Kritik um ein nötiges
Wort vermindert. Es ist deshalb besser, nur da von Symbolen zu
reden, wo ein Äußeres bewußt und betont für ein Inneres gesetzt
wird. Staiger selbst legt diese Einschränkung des Begriffs nahe,
indem er den Unterschied der romantischen Lyrik von der symbolistischen darin sieht, daß jene „unbewußt-gleitend von einem
Symbol zum anderen kommt" und „noch selbstverständlich, ohne
es immer zu wissen oder zu wollen", symbolisch ist[7]. Jedoch ist
das eigentlich Neue am Symbolismus damit noch nicht genügend
beschrieben, denn auch in der älteren Poesie begegnen Symbole
im soeben definierten, engeren Sinne. Wenn in einem romantischen
Gedicht eine Trennung (und besonders ein Abschied, der das Ende
einer Liebe bedeutet) im Herbst stattfindet, am Abend, an einem
Kreuzweg, und wenn dabei der verwelkten Blumen und des fallenden Laubes gedacht wird, so sind das alles bewußt angewandte
Symbole für die innere Situation. Es sind gefühlsgeladene Objekte oder Phänomene, aus der Erlebnisdichtung hervorgegangen,
aber nun selbständig geworden und zur symbolischen Formel erstarrt. Solche erstarrte Stücke Erlebnisdichtung können dann, wie
Werner Kohlschmidt am Beispiel Eichendorffs gezeigt hat[8], in
immer neuen Kombinationen auftreten, so daß der Dichter sich
gewissermaßen selber paraphra|siert. Diese romantischen Symbole unterscheiden sich in zweierlei Weise von den Sinnbildern
der Symbolisten. Sie bilden eine passende Szene, einen stimmungsvollen Hintergrund, aber sie schaffen kein Gedicht. Sie schlagen
einen bekannten Ton an, erregen ein bereits vertrautes Gefühl,
aber das ist nur Begleitmusik für den Gedichtvorgang, für das
Auftreten des Dichters und die Mitteilung seines Erlebnisses. Im
Symbolismus dagegen erscheint das Ich nicht auf der Bühne, der

[7] Emil Staiger, Das Spätboot. Zu Conrad Ferdinand Meyers Lyrik,
in: Weltliteratur. Festgabe für Fritz Strich, Bern 1952, S. 128 f.
[8] Werner Kohlschmidt, Die symbolische Formelhaftigkeit von Eichendorffs Prosastil, in: Form und Innerlichkeit, München 1955, S. 177—209.

symbolische Gegenstand steht im Mittelpunkt, er ist das Hauptthema, ja die Sache selbst: in seiner Beschreibung erschöpft sich
die Aussage des Gedichts. Daraus ergibt sich das Zweite: das romantische Sinnbild ist kaum mehr als ein Wort, das seinen Ge-
fühlswert aus einer Übereinkunft bezieht, aus der Vertrautheit
zwischen Dichter und Leser. Der symbolistische Gegenstand dagegen wird in seiner realen Eigenart erfaßt, er wird genau be-
obachtet und beschrieben. Es ist nicht genug, daß man „Baum"
sagt; eine Kastanie oder eine Buche muß gezeigt werden. Und
während für Eichendorff (und die Romantik überhaupt) das Wort
„Marmorbild" genügt, um gewisse Stimmungen hervorzurufen,
muß Rilke einen ›Archaischen Torso Apollos‹ studieren, um
seine Aussage zu ermöglichen. Das Neue am Symbolismus ist also
nicht nur, daß er eine gewaltige Zahl neuer Symbole gefunden und
die alten (als gefühlsgeladen und deshalb vorbelegt) vermieden
hat, sondern daß die Dinge nicht durch ein Erlebnis sinnbildhaft
werden, sondern durch Beobachtung. Das romantische Symbol entspringt, wie Staiger sagt, dem Unbewußten als dem Sitz des Ge-
heimnisses und des Wunders. Auf eine dem Dichter selbst unerklärliche Weise sind ein Äußeres und ein Inneres als identisch erlebt worden, und erst wenn diese Identifikation vollzogen ist,
kann der symbolhaft gewordene Gegenstand als Symbol im eigentlichen Sinne, also willkürlich, verwandt werden. Bei den neueren
Dichtern dagegen ist der Prozeß des Symbolisierens ein höchst
bewußter. Ihr Symbol ist ein Äußeres, das als solches erkannt
werden muß, damit der Dichter sich selbst erfahre. Kantisch gesprochen: für die Romantiker werden Gegenstände symbolisch,
„sofern wir sie nicht kennen"; für die Symbolisten, „sofern wir
sie kennen".

Wir kehren noch einmal zu Mörike zurück, um zu zeigen, daß er
nicht nur ein „Epigone", ein „Spätling" war, sondern auch Vorläufer der neuen Lyrik. In Benno von Wieses Buch[9] ist dargestellt, wie der Dichter sich nach den Erschütterungen seiner Jugend
zurückzog auf den Umgang mit den Dingen des alltäglichen, ländlichen Lebens, und wie auch seine Dichtung sich allmählich weg-

---

[9] Benno von Wiese, Eduard Mörike, Tübingen o. J. (1950).

wandte vom großen, romantischen Naturgedicht zur Darstellung
kleinerer, aber schärfer umrissener Gegenstände. Das Gedicht
›Die schöne Buche‹ (1842) bezeichnet in Form und Thema genau den Übergang von der Romantik zum Symbolismus. Es ist
ein Erlebnisgedicht, wor|in der Dichter auftritt und von seiner
Entdeckung der Buche und seinen Empfindungen in der Einsamkeit berichtet; es ist aber auch ein Dinggedicht, worin (wie schon
der Titel sagt) der Gegenstand zur Hauptsache, nämlich zum
Mittel der Selbsterkenntnis des Dichters geworden ist. Und thematisch ist es sowohl ein romantisches Gedicht über den Wald wie
ein symbolisches Gedicht über ein einzelnes Exemplar einer bestimmten Baumart[10]: die schöne Buche ist ein einzelner Baum,
der, frei stehend auf einer Lichtung im Walde, sich voll und rund
entwickelt hat, dessen Gestalt sich aber wiederholt in der Rundung des ihn umgebenden Rasens und in dem Kreis der Wald-
bäume, der sich schirmend um ihn legt. Man kann das Gedicht als
reines Naturgedicht lesen, aber es ist auch bedeutungsvoll, daß der
Dichter an dem Stamme der Buche lehnt. Und man kann dieses
Sinnbild romantisch interpretieren, nämlich als Einsfühlung von
Mensch und Natur, oder aber symbolistisch, als verdeutlichenden
Hinweis auf den Symbolwert der Buche. An der Rundung der
Buche, die sich, abgeschieden von den anderen Bäumen und dennoch von ihnen behütet, zur Vollkommenheit entwickelt hat, erkennt der Dichter den Wert der eigenen Existenz, einer „Verborgenheit", die sich weder völlig eins fühlt mit der Umwelt noch
völlig von ihr geschieden. Erst wenn wir so lesen, verstehen wir,
warum diese Erkenntnis gerade an einer Buche gewonnen werden
mußte. Von allen Waldbäumen ist sie der rundeste, stillste, in sich
geschlossenste. Theodor Däubler hat das später noch deutlicher
gesagt:

> Die Buche sagt: Mein Walten bleibt das Laub.
> Ich bin kein Baum mit sprechenden Gedanken,
> Mein Ausdruck wird ein Ästeüberranken,
> Ich bin das Laub, die Krone überm Staub.

[10] Martin Sommerfeld, Deutsche Lyrik 1880—1930, Berlin 1931,
S. 211.

Weiter ausgebildet ist die neue Kunstübung in Mörikes ›Auf eine Lampe‹ (1846)[11]. Der Dichter spricht nicht mehr in der ersten Person von seinem Erlebnis (nur die Anrede an die Lampe erinnert noch an seine Gegenwart), sondern er bietet einen Gegenstand dar, der zunächst ganz um seiner selbst willen beschrieben wird. Auch hier ist die Rundheit der Form, der Marmorschale und ihrer Ornamente (Efeukranz und Ringelreihen spielender Kin- | der), das Wichtigste, daneben der lachende Ernst des zierlichen Geräts und der sanfte Reiz seiner Wirkung auf den Beschauer. Indem der Dichter beobachtet und beschreibt, wird er sich jedoch bewußt, daß er ganz bestimmte Eigenschaften der Lampe auffaßt und wiedergibt, und so kommt er zum Verständnis der eigenen späteren Kunst. Auch das nicht aus hoher Inspiration entsprungene Werk ist „ein Kunstgebild der echten Art", wenn es handwerklich vollendet ist. Es gibt eine Schönheit, die Produkt des Könnens und des Kunstverstandes ist, die einem sanften Gemüt und stillem Fleiß entspringt, und auch diese Art Schönheit ist über allen Wandel der Zeiten und des Geschmacks, über Achtung und Nichtachtung der Menschen erhaben.

Der Blick auf ein thematisch verwandtes späteres Gedicht zeigt auch hier wieder, wie entwicklungsfähig die neue Kunst war und wie sehr sie von Mörikes Erben erweitert und verfeinert werden konnte. Mörike ist betroffen von der Verlassenheit, der Vergessenheit des Lustgemachs, und er empfindet es als beglückendes Wunder, daß die Lampe noch unverrückt an ihren Ketten hängt. Nur den einen Gegenstand kann er aufnehmen, nur dieser wird ihm lebendig und steht ihm Rede. Rilkes Gedicht ›Der Pavillon‹

---

[11] Das Gedicht ist in den letzten Jahren mehrfach gedeutet worden. Ich ziehe es nur als Beispiel heran, also keineswegs mit dem Anspruch, es nochmals zu interpretieren. Vgl. Emil Staiger, Die Kunst der Interpretation, Groningen 1951. Emil Staiger, Zu einem Vers von Mörike. Ein Briefwechsel mit Martin Heidegger, und Leo Spitzer, Wiederum Mörikes Gedicht ›Auf eine Lampe‹, Trivium IX (1951), 1—16 und 133—147. Ilse Appelbaum-Graham, Zu Mörikes Gedicht ›Auf eine Lampe‹, Modern Language Notes LXVIII (1953), 328—334. Werner von Nordheim, Die Dingdichtung Eduard Mörikes. Erläutert am Beispiel des Gedichtes ›Auf eine Lampe‹, Euphorion L (1956), 71—85.

dagegen umfaßt den ganzen Bau mit seinen Flügeltüren, Steingirlanden, Wappen und Urnen, alles „redet noch" und spiegelt den Glanz des Rokoko. Es klingt wie eine Fortsetzung, ja eine Antwort auf Mörike, daß dessen elegischer Anfang („Noch unverrückt") überboten wird durch Rilkes beschwingten Einsatz („Aber selbst noch durch die Flügeltüren"), denn nicht nur der Bau, auch das einst in ihm gelebte Leben ist noch überall gegenwärtig: „Wie wenig man verscheuchte". Nicht nur eine Reliquie, die ganze Vergangenheit ist vorhanden und strömt ihre Atmosphäre aus. Selbst ihre Heimlichkeiten sind noch zu spüren, in ihren „lächelnden Allüren" erkennt der Dichter etwas von der eigenen Art, und mit lächelnden Allüren gestaltet er sein Gedicht.

Kurt Oppert hat schon vor drei Jahrzehnten die Entwicklung des Dinggedichts von Mörike über C. F. Meyer zu Rilke beschrieben[12]. Damit sind die zeitlichen Grenzen gegeben: die ersten Anfänge liegen bei Mörike, die Vollendung in Rilkes ›Neuen Gedichten‹ aus den Jahren 1907 und 1908. Auch daß das Wort „Dinggedicht" nur eine Seite der Sache erfaßt, wurde bereits von Oppert gesagt. Für die andere Seite hat er das Wort „Deutung" gebraucht, schränkte es aber ein mit der Bemerkung, daß die Deutung nicht nebenherlaufe, sondern in der Beschreibung selbst verborgen liege, daß der Ablauf der Darstellung die Deutung erzeuge. Damit wollte er sagen, daß eine echte Deutung das ausschließe, was Kant „der Natur etwas andichten" | genannt hat. Nun könnte der Vorgang des Deutens aber so mißverstanden werden, als ob das Ding seine Bedeutung schon in sich trage und sie dem aufmerksamen Beobachter ohne seinen tätigen Eingriff enthülle. Wir müssen also hinzufügen, daß die Bedeutung des Dings erst durch Beschreibung und Darstellung, durch die Tätigkeit des Dichters und seine Frage an das Ding geschaffen wird. So müssen wir Opperts einschränkende Sätze verstehen, und weil wir sie so verstehen, ziehen wir es vor, von einem Akt des Symbolisierens, nicht des Deutens zu sprechen. Das ist unmißverständlich, denn niemand

---

[12] Kurt Oppert, Das Dinggedicht. Eine Kunstform bei Mörike, Meyer und Rilke, Deutsche Vierteljahrsschrift für Literaturwissenschaft und Geistesgeschichte IV (1926), 747—783.

glaubt, daß die Natur schon an sich dem Menschen Symbole dar-
biete.

Beispiel einer bloß „nachahmenden" Beschreibung, bei der das
Ding nicht befragt ist und deshalb nicht zum Sinnbild wird, sind
die Anfangsstrophen von Platens ›Aqua Paolina‹ (1827):

> Kein Quell, wie viel auch immer das schöne Rom
> Flutspendend ausgießt, ob ein Triton es spritzt,
> Ob sanft es perlt aus Marmorbecken,
> Oder gigantischen, alten Schalen:
>
> Kein Quell, so weit einst herrschte der Sohn des Mars,
> Sei dir vergleichbar, auf dem Janiculum
> Mit deinen fünf stromreichen Armen
> Zwischen granitene Säulen plätschernd.

Hier wird nur identifiziert, nicht gedeutet. Name und Standort
sind gegeben, und daneben das augenfälligste Merkmal, die fünf
mächtigen Wasserströme. Eigentlich ist das nicht viel mehr als
versifizierter Baedeker: ein Romreisender könnte nach diesen Angaben das Vorbild auffinden. Aber als Deutung des Brunnens kann
sich das Gedicht nicht mit der Stelle in Goethes ›Italienischer
Reise‹ messen, und als Gestaltung nicht mit Piranesis Radierung.
Nur weil es rühmt, weil es seinen Zweck in der monumentalen
Sprache und Struktur erfüllt, wird es nicht von Opperts vernich-
tendem Urteil über den „aussichtslosen Wettstreit der Dichtung
mit der Bildkunst" getroffen. Aber den eigentlichen Vorteil des
Dichters hat Platen sich entgehen lassen, denn Mensch und Ding
sind sich nicht begegnet. Die Gedanken schweifen unruhig zu anderen Brunnen ab, sie sind nicht gerichtet durch die Frage des Dichters, der nach dem Wesen des Menschen forscht und dabei zugleich
das Wesen des Dinges erfaßt.

Anders die Symbolisten. Auf die Verwandtschaft zwischen dem
Symbolismus und der Barockdichtung ist häufig hingewiesen worden[13], und in der Tat handelt es sich bei der neuen Dichtung, die

---

[13] Vgl. z. B. Hellmut Rosenfeld, Das deutsche Bildgedicht, Leipzig
1935, S. 208—221; Staiger in der Strich-Festschrift, S. 129.

in der zweiten Hälfte des | 19. Jahrhunderts aufkam, um die Wiederaufnahme der großen Tradition europäischer Poesie, die von Petrarca ausging und von der Romantik (mit der englischen Naturdichtung des 18. Jahrhunderts anfangend) unterbrochen wurde. Man mag die deutsche Romantik für einen Welthöhepunkt des Lyrischen halten und kann doch nicht bestreiten, daß sie nur ein grandioses Zwischenspiel war. Oder vielleicht sollte man sagen, die Romantik biete das ungewöhnliche Schauspiel, daß die Ausnahme die Regel übertrifft. Aber natürlich ist die Romantik nicht spurlos vergangen, auch sie hat den Symbolisten ein Erbe hinterlassen, und dies ist einer der Gründe, warum man nicht nur auf die Ähnlichkeiten, sondern auch auf die sehr großen Unterschiede zwischen Barock und Symbolismus achten muß. Um bei dem gleichen Gegenstand zu bleiben, so bietet Opitzens ›Auf einen Brunnen‹ ein hübsches Beispiel aus dem 17. Jahrhundert. Das Gedicht übersetzt ein Epigramm Urbans VIII. (desselben Papstes, der Galilei verurteilen ließ), und es beschreibt einen Springbrunnen, dessen Strahl die Gestalt eines Bechers annimmt. Das Wasser ist also selbst ein Becher, der Becher Wasser: was könnte durstiger machen? Ich weiß nicht, ob Papst Urban einen solchen Brunnen hat errichten lassen[14] und ob es ihn heute noch gibt, aber die

[14] Urban VIII. (1623—44) hat die Fontana della Barcaccia auf der Piazza di Spagna von Pietro Bernini (1562—1629) bauen lassen und ein Epigramm darauf gemacht (Maphaei Barberini postea Urbani PP. VIII. Poemata, Oxford 1726, S. 125. Ebenda S. 124 das von Opitz übersetzte Epigramm: In Fontem Miri Artificii Epigramma). Von Pietros größerem Sohne Giovanni Lorenzo (1598—1680) ließ der Papst die Fontana del Tritone auf der Piazza Barberini errichten. Sie war als Schmuck der Auffahrt zum Palazzo Barberini gedacht. Ein gleichzeitig errichteter zweiter Brunnen wurde ebenfalls von Bernini entworfen. Auch er stand auf der Piazza Barberini, etwas näher an der Via Sistina, ist aber nicht erhalten: Bienen (das Wappen der Barberini) spritzten das Wasser in eine große Muschel. Daß dieser Brunnen das Epigramm veranlaßte, ist unwahrscheinlich. Berninis Seepferde-Brunnen in der Villa Borghese scheint noch unter Urbans Vorgänger, Paul V. (1605—21) entstanden zu sein, und sein Vierströme-Brunnen, der mittlere auf der Piazza Navona, wurde für Innozenz X. (1644—55) erbaut. Siehe Mrs.

Feststellung wäre belanglos für unser Gedicht, denn es kommt nicht auf die Architektur an, sondern auf das Wasser und seine merkwürdige Form. Zwar ist nur eine unpersönliche, intellektuelle Frage gestellt („Was wäre die angemessenste Form für eine Fontäne?") und nur ein Witz als Antwort gefunden, aber hinter dieser Geistreichelei stecken echte Aussagen über Mensch und Ding: der Mensch ist der Durstige, und die Einzigartigkeit dieses Brunnens besteht darin, daß er sich schon durch seine Gestalt als williger Spender des Trunkes offenbart.

Greifen wir nun zu den naheliegenden symbolistischen Parallelen, C. F. Meyers ›Römischem Brunnen‹ und Rilkes ›Römischer Fontäne‹, so wird so|gleich offenbar, daß hier nicht mehr nach dem Wesen des Menschen überhaupt, sondern nach dem Wesen des Dichters gefragt wird, daß aber diese Frage nicht nur vom Verstande, sondern von allen Geistes- und Seelenkräften gestellt wird. Der Gegenstand muß der gesamten Existenz des Dichters Rede stehen, und indem er über sie Auskunft gibt, wird er selbst viel intensiver erfaßt. Erst die genaue Beschreibung der drei Schalen erlaubt es Meyer, in dem nehmenden Geben und der strömenden Ruhe des Brunnens sein eigenes ambivalentes Lebensgefühl zu erkennen; und erst durch Beobachtung des leise tropfenden und des lächelnd wartenden Wassers erfährt Rilke, daß sein Leben ein Sichfallenlassen und Sichverbreiten ohne Heimweh ist, ein Sichneigen in den Tod[15]. Mit dem Barock haben die beiden Gedichte

Charles MacVeagh, Fountains of Papal Rome, New York 1915, und C. J. Praetorius, Roman Fountains, The International Studio, LVIII (Mai 1916), 163—170.

[15] Für die Deutung von Rilkes Gedicht bin ich einem Gespräch mit Professor H. Stefan Schultz in Chicago verpflichtet. Vgl. Bernhard Blume, Das Motiv des Fallens bei Rilke, Modern Language Notes LX (1945), 295—302. Die ›Römische Fontäne‹ ist interpretiert bei Leopold Liegler, Das Rilke-Problem, Plan II (1947), 76—90. Interpretationen von Meyers ›Der römische Brunnen‹ (z. T. auch Vergleiche mit Rilkes Gedicht) finden sich in folgenden Schriften: Heinrich Kraeger, Conrad Ferdinand Meyer. Quellen und Wandlungen seiner Gedichte, Berlin 1901, S. 206 f. Eduard Korrodi, Conrad Ferdinand Meyer. Zu seinem hundertsten Geburtstag, Die Literarische Welt, I, 3 (Oktober

die Bewußtheit des Fragens gemeinsam, also das symbolistische Verfahren; mit der Romantik die Verinnerlichung, also den Einsatz nicht nur des denkenden, sondern auch des empfindenden Menschen.

Mörikes Jugend fiel in die Zeit der Romantik; aber auch Meyer und Rilke haben als romantische Dichter begonnen und haben die neue Form erst später erworben — der eine in zähem Ringen, der andere in eiligem Fortschritt. Wie die früher genannten Kennzeichen der Erlebnisdichtung allmählich verschwanden, braucht nach dem bisher Gesagten nur kurz beschrieben zu werden. Eine große Zahl von Meyers Gedichten — auch in der endgültigen Sammlung von 1882 — bedient sich noch der Form des Erlebnisgedichts, aber bei vielen ist diese Form eine bloße, vom Dichter selbst zugegebene Fiktion. In dem Gedicht ›Liederseelen‹ zum Beispiel erzählt er von einem Gespräch, das er mit Elfen in einem nächtlichen Blütengarten geführt hat — aber er tut es mit einem leisen Lächeln. Er verlangt nicht, daß | wir an die Realität des Vorgangs glauben, sondern erwartet, daß wir ihn als eine Allegorie verstehen, die etwas über das Wesen seiner Dichtung aussagt[16]. Allerdings gibt es daneben Gedichte (wie ›Himmelsnähe‹, ›Das Seelchen‹, ›Wetterleuchten‹, ›Stapfen‹), bei denen die Erlebnisform so ernst zu nehmen ist wie nur je im romantischen

1925), S. 1 ff. Max Dessoir, Der römische Brunnen, Zeitschrift für Ästhetik XXXI (1937), 61—63. Johannes Pfeiffer, Umgang mit Dichtung, Leipzig 1936, S. 32 f. (Vgl. Der Deutschunterricht, 1952, S. 66). Robert Faesi, Conrad Ferdinand Meyer, 2. Aufl., Frauenfeld 1948, S. 61—71. (Faesis Anordnung der Fassungen ist berichtigt in meinem Buch, The Poetry of Conrad Ferdinand Meyer, Madison 1954, S. 294, Anm. 23.) Erich Hock, Motivgleiche Gedichte, Bamberg 1953, II, 56 bis 58. Joachim Kröll, Über den Stil zweier Gedichte, Muttersprache, 1953, S. 150—155. Robert Hippe, Vier Brunnengedichte, Wirkendes Wort IV (1953/54), 268—274. Rudolf Zitzmann, Deutsche Barocklyrik im Unterricht der Oberstufe, Wirkendes Wort V (1954/55), 165—172 (vergleicht Clajs ›Hellglänzendes Silber‹ mit Meyers ›Der römische Brunnen‹).

[16] ›Liederseelen‹ ist interpretiert von Julius Wiegand, Abriß der lyrischen Technik, Fulda 1951, S. 119 f. und in meinem Buch, S. 15 ff., 61 f.

Gedicht. Sieht man sich aber Meyers Entwürfe an, so findet sich, daß solche Gedichte nicht selten ursprünglich in einer ganz anderen Form geschrieben waren, nämlich der des Gleichnisgedichts. Ein Naturvorgang und ein seelischer Vorgang werden parallelisiert, meist mit genauer Symmetrie der Strophen (so in frühen Fassungen von ›Das Seelchen‹, ›Stapfen‹ und ›Wetterleuchten‹). Analogien und Gleichnisse sind gewissermaßen Gedichte im Rohbau. Der nackte Gedanke, nur als solcher vorgetragen, wirkt nicht poetisch, denn wir erwarten von der Dichtung eine andere Art Gewißheit als die intellektuelle. Der Dichter muß sich entweder auf die Gewißheit des Erlebnisses oder auf die Gewißheit der beobachteten Wirklichkeit berufen, und da Meyer die neue Form des Dinggedichts noch nicht völlig meisterte, hat er sich manchmal auf die alte Form des Erlebnisgedichts zurückgezogen[17]. Erst Rilke hat das symbolistische Dinggedicht spielend beherrscht. In seinen ›Neuen Gedichten‹ findet sich, von einigen Rollengedichten abgesehen, die Ich-Form nur siebenmal (fünfmal im ersten Teil, zweimal im anderen), und selbst bei diesen Fällen handelt es sich nicht eigentlich um Erlebnisse, denn es wird keine Szene geschaffen, kein Vorgang erzählt, sondern eine allgemeine Lebenserfahrung mitgeteilt. Gelegentlich wird auch das „ich" durch ein verallgemeinerndes „wir" oder „man" ersetzt; so im ›Pavillon‹, wo der Dichter, gegen Ende des Gedichts und ein wenig verschämt,

---

[17] Hans Egon Holthusen bemerkt in der Zeitschrift ›Akzente‹ (Jahrgang 1955, S. 349), der Dichter müsse nicht notwendig in Bildern sprechen, um zu beweisen, daß er sich eine philosophische oder theologische Idee fühlend angeeignet habe: „Auch der nackte Gedanke kann, wenn er von einer starken rhythmischen Bewegung ergriffen wird, ‚vollkommen sinnliche Rede' sein". Richtig. Nur ist es dann kein nackter Gedanke mehr, sondern ein poetischer. In andern Worten, was das Akustische und das Bildliche in den meisten Gedichten zusammen leisten, wird in manchen Gedichten vom Akustischen allein, in andern vom Bildlichen allein geleistet. Das Erlebnis einer Idee äußert sich bei Schiller im rhetorischen Schwung seiner Rede, bei Rilke in „Figuren", bei Hölderlin sowohl in der Melodie wie in Bildern. Dasselbe gilt für emotionale Erlebnisse. Brentano wirkt manchmal nur durch die Melodie, Meyer nur durch das Bild, Goethe fast immer durch Bild und Klang zugleich.

zuzugeben scheint, daß er selbst an dem Orte gewesen ist: „Und im Fortgehn fühlt man lang noch . . ." Aber das sind Ausnahmen. Schon in den charakteristischsten Produkten Meyers, und erst recht bei Rilke, ist nicht das Geschehen, sondern das Bildhafte entscheidend wichtig. Das zeigen schon Titel wie Meyers | ›Romanzen und Bilder‹ (1870) und Rilkes ›Buch der Bilder‹ (1902), obwohl die Absicht des Dichters in beiden Fällen seinem Vermögen vorauseilte. Erst Meyers ›Gedichte‹ (1882) und Rilkes ›Neue Gedichte‹ (1907—08) enthalten wirkliche Bilder, in denen der Vorgang zum Stehen gebracht, die Erzählung zu Eis erstarrt, der Klang zu Glas geworden ist.

In der romantischen Dichtung ist der Traum eine noch zuverlässigere Garantie für eine echte Offenbarung als das Erlebnis. In Träumen enthüllt sich das Unbewußte ungestört vom wachen Verstande, und im Unbewußten liegt die Verbindung des Menschen zum All. C. F. Meyer hat noch einige Traumgedichte geschrieben, aber seine Träume sind durchweg bloße Fiktionen. Gedichte wie ›Die Lautenstimmer‹, ›Votivtafel‹, ›Der Musensaal‹ und sogar ›Lethe‹ und ›Am Himmelstor‹ berichten keine wirklichen Traumerlebnisse und enthalten keine Offenbarungen. Aber sie enthalten auch keine wirklichen Beobachtungen und Erkenntnisse, trotz der Schärfe der dargebotenen Bilder. Vielmehr sind es frei erfundene Situationen, die ein längst besessenes Wissen des Dichters darstellen. Meyers Träume sind also Notbehelfe, bloße Einkleidung von Situationen, die weder erlebt noch erfahren sind und deshalb weder als Erlebnisgedichte noch als Dinggedichte überzeugen könnten. Gedichte dieser Art sind verhüllte Allegorien: durch den Anflug von Humor in ›Die Lautenstimmer‹ wird es zugegeben. In Rilkes ›Neuen Gedichten‹ kommen Traumgedichte nicht vor.

Symbolistische Dichtung steht der romantischen nicht notwendig an Gefühlswert nach, nur sind es Gefühle anderer Art, oder zumindest anderen Ursprungs. In der Romantik ist Fühlen der Anfang des dichterischen Prozesses: wer nicht fühlt, erlebt nicht und kann nicht dichten. Der Symbolist dagegen muß an der Wirklichkeit arbeiten (wie Rilke immer wieder in seinen Briefen sagt), er muß sehen und verstehen, und dazu gehört ein klares Auge und ein nüchterner Sinn. Aber indem er erkennt, wird er immer tiefer in das Wesen der Dinge und zugleich in sein eigenes Innere hineingezogen, die anfangs so verläßliche Erscheinung wird geheimnisvoll, und schließlich steht er erschüttert vor dem Rätsel der Welt. Der Romantiker überflutet die Wirklichkeit mit seinem Gefühl, einem Gefühl für das Kosmische und nicht das Gegenständliche. Der Symbolist dagegen läßt die Wirklichkeit auf sich einwirken und hält ihr solange wie möglich stand. Erst am Ende des dichterischen Prozesses, erst wenn Dichter und Ding sich völlig durchdrungen haben, zeigt er sich überwältigt und erschüttert. Das romantische Gefühl ist stetig und sanft; die Erschütterung des Symbolisten kommt plötzlich und ihm selbst unerwartet. Jenes entspringt der willigen Hingabe an die Welt; diese ist um so stärker, je länger der Dichter ihr widerstanden hat. Auch hier lassen sich die Übergänge sehr deutlich an Meyers Dichtung erkennen. In den ›Romanzen und Bildern‹ und selbst in den ›Gedichten‹ finden sich noch gefühlvolle Gedichte romantischer Art. Aber er hat diesen Ton mehr und | mehr vermieden. Sein Gedicht ›Die Fei‹, von einem Gemälde des Romantikers Moritz von Schwind angeregt, beginnt mit den Worten „Mondnacht und Flut". Was darauf folgt, ist eine moralisierende Ballade. Es wäre undenkbar, daß die beseelte Landschaft von einem Romantiker so kurz abgetan, mit drei Worten aus dem Wege geräumt würde. Wie das romantische Gefühl erst allmählich ausgeschieden wird, so wird die symbolistische Erschütterung erst allmählich erzeugt. Gleichnisgedichte wie ›Eppich‹ oder ›Die Felswand‹ klingen fast teilnahmslos: hier wird nur beobachtet und erkannt. Aber schon ›Zwei Segel‹ verrät ein heimliches Zittern, in ›Stapfen‹, ›Im Spätboot‹ und ›Hussens Kerker‹ ist das Beben des Dichters offenbar, und ›Am Wassersturz‹ zeugt durch Ton und Thema von einer gewaltigen Erschütterung. Bei einigen dieser Gedichte ist die Form des Gleichnisses aufgegeben, aber es sind doch echt symbolistische Stücke: die Stapfen, das Boot, das „Fensterkreuz von Eisen" (›Hussens Kerker‹) werden von dem Dichter befragt, aber nun von dem ganzen Menschen, nicht nur von dem denkenden. Je völliger der Gegenstand erfaßt wird, um so mehr ist der ganze Mensch bewegt; und je mehr er alle seine Kräfte einsetzt, um so

bedeutungsvoller wird ihm das Ding. Selbst ein Gedicht wie
›Nachtgeräusche‹, in dem der Dichter gewiß nicht von der Natur ergriffen ist, sondern Einzelheiten ergreift, ist keineswegs kalt.
Jeder Vers gibt genau einen Sinneseindruck wieder, so daß man
geradezu von einem Isolieren (wie bei chemischen Substanzen oder
Krankheitserregern) sprechen kann. Und dennoch führt diese säu-
berliche, fast sezierende Wiedergabe des Hörbaren zum Vernehmen des Unhörbaren, der „tönenden Stille“ in der Natur und im
Busen des Dichters.

Staiger meint, daß der Symbolist die Stimmung nur „rettet“
oder „künstlich bewahrt“, indem er sich hütet, seine Symbole zu
deuten. Ich kann es nicht zugeben. Mörikes ›Auf eine Lampe‹
und Meyers ›Am Wassersturz‹ deuten ihren Gegenstand, und
Rilkes ›Archaischer Torso‹ stellt zumindest den Bezug zum
Menschen ausdrücklich fest. Die Gedichte verlieren dadurch nichts
an Stimmung. Freilich wäre es besser, das Wort Stimmung weder
von romantischer noch von symbolistischer Dichtung zu gebrauchen, sondern nur von impressionistischer. Stimmung, so darf man
definieren, ist eine leichte und flüchtige Bewegung der Seele, meist
von außen hervorgerufen. Sie ist wie das Kräuseln eines stillen
Wassers durch einen sanften Windstoß. Sie kommt und geht ohne
das Zutun des Menschen. Wir sind heiter oder trübe gestimmt und
wissen kaum warum. Gewiß, die Sprache erlaubt, bei jedem Gedicht von Stimmung zu sprechen, das irgendwie eine Bewegung
des Dichters verrät und den Leser bewegt. Aber wenn man das
Wort in so weitem Sinne gebraucht, kann man sich kaum verständigen. Stimmung ist ein Hauch, ein Zustand der Oberfläche, der
über die Vorgänge in der Tiefe nichts aussagt. In Liliencrons
›Märztag‹ ist die Stimmung bloß von außen herangeweht, in
Mörikes ›Verborgenheit‹ ist sie Zeichen einer dauernden | Be-
wegung der Seele, und in Rilkes ›Lied vom Meer‹ entspringt
sie einer Erschütterung.

Aber Staiger glaubt ja, daß symbolistische Dichtung überhaupt
künstlich sei, daß sie den Bezug zwischen Innen und Außen „kunst-
voll-künstlich“ herstelle. Auch hier ist ein wirklicher Unterschied
von der Romantik angedeutet, aber auch hier muß ich mich gegen
den Wortlaut der Behauptung wehren. Daß symbolistische Dich-

tung echte Einsichten gewährt, die einem echten Verhältnis von Mensch und Ding entspringen, hoffe ich gezeigt zu haben[18]. Und daß solche Einsichten von echten Erschütterungen begleitet sind, scheinen Gedichte wie Rilkes ›Römische Campagna‹, ›Spätherbst in Venedig‹ und ›Corrida‹ zu beweisen. Wo der Unterschied liegt, darauf deutet Staigers Satz, daß die Symbolisten „vom Leben getrennt und innerlich wahrhaft abgeschieden sind". Bedenkt man Meyers und Rilkes eigene Aussagen, so hieße es vielleicht richtiger, daß sie den Tod ins Leben aufgenommen haben und erst im ständigen Bewußtsein des Todes wahrhaft leben. So, glaube ich, ist Meyers ›Chor der Toten‹ zu verstehen, und so Rilkes ›Pont du Carrousel‹. Rilke bezeichnet die Überlegenheit des Blinden, der unbeweglich im Gewühl irrender Menschen steht, indem er ihn „das Ding, das immer gleiche", und den „Eingang in die Unterwelt" nennt. Dinge sind bei Rilke (und schon in Mörikes ›Auf eine Lampe‹) das Bleibende, das die Vergänglichkeit überdauert. Ein Ding sein bedeutet also, den Tod in sich aufgenommen haben. Leben und Tod zusammen machen das Ding. Deswegen begegnet der Dichter, der den Erscheinungen des Lebens auf den Grund geht, immer wieder dem Tod, und diese Begegnung drückt sich im Gedicht als Erschütterung aus.

Eine Reihe der erwähnten Beispiele symbolistischer Dichtung behandelt Artefakte. Diese Vorliebe für Kunstgegenstände ist schon oft bemerkt worden. Manche haben sie als Preziosität, Ästhetizismus oder Lebensferne gedeutet. Es ist gewiß kein Zufall, daß das erste vollendete symbolistische Gedicht in deutscher Sprache, Mörikes ›Auf eine Lampe‹, ein Werk der menschlichen Hand beschreibt, aber die Tatsache verlangt nicht notwendig den Schluß, daß Symbolismus etwas Künstliches ist. Artefakte sind nach einem Plan gemacht, von Menschen nach ihrer Einsicht und ihrem Geschmack ersonnen. Weil in ihnen schon einmal „die Vernunft vorangegangen" ist, lassen sie sich leichter erkennen als Dinge in der Natur und geben dem Betrachter williger Auskunft über sich und ihn. Aber das ist nur eine Frage der Übung und des dichterischen

[18] Vgl. auch Bernhard Blume, Ding und Ich in Rilkes ›Neuen Gedichten‹, Modern Language Notes LXVII (1952), 217—224.

Könnens. Im Grunde ist kein Unterschied zwischen Gedichten über
natürliche Gegenstände und über Artefakte. Rilkes Gedichte über
Blumen, Landschaften, Tiere und Menschen, und die | neueren
Gedichte über Bäume und Vögel, die Sommerfeld in seiner Anthologie zusammengestellt hat, erfassen ihre Gegenstände mit vollendeter Sicherheit. Viele sind schon berühmt geworden als klassische Beispiele dichterischer Einfühlung.

Es soll nur eben angedeutet werden, wie der Symbolismus auch
die übrigen Kennzeichen der Erlebnisdichtung in ihr Gegenteil
verkehrt hat. Die Natur wird entschleiert, visuelle Eindrücke
sind weit wichtiger als akustische, und in der Technik der Sprachbehandlung wird die Melodie ersetzt durch die Textur, ein aufs
feinste berechnetes Gewebe von Alliterationen, Assonanzen und
anderen lautlichen Anklängen. Die Entschleierung der Natur zeigt
sich zum Beispiel darin, daß die frühen Fassungen von Meyers
Gedichten oft Abend- oder Nachtlandschaften beschreiben, während die entsprechenden endgültigen Fassungen ins helle Sonnen-
licht getaucht sind (›Firnelicht‹, ›Himmelsnähe‹, ›Das Seelchen‹). Diese Entschleierung ist die notwendige Folge einer Auffassung, die nicht mehr an das „Rätsel der unsterblichen Sphinx"
(Hebbel), an ein göttliches Geheimnis in der Natur glaubt. Was den
Mangel des Akustischen betrifft, so hat Meyer zwar noch ein paar
akustische Symbole (Nachtgeräusche, Wasserfall, Flöte), aber die
visuellen überwiegen bei weitem. Die fast tödliche Stille vieler
Rilkescher Gedichte habe ich anderwärts zu deuten versucht[19].
Das Fehlen der Melodie ist schon beim jungen Meyer deutlich. Er
liebt sehr harte Trochäen oder die streng metrischen jambischen
Reimpaare von ›Huttens letzte Tage‹. Dazu kamen später die
ihm eigentümlichsten Verse, ungereimte Jamben mit häufigem
Zeilensprung, die, wie schon Spitteler bemerkte[20], ihre Wirkung
ohne jeden Klang erzielen. ›Der Kamerad‹, ›Der Blutstrop-
fen‹, ›Der tote Achill‹ sind gesprochene Gedichte; ›Das Seel-

[19] H. Henel, Rilkes Corrida, Monatshefte (Wisconsin) XLV (1953),
437, Anm. 3.
[20] Carl Spitteler, Conrad Ferdinand Meyers Gedichte, in: Gesammelte
Werke, hrsg. von Werner Stauffacher, Zürich 1947, Band VII, S. 494.

chen‹ ist geflüstert. Rilkes Verse vom ›Stundenbuch‹ bis zu
den ›Neuen Gedichten‹ sind vorwiegend streng metrisch, und
auch die metrisch unregelmäßigen haben keine Melodie. Bei Eichendorff kann man gar nicht von Unregelmäßigkeiten sprechen, denn
man hört das Wogen einer Melodie, nicht Versfüße von verschiedener Art und Länge. Bei Rilke dagegen ist man sich immer einer
metrischen Norm bewußt, so daß jede Abweichung von der Norm
als zweckhaft empfunden wird. Seine Inversionen, Kürzungen und
Dehnungen der Versfüße dienen der Darstellung des Gegenstandes,
der Betonung, dem Sinn. Es besteht also kein prinzipieller Unterschied zwischen Gedichten wie ›Gott im Mittelalter‹ (wo die
vollkommen regelmäßigen Trochäen den stetigen Takt einer Uhr
wiedergeben), ›Der Abenteurer‹ (regelmäßig), ›Der Alchi-
mist‹ (eine einzige Inversion), ›Corrida‹ (eine einzige Extra-
silbe), und andrerseits metrisch unregelmäßigen Ge|dichten wie
›Ein Doge‹ oder ›Der Platz‹. Sowohl das Gleichmaß wie
seine auffällige Durchbrechung dient der Auseinandersetzung des
Dichters mit seinem Gegenstand. Rilkes Behandlung des Metrums
entspricht seiner Behandlung ganzer Verse, Strophen und Gedicht-
formen, denn auch hier finden sich Dehnungen und Kürzungen,
und neben regelmäßigen Sonetten bildet er verkürzte, erweiterte
und sogar invertierte (in ›Der Platz‹ steht das Sestet vor der
Oktave). Der Unterschied zwischen Eichendorff und Rilke ist
nicht leicht auf eine Formel zu bringen. Der Gegensatz „Singen“
und „Sprechen“ trifft nicht das Richtige, denn schon den pulsen-
den Versen von ›Corrida‹ wird das Wort „Sprechen“ nicht gerecht, und erst recht nicht den Synkopen des ›Papageienparks‹
oder dem atemlosen Eifer so überströmender und sich überstürzen-
der Gedichte wie ›Delphine‹ oder ›Der Pavillon‹. Am besten
paßt wohl „melodisch“ und „rhythmisch“. Gesang hat Melodie,
Sprache Rhythmus, aber nur die Sprache des Dichters, die den Gegenstand zugleich erfaßt und verwandelt. Und eben diesem doppelten Zweck dient auch die farbenprächtige Textur von Rilkes
Versen. Ein Zitat aus dem ›Stundenbuch‹ möge es zeigen:

> Die Könige der Welt sind alt
> Und werden keine Erben haben.

> Die Söhne sterben schon als Knaben,
> Und ihre bleichen Töchter gaben
> Die kranken Kronen der Gewalt.

Und wenn man Gedichte wie die ›Delphine‹ oder den ›Papageienpark‹ liest, möchte man glauben, die deutsche Sprache bestehe überhaupt nur aus reimenden, assonierenden oder doppelt alliterierenden Wörtern. In dieser Fülle von Klang und Farbe liegt der eigentliche Ersatz für die romantische Melodie. Der Sinn der Erscheinung ist klar. Der Dichter, der nicht von der großen Natur ergriffen ist, sondern Einzelheiten ergreift, geht ihnen auch sprachlich nach. Er gibt jedem Fleck seines Bildes die ihm gehörende Farbe, aber er schafft zugleich ein Gewebe, worin das Gegenständliche als Muster erscheint.

Freilich geht der phantastische lautliche Schmuck, den Rilke manchen seiner ›Neuen Gedichte‹ mitgibt, bereits über das hinaus, was vom Gegenstand erfordert oder ihm angemessen ist. Eine Zeitenwende bereitet sich vor, der Expressionismus steht schon an der Schwelle. Die Sprache beginnt selbstherrlich zu werden, das Werkzeug der Darstellung dringt in den darzustellenden Gegenstand ein und modifiziert ihn, noch bevor der Mensch zu seiner Erkenntnis gelangt. Der Vorgang entspricht dem in der modernen Physik, wo das beobachtete Phänomen mehr und mehr erst durch die Mittel der Beobachtung hervorgerufen wird; und die weitere Entwicklung der Lyrik nach Rilke läßt sich mit der abstrakten Kunst vergleichen, indem nämlich | die Sprache nicht nur Werkzeug ist, sondern selbst zum Gegenstand der Dichtung wird. Diese Entwicklung ist vor kurzem in zwei glänzenden Aufsätzen beschrieben worden, von Ronald Peacock und Wilhelm Emrich[21]. Sie führen die Linie fort, die wir durch die sechzig Jahre vor den ›Neuen Gedichten‹ gezogen haben. Peacock nennt die Jahre 1901—1911 entscheidend für den Wandel in der Physik, 1907—1912 für die bildende Kunst, 1910—1917 für die

[21] Ronald Peacock, Abstraction and Reality in Modern Science, Art and Poetry, in: Literature and Science, Oxford 1955, S. 324—330. Wilhelm Emrich, Die Literaturrevolution und die moderne Gesellschaft, Akzente, Jahrgang 1956, S. 173—191.

Dichtung. Und Emrich spricht von „jener großen Kunstrevolution, die sich um 1910 abspielte und damals sowohl die Formen der abstrakten Malerei und modernen atonalen Musik als auch die rätselhaft hieroglyphische Dichtung und hermetische Bilderwelt eines Georg Trakl, Franz Kafka und der späten Lyrik Rainer Maria Rilkes hervorrief". Werner Heisenberg hat dargestellt, wie die Naturwissenschaft einst auszog, die objektive Wirklichkeit zu erfassen, Ungenauigkeiten der Wahrnehmung auszuschließen, und den subjektiven Deutungen der Dichter und Denker für immer den Boden zu entziehen; wie sie aber, indem sie ein immer genaueres Bild der Welt zu zeichnen sucht, „nicht mehr von der Welt [handelt], die sich uns unmittelbar darbietet, sondern von einem dunklen Hintergrund dieser Welt, den wir durch unsere Experimente ans Licht bringen". Und er folgert: „Diese objektive Welt wird also doch gewissermaßen erst durch unseren tätigen Eingriff, durch die verfeinerte Technik des Beobachtens hervorgebracht."[22] Peacock verfolgt die parallele Entwicklung vom Realismus zur Abstraktion in der Kunst. Der Realist wollte so objektiv sein wie möglich, er wollte die Dinge beschreiben, wie sie wirklich sind, unentstellt von Phantasie oder Vorurteil. Erst im Verlaufe seiner Bemühungen stellte sich heraus, daß der Künstler die Natur nur kennt, insofern er sie entdeckt und darstellt, daß er also nicht wirklich in den Besitz der Wirklichkeit gelangt, sondern eines vielfältigen Systems von ihm ersonnener bildlicher Darstellungen. Indem nun erkannt wurde, daß noch die realistischste Beschreibung dem Geist des Beobachters ebensoviel verdankt wie dem Gegenstand, wurde das Kantische Vorangehen der Vernunft, das Etwas-in-die-Natur-Hineinlegen, zum bewußt gehandhabten Prinzip der Kunst. Das ist die Stufe des Symbolismus. Aber auch dabei konnte der Künstler nicht stehenbleiben. Er besann sich, daß es ihm möglich ist, auch nicht-imitative Bilder zu schaffen. Der Geist kann Zeichen erfinden, die (wie in Kafkas Romanen) der Begegnung mit der Wirklichkeit wenig oder nichts verdanken und dennoch Zusammenhang und Bedeutung haben. „Die Künstler", schreibt

---

[22] Werner Heisenberg, Die Goethesche und die Newtonsche Farbenlehre im Lichte der modernen Physik, Geist der Zeit XIX (1941), 270.

Emrich, „scheinen sich | plötzlich außerhalb aller gewohnten raum-zeitlichen und geistigen Beziehungsordnungen zu stellen, das ‚Gesehene unserer Augen, das Gehörte unserer Ohren' zu verlassen, sich ‚ganz ins Entgegengesetzte' zu wenden und ‚Worte' zu schreiben, die sie, wie Rilke sagt, selbst ‚nicht mehr meinen'." Nur das Wort „plötzlich" möchte ich bestreiten. Kafkas ›Amerika‹ (um 1913) bezeichnet genau die Stelle des Übergangs vom Symbolismus zur Abstraktion. Amerika ist Symbol für das Unbekannte, die unbegrenzten Möglichkeiten, das Abenteuer; und der Auswanderer ist der Fremde, Schutzlose, Verständnislose und Unverstandene überhaupt. Aber der Dichter gibt sich keine Mühe mehr, auch nur die einfachsten Tatsachen festzustellen: seine Freiheitsstatue hat ein Schwert statt der Fackel in der Hand. Als Beschreibung des wirklichen Amerika ist der Roman eine Groteske. Das Wort „Amerika" ist hingeschrieben, aber „nicht mehr gemeint". Die Folgerung war notwendig: auf das Gespräch mit der Wirklichkeit verzichten und eine Welt schaffen, die wie Kafkas ›Schloß‹ überall und nirgends zu finden ist. Abstraktion in der Dichtung bedeutet den Verzicht auf das bestätigende Experiment an der Außenwelt zugunsten äußerster Präzision in der Darstellung der Innenwelt. Wer sich erinnert, wie oft C. F. Meyer vergeblich gerungen hat, sich an einem realen Gegenstand oder einer historischen Persönlichkeit (etwa Michelangelo) zu erkennen und darzustellen, versteht, daß dies nicht nur Verlust bedeutet, sondern auch Gewinn.

Rilke ging nicht ganz den gleichen Weg. Er hat den Expressionismus mit vorbereitet und ihm sprachliche Mittel geschaffen, er hat das Fragwürdige des Daseins empfunden und „das Schwindende" an den Dingen erkannt, aber er gehört weder zu den Expressionisten noch zu den Nihilisten noch zur abstrakten Kunst. Er ist nicht subjektiv wie der Expressionist, der im Ringen nach Ausdruck seinen Gegenstand entstellen darf bis zur Groteske. Aber er ist auch nicht objektiv im Sinne der abstrakten Kunst, welche Qualitäten von den Gegenständen löst und als bloße Zeichen handhabt, wie etwa Trakl die Farben. Sein Respekt vor den Dingen ist eher größer als geringer geworden in seiner letzten Periode, nur hat sich ihm der Begriff des Dinges selbst gewandelt. Und zwar in zweifacher Weise. Noch immer sind die Dinge das Beständige und Verläßliche, aber nun nicht mehr, weil sie zur bestimmten Stunde und am bestimmten Ort gesehen wurden und also wirklich da waren, sondern weil sie den Tod in sich enthalten und deshalb einer weiteren Welt, dem „anderen Bezug", mit angehören. Aber die Dinge sind auch das Unfertige und Erlösungsbedürftige, sie wollen übersetzt, ins Unsichtbare verwandelt, gesagt werden — gesagt „so wie selber die Dinge niemals innig meinten zu sein" (Neunte Elegie). Was Heisenberg von der modernen Physik berichtet, nämlich daß die verfeinerte Technik des Beobachtens den dunklen Hintergrund der empirischen Welt aufdecke, darf auch von Rilkes Spätwerk gelten. Immer wieder spricht er von den Dingen und erklärt, der | Mensch müsse sich an ihnen orientieren und von ihnen lernen (›Winterliche Stanzen‹, ›Es winkt zu Fühlung‹, ›An Hölderlin‹). Nur werden sie jetzt nicht mehr befragt nach dem, was sie sind und was der Mensch ist, sondern nach dem „Bestehenden" (in Rilkes doppeldeutigem Gebrauch des Wortes), also nach dem, was sich an ihnen erkennen und erfühlen läßt und wahr bleibt noch jenseits aller empirischen Bezüge (›Durch den sich Vögel werfen‹). Solche Dinge sind nicht mehr Symbole, denn es gibt nichts außer ihnen, was sie stellvertretend bedeuten können. Sie selbst sind das Absolute, oder vielmehr, das Absolute ist in ihnen, oder kann in ihnen erkannt und durch sie gesagt werden. So spricht auch Rilke manchmal nicht mehr von den Dingen, sondern von dem Ding, das er schaffen will und worin seine gesamte Existenz und seine gesamte Welterfahrung zusammengerafft werden soll (›Die spanische Trilogie I‹). Eine zugleich Kantische und mystische Vorstellung: Kantisch, weil das Hiesige, die Sinnenwelt, der einzige Gegenstand des Erkennens bleibt; mystisch, weil dennoch das Ding an sich erkannt werden soll, und weil der Mensch mit dem erkannten Ding in eins zusammenfällt. Der „Schwindendste" macht das „Schwindende" säglich und verschmilzt mit ihm in das bleibende Wort.

Ob diese Vorstellungen als Philosophie bestehen können, steht hier nicht zur Diskussion. Gewiß ist, daß der Glaube an die Absolutheit der Dinge Rilkes späte Dichtung ebenso bestimmt wie die Überzeugung von ihrer Nichtigkeit die abstrakte Dichtung. Denn während der Expressionismus den Gegenstand verzerrt, der Surrealismus ihn zerreißt und zerstreut, und die abstrakte Kunst ihn völlig aufhebt und durch geometrische Figuren oder Klangkonfigurationen ersetzt, bleibt Rilke bis zuletzt den Dingen getreu. Aber während die Abstrakten sich die Präzision Kafkas und nicht den sprachlichen Leichtsinn der Expressionisten zum Vorbild nehmen, sieht sich Rilke genötigt, die Sprache bis an die Grenze ihrer Möglichkeiten, bis zur Vieldeutigkeit und Dunkelheit zu drängen. Er mußte sich eine Sprache schaffen, die das Gewohnte und Vertraute an den Dingen bezeichnet und zugleich das noch nie Erkannte. Die Übereinstimmung von Ding und Sprache, schon im täglichen Umgang keineswegs fraglos, ist für den modernen Dichter so problematisch, daß er nicht beide zugleich unangetastet lassen kann. Nur mit dieser Einschränkung blieben die Dinge für Rilke säglich.

NACHSCHRIFT 1964

Die in dem vorliegenden Aufsatz entwickelten Gedanken wurden weitergeführt, zum Teil auch berichtigt und terminologisch zutreffender formuliert in dem Aufsatz ›Epigonenlyrik: Rückert und Platen‹ (Euphorion, Band LV, 1961, Seite 260—278) sowie in dem Nachwort meiner Ausgabe ›Gedichte Conrad Ferdinand Meyers‹ (Tübingen 1962), Seite 146—157.

Heinz Otto Burger/Reinhold Grimm, Evokation und Montage. Göttingen: Sachse & Pohl Verlag 1961
(S. 7–27). Erstmals veröffentlicht in der Festschrift für Franz Rolf Schröder. Heidelberg: Carl Winter
Verlag 1959 (S. 229–240).

VON DER STRUKTUREINHEIT KLASSISCHER UND MODERNER DEUTSCHER LYRIK

Von HEINZ OTTO BURGER

Jedes Gespräch über moderne Lyrik geht heute am besten aus von Hugo Friedrichs weitbekanntem Buch über ›Die Struktur der modernen Lyrik‹ (1956). In überzeugender Weise wird hier das Gemeinsame an der Lyrik des Abendlandes seit Baudelaire, Rimbaud und Mallarmé aufgezeigt. Friedrich benützt dazu, wie er selbst sagt, vornehmlich *negative* Kategorien, nicht im wertenden, aber im definitorischen Sinne. So entsteht die Frage, „warum modernes Dichten weit genauer mit negativen als mit positiven Kategorien zu beschreiben ist. Es ist die Frage nach der geschichtlichen Bestimmung dieser Lyrik". Friedrich hält zwei Antworten für möglich: „Entweder sind uns alle diese Dichter soweit voraus, daß noch kein gemäßer Begriff sie einholen kann", oder es handelt sich um „eine endgültige Nichtassimilierbarkeit . . ., die ein Wesenszug moderner Lyrik wäre". In der Tat stellt sich hier die Frage nach der geschichtlichen Bestimmung der modernen Lyrik; aber diese Frage geht auch auf das Verhältnis zur vormodernen, sagen wir kurzweg ›klassischen‹ Lyrik. Und hat es sich Friedrich nicht gerade bei der Zeichnung dieser vormodernen Lyrik ein wenig leicht gemacht? Daran mag es liegen, daß bei ihm die moderne Lyrik so stark | als Umkehrung alles Bisherigen erscheint, am besten faßbar in negativen Kategorien. Gibt es denn — trotz der enormen Unterschiede — nicht auch zwischen ›moderner‹ und ›klassischer‹ Lyrik eine gewisse Struktureinheit?

Lassen Sie mich, um schneller zum Ziel zu kommen, etwas ausholen! Gleich sämtlichen Lebewesen stehen auch der einzelne Mensch und jede Menschengruppe, steht das Wesen Mensch in einer eigenen Umwelt oder mehreren sich gegenseitig überschneidenden Umwelten. Jakob von Uexküll hat am eindrücklichsten die ver-

schiedenen Umwelten gezeigt, auf die und in die als ihre Merk-
und Wirkwelt die Lebewesen von Natur oder als Menschen auch
durch die Geschichte praktisch bzw. psychisch eingestellt sind.

Der Mensch unterscheidet sich nun aber von den übrigen Lebewesen dadurch, daß er die Befangenheit in seiner ihm gegebenen
Einstellungswelt bis zu einem gewissen Grade zu überwinden vermag. Indem er seine Erfahrungen aufbewahrt, miteinander verbindet, ordnet und deutet, bildet er sich sowohl anschauliche als
gedankliche Vorstellungen vom Dasein, relativ geschlossene sinnliche und geistige *Vorstellungswelten*.

Der Begriff ›Welt‹ wird abgeleitet von dem alten Wort
›wer‹ — Mann oder Mensch, lateinisch *vir*. Welt — zugleich
Einstellungswelt und Vorstellungswelt — ist also schon dem Wort
nach der Daseinsbezirk des Menschen.

Dagegen steht ›Leben‹ in Zusammenhang mit ›bleiben‹;
altnord. bedeutet dasselbe Wort sowohl ›leben‹ als ›übrig
bleiben‹. Ob damit Leben Übrigbleiben im Kampf heißt, läßt
sich wohl nicht sicher entscheiden. So mag es für unseren Zusammenhang einmal erlaubt sein, Leben als das zu verstehen, was
übrig bleibt, wo Welt des Menschen gegeben | oder geschaffen
ist; als das, was der jeweiligen menschlichen Einstellungs- und Vorstellungswelt sich entzieht, sie in Frage stellt oder aufbricht. Welt
und Leben bilden eine Antithese.

›*Erlebnis*‹ — ein Begriff, den Hugo Friedrich in der Poetik
verabscheut — meint dann, daß Leben erfahren wird, das in der
Welt nicht aufgeht. Anders gewendet: wo unsere bestehende Einstellung und Vorstellung gegenüber dem Dasein Welt heißt, ist
Leben unser Daseins-Erlebnis beim Aufbrechen von Welt. Erlebnisse dieser Art darzustellen oder hervorzurufen, macht meines Erachtens das innerste Wesen der Dichtung aus. „Dichterisch *lebet* der
Mensch auf dieser Erde", indem er immer wieder Welten aufbricht.

In einem Vortrag über ›Methodische Probleme der Interpretation‹ auf dem Ersten Germanistentag in München — Germanisch-Romanische Monatsschrift 1951 — suchte ich dem Phänomen der Dichtung auf scheinbar entgegengesetzte Weise nahezu-
kommen. Das Sein des Seienden, das Hen kai Pan, das Leben,

sagte ich damals, werde vom Menschen zuweilen in seiner umfassenden und unausschöpfbaren, seiner unendlichen Mächtigkeit erfahren; antwortend auf solchen Anspruch des Seins, nicht als einer
artikulierten Stimme, aber als einer übermächtigen Stimmung,
schaffe der Dichter dann kraft besonderer Sprachmittel eine neue
Welt. Durch Rhythmus und Melodie, Implikation und Metapher
füge er in der Sprache die Elemente auf neue Weise und gebe so
jener Stimmung suggestiven Ausdruck; die dichterischen Sprachmittel seien ihrem Wesen nach Konjunktionen. Eine neue Welt in
der Sprache schaffen, bedeutet aber ja zugleich, daß eine bestehende Welt vernichtet oder im Hegelschen Sinne aufgehoben, jedenfalls aufgebrochen wird. Dieses Aufbrechen ist das Primäre
und, wie ich heute meine, das Entscheidende. | Zuerst und zu-
letzt geht es nicht um neue Welt, sondern um das, was anders als
Welt ist: das ›Wunderbare‹ in der ganzen Spannweite des Begriffs. Dahin zielen auch die Konjunktionen.

Es würde zu weit führen, wollte ich darlegen, wie die hier an-
deutungs- und, von Uexküll aus, deutenderweise entwickelte Poe-
tologie in der Kennzeichnung des Phänomens — natürlich nicht
in dessen Deutung — übereinstimmt mit der Poetik schon des 17.
Jahrhunderts, von Zesen und Harsdörffer bis Erdmann Neumei-
ster, und mit der, die sich im 18. aus den Ansätzen bei Boileau,
Muratori, Addison und Bodmer-Breitinger entwickelte. Waren die
Manieristen der Barockzeit ausgegangen von Marinos «E del poeta
il fin la meraviglia, / Chi non sa far stupir, vada alla striglia»
— Des Dichters Ziel ist das Erstaunen, wer nicht verwundern
kann, der striegle Pferde —, so variieren die Späteren, und zwar
vom nachbarocken Klassizismus bis zur Frühromantik, die Thesen
Boileaus über « cet extraordinaire et ce merveilleux qui fait qu'un
ouvrage enlève, ravit, transporte » — jenes Außerordentliche
und Wunderbare, durch das ein Kunstwerk uns erhebt, entzückt
und über uns hinausführt. Derselbe Faden wird weitergesponnen
in Mallarmés „ontologischem Schema", wie es Friedrich nennt,
und Gottfried Benns Vortrag über ›Probleme der Lyrik‹ (1951),
der in Deutschland „für die junge Generation eine Ars poetica
geworden ist". 1955 hat Hans Bender unter dem etwas reißerisch
klingenden Titel ›Mein Gedicht ist mein Messer‹ Äußerungen

zumeist modernster deutscher Lyriker über ihre Gedichte zusammengestellt. Strophen von Wolfgang Weyrauch, die sich dort abgedruckt finden, scheinen mir, salopper und geistreicher, mit den oft weit hergeholten Bildern und brüskierend banalen Redewendungen der | modernen Dichtersprache, fast das gleiche zu sagen, was ich auf altmodisch umständliche Weise darlegte.

Mein Gedicht

Ich schreibe ein Gedicht.
Ich veranstalte eine Expedition.
Ich mache mich davon
aus Antwort und Beweis.
Ich trete in den Kreis
der Fragen. Ich bin im Licht,

das auf die Mitte des Dickichts fällt.
Warum und woher?
Ich schlage mich quer
durch Gelee und Asbest.
Die Meridiane sind verwest.
Mein Gedicht ist die Welt

der diagonalen Messer.
Ich bringe das Winzige heim.
Ich gehe dem Ungeheuren nicht auf den Leim.
Ich setze die Ewigkeit fort.
Ich versuche den Mord
an den Rechnungen. Mein Gedicht ist besser.

Nur den Begriff ›Kreis‹ würde ich mir gerne für einen andersartigen Gebrauch vorbehalten. Weyrauch sagt vom Dichter, er träte *in* den Kreis, allerdings der Fragen, wo es nicht Antwort und Beweis gibt; ich zöge vor zu sagen, daß er *aus* dem Kreis tritt, weil ich gerade die Einstellungs- und Vorstellungswelten als den Kreis — orbis — und die Gleise — | orbitae — ansehe, in denen der Mensch sein Dasein zu führen pflegt. Die dichterischen, weltaufbrechenden oder -aufschneidenden ›Erlebnisse‹ sind so für mich recht eigentlich *exorbitante* Erlebnisse. Weyrauch nennt sie Expeditionen. In vielen Fällen spricht man am besten von Experimenten.

Expeditionen also in die Exorbitanz, Experimente mit ihr sind die modernen Gedichte. Und wie steht es mit den vormodernen, ›klassischen‹? Schon thematisch liegt sehr oft auch ihnen ein Exorbitieren, wenn dieses Wort gestattet ist, zugrunde, irgendeine Art von Exorbitanzerlebnis.

Wir können ausgehen von einem für Goethe so bezeichnenden Gedicht wie ›Auf dem See‹. Die goldenen Träume — biographisch verstanden: der Sehnsucht nach Lili — werden am Ende weggescheucht:

> Morgenwind umflügelt
> Die beschattete Bucht,
> Und im See bespiegelt
> Sich die reifende Frucht.

Wird hier nicht im Gang des Gedichtes auf das Schlußbild hin und vor allem mit dem Schlußbild selbst das Aufbrechen einer durch die ›Einstellung‹ bestimmten Welt gestaltet, ein Erlebnis der Exorbitanz, das die Seele befreit und reinigt? Indem der Mensch seine ›subjektive‹ Welt durchstößt, um nichts als Spiegel der ›objektiven‹ Wirklichkeit zu sein, begegnet ihm das ›Leben‹ selbst. Daß dieses ›Erlebnis‹ einen Grundzug Goethes bildet, daß er sich geradezu darauf einübt und damit gleichsam experimentiert, brauche ich nicht zu betonen. Ich erinnere nur an die ›Italienische Reise‹: „Meine Übung, alle Dinge sein zu lassen, meine Entäußerung von | allen Prätentionen, kommen mir einmal wieder recht zu statten und machen mich im stillen höchst glücklich."

Das Gedicht ›Auf dem See‹ gipfelt im Bild für solches Erleben. Durch das Schlußbild wird ›Auf dem See‹ erst eigentlich zum Gedicht. Und Bilder der gleichen Art sind ihrem Wesen nach viele Goethesche Gedichte: Bilder der Exorbitanz, das heißt bei Goethe der unbefangen von eigener Einstellung angeschauten Wirklichkeit, in der das Leben sich offenbart.

Vergleichen wir nun aber mit dem Lili-Gedicht ein Diotima-Gedicht Hölderlins. Die Ode ›Der Abschied‹ endet mit der

Hoffnung auf ein Wiedersehen der Liebenden im Alter. Dann
wird es geschehen, daß

> Uns führet der Pfad unter Gesprächen fort.
> Bald mit liebender Kraft fesselt die Träumenden
> Hier die Stelle des Abschieds,
> Und es dämmert das Herz in uns;
>
> Staunend seh' ich dich an, Stimmen und süßen Sang,
> Wie aus voriger Zeit, hör' ich und Saitenspiel,
> Und es schimmert noch einmal
> Uns im Auge die Jugend auf.

Diese Worte bringen in herrlichem Klang einen klaren Sinn.
Trotzdem war Hölderlin nicht damit zufrieden. In einer zweiten
Fassung ändert er vor allem den Schluß:

> Staunend seh' ich dich an, Stimmen und süßen Sang,
> Wie aus voriger Zeit, hör' ich und Saitenspiel,
> Und befreiet in Lüfte
> Fliegt in Flammen der Geist uns auf. |

Der Sinn hat sich damit vertieft. Die letzten Verse sprechen nun
von Befreiung aus den irdischen Schranken, von Erlösung und
Vereinigung der Geister in einer Art Flammentod. Die Hoffnung
auf das Glück im Alter wirkt beinahe simpel neben dieser Metaphysik.

Aber Hölderlin wollte mit der zweiten Fassung seiner Ode gar
nichts anderes zum Ausdruck bringen als mit der ersten: die Stimmung des Abschieds von Diotima, den Glanz der Liebe, das Dunkel des Leids und die Hoffnung, die Gewißheit, daß solche Liebe
unzerstörbar, in Raum und Zeit nicht gebunden, ein Ewiges ist.
Der Gedanke, es bleibe die Erinnerung, oder der Gedanke an ein
geistiges Jenseits bedeuten nicht mehr als Hilfskonstruktionen, damit der Dichter sich ausdrücken, Worte brauchen kann, die ja nun
einmal bild- und sinnhafte, sinnbildhafte Zeichen sind, zunächst
geknüpft an *irgendeine* Vorstellungswelt.

Hölderlin gibt sich denn auch erst mit einer dritten Fassung zufrieden. Diese ist noch im gleichen Jahr 1800 wie die beiden früheren Fassungen entstanden. Der Schluß lautet:

> Staunend seh' ich dich an, Stimmen und süßen Sang,
> Wie aus voriger Zeit, hör' ich und Saitenspiel,
> Und die Lilie duftet
> Golden über dem Bach uns auf.

Nun ist die Welt der Gedanken und Ideen wie ausgelöscht. Wir können diese Verse nicht mehr begrifflich deuten. Ja, die Lilie, die golden aufduftet, ist nicht einmal ein sinnlich vorstellbares Bild. Und doch empfinden wir die dritte Fassung der Ode mit Hölderlin als die dichterischste — und zugleich als die ›modernste‹. |

Wie verwandt, aber auch wie verschieden die beiden Verspaare: „Und im See bespiegelt / Sich die reifende Frucht" — „Und die Lilie duftet / Golden über dem Bach uns auf"! Goethe entreißt sich der Welt seiner seelischen Einstellung. Die Welt unserer sinnlichen Vorstellungen jedoch bleibt durchaus intakt. Sie als gültig anzuerkennen, befreit, beruhigt und beglückt Goethe. Der sinnliche Akt ist für ihn zugleich ein geistiger Akt; Anschauungswelt wird zur Weltanschauung. Das Bild der realen Frucht, die ein im Morgenwind sich glättender See widerspiegelt, begreifen wir als das einer geschlossenen Anschauungswelt und einer bestimmten Weltanschauung adäquate Sinnbild, als Symbol. Dagegen fügt das Bild der nur für zwei Liebende golden aufduftenden Lilie sich nicht in unsere Vorstellungswelt, und schon die Genese zeigt, daß Hölderlin mit ihm seine Aussage auch von jeder eigentlichen Weltanschauung abzulösen sucht. Die Lilie stellt kein Symbol dar, Hölderlin schafft vielmehr für seine Erfahrung der Liebe — ein Exorbitanzerlebnis — die nahezu isolierte gegenständliche Entsprechung, das objektive Korrelat, wie T. S. Eliots berühmter Terminus lautet, die Figur, die in ihrer Suggestiv- oder Evokativkraft der inneren Emotion äquivalent ist. In diesem Sinne stelle ich, ausgehend von den Schlußzeilen in Goethes ›Auf dem See‹ und Hölderlins ›Abschied‹, dem adäquaten Symbol das evokative Äquivalent gegenüber. Die Grenze zwischen den beiden kann freilich nicht immer scharf gezogen werden. In Goethes ›Selige Sehnsucht‹ beispielsweise handelt es sich mindestens ebensosehr um evokative Äquivalente wie um adäquate Symbole.

Der erstere Begriff, hier an einem Hölderlinschen Gedicht gewonnen, scheint mir nun aber speziell für die Interpretation mo-
derner Lyrik als Schlüsselbegriff, und eben nicht | nur als ein
negativer, brauchbar zu sein. Vor allem in Korrespondenz mit
dem, was ich Exorbitieren nannte. Der moderne Dichter spricht
Exorbitanzerlebnisse in Bildern und Klängen aus, die nicht Symbole, sondern evokative Äquivalente sind. In praxi mag der Prozeß oft umgekehrt verlaufen: spielend, experimentierend, etwa
mit Bildern, die der Sprachklang an ihn herangetragen hat, findet der Dichter evokative Äquivalente und kommt erst auf diese
Weise, durch Experimentieren mit der Sprache also, zum Exorbitieren. Auf jeden Fall kann das dichterische Aufbrechen an einer
einzelnen Stelle des Gedichts sich ereignen oder an vielen Stellen,
ja, die modernsten der Modernen montieren — einer ihrer Lieb-
lingsausdrücke — das ganze Gedicht aus lauter möglichst disparat-
ten Suggestivfiguren der Exorbitanz. Wo diese auch bei gutem
Willen und ehrlicher Anstrengung nicht als künstlerisches Erlebnis nachvollzogen werden kann, ist natürlich — für mich und
jeden, dem es ebenso geht — überhaupt kein Gedicht vorhanden.

Ein modernes Gedicht, das sich in der Betrachtung unmittelbar
an Hölderlins ›Abschied‹ anschließen läßt, bietet der Bender-
sche Sammelband mit Versen von Marie Luise Kaschnitz auf Elisabeth Langgässers Begräbnis (S. 16 ff.). Den Herzpunkt des Ganzen erkennen wir in den Zeilen:

> Sie schlossen ihre Mäntel, starrten gedankenlos
> Die Wolke an, die über ihre Köpfe
> Dahinfuhr schwarz und herrlich —
> Die schöne Wolke, dachte der Photograph
> Und machte eine Aufnahme privat.
> Ein fünfzigstel Sekunde, Blende zehn.
> Doch auf der Platte war dann nichts zu sehen. |

Frau von Kaschnitz, die einleitend die Entstehung des Gedichtes
schildert, nennt unter den „Einfällen", die „plötzlich darinsaßen",
einen Feuersalamander und „die schwarze Wolke, in der ganz
ohne Überlegung das Unfaßbare des Vorgangs mir … zur Erscheinung kam". Danach heißt es: „Dieser Bericht wäre unvoll-

kommen, wollte ich nicht erwähnen, daß mein Gedicht ursprünglich einige Zeilen mehr umfaßte, was der Inhalt dieser Zeilen war,
und warum sie schließlich weggefallen sind. Es war in diesen Zeilen die Rede von einem Meerwind, der ebenfalls zur Stelle war,
der verwirrend nach Zitronenblüten roch, und der ziemlich unge-
duldig darauf wartete, die Wolke, dieses Schiff der abgeschiedenen
Seele, über den Himmel zu treiben. Damals nun besuchte mich
Fritz Usinger, ich las ihm das Gedicht vor, und er war von diesen
Zeilen entsetzt. Er erklärte sie als einen letzten Rest von Gaukelei
und forderte die Unerbittlichkeit, die dem Thema und der übrigen
Gestaltung entsprach. Ich begriff, was er meinte, und daß man das
furchtbar ernste doppelte Geschehen der Erde- und Geistwerdung
nicht durch eine romantisch-spielerische Wendung aufhellen dürfte.
Ich ließ mich ... belehren und strich die fragliche Stelle aus. Nun
fröstelten die Gäste ohne Windstoß, nun blieb offen, was mit der
Seele geschah, nun war die Erscheinung der Wolke nur ein Bild
für das Unbegreifliche, das sich jeder Aufnahme, zumal der des
Photographen, entzieht."

Die Parallele in der Entstehung des Kaschnitzschen Gedichtes
und der Abschieds-Ode von Hölderlin liegt auf der Hand. Beide-
mal entsteht ein reines Gedicht erst dadurch, daß die mehr oder
minder herkömmlichen metaphysischen, ästhetisch-metaphysischen,
Vorstellungen, die eine ›Weltanschauung‹ prätendieren, nach-
träglich als Gaukeleien ausgemerzt | werden, um allein das Bild
wirken zu lassen. Hölderlins goldene Lilie und bei Kaschnitz die
Wolke, die dahinfuhr schwarz und herrlich, sind Bilder für die
Liebe und den Tod. Aber was sagen sie darüber aus? Nichts weiter, als daß Liebe und Tod die Wirklichkeit — für den modernen
Dichter vor allem eine Welt der Banalität — aufsprengen, daß
Liebe und Tod ein Ganz-Anderes, Exorbitantes sind. Weil menschliche Vorstellung sie nicht faßt und sie alle unsere Prätentionen,
wie Goethe sagt, überragen, müssen auch die Gaukeleien von
Flammentod und Schiff der abgeschiedenen Seele getilgt werden.
Damit erst wird die Wolke der Kaschnitz gleich der Lilie Hölderlins zum evokativen Äquivalent des Exorbitanzerlebnisses. So
weltenweit sonst Hölderlin und Kaschnitz verschieden sein mögen — wo sie die Welten hinter sich lassen, im eigentlich Dichte-

rischen, treffen sie dennoch zusammen. Der Rangunterschied wird darum allerdings nicht aufgehoben.

Ich sehe den Einwand voraus, Hölderlins ›Abschied‹ samt Goethes ›Selige Sehnsucht‹ seien allzu singuläre Beispiele und das zitierte Gedicht der Kaschnitz erscheine zu wenig modern, als daß ich aus einem solchen Vergleich etwas über die Struktureinheit klassischer und moderner Lyrik ableiten könne. Der klassische Dichter ist sogar der ›modernere‹, wenn er mit seiner Figur außer der sogenannten Weltanschauung auch die Anschauungswelt hinter sich läßt. Die Dichterin unserer Tage gestaltet nicht die Exorbitanz, sie erklärt nur, daß die Wolke auf der photographischen Platte nicht zu sehen sei. Die Grenzen zwischen ›klassisch‹ und ›modern‹ sind nun einmal schwimmend.

Mörikes Verse „Ein Tännlein grünet wo" können gewiß nicht als ›modernes‹ Gedicht gelten. Worin aber liegt, wenn | ich so fragen darf, ihr Reiz und ihre Kostbarkeit? Mörike rührt uns im Innersten an, indem er die Tatsache, daß wir alle sterben müssen und nicht wissen, wann das sein wird, aus der Welt der Vorstellungen, in die wir sie eingestellt und damit auch abgestellt haben, herausbricht und uns auf die naivste Weise in gegensätzlichen Bildern als seinen und meinen Tod vor Augen führt. Gespiegelt in den Augen, den Worten, der Seele des einfältigen Menschen, ist der Tod keine Tatsache unter anderen mehr, sondern *das* Ereignis der Exorbitanz. Die schwarzen Rößlein,

> Sie werden schrittweis gehn
> Mit deiner Leiche;
> Vielleicht, vielleicht noch eh'
> An ihren Hufen
> Das Eisen los wird,
> Das ich blitzen sehe.

Die naive Realistik erreicht in der Genauigkeit dieses Schlußbildes ihren Höhepunkt. Das Wort „blitzen" aber trifft uns noch auf andere Weise. Unwillkürlich erschrecken wir und zucken zusammen, was bei „funkeln" beispielsweise durchaus nicht geschähe. Das Wort symbolisch für die blitzartige Plötzlichkeit des Todes nehmen, hieße es überinterpretieren. Wirkt nicht diese ›Schlußpointe‹, auch wenn sie die reale Szene nicht zerstört, viel eher wie ein evokatives Äquivalent für das Erlebnis?

Wir könnten von hier zu Baudelaires ›La Charogne‹, ›Das Aas‹, übergehen, einem Gedicht, das als besonders epochal für die moderne Lyrik gilt; aber bleiben wir bei der deutschen Dichtung der Gegenwart und lassen wir nochmals | Marie Luise Kaschnitz zu Wort kommen. Diesmal mit Versen, die weit mehr als die früher zitierten wirklich ein vollgültiges Gedicht ergeben. Hugo Friedrich hat es im Anhang seines Buches abgedruckt. Drei Stücke von Benn, eines von Krolow und eines der Kaschnitz sind hier die einzigen Belege aus der deutschen Literatur.

> Genazzano (1955)
>
> Genazzano am Abend
> Winterlich
> Gläsernes Klappern
> Der Eselshufe
> Steilauf die Bergstadt.
> Hier stand ich am Brunnen
> Hier wusch ich mein Brauthemd
> Hier wusch ich mein Totenhemd
> Mein Gesicht lag weiß
> Unterm schwarzen Wasser
> Im wehenden Laub der Platanen.
> Meine Hände waren zwei Klumpen Eis
> Fünf Zapfen an jeder
> Die klirrten.

An einem winterlichen, wohl frostig-klaren Abend in Italien weckt das gläserne, harte und hohle Geklapper der Eselshufe auf dem Pfad zur Bergstadt in der Dichterin — wie soll man es nennen? — das Gefühl, das Bewußtsein, die Vision vom eigenen Dasein als dem Dasein einer Frau in der Bergstadt, vom menschlichen Dasein auf den Tod hin. Das verdichtet sich auf typische und fast topische Weise in drei | gleichlaufenden Zeilen: Am Brunnen des Städtchens pflegt die Frau zu waschen, hier wäscht sie auch ihr Brauthemd und ihr Totenhemd. Seltsam berührt, daß die Dichterin, mit der Frau aus der Bergstadt (und mit dieser selbst) sich identifizierend, nicht nur die Ich-Form, sondern dazuhin das Imperfekt gebraucht. Noch seltsamer — schon Friedrich macht darauf aufmerksam —: sie behält diese Formen auch bei, indem sie die Frau als Tote, als Ertrunkene schildert, die Hände „zwei Klumpen Eis, fünf Zapfen an jeder, die klirrten". Die Ich-Form in Verbindung mit der Vergangenheitsform — „Mein Gesicht lag weiß unterm schwarzen Wasser" — sprengt auf schockierende, erschreckende, im wahrsten Sinn des Wortes ent-setzliche Weise die für unsere Vorstellung reale Welt. Mörikes futurische Erzählung von den Rößlein, die seine Leiche ziehen werden, veranschaulicht den vorweggenommenen Tod noch so, daß es durchaus im Bereich des Möglichen und Wahrscheinlichen bleibt; die Kaschnitz dagegen erzählt ihren Tod als auf eine singuläre, gewiß nicht besonders wahrscheinliche Weise schon geschehen. Den plötzlichen Geschmack von Tod, das Entsetzen bei der Vorwegnahme des Todes teilt sie in dem krassen Bild der eigenen eingefrorenen Leiche als einem evokativen Äquivalent mit; durch die Vergangenheitsform, die sie dabei benützt, erhält das Gräßliche den Charakter der Unabwendbarkeit.

Mörike wie Frau von Kaschnitz lassen den Tod nicht in der Vorstellungswelt abgestellt sein, sondern machen, jedes auf eigene und doch dem anderen verwandte Art, das ›Leben‹ in seiner Exorbitanz wieder erlebbar, das heißt als Leben auf das exorbitante Ereignis des Todes hin. Die Gedankenverbindung von Tännlein, Rosenstrauch und Rößlein zum Tode erscheint naheliegend; viel ausgefallener, überraschender da|gegen, wie die Vision von Genazzano aus dem gläsernen Klappern der Eselshufe aufsteigt; künstlerisch folgerichtig endet sie mit dem Klirren der zu Eiszapfen erstarrten Finger; das Gedicht hat darin seine Einheit. Dem dissonanten Klirren entspricht in seiner unheimlichen Wirkung das Blitzen der Hufeisen bei Mörike. Unwillkürlich erinnert es aber auch an Hölderlins ›Hälfte des Lebens‹:

Die Mauern stehn
Sprachlos und kalt, im Winde
Klirren die Fahnen.

Ein Schluß dagegen wie der von Karl Krolows ›Liebesgedicht‹ (1955) — auch dieses gehört zu den fünf deutschen Gedichten bei Hugo Friedrich — scheint, bewußt brüskierend, weit
von aller klassischen Lyrik abzurücken. Nach der Terminologie
des Minnesangs könnte dieses Liebesgedicht, eines der geglück-
testen in der modernen deutschen Lyrik, ein Tagelied heißen. Die
letzten Verse lauten:

> Schön bist du. Du bist schön.
> Wasserkühl war dein Schlaf an meiner Seite.
> Mit halber Stimme rede ich zu dir.
> Und die Nacht zerbricht wie Soda, schwarz und blau.

Warum die Nacht gerade wie Soda zerbricht, ist nicht einzu-
sehen. Und Soda zerfällt ja auch nicht etwa in Schwarz und Blau.
Das könnte allenfalls die Nacht tun. Aber offenbar soll hier nur
am Ende noch ein Farbreiz gegeben werden. Das Wort Soda wählt
Krolow um der Banalität und Dissonanz willen: damit reißt die
lyrische Stimmung ab. Wie fern | klingt von hier aus Goethes „Und
im See bespiegelt / Sich die reifende Frucht" oder Hölderlins
„Und die Lilie duftet / Golden über dem Bach uns auf". —
„Und die Nacht zerbricht wie Soda, schwarz und blau."
  Oder sollten das „Und", die Farbe, der Klang von « zerbricht »
doch auf eine gewisse Verwandtschaft deuten? In der thematischen
Struktur gleichen sich die Gedichte von Goethe und Krolow, sofern beide die Liebesstimmung am Ende in Ernüchterung umschla-
gen lassen. Aber Goethe exorbitiert harmonisch in die heile Welt,
Krolow dissonant in die schnöde Wirklichkeit. Die Schlußzeilen
über die photographische Platte im zuerst zitierten Kaschnitz-Ge-
dicht entsprechen hier eher dem Krolowschen Soda-Vers. Als evokative Sprachfigur läßt er sich mit Hölderlins Lilien-Versen vergleichen; der Unterschied dabei springt von selbst in die Augen.
Am verwandtesten ist dem Tagelied von Krolow, was Thema und
Struktur anlangt, wohl Mörikes ›Früh im Wagen‹:

> Die Sonne kommt — sie scheucht
> Den Traum hinweg im Nu,

Und von den Bergen streicht
Ein Schauer auf mich zu.

Man pflegt hier mit Recht auf die evokative Klangkunst:
scheucht — streicht — Schauer, aufmerksam zu machen und auf die
doppelte Bedeutung von Schauer 'als morgendlicher Windschauer
und seelisches Schauern in der Ernüchterung, im Gefühl der Vergänglichkeit, im Alleinsein — oder wie wir es präzisieren wollen.
    Gegen den Reiz, den das Hereinnehmen der Banalität ausübt,
sträuben wir uns beim lyrischen Gedicht, ähnlich wie | gegen den
Reiz der unaufgelösten Dissonanz in der Musik. Sonst müßten wir
zugestehen, daß das unvermutet auftauchende Wort Soda gerade
mit seiner brüskierenden Banalität, seiner in den Kontext, in die
Szene nicht einzuordnenden und nicht zu präzisierenden Bedeutung, seinem schließlich wie von selbst in zwei sinnlose Silben zer-
fallenden Klang — daß dieses Wort Soda als Zeichen für die Ernüchterung in der Morgenfrühe auf seine Art eine nicht weniger
treffende Schlußpointe abgibt als das Wort Schauer bei Mörike.
Das evokative Äquivalent im modernen Gedicht ist eine folge-
richtige Weiterbildung des adäquaten Symbols im klassischen. Wie
sich die Grenzen verwischen, ja gelegentlich die Rollen sich ver-
tauschen, habe ich bei früheren Beispielen angedeutet.
    Krolow bringt noch weitere und kunstvollere gegenständliche
Entsprechungen; statt auf sie einzugehen, möchte ich zum Abschluß ein Gedicht von Paul Celan zu interpretieren versuchen,
eine Montage beinahe nur aus solchen Chiffren:

Ein Knirschen von eisernen Schuhn

Ein Knirschen von eisernen Schuhn ist im Kirschbaum.
Aus Helmen schäumt dir der Sommer. Der schwärzliche Kuckuck
Malt mit demantenem Sporn sein Bild an die Tore des Himmels.
Barhaupt ragt aus dem Blattwerk der Reiter.

Im Schild trägt er dämmernd dein Lächeln,
Genagelt ans stählerne Schweißtuch des Feindes. |
Es ward ihm verheißen der Garten der Träumer,
Und Speere hält er bereit, daß die Rose sich ranke ...

> Unbeschuht aber kommt durch die Luft,
>   der am meisten dir gleichet:
> Eiserne Schuhe geschnallt an die schmächtigen Hände,
> Verschläft er die Schlacht und den Sommer. Die Kirsche blutet
> für ihn.

Diese Verse muten wohl die meisten Leser aufs erste besonders abstrus, um nicht zu sagen absurd an. Am Ende des nun zurückgelegten Weges erscheinen sie uns vielleicht nicht mehr ganz so fremd. Ein Kriegsgedicht, in dem Celan unter der Du-Form von sich selbst spricht; zwei gegensätzliche Welten: Krieg und Kunst, Krieg und Traum, Knirschen von eisernen Schuhen im Kirschbaum. Dieses Bild paßt nicht in unsere Vorstellungswelt, und doch springt etwas in uns an. Der Klang der beiden Worte Knirschen und Kirschen — die Keimzelle des vornehmlich aus dem Klang lebenden Gedichtes — evoziert das Zugleich von Brutalität und friedlichem Wachstum. Bei einem zweiten Lesen assoziieren wir vielleicht in der Ferne marschierende Soldaten oder eine Art Kriegsgott oder die eiserne Notwendigkeit — das ist hier, im wahrsten Sinn des Wortes, einerlei. Auch der schöne Satz „Aus Helmen schäumt dir der Sommer" läßt sich nicht vorstellen, aber er bereichert den Eindruck von Kriegssommer um das Moment der Üppigkeit. Daß die dritte Bild- und Klangfigur in dieselbe Richtung weist, ahnen wir mehr, als daß wir es verstehen.

Dann schaut der Dichter — Vision können wir es nennen — einen Reiter barhaupt aus dem Kirschbaum ragen. Wie ein | Wappenbild zeichnet sich auf dem Schild undeutlich, geheimnisvoll des Dichters eigenes lächelndes Antlitz, in Wahrheit nur sein Lächeln ab. Es erinnert von fern an das Gesicht im Schweißtuch der Veronica; doch statt des Linnens einer sich erbarmenden Frau gibt es hier nur Stahl des Feindes, auf dem das Lächeln wie festgenagelt ist. Gleich dem Schweißtuch deutet auch der Ausdruck genagelt auf den Gekreuzigten hin. All dies wird in *einem* verdichtenden Satz, weit mehr evokatives Äquivalent als nachvollziehbares Bild, zusammengedrängt.

Durch das Wappenbild mit dem leidenden Lächeln des Dichters weist sich der Reiter als dessen Gleichnis, als Verkörperung seines Genius aus. Ihm war der Garten der Träume verheißen; so haben

Waffen, Speere in seiner Hand keinen Sinn. Er hält sie nur, „daß die Rose sich ranke": das Bild evoziert etwas von der Verwunschenheit eines Rittermärchens.

Noch reineres Gleichnis seiner selbst findet der Dichter in einem Wesen, das unbeschuht durch die Luft kommt, „eiserne Schuhe geschnallt an die schmächtigen Hände": ein völlig absurdes Bild, ist man geneigt zu sagen, absurder noch als das Knirschen von eisernen Schuhen im Kirschbaum. In unserer Vorstellung gibt es nur allenfalls eiserne Schuhe an schmächtigen Beinen. Aber den Dichter charakterisieren seine Hände; und wie sein Lächeln festgenagelt ist, so sind die Hände festgeschnallt durch den Krieg, der schon mit der ersten Zeile als Knirschen von eisernen Schuhn in das Gedicht eintrat.

Der Reiter, ein Verwunschener, hält den Speer nicht als Waffe, sondern als sollten Rosen sich um ihn ranken; die zweite Ich-Verkörperung des Dichters, die zweite Verkörpe|rung seines Genius verschläft sogar die Schlacht und den Sommer. Aber im Schlaf und im Traum ist ein Knirschen von eisernen Schuhen im Kirschbaum: der Anfang des Gedichts; ja, „die Kirsche blutet für ihn" — nach seinem Gefühl — an seiner Statt: das Ende. So etwa ließe sich die Bahn, die das Gedicht zieht, nachzeichnen.

Sicher kann man Einzelheiten auch anders interpretieren. Evokative Äquivalente sind wesensmäßig vieldeutig. Sie wirken Exorbitanz und lassen sich deshalb nur höchst unzulänglich wieder in eine der gegebenen Vorstellungswelten einpassen. Statt dessen verlangt der exorbitante Zustand, sofern er wirklich ein *dichterisch* bestimmter Zustand ist, schließlich zurück nach jener einmaligen Folge von Klängen, Bildern, Worten, die ihn hervorrief; die Form, aus der er sich ergab, ist die einzig mögliche Form für ihn. Gilt das aber nicht ebenso, wenngleich weniger radikal, für die klassische Lyrik mit ihren Symbolen? Handelt es sich nicht wieder „nur" um Gradunterschiede? „Die Poesie ist daran zu erkennen", sagt Paul Valéry, „und man könnte sie wohl danach definieren: daß sie sich in ihrer Form zu erneuern strebt, daß sie unsern Geist aufruft, diese in uns wiederherzustellen."

Germanisch-Romanische Monatsschrift N. F. 9 (1959), S. 288–315.

GEORG TRAKLS VERHÄLTNIS ZU RIMBAUD

Von Reinhold Grimm

> Ich frug nach modernen Dichtern, lesenswerten. Er nannte Ver-
> laine und noch einen jungen — Rimbaud! —, der nur wenig
> geschrieben. (Friedrich Plahl, in: Erinnerung an Georg Trakl.)

Obwohl Adolf Meschendörfer[1] bereits im Jahre 1925 die Beziehungen Trakls zu Rimbaud in ihren Grundzügen aufdeckte,
ist dieses Problem bisher immer noch nicht befriedigend gelöst
worden. Alle einschlägigen Untersuchungen blieben — soweit sie
nicht ohnehin fertige Urteile übernahmen — entweder unvoll-
ständig oder gelangten zu Deutungen, die nicht überzeugen. Vielfach wurden die entscheidenden Fragen überhaupt nicht gestellt.

Was waren Meschendörfers Ergebnisse gewesen? „Man hat",
schreibt er im Vollgefühl des Entdeckers, „auf Klopstock, Hölderlin, Novalis, Kerner als Vorläufer Trakls hingewiesen. Ich füge
hinzu den Namen: Artur [sic!] Rimbaud. Kein Dichter hat
Trakl so tief beeinflußt wie dieser Bahnbrecher der modernen
französischen Lyrik. 1907 ist im Inselverlag eine schöne Ausgabe
von Rimbauds Leben und Dichtungen erschienen, und mit Staunen bemerkt man, daß Trakl ... hier die mannigfachsten Anregungen erhalten hat[2]." Der Übersetzer, dessen Namen Meschendörfer verschweigt, war K. L. Ammer. Hinter diesem Pseudonym,
das manchmal auch ausgeschrieben als Karl Lot(h)ar Ammer oder
aber als K. Lammer erscheint, verbirgt sich der k. u. k. Dragoner-
leutnant Karl Klammer, der vor allem in den Jahren bis zum
Ausbruch des Weltkrieges eine außerordentlich bedeutsame Rolle

[1] Trakl und Rimbaud, in: Klingsor II (1925), S. 93 ff.

[2] A. a. O. 93; der Titel lautet vollständig: Arthur Rimbaud. Leben
und Dichtung, übertragen von K. L. Ammer, eingeleitet von Stefan
Zweig, Leipzig 1907.

für die Vermittlung der modernen französischsprachigen Literatur, namentlich der Lyrik, gespielt hat[3]. Er übersetzte u. a. Maeterlinck (1906)[4], den damals wieder neu beachteten Villon (1907), Maupassants ›Mont Oriol‹ (1923) sowie einzelnes von Mallarmé (1907), Verlaine (1907 u. ö.) und Claudel (1908). Außer Rimbaud hat Trakl auf jeden Fall auch Villon[5] und Maeterlinck[6] in der Klammerschen Übersetzung gelesen. |

Meschendörfer hat also nicht nur die Beeinflussung Trakls durch Rimbaud erkannt, sondern zugleich auch den Vermittler aufgewiesen, von dem dieser Einfluß unmittelbar ausgegangen ist. Freilich beschränkt sich der kurze, nur vier Seiten umfassende Aufsatz auf eine bloße Zusammenstellung von Entsprechungen bei Klammer und Trakl[7]; eine Deutung erfolgt nur ansatzweise. Sie besteht in einer einseitigen Abwertung. „... in der künstlerischen Gestaltung des übernommenen Gutes", heißt es, „hat der deutsche Dichter den Franzosen unendlich übertroffen. Trakl schuf sich

---

[3] Vgl. dazu jetzt Reinhold Grimm, Werk und Wirkung des Übersetzers Karl Klammer, in: Neophilologus 44 (1960), S. 20 ff. (auch in R. G., Strukturen. Essays zur deutschen Literatur, Göttingen 1963, S. 124 ff.).

[4] Zusammen mit Friedrich von Oppeln-Bronikowski.

[5] Nach Erwin Mahrholdt (Der Mensch und Dichter Georg Trakl, in: Erinnerung an Georg Trakl, Innsbruck 1926, S. 50) pflegte Trakl gern folgende Zeilen aus Villon zu zitieren: „Man schlage ihnen ihre Fressen / mit schweren Eisenhammern ein, / im übrigen will ich vergessen / und bitte sie, mir zu verzeihn." Es handelt sich dabei um das Geleit der ›Ballade, in der Villon jedermann Abbitte leistet‹ in der Klammerschen Fassung (vgl. François Villon. Des Meisters Werke, ins Deutsche übertragen von K. L. Ammer, Leipzig 1907, S. 110).

[6] Trakl besaß das Buch (neben anderen Werken Maeterlincks) sogar selber. Vgl. dazu Reinhold Grimm, Zur Wirkungsgeschichte Maurice Maeterlincks in der deutschsprachigen Literatur, in: Revue de Littérature comparée 33 (1959), S. 535 ff.

[7] Immerhin war Meschendörfers Liste bisher die vollständigste, die man benutzen konnte. Ebenfalls den Einfluß der französischen Lyrik auf Trakls Dichtung untersucht Felix Brunner, Der Lebenslauf und die Werke Georg Trakls, Diss. (Masch.) Wien 1932. Diese Arbeit ist jedoch, soweit mir festzustellen möglich war, nicht mehr zugänglich.

einen strengen persönlichen Stil, Rimbaud blieb in chaotischen Krämpfen stecken. Wie ein verlotterter herkulischer Schmiedegesell so steht der Franzose neben dem deutschen trübsinnigen Meister erlauchtester Goldschmiedekunst[8]." Daß mit solchen oberflächlich verallgemeinernden Urteilen das Problem nicht zu erhellen ist, liegt auf der Hand. Meschendörfers Leistung erschöpft sich demnach darin, auf die Beziehungen Trakls zu Rimbaud aufmerksam gemacht zu haben. Aber wenn er auch deren eigentliche Bedeutung nicht einmal ahnte, so hat er doch klar erkannt und wiederholt ausgesprochen[9], daß Trakl starke und bestimmende Einflüsse vom dichterischen Werk Rimbauds empfangen hat. Sie gilt es nun zunächst, da sie auch heute noch oft genug unterschätzt werden, möglichst vollständig im einzelnen zu belegen.

Es gibt bei Trakl eine ganze Reihe von Versen, die so weitgehend mit der Klammerschen Übersetzung übereinstimmen, daß man schon allein mit ihnen einen lückenlosen Beweis führen könnte. Mitunter entsprechen die beiden Texte einander fast Wort für Wort. Man vergleiche: Unendliche Liebe gibt das Geleite. (II, 120) ... unendliche Liebe gibt mir das Geleit. (132)[10] Die Schläfen wollen frei im Äther baden[11]. Die freie Stirn laß ich im Winde baden. (132) Aus Apfelzweigen fällt ein Weiheklang. (I, 28) Ein Weiheklang fällt von den goldnen Sternen nieder. (138) Ihr Lachen blieb an kleinen Blättern hangen. (II, 127) ... noch an jedem Blatt sein Lachen schäumt ... (140) Da er steinern sich vor rasende Rappen warf ... (I, 103) Ich werfe mich vor die Füße der

---

[8] Meschendörfer a.a. O., S. 96.

[9] Außer in dem erwähnten Aufsatz auch in seinem Roman ›Der Büffelbrunnen‹ (München 1935, S. 33).

[10] Zitiert wird nach der dreibändigen sogenannten Gesamtausgabe von Wolfgang Schneditz im Verlag Otto Müller, Salzburg (röm. Ziff. = Bd., arab. Ziff. = Seite): Die Dichtungen (I) in der 8. Aufl.; Aus goldenem Kelch (II) in der 2. Aufl.; Nachlaß und Biographie (III). Die Entsprechungen bei Klammer und gegebenenfalls Rimbaud sind am Fehlen einer Bandangabe kenntlich.

[11] Aus der unveröffentlichten Erstfassung des Gedichts ›Seele des Lebens‹ (I, 29), wie Mahrholdt (a. a. O., S. 61) mitteilt. Vgl. dazu auch aus der Erstfassung des Gedichts ›Abendland‹ (Der Brenner Jg. 4, Bd. 8 [1914], S. 641): Aber es folgt der Heimatlose / Mit offener Stirne dem Wind ...

Pferde! (191) Am Abend sinkt das weiße Wasser in Graburnen. (I, 84)
Am | Abend begann / das Wasser des Hains im Sand zu versinken.
(202) Komm Liebe nun zum müden Arbeitsmann! (I, 26) Komm, Venus,
zum Arbeitsmanne ... (203) ... die Blumen des Sommers, die schön
im Winde läuten. (I, 174)[12] Am Waldrand läuten die Traumblumen ...
(220) Die Schwestern ..., / Zurückgekehrt von traurigen Pilgerschaften. (I, 86) ... große Schwestern mit Blicken voll Pilgerschaften ... (220)
Rasend an die Mauer von Stein klopft der kahle Baum. (I, 128) Ans
Fenster schlagen Äste föhnentlaubt. (I, 8) Zweige und Regen klopfen
an die Fensterkreuze der Bibliothek. (222) — Mit geringfügiger Veränderung: Das Tor blieb heut verschlossen. Den Schlüssel hat der Küster.
(I, 33) Der Pfarrer wird wahrscheinlich den Schlüssel der Kapelle genommen haben. (221) — In den folgenden Beispielen schaltet Trakl frei mit
dem Wortmaterial des Zitates: Dem einsam Sinnenden löst weißer Mohn
die Glieder, / Daß er Gerechtes schaut und Gottes tiefe Freude. (II, 135)
Doch die Seele erfreut gerechtes Anschaun. (I, 84)[13] Bei Klammer lesen
wir: ... das Anschauen der Gerechtigkeit ist die Freude Gottes allein.
(215) Vielleicht darf man sogar jenes Wort aus dem Brief an Ludwig
von Ficker vom 27. 10. 1914 hier einfügen: Ich fühle mich fast schon
jenseits der Welt. (III, 57) Ich bin nicht mehr auf der Welt. (193)[14]

Vielfach finden wir Entsprechungen formelhafter Ausdrücke, die bei
Trakl nicht selten zu wuchern beginnen und so geradezu Leitformeln
seines Werkes ergeben. Hierher gehört vor allem „sanfter Wahnsinn"
(138)[15], eine Wendung, die sich bei Trakl sowohl wörtlich als auch in
den verschiedensten Variationen findet: Ein sanfter Wahnsinn (II, 142);

---

[12] Zu diesem Satz bemerkt Albrecht Weber (Georg Trakl. Gedichte,
ausgewählt und interpretiert von Albrecht Weber, München 1957, S. 89):
„Synästhetisch wird das Leuchten der Farben als ein Läuten im Wind bezeichnet." Webers Erklärung ist jedoch nicht nur deshalb abzulehnen, weil
sie den Einfluß Rimbauds übersieht. Das Läuten der Blumen hinge ja
offenbar viel eher mit einer Bewegungsvorstellung zusammen.

[13] Einen letzten Anklang zeigt der Versanfang: Gerechter erfreut
ihn ... (I, 159).

[14] Vgl. auch: Ich bin wirklich von jenseits des Grabes ... (225).

[15] Gerade an dieser Formel aber übt Martin Heidegger (Georg Trakl.
Eine Erörterung seines Gedichtes, in: Merkur 7 [1953], S. 237 f.) seine
etymologischen Deutungskünste, deren Fragwürdigkeit Walter Muschg
(Die Zerstörung der deutschen Literatur, 3. erw. Aufl. Bern 1958,
S. 222) unbarmherzig bloßlegt.

bewegt von ... / Sanftem Wahnsinn (I, 143); Auch zeigt sich sanftem Wahnsinn oft das Goldne, Wahre (I, 33); in sanfter Umnachtung (I, 88); des Wahnsinns sanfte Flügel (I, 54); das sanfte Saitenspiel seines Wahnsinns (I, 85); Sanftes Gehaben des Wahnsinns; Wahnsinn öffnet den sanften Mund[15a]; ein dunkler Wahnsinn (I, 105); Tönend von Wohllaut und weichem Wahnsinn (I, 55). — Andere solche Wendungen sind: O, das gräßliche Lachen des Golds. (I, 131) Gräßliches Lachen ...[16] ... er lachte gräßlich, lange. (200) Akkorde ziehen ... (II, 139) Mollakkorde ziehen dahin ... (231)[17] Es sind kleine Mädchen ... (I, 61) Kleine fremde Mädchen ... (221) Ein trunknes Schiff ... (II, 140) Das trunkene Schiff. (174) Der Sohn des Pan ... (I, 84; 61)[18] Reizender Sohn des Pan! (219) Reinheit! Reinheit! (I, 146) Reinheit! (I, 182)[19] Ruh und Reinheit![19a] Ruh! Reinheit![19b] O Reinheit, Reinheit! (211) — Die Verbindung von Stern oder Gestirn mit dem Possessivpronomen (nach dem | Muster „ihr Stern" [168] taucht immer wieder auf (z. B. I, 103; 112; 113; 123; 138; 148). Die Formel vom himmlischen Bräutigam (195), die Klammer zweimal gebraucht, kehrt auch bei Trakl wieder: Ihr Schoß harrt des himmlischen Bräutigams. (I, 67)[20] — Meist nur je einmal treten auf: die weiße Gestalt eines Engels (I, 157) die weißen Gewande der Engel (217); die verpesteten Seufzer (I, 77) die verpesteten Seufzer (215); ein weißes Tier (I, 54) von weißen Tieren (222); grüne Löcher (I, 23) grünes Loch (154); Stern und Engel (I, 188) Stern und Engel (179); die traurigen Träume (I, 128) die traurigsten Träume (207); silberne Wasser (I, 110), aus silbernen Wassern (I, 107)[21] der silbernen Wasser des Baches (18).

[15a] Georg Trakl, Nachgelassene Gedichte, in: Merkur 12 (1958), S. 1102; 1105.

[16] Der Brenner Jg. 4, Bd. 7 (1913/14), S. 432.

[17] Friedhelm Pamp (Der Einfluß Rimbauds auf Georg Trakl, in: Revue de Littérature comparée XXXII [1958], S. 400) stellt auch den Vers hierher: Durchs Graue gleiten Klänge wunderbar ... (I, 25).

[18] Nicht einfach nur „Pan", wie Eduard Lachmann (Kreuz und Abend. Eine Interpretation Georg Trakls, Salzburg 1954, S. 79) fälschlich schreibt.

[19] Vgl. auch: Das Sternenantlitz der Reinheit (I, 160).

[19a] Nachgelassene Gedichte a. a. O., S. 1101.

[19b] A. a. O., S. 1102.

[20] Vgl. noch: ... die weiße Gestalt des Kindes, blutend nach dem Mantel seines Bräutigams (I, 159).

[21] Auch ein Bach glänzt „silbern" (I, 24).

Mitunter übernimmt Trakl ganz auffällige syntaktische Eigentümlichkeiten: Wie traurig dieser Abend. (I, 67)[22] O wie traurig, diese Stunden! (221). O das Wohnen in der beseelten Bläue der Nacht. (I, 174)[23] O die andere Welt, das selige Wohnen im Himmel, und die Schatten! (231) Beim Erwachen erloschen zu ihren Häuptern die Sterne. (I, 158) Beim Erwachen klangen die Glocken im Dorf. (I, 149) Beim Erwachen war es Mittag. (218) Seele sang den Tod ... (I, 133) O, die Seele, die leise das Lied des vergilbten Rohrs sang ... (I, 155) Seele, ... / singe das Lob des / flammenden Tags ... (206) Es steigt und sinkt des Rohres Regung. (I, 24) Erinnerung ..., / Die mit den warmen Winden steigt und sinkt. (I, 59) Träumend steigen und sinken im Dunkel / Verwesende Menschen ... (I, 172) Im steigenden fallenden Windgesang. (II, 120) Ein Sehnen, ... / das, wie die Hände, langsam steigt und sinkt. (178) — Formelhaft erscheinen sodann Verbindungen mit „ferne", deren Herkunft sich wiederum durch die einander entsprechenden Vorstellungen deutlich verrät: Ferne den Hütten von Laub, schlafenden Hirten ... (I, 111) Ferne dem Getümmel der Zeit ... (I, 112) Ferne preisenden Hirten. (I, 140) ... ferne finsteren Dörfern. (I, 67) ... ferne den Abendweilern, heimkehrenden Herden ... (I, 193) Fern allen Dörflern, fern allen Herden ... (202) ... fern meiner lieben / Hütte ... (ibid.) — Ähnliche Übernahmen gelten auch für die Wortbildung: Endakkorde eines Quartetts. (I, 62) ... im Endakkord von Flöten. (I, 30) Endakkorde von Kammerkonzerten ... (231)[24]

Außerordentlich zahlreich sind die Übereinstimmungen in der Bildsprache und Motivik. An ihnen lassen sich Umfang und Intensität der Beeinflussung am ehesten ermessen. Oft genügt die ungewöhnliche Verwendung eines einzelnen Wortes, um bei Trakl eine ganze Reihe von neuen Bildern anzuregen. Das ist etwa der Fall bei dem Vers „Die Quelle weint in der Ferne, ganz verzückt —" (137) aus Rimbauds Ophelia-Gedicht. Wir finden: Das sanfte Korn schwillt leise und verzückt ... (I, 25) ... Dornen, schwarz und starrverzückt. (I, 117) Durchsonnter Lärm dröhnt ferne und verzückt. (II, 138) Der Purpur seiner verzückten

---

[22] An anderer Stelle ergänzt er das Verbum und hebt so die Ellipse auf: O wie traurig *ist* dieses Wiedersehn (I, 87).

[23] Vgl. auch „sein Wohnen im *Schatten* des Baums" (I, 113). Abermals fällt auf, wie stark Trakl an den Vorstellungen des Klammerschen Satzes haftet.

[24] Den zweiten Teil der Formulierung greift Trakl auf in dem Vers: Kammerkonzerte, die auf verfallenen Treppen verklingen (II, 154).

Tage .. (I, 77) Hell verzückte Amseln schlagen. (II, 125) Wirr verzückt der tolle Reihn / An den gelblichen Tapeten. (I, 18) Goldne
Falter sich verzücken ... (II, 122) ... die braune Stille ..., / In der
ein Acker sich verzückt ... (I, 37) dunkler Verzückung voll (I, 144);
die Stunden wilder Verzückung (I, 155). — Die Klammersche Formel erscheint also sowohl als Adverb wie auch als Adjektiv, Verb und Substantiv. Ähnlich verhält es sich mit dem Verspaar „Ruft nachts des Knaben Stirn die lange Kette / verworrner Träume fieberglühend an ..."
(178), dessen entscheidende Worte immer neu abgewandelt werden:
traumverworren (II, 137); aus Träumen wirr (I, 31); die Knaben träumen wirr (I, 71); traumhaft und verwirrt (I, 82). — Auch die Verbindung
der Glieder des menschlichen | Körpers (Nägel, Finger, Hände, Arme,
Füße, Sohlen, Leib) mit dem Epitheton „silbern", die uns bei Trakl
immer wieder begegnet, hat ihre Entsprechung im Werk Rimbauds: nämlich in den „Silbernägeln" (178) der Läusesucherinnen. Weiter wäre zu
nennen „gewaffnet mit glühender Geduld" (215). Offenbar unter dem
Eindruck dieser auffälligen Verknüpfung gelangt Trakl zu Prägungen,
die zumeist ein Gefühl durch das Beiwort „glühend" intensivieren. Man
vergleiche: glühende Schwermut (I, 180; III, 14); glühendes Gefühl (I,
118); glühende Schmach (II, 106); Glühendes sinnend (I, 158); glühender
Anblick (I, 161). — Zu einer echten Leitformel für die Traklschen Dichtungen wird die Verbindung von bestimmten Begriffen mit dem vorangestellten Genitiv „Gottes". Klammers „Gottes Wind" (202) bildet den
Ausgangspunkt. Zunächst stoßen wir auf die wörtliche Entsprechung:
Gottes Wind (I, 160); dann folgen, im Rahmen dieser Vorstellung, Er-
weiterungen: Gottes einsamer Wind (I, 97); Gotts Odem (I, 30); Gottes
eisiger Odem (I, 130); Gottes blauer Odem (I, 20); den Zusammenhang
macht der Satz klar: Der Wind ... / Ist Gottes Odem ... (II, 150).
Die letzte Erweiterung erfaßt alle Dinge der Schöpfung: Gottes Farben
(I, 54); Gottes Himmel (I, 66); Gottes sanftes Geschöpf (I, 159); Gottes
Kreaturen (I, 28). Daneben stehen natürlich Verbindungen mehr konventioneller Art: Gottes Schweigen (I, 67); Gottes Zorn (I, 131; 156);
von Gottes Händen (I, 174); mit Gottes Schauern (I, 156)[25].

Charakteristische Einzelbilder, die aus Klammers Verdeutschung stammen, sind etwa: Verhallend eines Gongs braungoldne Klänge ...[26] ...
beim goldhellen Klang der Uhrglocke ... (128) Goldammern wiegt ein

[25] Nur das Bild von „Gottes Geiern" (I, 149) steht isoliert.
[26] Erstfassung von ›Traum des Bösen‹, zit. nach Lachmann a. a. O.,
S. 133.

Busch in seinem Schoß. (I, 27) ... die singenden Vögel, im stillen Baume
wiegend ... (133) ... wie schöne Vögel, die in den Zweigen wiegen ...
(129) Braune Perlen rinnen durch die erstorbenen Finger. (I, 78) ... wie
Rosenkranzperlen durch die Finger gehn. (129) — Auf das folgende Beispiel macht Pamp[27] aufmerksam: Gotts Odem / Weckt sacht ein Saitenspiel im Brodem. (I, 30) ... daß die Welt in unermeßnem Kuß / gleich
einer Laute erzittern muß. (136) Mauern voll Aussatz (I, 85) Wände, /
die wuchernde Flechten wie Aussatz bedecken ... (158) Ein finsterer
Korsar / Im salzigen Meer der Trübsal. (I, 178) Am schwarzen Himmel, ein Pirat, kommt schwarz die Nacht. (166) O, die purpurne Süße
der Sterne. (I, 133) Am Himmel knisterte süß der Sterne Schein. (157)[28]
Mädchen, die wie Gift den Leib des Herrn umschlingen. (I, 71) Bei
Klammer spricht ein Mädchen: ... mein Blut, es gärt / von Jesu faulem
Kuß, der es wie Gift durchdrang. (170) Strahl aus blauen Augen.
(II, 134) O deiner Augen blauer Strahl! (179) Meinem Rappen brach
ich im nächtigen Wald das Genick ... (I, 191) Meinem Rappen brach
ich im Wald das Genick ... (II, 106) Unter kahlen Eichbäumen erwürgte
er mit eisigen Händen eine wilde Katze. (I, 157) Es war ihm ein Vergnügen, die Luxustiere zu erwürgen. (230) Auf jede Freude tat ich den
tauben Sprung des wilden Tiers, um sie zu erwürgen. (182) Mit silbernen Sohlen stieg ich die dornigen Stufen hinab ... (I, 194) ... daß
er ruhe von dorniger Wanderschaft. (I, 174) ... da jegliches ... dornige
Pfade geht. (I, 159) Jesus geht auf purpurnen Dornen ... (193) Die
Liebenden blühn ihren Sternen zu ... (I, 26) ... die Verliebten, / deren
Seele zu Kronen erblüht. (203) ... das Fleisch des Heiligen auf glühen-
dem Rost hinschmilzt. (I, 87)[29] ... o daß ich | brenne / auf Salomos
Altären. / Mein Blut, es ränne / auf den Rost ... (205) O wie
leise stand in dunkler Seele das Kreuz auf. (I, 104)[30] Auf dem Meer

[27] Pamp a. a. O., S. 400.

[28] Vgl. ... une mauvaise étoile qui se fond / avec de doux frissons
... (Roman). Unverständlich ist, wie Pamp (a. a. O., S. 401), der allerdings vom französischen Original ausgeht, zu der folgenden Parallele
kommt: Die Sterne tanzten irr auf blauem Grunde ... (II, 38) [Vgl.:
Mes étoiles au ciel avaient un doux frou-frou. (Ma bohème)]. Walther
Küchler (Arthur Rimbaud. Sämtliche Dichtungen, mit deutscher Übertragung, 2. Aufl. Heidelberg 1955, S. 71) übersetzt: „Meine Sterne
raschelten weich im Himmelsschoß."

[29] Vgl.: O ihr ... glühenden Martern des Fleisches ... (I, 137)
Süße Martern verzehrten sein Fleisch (I, 158).

[30] Vgl.: Kreuz ragt steil im Sterngefunkel (I, 189).

... sah ich das Kreuz der Tröstung aufsteigen. (207) ... mein verstorbenes Weib und die alten Bäume, die ein Toter gepflanzt, fallen auf uns. (II, 109) Und dennoch fallen die Leichname der Bösen und Nichtstuer auf das Herz der andern ... (211) Strahlender Arme Erbarmen ... (I, 171) Arme, leuchtend wie Kristalle! (219) Bei der Schilderung eines Südseebildes: Die Frauen wiegen die Hüften in Schlinggewächsen ... (I, 61) Negerinnen in graugrünen Schlinggewächsen ... (220)[31] ... in schwarzen Laugen / Des Sonnenjünglings feuchte Locken gleiten. (I, 53)[32] ... die melancholische Lauge des Sonnenuntergangs. (222)[33] ... daß er schweigend über sein eigenes Blut und Bildnis herfiel ... (I, 161) ... er fiel über die Leute her .. (230) Schwarzer Steg, langsam gewölbt über den Bach. (II, 107) Bäche, mit Wölbungen beladen ... (231)[34] In einer Kinderschar fliegt rot ein Kleid. (I, 59) ... rote Kittel schimmern. (I, 52) Man sieht eine rote Weste ... (231) ... kristallnen Blumen. (I, 184) In Rimbauds Prosagedicht ›Blumen‹ ist von „kristallenen Schalen" (218) die Rede. Klammers Formulierung „mit Flechten und azurnem Schleim umwebt" (176) hat bei Trakl die Entsprechung: In blauem Schleim und Schleiern (I, 71).

An auffälligen motivlichen Übereinstimmungen wären zu nennen: Übern Tümpel / Hart und grau der Morgen schauert. (I, 43) Grau härtet sich der Himmel über gelben Feldern ... (I, 71) Draußen kommen die Vögel, durchfroren vom harten, / frostgrauen Himmel ... (128)[35] Vorüberweht ein Hauch von warmem Mist. (I, 25) Und es riecht so friedlich nach vollen Ställen / und warmem Mist ... (143) Der Kühe linden Schlaf bescheint die Stallaterne. (I, 32) [Kühe,] die ruhigen Atems sinken und schwellen / und Laternenschimmer durchfließt. (143) Ein Duft von Milch in Haselzweigen ... (I, 30) Der Abend strömt

[31] Vgl. dazu Herbert Lindenberger, Georg Trakl and Rimbaud: A Study in Influence and Development, in: Comparative Literature Vol. X (1958/59), S. 26.
[32] Zum Bild des Sonnenjünglings mit den nassen Locken vgl. Hölderlins Gedichte ›Sonnenuntergang‹ und ›Dem Sonnengott‹. Der Satz ist ein gutes Beispiel für den Vorgang der auch das Entfernteste verschmelzenden Bildkontamination bei Trakl.
[33] Vgl. auch Trakls Vers: In Weihrauchdünsten schwimmen schmutzige Laugen (II, 134).
[34] Vgl. ce pont de bois, arqué (Métropolitain); dazu aber auch „langsamer Steg" (Hölderlin, ›Andenken‹).
[35] Vgl. dazu auch Klammers „Graue Himmel von Kristall" (231).

frischen Milchduft aus ... (143) Kind, dein kränkliches Lächeln ... (I,
165) ... ein Lächeln, wie ein krankes Kind es müd / lächelt. (154)
Der Schoß der Magd krümmt sich in rotem Schmerz[36]. Im Schoß der
Bäurin wächst ein wildes Weh. (I, 8) Ein Schauder packt sie an, ein
übermenschlich Wehe ... es zuckt und krampft ihr Schoß ... (167 f.)
Vom Dachrand fallen phantastische Schatten (I, 41) ... die Last / des
Schattens von dem Dach ... (169) Blutspeien, Hunger und Lachen ...[37]
Blutsturz, lachende Lippen ... (179) ... grauenvoll verfällt ein leer
Gewand. (I, 64) ... wie sie, die Kerze in der Hand, / zum Hof
hinabstieg, wo zum Trocknen ein Gewand / vom dunklen Dache nieder-
hing, gespensterhaft. (168)[38] Bei der Heimkehr / Fanden die Hirten
den süßen Leib / Verwest ... (I, 67) ... wenn eines Tags die Pest den
süßen Leib zernagt ... (169) Erbarm' dich Gott der Frauen Höll' und
Qual ... (I, 50) ... ich habe die Hölle der Frauen da unten gesehen.
(215) Gott, der ... / die Stirn der Fraun vor Schande und vor Qual /
zu Boden beugt ... (170)[39] So schmerzlich gut und wahrhaft ist, was
lebt ... (I, 26) Da fühlst du: es ist | gut! in schmerzlichem Ermatten.
(I, 32) Das sagt der Landmann: Es ist gut. (I, 34)[40] Die Welt ist gut;
ich will das Leben preisen, will meine Brüder lieben. (190) Tief ist der
Schlummer in dunklen Giften ... (I, 160) Verflucht ihr dunklen Gifte, /
Weißer Schlaf! (I, 178) Ich habe eine furchtbare Dosis Gift genommen.
(191) Die Kleine, die im Weiher heut ertrank, / Ruht eine Heilige im
kahlen Zimmer ... (II, 137) Sie ist tot, ist jetzt sicher eine Heilige im
Himmel. (200) Fügt gewaltige Balken der Zimmermann. (I, 99) Balken
behaut der Zimmermann ... (I, 168) Während ... / der Zimmermann /
mit nackten Armen waltete ... (202) Lichtschnuppen gaukeln um ver-

---

[36] Der Brenner Jg. 3, Bd. 5 (1912/13), S. 217.

[37] Nachgelassene Gedichte a. a. O., S. 1105.

[38] Lachmann freilich (a. a. O., S. 53) deutet den Traklschen Vers als
„realistisch angeschaute Wirklichkeit" einer Vogelscheuche.

[39] Wahrscheinlich stehen auch Trakls Wendungen „die Klage der
Frauen" (I, 111), „die dunkle Klage der Frauen" (I, 138), „die Klage
der Frauen" (Der Brenner Jg. 4, Bd. 8 [1914], S. 636) damit in Zusammenhang.

[40] Der Anklang an die biblische Schöpfungsgeschichte (vgl. vor allem
1. Mos. 1, 31 sowie Sir. 39, 21 und Weish. 1, 14) ist zweifellos vorhanden; aber noch besser trifft die Stelle bei Rimbaud, wo ja diese Bejahung
ebenfalls nicht von Qual und Schmerz zu trennen ist.

brannten Mist ... (I, 66) O die trunkene Lichtschnuppe am Abort der Herberge ... (204) — Weitere formelhafte Motive, die übereinstimmen, finden wir in der Betonung der Farbigkeit[41] und Pluralität[42] des Lebens. Besonders aufschlußreich erscheint schließlich die folgende Parallele: Es ist ein Raum, den sie mit Milch getüncht haben. (I, 61)[43] Und alle hundert Jahr läßt man einmal / mit saurer Milch und Mörtel diese Scheuern, / ... erneuern ... (165) Sogar die Gestaltung Ophelias kann man nun bei Trakl nachweisen[44].

Abermals lassen sich auch die schon mehrfach festgestellten Wucherungen bestimmter Bild- oder Motivkerne beobachten, bei denen es mitunter zu charakteristischen Kontaminationen kommt. Einzelformulierungen, Versteile und Sätze, ja ganze Strophen und Gedichte unterliegen diesem Prozeß der Ausbreitung und Umwandlung; sie scheinen also besonders stark und nachdrücklich auf Trakl gewirkt zu haben. Hierher gehören: Das Zimmer ist voll Schatten. (128) Bei Trakl kann man lesen: Schatten tanzen an Tapeten ... (I, 18) Ein Licht ruft Schatten in den Zimmern wach. (I, 66) Schatten an gelben Tapeten ... (I, 78) Ans Blumenfenster wieder kehrt des Kirchturms Schatten...(I, 32)[45] — Oder man vergleiche Klammers „Und boshaft warfen die Bäume durch mein / offenes Fenster ihr Laub herein ...“ (146 f.) mit seiner mannigfachen Variierung bei Trakl: Das Laub fällt rot vom alten Baum / Und kreist herein durchs offne Fenster. (I, 14) Durchs Fenster sinkt des Ahorns

---

[41] Vgl.: ins farbige Leben (I, 16) die reinen Farben des Lebens (218 ff.).

[42] Vgl.: frühere Leben (I, 63), ein früheres Leben (III, 9), ein vergessenes Leben (I, 110) ein paar Leben (207).

[43] Kurt Wölfel (Entwicklungsstufen im lyrischen Werk Georg Trakls, in: Euphorion 52 [1958], S. 57 Anm.) verweist hier auf die Parallelen in der sogenannten konkreten Kunst und glaubt, ein besonderes Stilelement moderner Lyrik gefunden zu haben: „Die Nennung von Dingen aus der privaten Welt des Dichters, die dem Leser unbekannt sind und dadurch unverständlich werden.“ Daß bei Wölfel ein richtiger Ansatz zur Erkenntnis der Struktur moderner Lyrik vorliegt, steht außer Zweifel, besonders wenn man Lachmanns (a. a. O., S. 135) Äußerung vergleicht, die sich wieder auf eine inhaltliche Paraphrase beschränkt. Aber dieser Ansatz genügt noch nicht.

[44] Nachgelassene Gedichte a. a. O., S. 1102.

[45] Vgl. außerdem: Das dämmernde Zimmer (III, 10), die finsteren Zimmer (II, 108), in schwarzen Zimmern (I, 52).

schwarze Last ... (I, 117) Ins offne Fenster sinkt der braune Wald ...[46]
Birken, die ins Fenster hangen ... (II, 132) Flimmernd schwankt am
offnen Fenster / Weinlaub ... (I, 19) Gezweige stießen flüsternd ins
verlassne Zimmer ... (II, 135)[47] — Weiter: Ihre Lieder werden die Vögel
klagen / im Haselgeheg. (142) Immer folgt das Ohr / Der sanften
Klage der Amsel | im Haselgebüsch[48]. Die Amsel klagt in den entlaub-
ten Zweigen. (I, 13) Kläglich eine Amsel flötet ... (I, 42) Lauschend
der sanften Klage der Amsel. (I, 138) der Amsel Klage (I, 102), die
Klage der Amsel (I, 135), Klage der Drossel (I, 103), die Klage des
Kuckucks (I, 166). Ein Bach singt seine Lieder, / der wild das Gras
mit Silberstaub umsäumt. (154) Ein Brunnen singt. (I, 14) Sehr ferne
singt mit Kinderstimmen / Ein alter Brunnen. (II, 121) Indes ein Brunnen ins Blaue sang ... (II, 151) ... das Meer singt. (I, 61) September-
nacht, wo der Tau mir kühl / ... die Stirne genetzt. (157) Auf das
Gesicht tropft Tau. (I, 75) Auf deine Schläfen tropft schwarzer Tau ...
(I, 95) Niederblutet dunkler Tau ... (I, 189) ... und große Linnen, weiß
wie Schnee, von Blut betaut, / ... auf die Sonne sinken. (167)
Abends schweben blutige Linnen, / Wolken über stummen Wäldern, /
Die gehüllt in schwarze Linnen. (I, 44) Die Sonne ist in schwarze Linnen gesunken ... (I, 100)[49] Das Bild greift dann weiter aus, wobei es
sich zugleich stärker konkretisiert: Blutbefleckte Linnen blähen / Segel
sich auf dem Kanal. (I, 51) — Klammers Wort von den langen Abend-

---

[46] Erinnerung an Georg Trakl, S. 113.

[47] Das Verbum „stoßen" legt den Gedanken an eine Kontamination
mit dem Bild der ans Fenster klopfenden Zweige (s. o.) nahe.

[48] Nachgelassene Gedichte a. a. O., S. 1108.

[49] Lachmann (a. a. O., S. 119) fühlt sich hier an Baudelaires
›Recueillement‹ erinnert, wo es heißt:

> Vois ...
> Le Soleil moribond s'endormir sous une arche
> Et, comme un long linceul traînant à l'Orient,
> Entends, ma chère, entends la douce Nuit qui marche!

Wenn man aber das vorhergehende Beispiel betrachtet (I, 44), so erscheint doch eher glaubhaft, daß Trakl die Vorstellung von den schwarzen Linnen aus dem Klammerschen Bild entwickelt hat. Solche freien
Ausgestaltungen finden wir ja bei ihm häufig. Den Anklang an
Baudelaire braucht man deshalb nicht völlig von der Hand zu weisen;
denn auch diese Art der Kontamination gehört, wie wir sahen, zu
Trakls Dichtweise.

glocken (180) findet sich besonders oft: Ihr Abendglocken lang und
leise ... (I, 34) Lange tönt die Abendglocke ... (I, 79) Lang die Abendglocke läutet ... (I, 124) Langes Abendgeläut. (I, 145) Die Glocke lang
im Abendnovember ... (I, 103) ... es läutet / Lange eine dunkle Glok-
ke im Dorf ... (I, 147)[50] Immer klangen von dämmernden Türmen die
blauen Glocken des Abends. (I, 133)[51] Am Abend, wenn die Glocken
Frieden läuten ... (I, 13) Und eine Abendglocke singt ... (I, 71) Lange
Abendglocke(n) ...[51a] In Gärten sinken Glocken lang und leis ... (I, 25) —
Gleiches gilt für den folgenden Motivkomplex: Ich liebte die Wüste, ver-
brannte Obstgärten ... (204) und ... die häßlichen Gerüche der verwüsteten Gärten und verdorrten Wiesen. (230) Es ist ein Weinberg,
verbrannt ... (I, 61) Entlang an Gärten, herbstlich rotversengt ... (I, 64)
In Gärten früh vom Herbst verbrannt und wüst ... (II, 146) Gewaltig
ist das Schweigen des verwüsteten Gartens ... (I, 85) Auf der verdorrten Wiese ... (I, 66) Gärtchen braun und wüst. (ibid.) In der Ruh verdorrter Platanen. (I, 172) Der verfallne Garten ... (III, 12) Aber gräulich verdorrt das spärliche Grün an den Fenstern ... (I, 159) unter verdorrten Bäumen (I, 158); die Qual verbrannter Gärten (II, 138); ver-
wüstete Gärtchen[52]. — Außerdem wäre zu erwähnen:... die Haut von
Kot und Pest zerfressen, die Haare und die Achselhöhle voll von Würmern und noch größere Würmer im Herzen ... (214) O wie starrt von
Kot und Würmern ihr Haar ... (I, 86) Aus grauen Zimmern treten
Engel mit kotgefleckten Flügeln. / Würmer tropfen von ihren vergilbten Lidern. (I, 63) Starrend von Unrat ... (I, 67) Das schmutzstarrende
Haar ... (I, 71)[53] | Den Schluß des Klammerschen Bildes nimmt der
Satz auf: Laß ab — schwarzer Wurm, der purpurn am Herzen bohrt!
(II, 109).

Besonders deutlich zeigt sich der Vorgang der Kontamination und
komplexen Übernahme an Rimbauds Prosagedicht ›Antique‹, das in
seiner Gesamtheit lautet:

Reizender Sohn des Pan! In deinem Antlitz, das Blüten und Beeren
krönen, bewegen sich zwei kostbare Kugeln, deine Augen. Deine runden

[50] Auch hier handelt es sich um den Spätnachmittag bzw. frühen
Abend.

[51] Für „lange" setzt der Dichter diesmal „immer", so daß die drei
Komponenten der Formel noch gewahrt bleiben. Erst in den folgenden
Beispielen werden sie zum Teil auf zwei reduziert.

[51a] Nachgelassene Gedichte a. a. O., S. 1102 u. ö.

[52] A. a. O., S. 1105.

[53] Vgl. dazu auch Klammers „Haare, starr wie ein Schild" (219).

Wangen sind gebräunt und dunkelrot; deine Zähne blitzen; deine Brust gleicht einer Kithara; durch deine blonden Arme zittern Glockenklänge; dein Herz schlägt in deiner Brust; dein Leib ist schön wie der des Weibes und stark wie der des Mannes. Gehe hin in der Nacht und bewege deine herrlichen Beine, das eine und das andere, ganz langsam, Schritt um Schritt. (219)

Von der ungewöhnlichen Formel Sohn des Pan war bereits die Rede. Auf den zweiten Satz beziehen sich: Und bekränzt von Laub und Beeren / Siehst du ... / ein Gerippe ... (II, 125) Blaue Blümchen umschweben das Antlitz / Des Einsamen ... (I, 171) Da der junge Novize die Stirne mit braunem Laub bekränzt ... (I, 85); hier finden wir auch die Vorstellung von den kugelförmigen, runden Augen, die zu einer Leitformel Trakls geworden ist[54]; der letzte Satz hat dann drei ganz deutliche Parallelen: Schön ist der Mensch und erscheinend im Dunkel, / Wenn er staunend Arme und Beine bewegt, / Und in purpurnen Höhlen stille die Augen rollen. (I, 85)[55] ... also tönt es, / Wenn du trunken die Beine bewegst[55a]. Du aber gehst mit weichen Schritten in die Nacht, / Die voll purpurner Trauben[56] hängt, / Und du regst die Arme schöner im Blau. (I, 95) Aus den beiden Sätzen deine Brust gleicht einer Kithara und durch deine blonden Arme zittern Glokkenklänge erwachsen, in verschiedener Verschränkung und Ausweitung: Sanfte Glocken durchzittern die Brust. (I, 100) Ein sanftes Glockenspiel tönt in Elis' Brust ... (I, 96) ... es erschüttert / Ein Glockenton die schmerzzerrissene Brust ihm ... (III, 14) Zitternd flattern Glockenklänge ... (I, 16) Ach noch tönen von wilden Gewittern die silbernen Arme mir. (I, 191)[57]

Weitere Beispiele solcher komplexen, mit Kontaminationen verbundenen Übernahmen sind: Die Wasserrosen seufzen ... (138) Seufzerlaut der Bäume ... (ibid.) Verkrüppelte Birken seufzen ... (I, 107) Unter seufzenden Eichenbäumen ...[57a] Fliegen, die greulichen Gestank um-

---

[54] Vgl. etwa I, 157; 149; 96; 133; 99; 84; 65; 81.

[55] Mit der letzten Zeile knüpft Trakl wieder an das Bild der runden Augen an.

[55a] Nachgelassene Gedichte a. a. O., S. 1101.

[56] Vgl. Hölderlins Gedicht ›Das Ahnenbild‹.

[57] Ganz ähnlich II, 105: Ach, noch tönen von wildem Gewitter die silbernen Arme.

[57a] Nach Felix Brunner, Bericht über den Nachlaß Georg Trakls, in: Monatsschrift für Kultur und Politik II (1937), S. 130.

ziehn im Kreis . . . (179) Und Fliegen taumeln leise um Gestank. (II, 123)
Fliegen über Fäulnis und Abszessen . . . (II, 143) Vielleicht, daß um
ein Aas dort Fliegen singen. (I, 60; Erstfassung) Wie ein Aas in Busch
und Dunkel / Fliegen ihren Mund umschwirren. (I, 45) Umgaukelt
von gräulichem Fliegengeschmeiß . . . (II, 128)[58] Schwärme schwarzer
Fliegen singen . . . (II, 125) Schwärzlicher Fliegenschwarm . . . (I, 165)[59]
Die Luft von gräulichem Gestank durchzogen. (I, 59) Falter ihre Kreise
ziehn. (II, 127)[60] Nachmittagsnebel, der grün und weich / mich um-
gab . . . (202) Des Nachmittags grüngoldne, lange Stunden. (II, 143)
Und grüne Abendnebel steigen . . . (II, 124) . . . das Land, soweit man
sieht, / groß, von Kraut und Kressen, / Weihrauch überblüht; /
während dunkle Hummeln / durch die Gräser summen. (204) Das
sanfte Summen der Hummeln. (I, 179) Weihrauch dampft aus | dunklen
Kressen . . . (II, 132) In Kressen tobt der Hummeln Schlachtgetümmel . . .
(II, 137) . . . ich sah sehr deutlich eine Moschee an Stelle eines Hütten-
werks, . . . Wagen auf den Himmelswegen . . . (203) Manchmal sehe ich
am Himmel endlose Gestade, bedeckt von weißen, freudigen Volks-
massen. Ein großes goldnes Schiff über mir bewegt seine bunten Wimpel
im Morgenwind. (214) Dazu Trakls Strophe:

> Aus Wolken tauchen schimmernde Alleen,
> Erfüllt von schönen Wägen, kühnen Reitern.
> Dann sieht man auch ein Schiff auf Klippen scheitern
> Und manchmal rosenfarbene Moscheen. (I, 59)[61]

Ebenfalls hierher gehören: Durch Wolken fährt ein goldner Karren.
(I, 23) . . . im schwarzen Gewühl / Der Rosse und Wagen . . . (I, 179)[62]
Aus dem Gedicht ›Faunskopf‹ stammt das Motiv: Rot wie Blut / . . .
lacht aus den Zweigen / sein Mund . . . (140) Daran knüpfen an: . . .

---

[58] In der 1909 veröffentlichten Erstfassung lautete der Vers noch:
Um die Blumen taumelt das Fliegengeschmeiß . . . (II, 62).
[59] Bei Klammer haben die Fliegen ein „schwarzes Mieder" (179).
[60] In den beiden letzten Beispielen korrespondieren also nur Teil-
vorstellungen.
[61] Selbst in diesem eindeutigen Fall zögert Lachmann (a. a. O., S. 70)
noch, die Beeinflussung zuzugeben; er stellt lediglich fest: „Die hier genannten Bilder von Wagen und Moschee finden sich übrigens in ähnlichem Zusammenhang in einer Prosadichtung Rimbauds."
[62] Als Bild für die Gewitterwolken.

im Hasellaub wölbt sich ein purpurner Mund ... (I, 168) ... geheimnisvoll die rote Stille deines Munds, / Umdüstert vom Schlummer des Laubs ... (I, 100) Im Dunkel der Kastanien lacht ein Rot. (I, 133) — Nimmt man aus demselben Gedicht das Bild vom goldenen Kuß[63] hinzu, so läßt sich noch eine weitere Formulierung erklären, nämlich: Sein [des Fauns] goldnes Grinsen zeigt sich grell im Hain. (II, 137) Auch sonst ist der Faun eine geläufige Vorstellung bei Trakl[64].

Rimbauds ›Les Effarés‹, von Klammer ›Die Bettelkinder‹ (149) betitelt, liefert weitere Motive. Vor allem ist es das Backen des Brotes, dessen „duftende, zarte Rinde" (ibid.) gerühmt wird; bei Trakl finden wir daher: Aus einem Laden rinnt ein Duft von Brot ... (I, 117) Dem Hungrigen täuscht vor Genesung / Ein Duft von Brot ... (I, 23) Durch Fieberschwärze weht ein Duft von Brot. (I, 60; Erstfassung) Ein zweites Motiv ist „Unter dem rauchigen Balken" (149), das bei Trakl mehrere Entsprechungen hat: unter verrauchtem Holzgebälk (I, 191); unter schwarzverrauchtem Gebälk (I, 128); im schwarzverräucherten, niederen Saal (I, 39). Außerdem korrespondieren: Vor Hungrigen an Kellerlöchern ... (II, 139) Um das helle Kellerfenster gesteckt ... (149)[65] Das Obst ... / Davor armselige Kinder kauern. (II, 145) Stumm kauern sie da ... (149) — Das Motiv der Aussätzigen am Wasser entnahm Trakl dem Prosastück ›Beth-Saïda‹ (47 f.), das Klammer im Rahmen der biographischen Einleitung mitteilt. Auch hier ist die Anregung durch Klammer wahrscheinlicher als ein direkter Einfluß der Bibel[66]. Wir finden in Trakls Dichtungen Beispiele, die in vielen Einzelheiten[67] mit der Darstellung bei Rimbaud bzw. Klammer übereinstimmen; man vergleiche: Aussätzigen winkt die Flut Genesung. (I, 30) In schwarzen Wassern spiegeln sich Aussätzige ... (I, 87) Die Schatten der Verdammten steigen zu den seufzenden Wassern nieder. (I, 63) Über seufzende Wasser geneigt / Sieh dein Gemahl: Antlitz starrend von

---

[63] ... des Waldes goldner Kuß (140).

[64] Vgl. etwa II, 122; 127; 132; 140 sowie I, 14 u. ö.

[65] Es handelt sich, wie auch im folgenden Beispiel, immer um die hungernden Kinder.

[66] Lachmann (a. a. O., S. 51) vertritt diesen direkten Einfluß von Joh. 5, 1 ff. offenbar ohne Bedenken.

[67] Die verheißene Heilung im Wasser; das Wasser ist schwarz; die Kranken blicken in die Flut; sie steigen zu ihr nieder; es ist von Verdammten die Rede usw. Diese Einzelheiten finden sich im biblischen Bericht nur zum Teil.

Aussatz ...[68] Das Motiv des Aussatzes, das in ›Beth-Saïda‹ nicht ausdrücklich erwähnt wird, ist in ›Mauvais sang‹ vorgebildet, wo es heißt:
Aussätzig sitze ich auf zerbroche|nen Töpfen und Brennesseln am Fuß
einer sonnenzernagten Mauer. (184) Was für eine große Rolle es bei
Trakl spielt, ist bekannt[69]. Einmal wird es auch mit dem ebenfalls
übernommenen Motiv des Hexensabbats kontaminiert: Aussätziger mit-
ternächtigen Tanz führt an ein Gauch / Dürrknöchern. (I, 71) ...
ich tanzte den Sabbat in einer roten Waldlichtung, mit Alten und Kin-
dern. (180)[70] — Daß Trakl betrunken im Freien zu schlafen pflegte, gehört zwar zunächst in seine Biographie, muß aber hier angeführt werden, weil auch Rimbaud dieses Motiv kennt. Überdies werden uns
solche Zusammenhänge noch des öfteren begegnen. Die Parallelen lauten:
Das beste ist noch ein trunkener Schlaf am Strande. (186) Ein Antlitz
ist berauscht ins Gras gesunken. (I, 64) Laß, wenn trunken von Wein
das Haupt in die Gosse sinkt. (I, 101)[71] — Im gleichen Maß gilt der
biographische Bezug auch für das Motiv des Wanderns, das wiederum
beiden Dichtern gemeinsam und für sie charakteristisch ist. Rimbaud bekennt: Ich bin der Wanderer auf der Landstraße ... (222) Auf den
Landstraßen, in Winternächten, ohne Nachtlager, ohne Kleider, ohne
Brot ... (187) Die Entsprechungen bei Trakl sind zahlreich, bleiben
aber auf das rein Thematische des (auch winterlichen) Wanderns beschränkt[72]. Viel auffälliger sind wieder die folgenden Parallelen: Dieser
Dom ist ein Bau von künstlerischem Stahl ... (228)[73] Stahltürme glühn
am Himmelsrand empor. (II, 138) Metallischer Brodem um Stahl-
arkaden / Der Stadt ... (II, 140) Über stürzenden Städten / Von
Stahl. (I, 178) Wie Rimbaud, der von „Angern von Stahl" (217) spricht,
überträgt auch Trakl diese Bezeichnung auf Dinge der Natur: Falle auf

---

[68] Der Brenner Jg. 4, Bd. 7 (1913/14), S. 432.

[69] Vgl. u. a. I, 52; 85; 88; 127; 159.

[70] Vgl. auch: In blauem Schleim und Schleiern tanzt des *Greisen*
Frau ... (I, 71).

[71] Vgl. noch ›Winternacht‹ (I, 149) und ›Nächtliches Gelage‹
(III, 13).

[72] Vgl. besonders das schon erwähnte Prosastück ›Winternacht‹
und das Gedicht ›Ein Winterabend‹ (I, 124), außerdem I, 75; 107;
110; 111; 122.

[73] Aus dem Gedicht ›Städte II‹.

mich, schwarzes Gebirge, Wolke von Stahl ... (II,109 f.)[74] — Oder dann:
... zum Abhang hernieder sinkt der Blütenfrieden der Sterne, des
Himmels und des Weltalls ... auf unser Antlitz ... (217) Der Himmel
ist sehr schwer auf sie gesunken ... (II, 142) Eine blaue Wolke / Ist
dein Antlitz auf mich gesunken in der Dämmerung. (I, 100) Der Kern
der Übernahme ist, als real dargestellt oder im Rahmen einer Metapher,
die räumliche Vereinigung des Kosmischen mit dem Leib des Menschen.
Gerade sie aber gehört mit zum Charakteristischsten bei Trakl: Sterne
suchen nachts, Karfreitagskind, / Deinen Stirnenbogen. (I, 77) Bald
nisten Sterne in des Müden Brauen ... (I, 121) Im blauen Kristall /
Wohnt der bleiche Mensch, die Wang an seine Sterne gelehnt ... (I, 108)
— Sehr wörtlich ist schließlich die Entsprechung bei dem Traklschen
Vers: Am Strome blitzen Segel, Masten, Stränge. (I, 52) Maste, Signale,
schwache Geländer ... Taue ... (231) Dagegen zeigt der folgende Beleg,
wie Trakl zwei Vorstellungen in sich aufnimmt und zu einem neuen
Bild vereinigt: Graue Himmel von Kristall. Bizarr zeichnen sich Brücken
ab ... (ibid.) Daraus entsteht: Brücken von Kristall (II, 138).

Daß ein solcher Schluß erlaubt ist, erweist besonders der Vergleich
mit den schon behandelten größeren Abschnitten aus dem Klammerschen Text, die deutlich genug erkennen lassen, wie einzelne Bild- und
Motivbereiche sich verschränken, ja miteinander verschmelzen. Dafür
noch einige Beispiele. Der zweite Teil von Rimbauds ›Enfance‹ beginnt:

Da liegt die kleine Tote hinter Rosenstöcken! — Die junge verstorbene
Mutter steigt die Treppe hinab. Die Kalesche ihres Vetters knirscht auf
dem Sand. Der kleine Bruder — er ist in Indien — steht vor dem
Sonnenuntergang im Nelkenbeet, und die Alten liegen in den Levkojen-
mauern begraben, ganz gerade ausgestreckt. (221) |

Die poetischen Elemente, die dieses kühne Stück Prosa bietet, fügt Trakl
neu und frei zusammen: Hinter ihm steht sein toter Bruder, oder er
geht die alte Wendeltreppe herab. (I, 62) Die toten Waisen liegen an
der Gartenmauer. (I, 63) Ein süßes Kind sitzt tot auf einer Bank. (II,
139) Ein Bruder stirbt dir in verwunschnem Land ... (I, 27)[75] Am
Friedhof scherzt die Amsel mit dem toten Vetter ... (I, 33)[76] Das

---

[74] Und zwar gebraucht er die genau dem Französischen entsprechende
Form aus Klammers Übersetzung: von Stahl (d'acier). Ein weiterer Beleg bei Klammer lautet: die Buge von Stahl (226).

[75] Die Verbindung mit Indien liegt nahe.

[76] Nach Ernst Kossat (Wesen und Aufbauformen der Lyrik Georg
Trakls, Diss. Hamburg 1939, S. 51) hätte das Wort „Vetter" hier keiner-

entscheidende Motiv, das auf Trakl gewirkt hat, ist die Vorstellung, daß Tote wie Lebendige handeln und sich bewegen[77]. Wir können daher lesen: Wieder begegnet der zarte Leichnam ... (I, 143) Schweigend verläßt ein Totes das verfallene Haus. (I, 138) Ein Toter besucht dich. (I, 129) ... leise greift in seinen Mund die Hand / Der Toten. (I, 118) Schritt und Stille des verstorbenen Knaben. (I, 99) Da ... jene verstorben aus kahlen Zimmern treten. (I, 86) ... leise rührt des toten Freundes Hand / Und glättet liebend Stirne und Gewand. (I, 66) Die tote Rahel geht durchs Ackerland. (I, 28) Noch eine ganze Anzahl weiterer Belege ließe sich anführen[78]. Wie dieses Motiv im einzelnen zu deuten sei (und es gibt sicher Unterschiede), ist freilich eine andere Frage.

Ähnliches bemerken wir, wenn wir das Gedicht ›Larme‹ untersuchen, das Klammer aus ›Une saison en enfer‹, wo es ohne Titel noch einmal erscheint, übersetzt hat. Die Zeilen, auf die es ankommt, lauten:

> Was konnte ich trinken fern meiner lieben
> Hütte ...?
> Etwas, was mir den Schweiß in die Stirne getrieben.
>
> Ich war wie in einem Heidekrug.
> Ein Sturmwind jagte den Himmel. Am Abend begann
> das Wasser des Hains im Sand zu versinken.
> Gottes Wind füllt mit Eis seine Lachen an.
> Weinend sah ich Gold — und konnte nichts mehr trinken. (202)

Lassen wir die Übernahme von Einzelwörtern beiseite, so können wir als erstes Motiv das des Trinkens im Freien fassen: Deine Lippen trinken die Kühle des blauen Felsenquells. (I, 95) Wenn uns dürstet, / Trinken wir die weißen Wasser des Teichs ... (I, 81) Gottes Schweigen / Trank

lei für sich geltenden Sinn; Trakl benutze es lediglich, schreibt er, um das Amselgezeter hörbar zu machen. Die Fragwürdigkeit einer solchen Deutung ist gerade in diesem Zusammenhang offensichtlich.

[77] Sie tritt übrigens auch bei Klammer mehrfach auf; vgl.: ... die ich verdammt bin und tot in der Welt ... (196).

[78] I, 33; 60; 76; 78 f.; 95. Außerdem müßte man vergleichen: I, 133 f.; 160 f.; 172.

ich aus dem Brunnen des Hains. (I, 67)[79] Im Hof trank er ... von den blauen Wassern des Brunnens, bis ihn fror. (I, 157)[80] Als zweites Motiv ergibt sich der Schweiß auf der Stirne, der kalt, ja eisig genannt und damit durch eine weitere Vorstellung aus dem Bereich des Rimbaud-Gedichts ergänzt wird: Auf meine Stirn tritt kaltes Metall. (I, 67) ... der Schweiß, der auf die eisige Stirn tritt ... (I, 128); mit dem Bild des Trinkens kontaminiert: Blaue Tauben / Trinken nachts den eisigen Schweiß, / Der von Elis' kristallener Stirne rinnt. (I, 97); formelhaft: Schweiß von ihrer wächsernen Stirn (II, 108); Schweiß und Schuld (ibid.); Engel mit kalten Stirnen (I, 172); feuchte Stirn (I, 118). Aus der letzten Strophe finden wir, wenn wir von dem schon behandelten Motiv des versinkenden | Wassers[81] absehen: In dieser Stunde füllen sich die Augen des Schauenden / Mit dem Gold seiner Sterne. (I, 86) Am Abend weht von unseren Sternen ein eisiger Wind. (I, 94) Sein Odem eisiges Gold trinkt. (I, 85) Mein Blick trinkt weinend ... (II, 120) Eisige Winde im Dunkel greinen. (I, 41) Goldnes tropft aus Zweigen ... (II, 146) Das Gold tropft von den Büschen ... (I, 66) ... [sie] suchen das Gold des Himmels. (I, 62)

Minder zwingend sind die motivlichen Entsprechungen dort, wo weniger der Wortlaut oder ein ausgefallenes Bild als das rein Thematische im Vordergrund steht. Dennoch müssen sie genannt werden. Da ist etwa das Neigen der Stirne, eine Grundbewegung in Trakls Versen und so bezeichnend für das Wesen des Dichters, daß Max von Esterle es zum Gegenstand seines Exlibris für Trakl machte. Bei Klammer begegnet uns dieses Motiv in der bedeutungsvollen Formulierung: Ihre Stirne neigt

[79] Hier wird bereits ein zweites Motiv, nämlich der vorangestellte Genitiv „Gottes" (s. o.), mit hereingenommen.

[80] Auch bei Rimbaud steht dieses Motiv nicht isoliert; vgl.: Ich schlief ein, nicht ohne vorher von dem Wasser des Baches getrunken zu haben. (18) ... le paysan matois / Qui trinque d'un moignon vieux (La Rivière de Cassis).

[81] Vgl. dazu noch: Zeichen und Sterne / Versinken leise im Abendweiher (I, 97). Am Abend versinkt ein Glockenspiel ... (I, 86). O, wie alles ins Dunkel hinsinkt ... (I, 132). Trakls Vers „Im Sand versinkt ein Eden wunderbar" (I, 27) verknüpft diese Vorstellung mit dem Thema von Rimbauds ›Ornières‹, wo in den Pfützen der Wagenspuren märchenhafte Erscheinungen geschaut werden: Feenspiele ziehn vorbei. In Wirklichkeit: Wagen, beladen mit Tieren aus goldenem Holz, mit Masten und bunten Segeln ... (225).

sich, vom Traum noch schwer ... (128) Beispiele aus Trakls Werk erübrigen sich[82]. Oder man nehme das Motiv des in die Ferne treibenden
Schiffes aus dem ›Bateau ivre‹: Es ist ein leeres Boot, das am Abend den
schwarzen Kanal heruntertreibt. (I, 62) Wichtig ist auch die Vorstellung
des unbewohnten Schlosses, die sich in Rimbauds ›Enfance‹ (im zweiten
Teil) findet. Trakl nennt bekanntlich ebenfalls ein unbewohntes Schloß
(I, 155); daneben werden leere Hütten (I, 67), ein leeres Haus (I, 86),
leere Fenster (I, 41), unbewohnte Fenster (I, 112) erwähnt; einmal heißt
es: Es ist niemand im Haus. (ibid.) Ein Zusammenhang mit dem leeren
Boot ist durchaus möglich. Andere Motive, die noch in Erwägung zu
ziehen wären, sind: das offene Fenster (z. B. I, 19; 101 f.) und das
Herabsteigen der Treppe (z. B. I, 101; 103), die Kahnfahrt (I, 94; 127;
135; 139 u. ö.) und das Haselgebüsch (I, 30; 62; 67; 127 u. ö.). Auch
Rimbauds berühmte Wasserleiche[83] hat bei Trakl Entsprechungen (II,
107; 137); ebenso finden sich exotische Vorstellungen als gemeinsames
Motiv[84]. Daß beide Dichter die Raben zum Gegenstand eines Gedichtes
machen, hat schon Meschendörfer bemerkt[85]. Als thematische Übereinstimmung im weitesten Sinn dürfen wir die entscheidende Rolle werten,
die sowohl bei Rimbaud wie bei Trakl die Erlebnisse der Kindheit und
der Stadt spielen[86].

Es gibt nun einige Fälle, in denen die Übereinstimmungen nicht so
deutlich in Erscheinung treten, wo aber dennoch genug Ähnliches bleibt,
um unsere Aufmerksamkeit zu erregen. Für sich allein genommen, wären
sie bestenfalls vage Anklänge, im Rahmen dieser Untersuchung jedoch

---

[82] Vgl. etwa I, 93; 108; 55; II, 109 u. ö.

[83] Vgl. Bernhard Blume, Das ertrunkene Mädchen. Rimbauds
›Ophélie‹ und die deutsche Literatur, in: GRM Neue Folge IV
(1954), S. 108 ff.

[84] ›Psalm‹ ist nicht, wie Lindenberger (a. a. O., S. 26) meint, das
einzige Gedicht des reifen Trakl, in dem exotische Bilder gebraucht sind.
In der Erstfassung von ›Untergang‹ können wir nämlich lesen: *Unter
Palmen* schaukeln wir auf einem silbernen Kahn (Der Brenner Jg. 3,
Bd. 6 [1913], S. 475). Ein weiteres gemeinsames Motiv ist übrigens
das des Opernhauses in dem Gedicht ›Unterwegs‹ (II, 139) bzw. in
dem Prosastück ›Phrases‹, dem Klammer einen Absatz entnommen und
an das freirhythmische Gedicht ›Seestück‹ (226) angefügt hat.

[85] Klingsor II, S. 96. Auch zwischen Trakls Gedicht ›Menschheit‹
und Rimbauds ›Le Mal‹ herrschen gewisse Ähnlichkeiten.

[86] Darauf weist auch Lindenberger (a. a. O., S. 21) hin.

erhalten sie ein größeres Gewicht. Man betrachte die folgenden beiden
Verspaare: |

> Schatten tanzen an Tapeten,
> Wunderlich ein toller Reihn. (I, 18)

> ... und aus dem Ofen tanzten wunderbar
> Lichter an den gefirnißten Möbeln dahin. (130)

Weiter dann: O unser verlorenes Paradies. (I, 61) O kämen die Zeiten
wieder, die einstens waren ... (135) Hörnerschall hallt in der Au. (II,
130) Jagdrufe hört man aus dem Wald verklingen ferne. (138) Die
Bläue meiner Augen ist erloschen ... (I, 98) Dein blaues Auge löschte
die Unendlichkeit. (139) Der Idiot spricht dunklen Sinns ein Wort /
Der Liebe ... (I, 8) ... die mit der Sanftmut von blöden / Idioten
reden. (171) ... Wasser, das ein wilder Aufruhr schreckt. (I, 117) Mor-
gendämmern, in Aufruhr wie das Kreisen / erschreckter Tauben ...
(175) Es ist die Seele ein Fremdes auf Erden. (I, 147) Das wahre Leben
ist nicht von dieser Welt. Auch wir sind nicht von dieser Welt. (196) ...
der Tod ist so furchtbar ... Wir fallen in ein Unfaßbar-Schwarzes[87] ...
in die schrecklichste Nacht gestürzt: den Tod. (199) ... daß man erschüttert ins Knie bricht. (I, 101) ... daß ich aufs Knie gesunken. (202)
Der stille Gott die blauen Lider über ihn senkt. (I, 88) Wie ein Gott mit
großen blauen Augen ... (218) — Auffällig ist der Gleichklang: Noch
trägt die Flut des Himmels goldne Last. (I, 25) ... auf allen Scheiben
lag des Himmels goldner Glast ... (169) — Wie man sieht, hat Trakl mitunter ganz andere Bilder; aber die Zuordnung der Worte zueinander
verrät die Anregung. Daneben stehen natürlich motivliche Anklänge,
so wenn bei Rimbaud der Knabe sich in den Abort, bei Trakl in einen
Holzverschlag flüchtet, um für sich sein zu können, oder wenn einmal
die abendländische Geschichte rekapituliert wird[88]. Auf Klammers Satz
„Von seinem Antlitz und seiner Haltung strahlte das Versprechen einer
tausendfachen umfassenden Liebe aus ..." (230) deuten verschiedene Formulierungen Trakls hin: Aber strahlend heben die silbernen Lider die
Liebenden (I, 137) ... die Liebenden ..., / Die Blonden, Strahlenden.
(I, 99); Antlitz (I, 156), Hände (I, 138), Arme (I, 171), ja die ganze

---

[87] Trakl im Gespräch mit Theodor Däubler (Erinnerung an Georg
Trakl, S. 12).

[88] Vgl. Trakl II, 131 und Klammer 171 ff. bzw. Trakl I, 137 und
Klammer 184.

Gestalt von Mensch oder Engel (I, 108 bzw. I, 159) heißen strahlend. Endlich wäre noch zu fragen, ob nicht einige der ungewöhnlichsten Bilder Trakls auf diese Weise genetisch erklärt werden könnten. Im Schlußterzett von Rimbauds ›Voyelles‹ lesen wir:

> O höchstes Horn von wundersamem Schall,
> ein Schweigen, drinnen Stern und Engel walten,
> O Omega, O deiner Augen blauer Strahl! (179)

Hier werden also die blauen Augen wie das von Stern und Engel erfüllte Schweigen gleichwertig nebeneinander zur Umschreibung der Qualität des O herangezogen. Vielleicht wurzelt in dieser Gleichsetzung Trakls schönes Bild

> Und Engel treten leise aus den blauen
> Augen der Liebenden ... (I, 121)[89]

Ob man auch das Traklsche Verspaar

> Auf der verdorrten Wiese läuft ein Kind
> Und spielt mit seinen Augen schwarz und glatt. (I, 66)[90]

so in seiner Entstehung erklären könne, muß allerdings zweifelhaft bleiben. Immerhin sollte man prüfen, ob nicht Klammers Bild „Bösleuchtende Blicke sind ihre Knöpfe | ..." (158) mit seiner metaphorischen Verknüpfung von Auge und Knopf anregend gewirkt hat: Trakl hätte dann nur Sach- und Bildsphäre vertauscht.

Als nächstes gilt es, die vorhandenen Übereinstimmungen im Wortschatz festzustellen. Sie sind zahlreich und höchst bemerkenswert. Vor allem Wörter aus dem Bereich des Häßlichen werden übernommen, dann aber auch bestimmte mythologische und christliche Begriffe und Gestalten sowie einige charakteristische Zusammensetzungen, die entweder aus der mundartlich gefärbten Umgangssprache stammen oder von Klammer

---

[89] Vgl. dazu auch: Feurige Engel, die aus verstorbenen Augen treten (Nachgelassene Gedichte a. a. O., S. 1101), und: feurige Engel im Blick (II, 106).

[90] Oder wie eine frühere Fassung lautet:
> Aus solcher Bläue tritt ein Kind
> Und spielt mit seinen Augen schwarz und glatt (II, 146)

neu gebildet wurden. Hier eine Liste der auffälligsten Gleichungen (wobei der Einzelnachweis nur bei denjenigen Wörtern erfolgt, die besonders wichtig erscheinen): Abort, Spülicht, Pest, kotgefleckt (213)[91], greulich (bei Trakl: gräulich), Kot, Spinne, Gestank, Kröte, verdreckt (171)[92], Spital; Waise, Föhn, braun in Zusammenhang mit Wein (140)[93], Wolf, Saitenspiel, Aufruhr, verstorben[94], Wollust, Herberge, Schenke, grollend, Lüge, Fieber, kristallen, Kanal, Gaukler, Bettler, Vorstadt, Weiler, Krug (für Wirtshaus), (Heu)schober, Nebenzimmer (188)[95]; Nymphe, Dryade, Endymion, Faun, Satyr; Engel, Dämon, De Profundis (187)[96], Kidron(bach) (205)[97], Hölle, Verdammter, Verfluchter, Satan, Priester, Magier, Weihrauch; Heidekrug (202)[98], Nachttau (178)[99], Dörfler (202)[100], Durchhaus (225)[101], Lichtschnuppe (204)[102], Rubinstaub (204)[103], herzzerreißend (211)[104]. Die meisten Ausdrücke aus dem Süddeutschen, die Mahrholdt rühmt[105], finden sich bereits bei Klammer vor. Was für die direkten Wortübernahmen gilt, gilt im gleichen Maße für charakteristische Vorstellungsbereiche im Werk[106]. Sogar mehrere Titel haben die beiden

[91] I, 63; vgl. auch „kotbefleckt" (I, 87) und „befleckt" (I, 159).
[92] Bei Trakl begegnet „grauverdreckt" (I, 8).
[93] I, 40.
[94] Als Adjektiv, und zwar besonders auch für Dinge; vgl.: die verstorbenen Paläste (160); Kirchen sind verstorben (III, 9); außerdem I, 24; II, 152; III, 15.
[95] I, 100.
[96] I, 67 (als Titel).
[97] I, 87; II, 117.
[98] I, 61.
[99] I, 146.
[100] I, 192; Der Brenner Jg. 4, Bd. 8 (1914), S. 636 ff.
[101] I, 158.
[102] I, 66.
[103] II, 139; vgl. auch „Rubingeäder" (II, 136).
[104] I, 61; II, 144.
[105] Mahrholdt a. a. O., S. 74.
[106] Vgl. die Aufstellung, die Hugo Friedrich (Die Struktur der modernen Lyrik, Hamburg 1956, S. 58) für Rimbaud gibt: Landstraßen, Vagabunden, Dirnen, Säufer, Kneipen, Wälder, Sterne, Engel, Kinder usw.

Dichter gemeinsam: Die Raben (180)[107], Märchen (229)[108], Kindheit (220)[109] und Delirien (195)[110].

Eine weitere Gemeinsamkeit — und damit gelangen wir zu einer letzten Gruppe von Entsprechungen mehr struktureller Art — zeigt sich in der Vorliebe Trakls für klangvolle Ausrufe und Namen. Rimbaud war noch dem Inhaltlichen verhaftet geblieben, als er in ›Les Premières Communions‹ das Mädchen «Adonaï» anrufen ließ; aber Klammer lieferte schon das entscheidende Stichwort: In fremdem zaubervollem Laut ... (167)[111] Trakl greift es in seiner Formulierung vom sanften Dreiklang (I, 83) auf und bildet: Elai (ibid.)[111a], Eloi (II, 106)[112] und das berühmte Helian (I, 84 ff.), das man fast einhellig vom althochdeutschen Heliand ableitet, während doch wenigstens eine Kontamination mit Paul Verlaines Anagramm (Pauvre) Lélian viel näher läge[113]. |

Wie sehr Trakl die gesamte Intonation[114] Rimbauds und noch mehr seines Übersetzers in sich aufgenommen hat, erweisen schon ganz äußerliche Parallelen. So entsprechen einander: Es schwankt der Schwester Schatten durch den schweigenden Hain, / Zu grüßen die Geister der Helden ... (I, 197) Wann werden wir gehn, über Weiden und Berge, zu grüßen die Geburt der neuen Arbeit ... (213) Ebenso haben Trakl und sein Vorbild je eine im Ton auffallend ähnliche Selbstaussage über das Wesen des Dichters: Es ist der Dichter dieser Schönheit Priester.

[107] I, 37.

[108] II, 137.

[109] I, 102.

[110] Bei Trakl allerdings im Singular (II, 153).

[111] Rimbaud hat bezeichnenderweise nur: Dans les terminaisons latines ...

[111a] Vgl. auch Brunner, Bericht über den Nachlaß Georg Trakls a. a. O.

[112] Wobei die Anlehnung an franz. hélas am ehesten einleuchtet.

[113] Soweit ich sehe, hat bis jetzt nur Muschg (a. a. O., S. 227) diese Vermutung geäußert; er denkt freilich an eine Huldigung für den französischen Dichter, was weniger überzeugt. Vgl. inzwischen Reinhold Grimm, Die Sonne. Bemerkungen zu einem Motiv Georg Trakls, in: DVjs 35 (1961), S. 224 ff. (auch in R. G., Strukturen, S. 146 ff.). — Für den Namen Elis, der ebenfalls in diesen Zusammenhang gehört, hat die Anknüpfung an die Gestalt des Elis Fröbom aus Hofmannsthals ›Bergwerk zu Falun‹ am meisten Wahrscheinlichkeit.

[114] Vgl. Ursula Fischer, Die Sprache Georg Trakls als Ausdruck seiner geschichtlichen und geistigen Stellung, Diss. (Masch.) Kiel 1948, S. 16 f.

(II, 143) Im Mund des Dichters wird das Wort zur wilden Klage ...
(162) Am bekanntesten dürfte Rimbauds Reihung «Il y a ...» sein, die
Klammer folgendermaßen wiedergibt: Es ist eine Uhr ... / Es ist ein
Schneeloch ... / Es ist eine Kathedrale ... (222) Trakl macht zweimal
von diesem Stilmittel Gebrauch (I, 61; 67). Deutlich ist die gleiche Intonation auch im nächsten Beispiel: Dein blauer Mantel ... / Dein
roter Mund ... (I, 98) Dein Wort ... / Dein blaues Auge ...
(139) Auch hier herrscht jener Drang zur parataktischen Reihung, der
bis zur Auflösung der Sätze in einzelne elliptische Ausrufe verschiedener Art führen kann. Vielfach sind es ganz disparate Inhalte, die auf
solche Weise verknüpft werden: Fahnen von Scharlach, Lachen, Wahnsinn, Trompeten. (I, 68) Wollust, Tränen, steinern Schmerz ... (I, 188)
Gebirge, Schwärze, Schweigen und Schnee. (I, 136) Angst, grünes Dunkel, das Gurgeln eines Ertrinkenden ... (I, 127) Bei Klammer: Taumel
und Stürzen, Erbarmen, Vernichtung! (173) Schreie, Trommel, Tanz,
Tanz, Tanz! (189) Purpur, Blutsturz, lachende Lippen ... (179) Kindheit, Gras, Regen, einen See auf meine Steine, Mondschein, wenn die
Glocke zwölf schlägt ... (193) — In einer anderen Ausprägung fassen
wir diese elliptische Reihung in den vielen Doppelanrufen, die Trakl
liebt: Nacht und Mond! (II, 106) Wälder und Glocken. (II, 107) Bitterer
Schnee und Mond! (I, 149) Goldene Wolke und Zeit. (I, 134) Die beiden
letzten Beispiele stehen besonders nahe bei Klammers „Riesenstadt und
endlose Macht!" (223), das hier zu nennen ist. Die Zusammenstellung
zweier Nomina kann durch einen O(h)-Anruf verstärkt werden: O, ihr
Zeichen und Sterne. (I, 132)[115] O Zeiten, o Schlösser! (207)[116] Gerade diese
O-Strukturen sind abermals bei Trakl wie bei Rimbaud[117] so charakteristisch und häufig, daß man sie als syntaktische Leitformeln ihres Werkes bezeichnen darf; die Übereinstimmung kann bis in die Interpunktion
gehen.

Dazu kommen noch einige Stilzüge, welche, formelhaft gesagt, die
Unwirklichkeit der Welt sprachlich darzustellen versuchen. Da ist einmal die von Karl Ludwig Schneider[118] beschriebene dynamisierende Metapher[119]: Es ist ein Zischelwind, der leere Hütten umkreist ... (I, 67)

---

[115] Vgl. auch I, 137; 156 f.

[116] Vgl. noch: O Rumeurs et Visions! (Départ).

[117] Bei Rimbaud vor allem in ›Une saison en enfer‹.

[118] Der bildhafte Ausdruck in den Dichtungen Georg Heyms, Georg
Trakls und Ernst Stadlers, Heidelberg 1954.

[119] Wie man sie bei Rimbaud zu bewerten hat, ist eine andere Frage.

Dann hebt ein Baum vor dir zu kreisen an. (I, 27) Ein Fieberhauch
um einen Weiler kreist ... (I, 26) Ein Wirbel von goldenen Blättern
kreist um das Haus ... (221) Ein Wiesenstreifen saust ... (I, 25) Im
Mittag strömen gelbe Felder. (I, 30) Der Wald strömt durch den Abend
... (I, 26) Wiesen von Flammen springen ... empor. (217)[120] Dann sind
die verschiedenen Einschränkungen einer Aussage zu nennen, vor allem
durch das Wort „vielleicht": Vielleicht, daß diese Stunde stillesteht. (I, 60)
Der Student, vielleicht ein Doppelgänger ... (I, 62) Vielleicht unsäglichen
Vogelflug ... (I, 99)[121] Vielleicht azurne Abgründe ...? Vielleicht ist
das der Plan ...? (223) Wahrheit, die uns vielleicht weinend mit ihren
Engeln umgibt ... (211) Eine andere Möglichkeit besteht darin, zwei
Aussagen als gleich | wirklich hinzustellen; sie heben einander solcher-
art gegenseitig auf oder stellen einander doch zumindest in Frage: Hinter
ihm steht sein toter Bruder, oder er geht die alte Wendeltreppe herab.
(I, 62) ... jener lacht vergraben in sein purpurnes Haar; oder es ist
ein Ort des Mordes ... (I, 127) ... ihr Antlitz hat sie verlassen. Oder
es neigt sich ... (I, 128)[122] Es ist ein kleiner verlassener Wagen im
Buschholz. Oder er kommt den Fußsteig herab ... (222)[123]

Nicht übersehen darf man schließlich die verstechnischen Anklänge.
Daß beide Dichter zyklische Gedichte geschrieben haben, besagt natürlich noch nichts; aber das mehrfache Auftreten von (wenn auch frei
behandelten) Sechshebern[124] sollte uns doch an den französischen Alexandriner denken lassen, den auch Klammer verschiedentlich beibehalten
hat[125]. Ähnliches gilt für den rührenden Reim, den man im Französischen als besonderen Reiz empfindet, während er bei uns als Fehler
angesehen wird; hier liegt allerdings die Anregung durch Baudelaire,
den Trakl ja bekanntlich ebenfalls gelesen hat, näher. Ein paar Beispiele: mahlt / malt[126]; Abendmahl / Wundenmal (I, 69) sind /

---

[120] Vgl. bei Trakl außerdem I, 27; 32; 54; 59; 60; 66; II, 138 f.

[121] Vgl. auch: Es scheint, man hört ... (I, 60) u. ä.

[122] Vgl. u. a. noch I, 68; 87; 103 ff.; 108; 149. Außerdem: Nachgelassene Gedichte a. a. O., S. 1102.

[123] In Sätzen wie „Es ist niemand da und jemand" (194) oder „Ich bin
geborgen und bin es nicht" (195) ist das Aufheben der einen Aussage
durch die folgende besonders deutlich.

[124] Vgl. I, 32 f.; 70 f.; II, 135.

[125] Aber weder Lindenberger noch Wölfel noch Mahrholdt ziehen
diesen Schluß; sie notieren lediglich das Phänomen.

[126] ›Melancholie‹, in: Erinnerung an Georg Trakl, S. 113.

sinnt (II, 153); herein / Rhein (I, 20). Kein Zufall scheint auch das
Auftauchen des gar nicht häufigen Reims „Man hört im Düstern / zwei
Kinder traurig und leise flüstern" (128) in Trakls Werk zu sein: Geflüster / Zweiggedüster (II, 143); umdüstert / flüstert (I, 29); düster /
Geflüster (I, 52)[127]. Daß zwischen der Form von ›Une saison en enfer‹
und ›Les Illuminations‹ einerseits und den Traklschen Prosadichtungen
andrerseits enge Beziehungen bestehen müssen, liegt auf der Hand[128].

Die Tatsachenfülle der hier ausgebreiteten Belege zwingt dazu,
die bisherigen Äußerungen der Trakl-Literatur über das Verhältnis des Dichters zu Rimbaud weitgehend zu korrigieren oder zu ergänzen. Trakl hat einen entscheidenden, ja *den entscheidenden
Einfluß* von Rimbaud empfangen, und zwar über Klammer. In
seinem Werk finden sich wörtliche Entlehnungen fast ganzer Vers-
zeilen und Sätze, weitgehende Übereinstimmungen im Wortschatz,
namentlich was den Bereich des Häßlichen und Ekelhaften betrifft,
schließlich Übernahmen syntaktischer Eigentümlichkeiten und solcher der Wortbildung; auch in Titelwahl und Namengebung liegen
Gemeinsamkeiten vor. Der Einfluß erstreckt sich bis auf Intonation, Satzbau und sprachliche Struktur; dazu kommen metrische
und verstechnische Anlehnungen, die freilich mehr allgemein die
Beschäftigung mit der französischen Literatur verraten. Vor allem
aber sind es Rimbauds kühne, neuartige, eigenwillige Metaphern
und Motive, welche, vielfach zu wiederholbaren Formeln sich ver-
festigend und in einer die entferntesten Bereiche einbeziehenden
Verschränkung, die Traklsche Dichtung unverwechselbar geprägt
haben. | Und es kann gar keine Frage sein, daß hinter einem un-
mittelbar faßbaren Einfluß von solcher Stärke ein noch viel ausge-
dehnterer mittelbarer stehen muß.

Dennoch haben Deuter des Traklschen Werkes, offenbar unter
dem Zwang eines überkommenen Originalitätsbegriffes, immer
wieder versucht, diese Beeinflussung auf irgendeine Weise zu baga-

---

[127] Vgl. Fischer a. a. O., S. 69.
[128] Was Lindenberger (a. a. O., S. 26), der die Beeinflussung von
Trakls „freien Versen" vertritt, nicht bemerkt. Aber gerade dafür hatte
der Dichter ja genug Vorbilder; man denke an Hofmannsthal, Mom-
bert, die (allerdings meist noch gereimten) Langverse Dauthendeys und
vor allem die reimlosen Maeterlincks.

tellisieren. Fritz Martini geht dabei am weitesten; er lehnt sie
rundweg ab: „Trakl war ganz und gar nur er selbst... Deshalb
ist es... irrig, bei ihm eine Nachfolgerschaft, sei es in Spuren
Rimbauds, Verlaines, der großen Russen oder Hölderlins, als Vorgang äußerer Übernahme zu suchen[129].“ Weniger radikal sind
Eduard Lachmann, der neuerdings „gewisse, wenn auch nicht tief-
gehende Einflüsse"[130] zugesteht, und Walter Höllerer[131]. Daß sie
trotzdem noch weit hinter dem tatsächlich Vorhandenen zurück-
bleiben, bedarf keiner Erörterung. Daher genügt es auch nicht,
wenn man erklärt, Trakl habe Rimbauds Dichtung „geliebt", wie
dies Johannes Klein[132] und Wolfgang Schneditz[133] tun. Ähnliches
trifft auf die Äußerungen von Wölfel[134], Kossat[135] und Hubert
Senn[136] zu. Bei der oberflächlichen Abwertung Rimbauds nach dem
Vorbild Meschendörfers verharrt Mahrholdt[137], und genau besehen macht auch Klaus Simon[138] trotz aller Zugeständnisse nichts

[129] Was war Expressionismus? Deutung und Auswahl seiner Lyrik,
Urach 1948, S. 116.
[130] Trakl und Rimbaud, in: Stimmen der Zeit 159 (1956/57), S. 71.
[131] Georg Trakl: Trübsinn, in: Die deutsche Lyrik. Form und Geschichte, herausgegeben von Benno von Wiese, Düsseldorf 1956, Bd. II,
S. 411.
[132] Geschichte der deutschen Lyrik von Luther bis zum Ausgang des
zweiten Weltkrieges, Wiesbaden 1957, S. 815.
[133] Georg Trakl, Versuch einer Deutung des Menschen und des Dichters, in: III, S. 66 ff., hier: S. 80.
[134] Wölfel a. a. O., S. 51.
[135] Er hat Klammer offensichtlich nur ganz flüchtig gelesen; vgl.
S. 99.
[136] Die Farben in der Dichtung, Diss. (Masch.) Innsbruck 1950.
[137] Mahrholdt a. a. O., S. 61: „Ihn [Trakl] bedrückte das Schmierige
und Niedrige, er sprach es aus, um sich davon zu befreien; jenen [Rim-
baud] reizte es, darum wurde er Unternehmer."
[138] Traum und Orpheus. Eine Studie zu Georg Trakls Dichtungen,
Salzburg 1955, S. 21 f. Vgl. die Kritik Lindenbergers (a. a. O., S. 33.,
Anm.): "... the comparison is marred by Simon's apparent contempt
for Rimbaud's literary achievement." Auch die Innsbrucker Disser-
tation von Margit Loidl (Arthur Rimbaud und Georg Trakl) scheint
in diese Richtung zu tendieren, da es sich bei ihr, wie mir die Ver-

anderes. Zu welch abwegigen Vorstellungen dieses Bestreben nach
Bagatellisierung schließlich führen kann, möge eine Bemerkung
Webers veranschaulichen: „Wie wenig... bedeutet es im Grunde
zu wissen, daß Trakl ... durch seine Gouvernante mit den Versen
Rimbauds und Baudelaires vertraut wird[139]!" Denn daß ausgerech-
net eine Erzieherin, die zudem noch sehr bigott war[140], dem Knaben die Kenntnis der berüchtigten poètes maudits vermittelt
haben soll, ist ja wohl höchst unwahrscheinlich.|

Französisch allerdings hat Trakl bei seiner Gouvernante ge-
lernt, so daß er in der Lage war, die genannten Dichter auch im
Urtext zu lesen. Darauf stützt sich Pamp, der eine Beeinflussung
auf direktem Wege (ohne die Vermittlung Klammers, den er nicht
kennt) nachweisen möchte. Und wirklich erscheint ein solches Unternehmen gar nicht so aussichtslos, wie man nach dem bisher Gesagten zunächst glauben sollte. Natürlich ist die Voraussetzung
Pamps, Trakl habe nur den französischen Text gekannt, falsch;
aber man erwäge doch, ob ein Dichter, der von einer Übersetzung
so tief und nachhaltig beeindruckt wird wie Trakl von der Klammerschen, nicht mit Notwendigkeit, falls er der Sprache nur einigermaßen mächtig ist, nach dem Original greifen müsse. In unserem Fall kommt hinzu, daß sicher auch die den Dichtungen vorangestellte Biographie Trakl durch ihre merkwürdigen Parallelen
weiter anreizte. Sie beginnen schon bei der äußeren Erscheinung.
Beiden Dichtern sagt man eine auffallende physische Robustheit
nach, welche sie zu einer Lebensführung von genialischer Kraft
drängte. Wie Rimbaud wanderte Trakl zu allen Jahreszeiten, be-
trank sich unmäßig, nahm Gift; die Motive des Schlafens im Frei-
en und des tagelangen Dahindämmerns sind für den Österreicher
aus dem Leben, für den Franzosen aus dem selbstbiographischen
Werk bezeugt. Gemeinsam ist auch die Qual der Sinnlichkeit (bei

fasserin freundlicherweise mitteilte, ebenfalls um einen Wesensvergleich
handelt. Lachmann endlich (Trakl und Rimbaud a. a. O., S. 72) be-
nützt einige rein inhaltliche Unterschiede nur, um „die so oft bezweifelte
Christlichkeit Trakls" zu bestätigen.

[139] Weber a. a. O., S. 8.
[140] Dr. Ignaz Zangerle (Innsbruck) brieflich an mich.

Rimbaud im Monolog der wahnsinnigen Jungfrau spürbar), dann
das gespannte Verhältnis zur Mutter[141] und der „dämonische Einfluß auf die Menschen"[142], schließlich jenes Schockerlebnis mit der
Reiterschar bzw. dem Pferd, das bei Trakl immer wieder auftaucht: „... der Schatten eines Rappen sprang aus dem Dunkel
und erschreckte ihn" (I, 155). Manchmal hat man geradezu den
Eindruck, als habe Trakl bewußt sein Leben nach Rimbaud gestalten wollen, etwa wenn man von seiner Fürsorge für die Dirnen wie für die Erniedrigten und Verlumpten überhaupt[143] erfährt oder von seinen Plänen, nach Borneo auszuwandern (was
man bisher als einzige biographische Entsprechung erkannt hat).
Es kann uns daher nicht überraschen, daß sich sogar die Vorfälle
zwischen Rimbaud und Verlaine in Brüssel legendenhaft an Trakls
Person heften: ein Freund habe, heißt es, auf ihn geschossen[144].

Vergleicht man nunmehr das französische Original, so ergeben
sich Übereinstimmungen, die unsere Vermutung bestärken, wo
nicht gar zur Wahrscheinlichkeit machen. Nur die wichtigsten seien
genannt:

Mond und Sterne werden, in brüskem Gegensatz zur gesamten Tradi-
tion, negativ bewertet[145]; der Himmel kann schwarz erscheinen, ebenso die
Sonne (wenn auch bei Rimbaud vorläufig erst als Metapher)[146]. Beide
Dichter kennen den ungewöhnlichen roten Schatten (I, 191; II, 146)[147].
An Entsprechungen aus Bildersprache und Motivik | liegen vor: Rosige
Osterglocke im Grabgewölbe der Nacht ... (I, 105) ... il sonne une
cloche de feu rose dans les nuages. (Phrases) Wenn es Nacht wird, siehst
du mich aus vermoderten Augen an, / In blauer Stille verfielen deine
Wangen zu Staub. (III, 11) Et, presque chaque nuit, ... le pauvre frère
se levait, la bouche pourrie, le yeux arrachés ... (Vagabonds) Leise rollen

---

[141] Vgl. Ilse Demmer, Georg Trakl, Diss. (Masch.) Wien 1933, S. 22.

[142] A. a. O., S. 30.

[143] Vgl. Schneditz a. a. O., S. 84, sowie Klammer 197.

[144] Mahrholdt a. a. O., S. 38.

[145] Une mauvaise étoile (Roman); vgl. I, 149 u. ö. Bei diesen Vergleichen wird alles, was von Rimbaud zu Trakls Zeit zugänglich war,
herangezogen.

[146] Un shako surgit, comme un soleil noir (L'éclatante victoire de
Sarrebruck).

[147] Une ombre rousse (Les Sœurs de Charité).

vergilbte Monde / Über die Fieberlinnen des Jünglings … (I, 86) Or
des lunes d'avril au cœur du saint lit! (Mémoires IV) … ein totes
Lamm zu meinen Füßen … (I, 191) … le blanc Agneau Pascal, à
leurs pieds chers … (Michel et Christine) Enkelkind, das Milch und
Sterne trinkt. (I, 79) … les flueurs d'astres lactés … (L'Homme
Juste) Auf deine Schläfen tropft schwarzer Tau, / Das letzte Gold
verfallener Sterne. (I, 95) Où des pleurs d'or astral tombaient des
bleus degrés. (Paris se repeuple) O Mund! der durch die Silberweide
bebt. (I, 26)[148] Dehors le mur est plein d'aristoloches / Où vibrent les
gencives des lutins. (Jeune ménage) Auch in der eigentümlich evozierenden
Struktur der Ellipse am Gedichtanfang äußert sich Gemeinsames; man
vergleiche: Herbst: schwarzes Schreiten am Waldsaum … (I, 127) Erinnerung: Möven gleitend über den dunklen Himmel … (I, 132) L'eau
claire: comme le sel des larmes d'enfance … (Mémoire I) Einiges könnte
auch auf Fehlübersetzung beruhen, so vor allem das Bild der Feuer-
blumen (I, 61) nach Rimbauds fleurs feues (Est-elle Almée?)[149].

Wie man sieht, stammen diese Parallelen beinah alle aus dem
späteren Werk Trakls. Wenn daher Pamp gerade in den frühesten
Arbeiten des Dichters eine Beeinflussung zu erkennen glaubt[150],
ist eine sorgfältige Prüfung der Belege angebracht. Sie erweisen
sich dabei in der Tat entweder als topisch oder als gängige Schreibweise der herrschenden literarischen Richtung. Besonders deutlich
ist dies bei der Schauspielmetapher[151], auf die sich Pamp beruft;
aber auch die Ähnlichkeit einer Stelle aus der Skizze ›Traumland‹ (II, 14) mit dem Eingang von Rimbauds ›Credo in unam‹
führt, wie Pamp selber zugibt[152], letztlich auf einen Topos zurück.

[148] Dazu noch: Doch aus Gezweigen winkt ein sanfter Geist … (I, 26);
Ein Strauch voll Larven (Der Brenner Jg. 3, Bd. 5 [1912/13], S. 217);
… das silberne Antlitz des Freundes .., / Lauschend im Laub oder im
alten Gestein … (I, 133) Geist der aus Bäumen tritt und bitterm
Kraut … (Nachgelassene Gedichte a. a. O., S. 1101). Vgl. auch die Verwandtschaft mit dem Bild des Fauns, der durch die Büsche lacht (s. o.).

[149] Das Wort feu als Adj. = verstorben. Vgl. auch noch: Legende
des Walds (I, 111) légendes du ciel (Fairy).

[150] Pamp a. a. O., S. 403.

[151] Vgl. Ernst Robert Curtius, Europäische Literatur und lateinisches
Mittelalter, Bern 1948, S. 146 ff.

[152] Pamp a. a. O., S. 398 ff.

Die weinende Weide[153] und die blut-purpurnen Himmel[154] dagegen wurzeln offensichtlich in der symbolistisch-neuromantischen
Sprache der Jahrhundertwende. So frühe Entlehnungen — die
Skizze ›Traumland‹ erschien 1906, und auch die in Frage kommenden Gedichte dürften sehr früh liegen — würden zudem ja
bedeuten, daß Trakl zunächst das Original und dann erst die
Klammersche Übertragung kennengelernt hätte. Nach allem, was
sich feststellen läßt, verhält es sich aber gerade umgekehrt.

Wann hat Trakl Klammers Buch (und daran anschließend das
französische Original) zum ersten Male in die Hand bekommen?
Oder besser gefragt: Seit wann läßt sich ein deutlicher Einfluß
im Schaffen des Dichters nachweisen? Die Klammersche Übertragung erschien 1907; damit haben wir einen terminus a quo. Die
Überprüfung der Gedichte ergibt nun für das Ende des Jahres
1912 eine derartige Häufung von unwiderleglichen Übereinstimmungen[155], daß wir damit auch einen vorläufigen terminus ad
quem erhalten. Zwischen 1907 und 1912 also muß Trakl das
dichterische Werk des Franzosen kennengelernt haben. Wir gewinnen einen weiteren Anhaltspunkt, wenn wir die erste Sammlung
von Gedichten vergleichen, die der Dichter seinem Freund Buschbeck im Sommer 1909 übergab. Keines der vielen Gedichte aus
dieser Sammlung verrät auch nur in einem einzigen Vers den
mächtigen Einfluß Rimbauds. Erst in der Zusammenstellung einzelner undatierter Gedichte aus dem Zeitraum zwischen 1908 und
1912[156] findet man, und zwar bereits weithin bestimmend, die

[153] II, 62; 72. Vgl. ›Ophelia‹. — Schon Klopstock kennt dieses Motiv;
vgl. Oden, ed. Muncker-Pawel, Bd. II, S. 51.

[154] Vgl. Pamp a. a. O., S. 401. Lindenberger (a. a. O., S. 23) schränkt
allerdings schon selber ein: "Here Rimbaud's influence extends no
further than the subject matter, for the two poems are entirely different
in method."

[155] Vgl. ›Psalm‹ (1. 10. 12), ›Trübsinn‹ und ›Verwandlung‹
(15. 10. 12), ›In den Nachmittag geflüstert‹ (1. 11. 12), ›De Profundis‹
(15. 12. 12.), ›Helian‹ (1. 2. 13). Die Daten bezeichnen jeweils die Erst-
veröffentlichung im ›Brenner‹.

[156] Einige davon sind, wie Buschbeck anmerkt (II, 7 f.), auch noch
später entstanden.

charakteristischen Spuren der Klammerschen Übersetzung, während unmittelbare Entsprechungen zum französischen Text noch vollständig fehlen. Das bedeutet somit, daß die Beeinflussung — jedenfalls soweit man den Vorgang aus dem Werk zu erschließen vermag — nicht vor 1909 stattgefunden haben kann; denn erst in dem Gedicht ›An Mauern hin‹, welches in der Ausgabe unmittelbar auf das am 10. 7. 1909 im Salzburger Volksblatt veröffentlichte ›St.-Peters-Friedhof‹ folgt, begegnet ein unverkennbarer Rimbaud-Anklang[157]. Die Meinungen von Pamp, daß das Jugendwerk stärker beeinflußt sei[158], und von Fischer, die eine Einwirkung während des ganzen Zeitraums ab 1907 für möglich hält[159], erweisen sich somit als irrig. Aber auch Lachmanns These, Trakl habe Klammers Übersetzung erst im Hause Ludwig von Fickers kennengelernt[160], ist unhaltbar. Wie Schneditz mitteilt[161], bereitete ein Brief Buschbecks vom 13. 5. 1912, in dem er dem Dichter eine Einladung von Fickers übermittelte[162], die „erste entscheidende Begegnung" mit diesem vor. Schon im März-Heft des Flugblattes ›Der Ruf‹ jedoch und ebenso in der Ausgabe des ›Brenner‹ vom 1. 5. 1912 stehen Trakl-Gedichte, die eindeutige Übernahmen aus dem Klammerschen Buch enthalten[163]. Der Vorgang der Beeinflussung muß folglich früher liegen. So kommen wir etwa in die Jahre 1910/11; denn es ist ja durchaus nicht sicher, daß die verstreuten Gedichte | aus der Zeit zwischen 1908 und 1912 chronologisch angeordnet sind: ›An Mauern hin‹, das neben einem Gedicht von 1909 erscheint, mag ebensogut viel später entstanden sein. Endgültige Klarheit kann hier erst die dringend benötigte historisch-kritische Ausgabe schaffen. Immerhin dürfen wir einstweilen, da auch das 1910 datierte Puppenspiel ›Blau-

[157] Unendliche Liebe gibt das Geleite (II, 120).

[158] Pamp a. a. O, S. 399.

[159] Fischer a. a. O., S. 16; 21.

[160] Lachmann, Trakl und Rimbaud a. a. O., S. 71.

[161] Georg Trakl in Zeugnissen der Freunde, herausgegeben von Wolfgang Schneditz, Salzburg 1951, S. 27.

[162] „Herr v. Ficker schrieb auch, Du sollst ihn doch einmal besuchen" (a. a. O., S. 38).

[163] ›Heiterer Frühling‹ bzw. ›Vorstadt im Föhn‹.

bart< noch keine faßbaren Anklänge aufweist, den entscheidenden Rimbaud-Einfluß auf *die Jahre 1911/12* festlegen[164]. Brunner, der für die Zeit um 1911 einen Einschnitt setzt[165], bestätigt
diese Folgerung aus seiner Kenntnis des Nachlasses heraus. Dasselbe tut, vom Stilistischen ausgehend, Mahrholdt, wenn er erklärt: „Um diese Zeit fand er [Trakl] auch endgültig die Form,
in die sein Wesen aufgehen konnte[166]." Daß seine Aussage in viel
höherem Maße, ja geradezu wörtlich zutrifft, ahnt Mahrholdt
nicht.

Selbst wenn (was höchst unwahrscheinlich ist) Trakl die Dichtung des Franzosen schon früher kennengelernt haben sollte, so
bliebe doch die Tatsache bestehen, daß diese Bekanntschaft sich
plötzlich, mit bestürzender Gewalt und innerhalb eines verhält-
nismäßig kurzen Zeitraums im Schaffen des Dichters ausgewirkt
hat. Das heißt: Entgegen der Ansicht Fischers[167] gibt es bei Trakl
einen entscheidenden Impuls von außen und somit auch eine echte
Entwicklung. Ohne die Begegnung mit dem Œuvre Rimbauds zu
berücksichtigen, ist eine Periodisierung seines Gesamtwerkes unmöglich. Es gibt einen epigonalen, verschwommen-blassen Trakl
des Frühwerkes, der die verschiedenen Zeitströmungen schlecht und
recht zu verarbeiten sucht[168]; es gibt eine Zeit des Umbruchs,
in der ungestüm und doch schon sehr bald mit vollendeter Souve-
ränität die neuen Mittel ergriffen werden; und es gibt einen späten
und reifen Trakl, der alle Anregungen in sich aufgenommen und
zur unverwechselbar eigenen Sageweise geläutert hat. Mit anderen
Worten: Es gibt Traklsche Dichtung *vor* der Begegnung mit Rimbaud (soweit wir feststellen können, bis etwa 1911), dann die bereits vollgültige Dichtung *während* dieses Vorgangs (in der Haupt-

---

[164] Lindenbergers Bemerkung (a. a. O., S. 21), der Einfluß äußere sich
am stärksten in "the latter parts of 1912", kann man akzeptieren.
[165] Brunner a. a. O., S. 129.
[166] Mahrholdt a. a. O., S. 58.
[167] Fischer a. a. O., S. 157.
[168] Vgl. Wölfel a. a. O. Unter ihnen befindet sich auch der Einfluß
Maeterlincks, der sich dann mitunter mit dem Rimbauds vermengt.

sache auf 1912 konzentriert)[169] und schließlich die Vollendung des Werkes *nach* der Begegnung mit Rimbaud, in den beiden letzten Lebensjahren des Dichters. Etwaige Vor- oder Nachklänge berühren diese Einteilung nicht[170].

Rimbauds Werk hat eine unglaubliche Faszination auf Trakls Dichten | ausgeübt; daran ist nicht zu rütteln. Man hätte jedoch nur eine Unbekannte durch eine andere ersetzt, wollte man sich mit dieser Feststellung begnügen. Wir müssen nach den Folgerungen fragen, die sich aus ihr ergeben. Worin liegt also die Bedeutung Rimbauds für Trakl? Die gelegentliche Erklärung, der Dichter verdanke dem Franzosen eine Ausweitung seines lyrischen Wortschatzes auf Bereiche, die bisher als tabu galten, befriedigt nicht. Viel bedeutsamer sind offenbar die motivlichen Anregungen und vor allem die radikalen Neuerungen in der Metaphorik. Trakl hat, dürfen wir zunächst ganz allgemein sagen, bei Rimbaud *die ihm gemäßen Ausdrucksmittel* gefunden: « Les trouvailles et les termes non soupçonnés, — possession immédiate », wie es in Rimbauds marktschreierischem ›Ausverkauf‹ prophetisch heißt. Die Bilder und Motive aus — um nur die wichtigsten Quellen zu nennen — ›Kindheit‹, ›Antike‹ und den von Klammer miteinander vereinigten Stücken ›Arbeiter‹ und ›Graue Himmel von Kristall‹, aus ›Une saison en enfer‹ und den Gedichten ›Ophelia‹, ›Die Läusesucherinnen‹, ›Vokale‹ und ›Faunskopf‹ waren die vorgegebenen Formen, die in einzigartiger Weise Trakls Erfahrungen aufnehmen konnten, ja diese überhaupt erst sagbar machten. Nun sah er die Möglichkeiten, nun faßte er den Mut zur Gestaltung einer neuen Dichtung. Das glatte epigonale

---

[169] Wenn die aufgezeigten Parallelen für das Gedicht ›Heiterer Frühling‹ stimmen, wäre auch die Bekanntschaft mit dem französischen Original bereits in diese Zeit zu datieren.

[170] Spuren Rimbauds bzw. Klammers finden sich auch noch im späteren Werk, nicht zuletzt — und entgegen Lindenbergers (a. a. O., S. 32) Behauptung — in den Prosadichtungen; vgl. ›Traum und Umnachtung‹ (erstmals erschienen am 1. 2. 1914) oder das Dramenfragment vom Mai desselben Jahres.

Gereime verstummt: Rimbauds Werk in Klammers Verdeutschung
hatte dem Dichter mit einem Male die Zunge gelöst[171].

Die Alchemie des Wortes, welche Trakl im Umgang mit Rimbauds Dichtung lernte, bestand nach der Formulierung Lindenbergers "in breaking the logical junctures of conventional poetic
language"[172]. Dieser Prozeß ging stufenweise vor sich. Zunächst
wich die vergleichende Haltung des Dichters jener unmittelbaren
metaphorischen Zusammenschau, die Gottfried Benn später als
„primäre Setzung" bezeichnen sollte[173]. Paul Claudel beschreibt
den Vorgang bei Rimbaud; aber seine Worte gelten ebenso für
Trakl: «... le mot ›comme‹ disparaissant, ... les deux termes
de la métaphore lui paraissent presque avoir le même degré de
réalité[174].» Die Metapher verabsolutierte sich schließlich vollends,
und was anfangs nur eine unerhörte Raffung logisch noch zusam-
menhängender Teile gewesen war, wurde zuletzt zur reinen alogischen Bildlichkeit. Man betrachte Trakls lautmetaphorische Assoziationen, um diese durch die Begegnung mit Rimbaud ermöglichte
„Befreiung der dichterischen Figur"[175] zu ermessen. Abstrakte Ton-
folgen zeugen hier | alogische Bilder[176]. Die Laute dominieren:
«... les atroces fleurs qu'on appellerait cœurs et sœurs, damas
damnant de langueur ...» (›Métropolitain‹)[177]. Bei Trakl entsprechen Sätze wie: „Und in heiliger Bläue läuten leuchtende Schritte

---

[171] Lindenbergers Abwertung (a. a. O., S. 22) der Klammerschen
Übertragung — er nennt sie "pedestrian" — ist ungerechtfertigt. Denn
wäre Klammers Sprache wirklich so hölzern gewesen, hätte sie Trakl
sicher nicht so tief und nachhaltig beeindruckt. Blume (a. a. O., S. 112)
beweist ein viel besseres Urteil. Natürlich ist zuzugeben, daß Klammer oft
sehr frei und verschiedentlich auch falsch übersetzte; aber dichterisches
Feuer, an dem Trakl sich entzünden konnte, besaß er unleugbar.
[172] Lindenberger a. a. O., S. 34.
[173] Probleme der Lyrik, 2. Aufl. Wiesbaden 1951, S. 16.
[174] Vorwort (S. 10) zur Ausgabe der ›Œuvres de Arthur Rimbaud‹
von Paterne Berrichon, Paris 1924.
[175] Rainer Maria Rilke, Briefe aus den Jahren 1914—21, Leipzig
1938, S. 126.
[176] Fischer a. a. O., S. 40; 76; 81. Vgl. auch Friedrich a. a. O., S. 70.
[177] Ibid.

fort" (I, 102). Rimbauds Prägung « les roses des roseaux dès longtemps dévorées » (›Mémoire‹) wiederholt genau — so paradox
dies, vom Sinn her gesehen, anmutet — Trakls „rosig hängt ein
Tropfen Tau im Rosmarin" (I, 70)[178] oder, noch deutlicher, „Oh,
die Rosen, grollend in Donnern" (II, 108)[179]. Es ist, nach einem tref-
fenden Wort von Paul Valéry[180], die vollendete « incohérence
harmonique ». Sie waltet auch, obgleich auf andere Weise, in Trakls
irrealer Farbgebung, die weder auf Erlebnisse[181] noch auf die Einwirkung von Drogen[182] zurückgeführt werden kann. Es handelt sich
vielmehr erneut um ein „sehr bewußt gehandhabtes artistisches
Prinzip"[183], nämlich um eine Form der absoluten Metapher, die der
Dichter von Rimbaud übernommen hat. Vornehmlich im ›Bateau
ivre‹[184], aber auch in den übrigen Gedichten und Prosastücken
bot sich Trakl eine Fülle solcher farblichen Verfremdungen[185]. Hin-

[178] Rosmarin blüht bläulich-weiß.

[179] Kossats Meinung (a. a. O., S. 82), die Traklschen Prosadichtungen
lägen „jenseits alles Lautlichen", ist abwegig. Vgl. dagegen Walther
Killys Nachweise (Wandlungen des lyrischen Bildes, Göttingen 1956,
S. 101).

[180] Lettres à quelques-uns, Paris 1952, S. 240.

[181] Wie Senn (a. a. O., S. 171 f.) meint. Vgl. dagegen Schneider a. a. O.,
S. 136. Dieser verkennt allerdings den Einfluß Rimbauds, wenn er
schreibt: „Mit der Farbmetaphorik hat Trakl sich und der Ausdrucks-
kunst neue Provinzen erobert" (a. a. O., S. 127).

[182] Seit Walther Riese (Das Sinnesleben eines Dichters: Georg Trakl,
Stuttgart 1921, S. 33) hat man vor allem immer wieder das Meskal(in)
genannt. Theodor Spoerri (Georg Trakl. Strukturen in Persönlichkeit und
Werk, Bern 1954, S. 95) widerlegt diese These endgültig: „Es ist ... von
vornherein unwahrscheinlich, daß Trakl Meskalin genommen hat, da von
einem solchen Abusus erstens nichts vermerkt ist, zum andern aber selbst
für einen Apotheker die Beschaffung damals schwierig gewesen sein
dürfte, denn die ersten Versuche im deutschen Sprachgebiet wurden ...
von Knauer im Jahre 1911 angestellt."

[183] Schneider a. a. O., S. 136.

[184] Vgl. Klammer 174 ff.: grüne Nächte, silberne Sonnen, schwarzer
Gestank etc.

[185] Vgl. Reinhold Grimm, Entwurf einer Poetik der Farben, in:
Revue de littérature comparée 38 (1964), S. 531 ff.

zu kamen die programmatischen Strophen des Sonetts ›Voyelles‹,
das als eine kühne Demonstration der Baudelaireschen ›Correspondances‹ die Gleichsetzung von Farben und Lauten verkündete, und die enthusiastische, gerade auch die Farbensprache prei-
sende Einleitung, die Stefan Zweig für Klammer geschrieben hatte.
Theorie und Praxis der zeitgenössischen Malerei, mit deren Vertretern Trakl ja teilweise sogar persönliche Beziehungen verban-
den[186], bestätigen diese „volle unbeschränkte Freiheit des Künst-
lers in der Wahl seiner Mittel"[187]. |
   Daraus ergibt sich als weitere Folgerung, daß auch Trakls Gedichte *gemacht* wurden. Der Österreicher war in viel höherem
Maße, als man gemeinhin wahrhaben will, ein bewußt schaffender Künstler, der unentwegt an seinen Worten formte. Zeugnisse
dafür liegen vor; man hat sie jedoch bisher nie genügend beachtet.
Man möchte der Auseinandersetzung mit dem scheinbaren Chaos
der Traklschen Bildwelt ausweichen und erklärt den Dichter deshalb für einen willenlosen Visionär, dem jede Ordnungsmöglich-
keit versagt gewesen sei[188]. Statt dessen sollte man nachlesen, was
Felix Brunner über Trakls Nachlaß berichtet. Man entdeckte,
heißt es da, „richtige Probierzeilen, wo die Magie des Wortes in
unermüdlichem Ringen erarbeitet wurde..." Brunner fährt fort:
„Sobald eine Wortfügung geglückt ist, wird sie festgehalten und
taucht dann dafür mehrere Male auf... Die einzelnen Nieder-
schriften sind nämlich fast nie wirkliche Gedichte, also von einer
gewissen Einheitlichkeit[189]." Trakls Dichtweise ist eben weder
durch Träume noch durch Drogen bedingt, sondern Ausdruck eines

[186] Vgl. z. B. seine Freundschaft mit Kokoschka.
[187] Wassily Kandinsky, Über das Geistige in der Kunst, 4. Aufl.
Bern-Bümplitz 1952, S. 133.
[188] Vgl. Martini (a. a. O., S. 112): „Alle seine Gedichte erscheinen
wie willenlose Äußerungen [einer] quälenden inneren Besessenheit..."
Ähnlich Lachmann (Kreuz und Abend, S. 86) u. a.
[189] Brunner a. a. O., S. 128 ff. Schneditz (a. a. O., S. 95) teilt Ähnliches mit. Vgl. dazu jetzt auch Walther Killy, Gedichte im Gedicht.
Beschäftigung mit Trakl-Handschriften, in: Merkur 12 (1958), S. 1108 ff.
Killys Ergebnisse — inzwischen in weiteren Aufsätzen vorgetragen —
stützen das hier Ausgeführte in hohem Maße.

Stils, und zwar jenes modernen lyrischen Stils, an dessen Ursprung
(wenigstens für den deutschen Expressionismus) vor allem Rimbaud steht. Man braucht freilich nicht so weit zu gehen wie Paul
Valéry, der am 23. 2. 1943 an Jean-Marie Carré schrieb: « La
littérature poétique est envahie aujourd'hui par un esprit de my-
sticisme et même d'illuminisme qui fait trop aisément tenir pour
révélations les effets d'une certaine ›Rhétorique‹[190]. » Trakls
Dichtung ist ohne Zweifel mehr als bloße Technik; aber sie hat
sich an ihr nicht nur entscheidend geschult, sondern überhaupt erst
erkannt.

Wie der Dichter seine eigenen Satzfragmente und Bilder, die
zu den verschiedensten Zeiten entstanden waren, als „wandernde
Ausdrucksteile"[191] mosaikartig zu neuen Gebilden zusammenfügte,
so baute er auch Bilder, Motive, ja ganze Zeilen aus dem Werk
Klammers bzw. Rimbauds in seine Verse ein. Die Tatsache läßt
sich nicht leugnen: Trakl hat das bizarre Labyrinth dieser Dichtung bedenkenlos als Steinbruch benutzt. Ein solches Vorgehen
mindert sein Dichtertum keineswegs; es setzt allerdings ein ge-
wandeltes Verhältnis zum vorgeformten literarischen Gut voraus,
das nicht mehr Alleinbesitz eines originalen Kunstschöpfers bleibt,
sondern gleichberechtigt als Stoff neben anderem Stoff erscheint[192].
Trakl beschränkte sich denn auch nicht auf Rimbaud, obwohl dessen Werk die Hauptquelle für solche Entnahmen darstellt; er ver-
fuhr in gleicher Weise mit Hölderlin, | Baudelaire und Dosto-
jewski. Daß dies bewußt geschah, steht außer Zweifel[193]; die Frage
ist nur, wie man es im einzelnen zu deuten habe. Mahrholdts Erklärung, Trakl habe „das Übernommene als Vermächtnis empfunden und deshalb belassen"[194], überzeugt jedenfalls nicht. Was sich
hier manifestiert, ist vielmehr die Neigung der Moderne zur My-
stifikation, zur Maske, zum verhüllenden und doch anspielenden

---

[190] Valéry a. a. O., S. 239 f.

[191] Fischer a. a. O., S. 113.

[192] Diese Haltung gilt in der modernen Dichtung weithin. Es sei nur
an Benn und Brecht erinnert.

[193] Vgl. auch Fischer a. a. O., S. 14, Mahrholdt a. a. O., S. 61.

[194] Ibid.

Chiffrieren. Trakls Werk weist eine Fülle solcher Züge auf. So spiegelt, um nur ein bisher übersehenes Beispiel zu nennen, das ›Kaspar Hauser Lied‹ das Schicksal des unschuldigen Menschen zwar zunächst in der Titelgestalt, bezieht aber bei der Ermordung dann Motive ein, die nicht der historischen Überlieferung entstammen (Kaspar Hauser wurde bekanntlich im Ansbacher Schloßgarten niedergestochen), sondern einer ähnlichen Situation aus Dostojewskis Roman ›Der Idiot‹, wo Rogoshin dem Fürsten Myschkin im abendlich dunklen Hauseingang auflauert. Beide, Hauser und Myschkin, symbolisieren das Fremdsein in der Welt der Menschen; ihre Verschränkung vertieft den Gehalt des Gedichts, aber sie tut es auf eine hermetische Weise.

Eine letzte Folgerung drängt sich zumindet als Frage auf. Wenn nach T. S. Eliot[195] der Dichtergeist ein Gefäß ist, in dem sich zahllose Empfindungen, Wortfolgen und Bilder ansammeln, so gilt dies in besonders exemplarischem Maße für den Trakl des Rimbaud-Erlebnisses um 1911/12. Die damals entstandenen Gedichte enthalten die meisten Übernahmen. Man kann sich des Eindrucks nicht völlig erwehren, als habe Trakl in dieser Zeit nicht nur Rimbauds dichterisches Verfahren experimentierend nachgeahmt, sondern zugleich auch ein *sprachliches Experiment* vermittels der Montage von Rimbauds eigenen Bild- und Motivteilchen betrieben. Das würde bedeuten, daß an die Stelle des traditionellen schöpferischen Prozesses, bei dem der Dichter einen ihm vorschwebenden ideellen Zusammenhang gestaltend in Worte umsetzt, wenigstens zeitweise der umgekehrte Vorgang getreten wäre: man kombiniert mit tastender Hand fremde, seltene, vielfältiger Verknüpfung fähige Worte und Bilder und hofft, daß aus ihrer Zuordnung ein neuer, vielleicht nicht einmal von fern geahnter Sinn sich erschließe. „Die Sprache selber dichtet das alogische Bild", bemerkt Fischer mit Recht, „nicht das Bewußtsein"[196]. Und Killy zitiert beifällig Albert Béguins Äußerung: « Le poète semble être celui qui fait confiance à certaines associations, pour lui même inexplicables, choisies parce qu'elles appellent en lui un assentiment irrai-

---

[195] Ausgewählte Essays 1917—1947, Frankfurt am Main 1950, S. 106.
[196] Fischer a. a. O., S. 81.

sonné[197]. » Am deutlichsten läßt sich diese wagemutige Hingabe an
das Eigenleben der Bilder in den Gedichten verfolgen, die aus einer
Aneinanderreihung disparater Aussagen bestehen: |

> Im grünen Tümpel glüht Verwesung.
> Die Fische stehen still. Gotts Odem
> Weckt sacht ein Saitenspiel im Brodem.
> Aussätzigen winkt die Flut Genesung.
>
> Geist Dädals schwebt in blauen Schatten,
> Ein Duft von Milch in Haselzweigen.
> Man hört noch lang den Lehrer geigen,
> Im leeren Hof den Schrei der Ratten. (I, 30)

Mit einer beinah stimmungsvollen Landschaftsschilderung, aus der
sie herauswachsen, koppeln diese Verse mehrere kühne, untereinander völlig unabhängige Bilder und Motive aus dem Klammerschen Rimbaudtext, dazu eine abrupte Formel Hölderlins[198] und
endlich einen Fetzen roher, ungeformter Wirklichkeit aus den beiden Bereichen des Banalen und des Widerlichen. Das Gedicht in
seiner Gesamtheit, das von einer ganz und gar gegenwärtigen, sofort wiederholbaren Situation ausgegangen war (Sonne scheint
durch die Hände), mündet in die hieroglyphische Verknüpfung
einer mythologischen Figur mit einer aus Rimbaud entlehnten
Wendung: „Narziß im Endakkord von Flöten."

Mit solchen Versen scheint der Geist der Dichtung ins Unbekannte greifen zu wollen. Er hat die logischen Bezüge der Dinge
gelöst, die Einzelteile isoliert, um Freiheit zu schaffen für Erfahrungen, die bisher unzugänglich waren. Wer dächte hier nicht an
Rimbauds Konzeption des Seher-Dichters? « Le Poète se fait
voyant par un long, immense et raisonné *dérèglement de tous
les sens* », hatte der Sechzehnjährige einst proklamiert. « Il arrive

---

[197] Gérard de Nerval suivi de Poésie et Mystique, Paris 1936, S. 106.
Vgl. Walther Killy, Das Spiel des Orpheus. Über die erste Fassung von
Georg Trakls ›Passion‹, in: Euphorion 51 (1957), S. 423 ff. Höllerer
(a. a. O., S. 415 f.) gelangt, obgleich von einem anderen Ansatz her, zu
ähnlichen Überlegungen.
[198] Vgl. „Dädalus Geist" (›An Zimmern‹).

à l'inconnu...[199] » Offenbar zielte Trakl wie Rimbaud eine Zeitlang auf eine solche schöpferische Auflösung aller Bindungen ab, wenn auch nur im Bereich der Sprache. Seine Verse aus diesen Jahren sind, um mit Wölfel zu reden, „eine komplizierte Komposition aus Erinnerung, Gegenwart, Traum, gedichteter Welt und gedichteter Dichtung...[200]" Was das Zusammenwirken so heterogener Elemente immer wieder evoziert, vermag weder der Dichter noch der Leser zu erklären, so „verständlich" im einzelnen das meiste auch erscheint. Es ist das Geheimnis der Traklschen Poesie, einer Art von „synthetischer Dichtkunst", wie Hans Arp als Bezeichnung für seine eigenen Sprachexperimente vorschlägt[201]. Denn auch diese verwirklichen die in Rimbauds Konzeption angelegte Möglichkeit, freilich in trivialster Form: der wagemutige Dichtergeist nimmt die Gestalt eines fluchenden Setzers an. „Ich schrieb diese Gedichte", heißt es über das Entstehen der Sammlung ›Die Wolkenpumpe‹ von 1917, „in einer schwer leserlichen Handschrift, damit der Drucker gezwungen werde, seine Phantasie spielen zu lassen und | beim Entziffern meines Textes dichterisch mitzuwirken[202]." Das ist das groteske Ende des ungeheuren Anspruchs, mit dem Rimbaud aufgetreten war. Die leidvoll-gefährdete Gestalt des österreichischen Dichters aber gewinnt vor dem Hintergrund der dadaistischen Gaukeleien erst ihre eigentliche Größe. Wenn irgendeiner, so gehört Georg Trakl zu jenen „furchtbaren Arbeitern", wie Rimbaud sie vorausgesehen hat: «... viendront d'autres horribles travailleurs; ils commenceront par les horizons où l'autre s'est affaissé[203]! »

[199] Arthur Rimbaud, Œuvres complètes. Texte établi et annoté par Rolland de Renéville et Jules Mouquet, Paris 1954, S. 270 f. (Brief an Paul Demeny vom 15. 5. 1871).

[200] Wölfel a. a. O., S. 63 (über den ›Helian‹).

[201] Wortträume und schwarze Sterne. Auswahl aus den Gedichten der Jahre 1911 bis 1952, Wiesbaden 1953, S. 9.

[202] a. a. O., S. 7.

[203] Rimbaud a. a. O., S. 271. — Nachtrag: Ludwig von Ficker, der greise Freund und Förderer des Dichters, hat in einem Brief vom 16. 2. 1960 die Ergebnisse dieser Untersuchung bestätigt. „Sie stimmen", schreibt er u. a., „mit allen Eindrücken überein, die ich aus dem persönlichen Umgang mit dem Dichter gewinnen konnte."

Germanisch-Romanische Monatsschrift N. F. 10 (1960), S. 231–266.

ZUR FRAGE DER ›STRUKTUREINHEIT‹ ÄLTERER UND MODERNER LYRIK

(Théophile de Viau: *Ode III*, Baudelaire: *Le Cygne*)

Von HANS ROBERT JAUSS

Pour que l'art naisse, il faut que la relation entre les objets représentés et l'homme soit d'une autre nature que celle imposée par le monde.

(André Malraux)[1]

Die anhaltende Diskussion, die Hugo Friedrich mit seinem 1956 erschienenen Buch *Die Struktur der modernen Lyrik*[2] in Gang gebracht hat, ist unlängst durch einen Beitrag von H. O. Burger bereichert worden, der durch einen grundsätzlichen, auf geschickt gewählte Textbeispiele gestützten Einwand besonderes Interesse verdient[3]. Dieser Einwand zielt nicht mehr auf die sekundäre Problematik der unvermeidlichen Auswahl, die H. Friedrich unter zahlreichen Autoren verschiedener Nationalliteraturen und aus ihrem lyrischen Werk treffen mußte, sondern stellt die hier zugrundegelegte geschichtliche Bestimmung in Frage: ob die Struktur der modernen Lyrik zu Recht aus dem Gegensatz zu den Normen der überkommenen, klassisch-humanistischen Poetik abgeleitet werden konnte, mit denen in der ›Literaturrevolution des 19. Jahrhunderts‹ im besonderen Baudelaire, Rimbaud und Mallarmé — H. Friedrichs ›Klassiker‹ der modernen Lyrik — gebrochen haben. In Burgers Worten: „... hat es sich Friedrich nicht gerade

---

[1] Les Voix du Silence, Paris 1951, p. 275.

[2] Rowohlts Deutsche Enzyklopädie Bd. 25, Hamburg 1956.

[3] Von der Struktureinheit klassischer und moderner deutscher Lyrik, in: Festschrift für Franz Rolf Schröder, Heidelberg 1959, p. 229–240.

bei der Zeichnung dieser vormodernen Lyrik ein wenig leicht gemacht? Daran mag es liegen, daß bei ihm die moderne Lyrik so
stark als Umkehrung alles Bisherigen erscheint, am besten faßbar
in negativen Kategorien. Gibt es denn — trotz der enormen
Unterschiede — nicht auch zwischen ›moderner‹ und ›klassischer‹
Lyrik eine gewisse Struktureinheit[4]?"

Eine solche Struktureinheit glaubte Burger nun auf dem Wege
über eine Neubestimmung der lyrischen Erfahrung aufdecken zu
können, welche zugleich eine Ehrenrettung des von H. Friedrich
„in der Poetik verabscheuten" Erlebnisbegriffes einschloß: das
„Exorbitanzerlebnis". ›Erlebnis‹ in diesem | Sinne soll besagen,
„daß Leben erfahren wird, das in der Welt nicht aufgeht. Anders
gewendet: wo unsere bestehende Einstellung und Vorstellung
gegenüber dem Dasein *Welt* heißt, ist *Leben* unser Daseins-Erlebnis beim Aufbrechen von Welt. Erlebnisse dieser Art darzustellen
oder hervorzurufen, macht meines Erachtens das innerste Wesen
der Dichtung aus[5]". Der Romanist wird hier zunächst einmal
mit Befriedigung feststellen, daß Burger mit dieser Bestimmung,
auch wenn er es nicht geradezu ausspricht, von der landläufigen
Erlebnisästhetik des Individualismus abgerückt ist. Sein „Exorbitanzerlebnis" hebt die Spannung von ›Erlebnis und Dichtung‹
nicht mehr in der Unmittelbarkeit lyrischer Selbstaussprache auf,
sondern bereits in der Darstellung einer anderen, neuen, weil „in
der Sprache geschaffenen" Welt[6]. Doch dieser weiterführende
Schritt wird gleich auf derselben Seite wieder halb zurückgenom-
men. Bei diesem Aufbrechen einer bestehenden Welt in der sprachlichen Schöpfung der Lyrik gehe es aber „zuerst und zuletzt nicht
um eine neue Welt, sondern um das, was anders als Welt ist: das
›Wunderbare‹ in der ganzen Spannweite des Begriffs[7]". Die
Spannweite dieses Begriffs ist für Burger nun allerdings auch über-

---

[4] Ibid. p. 229.

[5] Ibid. p. 230.

[6] Vgl. ibid. p. 230: „Eine neue Welt in der Sprache schaffen, bedeutet aber ja zugleich, daß eine bestehende Welt vernichtet oder im
Hegelschen Sinne aufgehoben, jedenfalls aufgebrochen wird."

[7] Ibid.

raschend groß. In ihm soll die poetische Praxis vom XVII. Jahrhundert bis zur Gegenwart, von Marino bis Mallarmé übereinstimmen: „Waren die Manieristen der Barockzeit ausgegangen von
Marinos « *E del poeta il fin la meraviglia, Chi non sa far stupir,
vada alla striglia* », so variieren die Späteren, und zwar vom
nachbarocken Klassizismus bis zur Frühromantik, die Thesen
Boileaus über « *cet extraordinaire et ce merveilleux qui fait qu'un
ouvrage enlève, ravit, transporte* ». Derselbe Faden wird weitergesponnen in Mallarmés ›ontologischem Schema‹, wie es Friedrich nennt, und Gottfried Benns Vortrag über ›Probleme der
Lyrik‹ (1951), der in Deutschland für die junge Generation eine
Ars poetica geworden ist[8]."

Es wäre gewiß reizvoll, diesen scheinbaren Übereinstimmungen
durch eine Untersuchung der Auffassung des ›Wunderbaren‹ in
der Geschichte der poetischen Theorien und der Anwendung des
›far stupir‹ in der poetischen Praxis auf den Grund zu gehen.
Da dieses ferne Ziel hier bei weitem nicht erreicht werden kann,
folgen wir dem auch von Burger eingeschlagenen Weg, der seine
These durch eine vergleichende Strukturanalyse klassischer und
moderner Gedichte zu unterbauen sucht, und betrachten zwei größere, motivverwandte Gedichte aus der älteren und aus der modernen französischen Lyrik, bei denen die postulierte Struktureinheit im Hintergrund aller stilbedingten Differenzen ja auch zum
Vorschein kommen müßte. Da es bei diesem Vergleich am Ende
darauf ankommt, ob sich das ›Wunderbare‹, anders gesagt: das
Aufbrechen einer bestehenden Welt und das Erscheinen dessen,
„was anders als Welt ist", in beiden Gedichten strukturell über-
einstimmend zeigt, liegt es methodisch nahe, an den Texten selbst
von der Frage auszugehen, auf | welche Weise die Verfasser Ma-
rinos Devise des ›far stupir‹ praktisch verwirklicht oder —
modern gesprochen — die vertraute Wirklichkeit ›verfremdet‹
und in dieser Verfremdung die ›andere Welt‹ der Poesie zur
Erscheinung gebracht haben.

Gerade im Hinblick auf dieses poetische Verfahren, in dem
G. R. Hocke ein Kennzeichen des Manierismus im Unterschied

[8] Ibid. p. 231.

zum klassischen Stil sieht[9] (bei Burger wird diese Unterscheidung relativiert)[10], ließe sich noch eine weitere begriffliche Analogie zu Burgers ›merveilleux‹ beibringen, welche auf den ersten Blick nun auch noch die von Hocke betonte Struktureinheit von ›barocker‹ und moderner Lyrik zu bestätigen scheint. Denn auch der moderne Begriff der ›Verfremdung‹ ist nicht erst in unserer Zeit — besonders durch die epische Dramaturgie Bert Brechts — in Mode gekommen. Er findet sich in der Anwendung auf die Poetik wohl zum ersten Mal[11] gerade bei dem Dichter, den Hocke „an den Anfang des Neomanierismus unserer Zeit" stellen wollte[12], in Baudelaires Essai ›Notes nouvelles sur Edgar Poe‹ (1857). Die Stelle bezieht sich dort auf die besondere Sorgfalt, die Poe der Behandlung des Reims angedeihen ließ: « De même qu'il avait démontré que le refrain est susceptible d'applications infiniment variées, il a aussi cherché à rajeunir, à redoubler le plaisir de la rime en y ajoutant cet élément inattendu, *l'étrangeté*[13], qui est comme le condiment indispensable de toute beauté[14]. » Dieser hier vor allem durch den erläuternden Nachsatz so bedeutsame Begriff scheint bei Baudelaire neben anderen Bestimmungen der *beauté moderne* (wie etwa *surprise, bizarre, mélancolie*) der zeitlosen Typik jenes literarischen Manierismus vollkommen zu entsprechen[15], den Hocke im Anschluß an das

[9] Manierismus in der Literatur, Rowohlts Deutsche Enzyklopädie Bd. 82/83, Hamburg 1959.

[10] Wir kommen am Ende der Untersuchung auf diesen Punkt zurück.

[11] Nach Paul Robert, Dictionnaire alphabétique et analogique de la langue française, Paris, PUF (seit 1951 im Erscheinen), s. v. ‚étrangeté'.

[12] Op. cit. p. 272.

[13] Von Baudelaire kursiv abgehoben, also wohl von ihm selbst in der Anwendung auf die Poetik als neue Wortbedeutung empfunden, die hier zwar noch nicht ganz als genaues französisches Korrelat zu ›Verfremdung‹ aufgefaßt werden kann, aber doch in der Verbindung *ajouter ... l'étrangeté* schon über die einen Zustand ausdrückende engere Bedeutung von ›Fremdheit‹ hinausgeht.

[14] Œuvres Complètes, Ed. de la NRF, t. X, Paris 1928, p. 29.

[15] Vgl. Hocke, Manierismus ..., a. a. O. p. 70.

15. Kapitel von Curtius' Werk *Europäische Literatur und lateinisches Mittelalter* als eine „europäische Konstante" von Marino und Góngora bis Mallarmé und T. S. Eliot aufzuweisen versucht hat. Ob ganz zu Recht, anders gesagt, ob Baudelaire mit seinen neugesuchten Bestimmungen des Schönen nur eine jahrtausendalte, auf den asianischen Stil der Antike zurückgehende „Ausdrucksgebärde" erneuert oder aber gegen alle bisherige Tradition einen neuen Stil geschaffen hat, der seinem Bewußtsein des Anbruchs einer völlig veränderten geschichtlichen Welt der Moderne entsprach, ist der weitere Fragenzusammenhang, dem die hier versuchte vergleichende Strukturanalyse dienen soll. |

Für die Wahl unseres Beispiels aus der älteren Tradition war neben der thematischen Analogie (Schwanenmotiv) bestimmend, daß André Gide aus der III. Ode von Théophile de Viaus *Maison de Silvie* (1624) ein Stück ausgewählt hatte, um es in seine ›*Anthologie de la poésie française*‹ aufzunehmen. Die Kriterien seiner Auswahl führen uns gleich mitten in die Problematik von ›klassischer‹ und ›moderner‹ Form hinein. Auch stellt uns die Begründung dieser Kriterien in Gides ›Préface‹ zugleich die besondere Situation der Lyrik im Jahrhundert der französischen Klassik und damit den Grund vor Augen, warum es angemessen schien, diese Epoche gerade durch einen Dichter zu repräsentieren, der sich über die klassischen Regeln Malherbes hinwegsetzte und sich gleichwohl beim Publikum der französischen Klassik einer besonderen und anhaltenden Wertschätzung erfreute[16]. Gides Ausführungen knüpfen an ein Streitgespräch mit A. E. Housman an, der ihn durch das Folgende zu einer höchst reizvollen Apologie der französischen Poesie provozierte: « Comment expliquez-vous, M. Gide, qu'il n'y ait pas de poésie française? (...) Oh, je sais bien, vous avez eu Villon, Baudelaire... Mais, entre Villon et Baudelaire, quelle longue et constante méprise a fait considérer

---

[16] Théophiles Werke wurden nach seinem Tod (1626) von 1631 bis 1650 mindestens 25mal, von 1651 bis 1660 11mal neu aufgelegt. S. dazu D. Mornet, Histoire de la littérature française classique (1660 bis 1700), Paris 1940, p. 19.

comme poèmes des discours rimés où l'on trouve de l'esprit,
de l'éloquence, de la virulence, du pathos, mais jamais de la
poésie[17]. » Das in dieser Äußerung bewußt überspitzte, weit verbreitete Vorurteil einer *déficience du sentiment lyrique* setzte bei
Gides Gesprächspartner offensichtlich selbst wieder einen historisch bedingten und darum episodischen Kanon des Schönen voraus: den Poesiebegriff der von England und Deutschland ausgegangenen Romantik. Demgegenüber hat Gide in der Auswahl
seiner neuen Anthologie, die dieses Vorurteil widerlegen sollte,
das ›klassische‹, von der Antiromantik neu bewertete Prinzip
der *contrainte* an die Spitze seines Kanons gestellt: « Ne pourrait-
on dire que ces règles, parfois si gênantes pour l'essor incon-
sidéré, si contrariantes pour la spontanéité du poète, l'ame-
nèrent en récompense à plus d'art, à un art plus parfait, un
art souvent qu'aucun autre pays n'égale[18]? » Aus diesem Prinzip
ergibt sich die moderne, in der Wiederentdeckung der Barocklyrik zutage getretene Wertschätzung des artifiziellen, rhetorischen Stils, der formalen Schönheit einer reinen Sprach- und Stil-
kunst: Gides Absicht ist es, « (de) présenter les exemples les plus par-
faits de maîtrise verbale et de persuasion oratoire ». Andererseits soll seine Anthologie aber auch nicht verbergen « ce que la
poésie française offre exceptionnellement de plus musical »[19].
Dieses andere Kriterium entspricht der *révolution sans précedents,*
mit der Baudelaire der Poesie einen neuen Weg eröffnet habe[20];
dabei bleibt ungesagt, worin sich diese spezifisch moderne Musikalität des Lyrischen von den an sich ähnlichen Bestimmungen der
älteren, rhetorisch-verbalen Tradition unterscheiden soll. Diese
Frage, die uns noch eingehend beschäftigen wird, | stellt sich bei
dem aus Théophiles III. Ode ausgewählten Stück zunächst in der
Form: hat Gide hier ein Beispiel klassischer *maîtrise verbale* und
persuasion oratoire geben oder den Dichter des französischen

---

[17] Anthologie de la poésie française, Ed. de la Pléiade, Paris 1949,
Préface p. 8.
[18] Ibid. p. 9.
[19] Ibid. p. 11.
[20] Ibid. p. 10.

›préclassicisme‹ von einer spezifisch modernen Seite zeigen wollen? Es liegt auf der Hand, daß die Begriffe ›klassisch‹ und ›modern‹ bei Gides Verfahren aus ihrer Bindung an eine historisch abgegrenzte Epoche gelöst werden mußten. Inwieweit der damit angesetzte, typologisch-zeitlose Gegensatz nun aber selbst wieder vom zeitbedingten ästhetischen Urteil eines Kritikers des 20. Jahrhunderts aus gesehen ist, wird uns die Textprobe Gides am Verhältnis von Auswahl und Weglassung zeigen können[21].

(i) *Dans ce Parc un valon secret*
     Tout voilé de ramages sombres,
     Où le Soleil est si discret
     Qu'il n'y force jamais les ombres,
     Presse d'un cours si diligent   5
     Les flots de deux ruisseaux d'argent
     Et donne une fraischeur si vive
     A tous les objets d'alentour,
     Que mesme les martyrs d'Amour
     Y trouvent leur douleur captive.   10

(ii) *Un estanc dort là tout auprès,*
     Où ces fontaines violentes
     Courent, et font du bruit exprès
     Pour esveiller ses vagues lentes.
     Luy d'un maintien majestueux   15
     Reçoit l'abord impetueux

[21] Anthologie ..., p. 300 s. Gides Auswahl ist in der folgenden Wiedergabe durch Kursivdruck kenntlich gemacht; wir zitieren nach Théophile de Viau, Œuvres poétiques, Seconde et Troisième Parties, ed. Jeanne Streicher, Droz-Minard, Genf/Paris 1958. Die Ode III ist dort p. 147—151 abgedruckt; die weiteren neun Oden der Maison de Silvie werden fernerhin nur mit römischer Ziffer (Nr. der Ode) und Verszahl zitiert. — Die Einwände, die R. A. Sayce in seiner Besprechung (French Studies XIII, 1959, p. 267 sq.) gegen diese Ausgabe erhoben hat, berühren unseren Zusammenhang nicht unmittelbar. — Zur Datierung der z. T. in Chantilly (wie Ode III), z. T. im Gefängnis entstandenen und im September 1624 erschienenen Oden s. A. Adam, Théophile de Viau et la libre pensée française en 1620, Paris 1935, p. 391.

De ces Naïades vagabondes,
Qui dedans ce large vaisseau
Confondent leur petit ruysseau
Et ne discernent plus ses ondes.   20

(iii) Là Melicerte, en un gazon
Frais de l'estanc qui l'environne,
Fait aux Cygnes une maison
Qui luy sert aussi de couronne.
Si la vague qui bat ses bors   25
Jamais avecques des thresors
N'arrive à son petit Empire,
Au moins les vents et les rochers
N'y font point crier les nochers
Dont ils ont brisé les navires. | 30

(iv) Là les oyseaux font leurs petits
Et n'ont jamais veu leurs couvees
Souler les sanglants appetits
Du serpent qui les a trouvees.
Là n'estend point ses plis mortels   35
Ce monstre de qui tant d'autels
Ont jadis adoré les charmes,
Et qui d'un gosier gemissant
Fait tomber l'ame du passant
Dedans l'embusche de ses larmes.   40

(v) *Zephyre en chasse les chaleurs,*
Rien que les Cygnes n'y repaissent,
On n'y trouve rien sous les fleurs
Que la fraischeur dont elles naissent.
La gazon garde quelques fois   45
Le bandeau, l'arc et le carquois
De mill'amours qui se despoüillent
A l'ombrage de ses roseaux
Et dans l'humidité des eaux
Trempent leurs jeunes corps qui boüillent.   50

(vi) *L'estanc leur preste sa fraischeur,*
La Naiade leur verse à boire,

Toute l'eau prend de leur blancheur
L'esclat d'une couleur d'yvoire.
On void là ces nageurs ardents   55
Dans les ondes qu'ils vont fendants
Faire la guerre aux Nereïdes,
Qui devant leur teint mieux uny
Cachent leur visage terny
Et leur front tout coupé de rides.   60

(vii) Or ensemble, ores dispersez,
Ils brillent dans ce crespe sombre
Et sous les flots qu'ils ont persez
Laissent esvanoüir leur ombre.
Parfois dans une claire nuict   65
Qui du feu de leurs yeux reluit,
Sans aucun ombrage de nuës,
Diane quitte son Berger
Et s'en va là dedans nager
Avecques ses estoilles nuës.   70

(viii) Les ondes qui leur font l'amour
Se refrisent sur leurs espaules
Et font danser tout à l'entour
L'ombre des roseaux et des saules.
Le Dieu de l'eau tout furieux,   75
Haussé pour regarder leurs yeux
Et leur poil qui flotte sur l'onde,
Du premier qu'il void approcher,
Pense voir ce jeune cocher
Qui fit jadis brusler le monde.   80

(ix) Et ce pauvre amant langoureux
Dont le feu tousjours se r'allume
Et de qui les soins amoureux |
Ont fait ainsi blanchir la plume,
Ce beau Cigne à qui Phaëton   85
Laissa ce lamentable ton,
Tesmoin d'une amitié si saincte,
Sur le dos son aisle eslevant,
Met ses voilles blanches au vent
Pour chercher l'object de sa plaincte.   90

    (x) Ainsi pour flatter son ennuy
        Il demande au Dieu Melicerte
        Si chacun Dieu n'est pas celuy
        Dont il souspire tant la perte,
        Et contemplant de tous costez   95
        La semblance de leurs beautez
        Il sent renouveller sa flame,
        Errant avec des faux plaisirs
        Sur les traces des vieux desirs
        Que conserve encore son ame.   100

   (xi) Tousjours ce furieux dessein
        Entretient ses blessures fraisches,
        Et fait venir contre son sein
        L'air, bruslant et les ondes, seches.
        Ces attraits empreints là dedans,   105
        Comme avec des flambeaux ardens
        Luy rendent la peau toute noire:
        Ainsi dedans comme dehors
        Il luy tient l'esprit et le corps,
        La voix, les yeux et la memoire.   110

Théophiles III. Ode umfaßt elf zehnzeilige Achtsilberstrophen.
Gide hat aus den 110 Versen die Strophen *i, v, vi, vii, viii* (bis
zum 4. Vers) entnommen und zwischen *i* und *v* durch den ersten
Vers von *ii* eine geschickte Überleitung geschaffen. Hätte sich
diese Überleitung der Strophenform einfügen lassen, so würde
man seiner Version nicht mehr ansehen können, daß sie durch
einen Schnitt entstanden ist: Gide hat durch seine Auswahl ein
neues, selbständiges Ganzes hervorgebracht. Seine 45 Verse stehen
nicht allein formal in einem durchgängigen Zusammenhang, sie ergeben zugleich auch eine durchgängig motivierte Bilderfolge, anders gesagt: die Einheit einer vom Anfang auf das Ende zuge-
führten Perspektive. Die Mitte dieser Perspektive liegt in der Erscheinung des Teiches. Die erste Strophe bringt mit Park, verbor-
genem Tal und den beiden Bächen eine Art von Rahmen, in dem
sodann der Teich erscheint, als Szenerie, die sich im weiteren mit
Schwänen, Amouretten, Naiaden und Nereiden belebt, die schließlich von der Mondgöttin und ihren Sternen besucht wird und die

zuletzt, wenn sich alle Erscheinungen im Reflex des Wasserspiegels auflösen, immer noch in ihren eigenen Konturen: *l'ombre des roseaux et des saules* (v. 74) sichtbar bleibt. Der anschaulichen Einheit dieser Perspektive entspricht auf der Bildebene eine allmählich sich steigernde und verdichtende, dann aber wieder aufgefangene Bewegung. Die Beschreibung des Parkes in der ersten Strophe bleibt statisch; dann verengt sich, während sich die Szene nach und nach mit Erscheinungen füllt, der Ausschnitt des Dargestellten mehr und mehr, der Aufgang des Mondes bildet einen ruhigen | Kontrast zu dem bewegten Höhepunkt des spielerischen Krieges der Amouretten und der Nereiden, bis dann am Ende allein noch das Spiel der Wellen im Blickfeld bleibt, Medium aller bewegten Erscheinungen und — als Spiegelfläche — ihr Ruhepunkt zugleich.

Die von Gide geschaffene Einheit dieser Perspektive ist im ganzen dadurch gekennzeichnet, daß sie auf das beschränkt bleibt, was auch ein Maler auf einem Bild hätte darstellen können. Trotz aller Bewegung enthält seine Version weder einen zeithaft-epischen Vorgang, der über die Einheit der Szene hinausreichte, noch Elemente einer übersinnlichen Welt oder eines vorgängigen Mythus, der die gewahrte Sinnenhaftigkeit der Erscheinung durchbräche. Das übernommene mythologische Personal (Zephir, Amouretten, Naiaden, Nereiden, Diana und ihr Schäfer) verweist bei Gide nicht mehr auf eine höhere, mythische Welt, zu der sich die dargestellte natürliche Landschaft nur wie ein Abbild verhielte. Seine Auswahl läßt die Erhöhung der Darstellung durch mythologische Personifikationen nurmehr als ein Ornament der Beschreibung erscheinen, als artifizielle Metaphorik, die sich ohne Rest in die reine Anschauung der einen dargestellen Parklandschaft auflösen kann. *Diane quitte son berger Et s'en va là-dedans nager* (v. 68—69) ist in Gides Bildfolge einfach eine Periphrase für den Reflex des Mondes auf dem Wasser, bei der es auf die mythologische Beziehung (*son berger* = Endymion) nicht mehr ankommt. Im ›tableau‹, das Gide aus Théophiles Ode herausschnitt, bleibt alles Mythologische der poetischen Beschreibung untergeordnet und verweist diese selbst auf kein anderes Sein als auf das, was sich in der Erscheinung des Dargestellten manifestiert.

Dieses Dargestellte ist andererseits aber auch in Gides ›Version‹ nicht mehr als Abbild einer wirklichen Landschaft, des Parkes von Chantilly zu fassen, auf den sich Théophiles Ode an sich bezog. Was von dieser Landschaft bewahrt ist: Park, Tal, Bäche, Teich, Schwäne, Rasen, Schilf und Weiden, sind nur die allgemeinsten, für fast jeden Park der Epoche typischen Züge. Wenn das Gedicht gleichwohl den Eindruck einer selbständigen Figuration erweckt, entspringt dieser nicht dem Gegenstand als solchem oder einer biographischen Beziehung des Dichters zum Dargestellten, sondern einzig und allein der kunstvollen Weise seiner Beschreibung *(maîtrise verbale)*. Gide macht dieses Verschwinden des Dargestellten hinter der Manier der Darstellung noch um einen Grad deutlicher als Théophile, weil in seinem Ausschnitt die Beschreibung nur noch um ihrer selbst willen da zu sein scheint. Damit haben wir eine Erklärung für sein Kriterium des ›Musikalischen‹ gewonnen, das sich im vorliegenden Fall ja wohl kaum auf besondere akustische Effekte wohlklingender Verse beziehen kann. Die Analogie zur Musik ist hier vielmehr in der fehlenden oder verschwundenen Beziehung der bildhaften Erscheinung auf ein Dargestelltes zu sehen, das auch außerhalb ihrer bestünde: der preziös-manieristische Stil wirkt in Gides Ausschnitt wie ein freischwebendes Spiel der Worte und löst die Darstellung ständig von ihrem Gegenstand ab. Körper und Dinge gehen in einer bewegten Unruhe auf, die sich im Spiel von Wasser, Licht und Schatten zu reinen Erscheinungen verselbständigt (vgl. vv. 45—50, 53—54, 61—64, 71— | 74), einer Erscheinung, die nur noch sich selbst bedeutet, auf keinen transzendenten Sinn mehr verweist[22]. Das hier zur Anwendung gekommene Prinzip des ›Musikalischen‹ setzt für

[22] Diese Auflösung des Gegenständlichen wird in Strophe v bis viii auch daran sichtbar, daß die badenden Amouretten nach dem Eintauchen der *jeunes corps qui boüillent* in die *humidité des eaux* (v. 49 bis 50; abstrahierende Verbindung!) nicht mehr in den Konturen ihrer ganzen Gestalt hervortreten, sondern nur noch durch ihre Bewegung oder in einem pars pro toto Eindruck vergegenwärtigt werden. Es ergibt sich folgende Bildfolge: die Gebärde des Trinkens (v. 52), der Reflex ihrer ›Weiße‹ im Wasser (v. 53—54), die Bewegung der Schwimmer *dans les ondes qu'ils vont fendants* (v. 57), der Kontrast ihrer Hautfarbe

Gide die durch Baudelaires Poetik eingeleitete, spezifisch moderne
Entwicklung der Lyrik voraus, deren Tendenz zur Abstraktion
oder ›Entwirklichung‹ ihr Pendant in der gleichzeitigen Entwicklung der Malerei, d. h. ihrer fortschreitenden Ablösung vom
Gegenstand hat[23]. Für G. R. Hocke hingegen handelt es sich bei
diesem Phänomen nicht um etwas spezifisch Modernes, sondern
um ein schon seit dem 16. Jahrhundert (Marino) festzustellendes
Strukturelement des Manierismus[24]. Wenn hier nun aber in der
Tat eine Struktureinheit zwischen ›barocker‹ und moderner
Lyrik vorliegen sollte, müßte sich diese auch im vorliegenden Fall
daran erweisen lassen, daß dasselbe Prinzip gleichermaßen für
den Ausschnitt Gides wie für die vollständige Ode Théophiles
gültig wäre, der wir uns nunmehr zuwenden.

Fügt man den Ausschnitt Gides wieder in das Ganze der Ode
Théophiles ein, so sieht man bald, daß der Kritiker des 20. Jahrhunderts im Grunde kaum anders verfahren ist als ein Photograph,
der einem alten Bildwerk durch eine geschickte Teilreproduktion
einen unerwartet modernen Aspekt abzugewinnen weiß[25]. Auch

und das Verschwinden ihrer Schatten unter dem Wasser (v. 61 ss.), das
Sich-Brechen des Wassers an ihren Schultern (v. 71—72), ihre Blicke
(v. 76) und ihr auf den Wellen schwimmendes Haar (v. 77).

[23] Siehe dazu H. Lützeler, Bedeutung und Grenze abstrakter Malerei,
in: Jahrbuch für Ästhetik und allg. Kunstwissenschaft, Bd. III (1955
bis 1957), p. 1—35, bes. p. 4 ss., wo die Anfänge der modernen Malerei
bei Monet, Seurat und Cézanne aufgezeigt werden: „Alle drei Richtungen moderner Kunst haben gemeinsam, daß sie den Gegenstand zugunsten der Form zurücktreten lassen; sie alle möchten nicht mehr schil-
dernd, abbildend verfahren." — Zu der gleichzeitigen Ablösung des
Romans von der epischen Fabel in Flauberts *roman sans sujet* siehe Vf.,
Heidelberger Jahrbücher Bd. II, 1958, p. 101 ss.

[24] „Diese Verschwisterung von Wort und Klang, im Sinne Marinos,
hat den lyrischen ›musicisme‹ angeregt, der von Baudelaire über Rimbaud und Mallarmé bis Joyce die ›abstrakte‹, ›evokative‹ Dichtung
entstehen ließ, diejenige Poesie also, die, ohne Rücksicht auf Mitteilung
und Inhalt, durch den bloßen Sprachklang im Leser besondere Bewußt-
seinszustände erzeugen will", Manierismus in der Literatur, a. a. O. p. 182.

[25] Siehe dazu W. Benjamin, Das Kunstwerk im Zeitalter seiner technischen Reproduzierbarkeit, Schriften I, Frankfurt 1955, bes. p. 369 ss.,

hier findet der Betrachter, der sich vom Ausschnitt | auf das
Ganze zurückwendet, seine Erwartung mitnichten erfüllt, erkennt,
daß er einer Täuschung des ›imaginären Museums‹ anheimfiel,
und steht vor der Aufgabe, sich einen neuen Zugang zu dem
Kunstwerk zu suchen, das ihm in seiner Fremdheit zugleich die
historische Ferne voll zu Bewußtsein bringt. Daß die Ode Théophiles durch Gides Auswahl eine völlige Umwandlung erfuhr, die
nur zum geringsten Teil auf die Kürzung des Umfangs zurückzu-
führen ist, zeigt sich zunächst darin an, daß die Ode im ganzen
jene perspektivische Einheit vermissen läßt, die Gide — darin
›klassischer‹ als der Dichter des *préclassicisme* — in seinem
Stück sichtbar gemacht, genauer gesagt: durch seine Auswahl überhaupt erst in die Ode hineingebracht hat[26]. Sehen wir zunächst

sowie die Beispiele in A. Malraux' *Musée Imaginaire*, Les Voix du
Silence, Paris 1951, p. 23 ss. (es hätte Malraux' großem Werk keinen
Abbruch getan, wenn er wenigstens an einer Stelle sichtbar gemacht
hätte, daß sich der Kern seiner Thesen bereits in der schon 1936 in
Paris veröffentlichten Abhandlung Benjamins findet!). — Es ließe sich
zeigen, daß die Ergebnisse von G. R. Hocke — davon hätte eine eingehende Kritik auszugehen — zu einem guten Teil überhaupt erst durch
ein solches modernisierendes Ausschnitt-Verfahren zustandegekommen
sind, wobei das Ausschnitthafte auch schon darin bestehen kann, aus
dem Gesamtwerk eines Dichters zwei besonders ›manieristische‹ Gedichte auszuwählen, wie im Falle von Théophile de Viau die auf Seite
89 und 281 zitierten. Für das Publikum Théophiles steht auch die
alogische Strophe: « *Ce ruisseau remonte en sa source | Un boeuf
gravit sur un clocher ...* » (etc.) als ›galimatias‹ in einem gewollten,
stilgebundenen Kontrast zu der umgebenden Dichtung idyllischen,
elegischen oder erhabenen Stils; davon ganz abzusehen und sich allein
auf die „Aussage" von derart isolierten „Zeugnissen" zu stützen, um
dann am Ende gar noch eine „Wesenskonstante" des problematischen
Menschen darin zu finden (vgl. p. 302), kommt dem Trugschluß gleich,
aus den isoliert betrachteten komischen Einlagen der geistlichen Spiele
eine „ästhetische Erscheinungsform" d e s mittelalterlichen Menschen abzuleiten.

[26] Daß dem sogenannten ›Realismus‹ der Landschaftsschilderung
Théophiles die einheitliche Perspektive, „ein charakteristisches Merkmal
der modernen Literatur", fehlt, hat schon Gerhard Hess an der Ode *Le*

einmal von den geschichtlichen Bedingungen ihrer Form ab und versuchen wir, das Eigentümliche ihrer Komposition von der Wirkung aus zu erfassen, die sie bei der Lektüre des Ganzen im Leser auslöst, so will es scheinen, als habe es der Dichter eigens darauf angelegt, die Kontinuität der Anschauung sowohl durch den immer neu überraschenden Wechsel der Strophensujets, als auch durch eine willkürliche Reihung der Bilder, Metaphern und Mythologeme ständig zu unterbrechen, ja zu vereiteln. Zwischen die Beschreibung des Parks *(i)* und die Badeszene der Amouretten *(v)*, die Gide gleichsam organisch in den damit gegebenen natürlichen Rahmen hineingestellt hatte, sind gleich drei Strophen eingeschaltet, mit denen wir uns vom Teich, dem Einheit stiftenden Schauplatz, immer weiter entfernen. Zwar führt die zweite Strophe das Thema der *deux ruisseaux,* die nun ihre Wasser mit denen des Teiches vermengen, noch kontinuierlich weiter. Doch schon in der nächsten Strophe wird der Rahmen dieses *tableau* gesprengt *(iii)*: mit « *Là, Melicertes, en un gazon* » sind wir unvermittelt aus der natürlichen Landschaft von Park und Teich in die zeitlose Gegenwart einer idyllisch-mythologischen Welt entrückt. Unvermittelt — denn für Melicertes fehlt (im Unterschied zu der von Gide bewahrten Diana) ein natürlicher Vergleichspol; der antike Meergott vertritt nicht etwas anderes, sondern ist — wie dann auch Strophe *x* bezeugt — selbst inmitten der Schwäne gegenwärtig. Zwar wird seine Präsenz | dann wieder durch « *son petit Empire* » (v. 27) auf den gegebenen Rahmen bezogen, zugleich aber auch sein zeitloses Dasein durch den nun folgenden Ausblick auf die mythologische Geschichte des Meeres vor Augen gestellt. Mit zwei verneinten Hypothesen (« *Si la vague ... jamais ... n'arrive* », v. 25 ss.; « *Là les oiseaux n'ont jamais veu ...* », v. 31 ss.) bewerkstelligt der Dichter den Übergang in das durch die Verneinung doppelt Unwirkliche, um sodann vermittels eines unausgesprochenen und zugleich höchst unwahrscheinlichen Syllogismus (Teich und Meer sind Gewässer, also könnten auch diesem kleinen Reich des Melicertes die Gefahren des Meeres drohen) der evo-

Matin gezeigt (Die Landschaft in Baudelaires ›Fleurs du Mal‹, Heidelberg 1953, p. 12).

25

zierten Idylle noch den Scylla-Mythus entgegenzusetzen. Damit
haben wir uns von der ersten Vorstellung, die dieses alles auslöste, schon so weit entfernt, daß es einigen Nachdenkens bedarf,
um zu erkennen, daß sich Vers 41: «*Zephyre en chasse les chaleurs*»
mit *en* über *Là* (v. 31) auf *un gazon* (v. 21) zurückbeziehen
muß.

Mit Vers 41 hatte Gide nach Beseitigung der mythologischen
›Abschweifung‹ wieder eingesetzt. Das hatte zur Folge, daß in
seiner Version die Schwäne nur beiläufig als bloßes Decorum der
Szene erscheinen und dafür die Amouretten ganz in die Mitte des
bildhaften Vorgangs rücken. Für Théophile hingegen sind die
Schwäne ungleich wichtiger, denn daß sie in Strophe *iii* und *iv* das
Bild des friedlichen Idylls bestimmen, steht im Zusammenhang mit
dem späteren Erscheinen des einen, mythologischen Schwans (v.
85), mit dem die Zerstörung des Idylls bedeutet wird. Auch dieser
so bedeutsame Zusammenhang wird dem Leser nicht auf irgend-
welche Weise angekündigt, sondern durch die Inkohärenz der
Bildfolge vielmehr verdeckt. Wo ein neues Strophensujet erscheint,
wie die Amouretten in *v* nach den Schwänen in *iii* und *iv*, tritt
dieses unvermittelt neben das alte[27]. Ebenso schlägt das friedliche
Idyll der badenden Amouretten ohne erkennbare Motivation in
den Krieg mit den Nereiden um. *On void là* ... (v. 55): die
Einheit liegt — wie gerade diese überleitende Wendung deutlich
macht — nicht in der Kontinuität eines zeithaften Vorgangs, sondern allein im Prinzip einer fortgesetzten Metamorphose, die das
Auge des Dichters an seinem an sich gleichbleibenden dichterischen
Gegenstand entdeckt und in einen fortgesetzten Wechsel seiner
Erscheinung transponiert hat. Dieses ›barocke‹ Verfahren erreicht in den von Gide weggelassenen weiteren Strophen seinen

---

[27] Diese Inkohärenz wird durch den Wechsel in den Bezeichnungen
des grammatischen Subjekts noch erhöht. So ist es z. B. *les oyseaux*
(v. 31) nicht gleich anzusehen, daß damit *les Cygnes* (v. 23) gemeint
sind, da sich der vorangehende Satz (v. 25—30) nicht mehr auf die
Schwäne bezog. Ebenso knüpft *leur* in v. 71 nicht, wie zu erwarten, an
ses estoilles nuës (v. 70) an, sondern — den vorangehenden Satz wiederum überspringend — an *ils* (v. 62), also letztlich an *mill'amours*
(v. 47).

Höhepunkt. Das impressionistische Schlußbild, mit dem Gides *tableau* endet, steht bei Théophile nicht für sich selbst. Er läßt den Meergott aus ihm auftauchen und führt wiederum gänzlich unvermittelt, zunächst als bloße Befürchtung, die Gestalt Phaëtons in seine Teichidylle ein (*viii*). In der folgenden Strophe (*ix*) ist unversehens aus dem Unwirklichen dieser Vorstellung bildhafte Wirklich|keit geworden, wobei die Inkohärenz der Darstellung durch einen nicht angezeigten Subjektwechsel noch gesteigert wird. Denn « *Et ce pauvre amant langoureux* » (v. 81) bezieht sich nicht etwa, wie zu erwarten, auf *ce jeune cocher* (v. 79) zurück, sondern meint bereits « *Ce beau Cigne à qui Phaëton Laissa ce lamentable ton* » (v. 85—86). Hierzu wäre etwa folgende Motivationskette denkbar: « *Dieu de l'eau* » — Gefährdung des Idylls — Phaëtons Sturz ins Meer — Klage seines Freundes Cygnus — dessen Verwandlung in einen Schwan. Daß im Text selbst eine solche Motivation fehlt, zeigt an, wie wenig damit gewonnen ist, Théophiles Verfahren als bloße Assoziationsverkettung zu bezeichnen. Das Eigentümliche seines Verfahrens besteht gerade im Weglassen notwendiger oder natürlicher Assoziationsglieder. Dabei wirkt mit, daß er im Gegensatz zu der gesuchten Willkür seiner Bildfolge in den Strophen selbst die Bildeinheit streng bewahrt; die meisten Strophen haben ihre eigene Mitte und einen selbständigen Höhepunkt[28], sind oft nur durch eine parataktische Rückanknüpfung verbunden[29] und lassen nur selten ein weiterführendes Element erkennen. Auch wenn sich die beiden letzten Strophen unmittelbarer an die klagende Gebärde des Schwans anschließen, ist gleichwohl für einen überraschenden Wechsel gesorgt. Die Frage

---

[28] Die Bildeinheit der Strophen wird durch die ›klassische‹ Symmetrie ihrer äußeren Form noch verstärkt. Durch das Reimschema (abab cc deed) ergibt sich eine aufsteigende Bewegung zu den beiden mittleren Versen (cc), die für sich als ein abteilender Höhepunkt hervortreten, zugleich aber auch als ›pivot‹ wirken, weil sie regelmäßig mit den folgenden Versen eine syntaktische Einheit bilden, deren abfallende Bewegung durch den verzögerten Endreim wieder ihre eigene Spannung erhält.

[29] *Là*, v. 21, 31; *en*, v. 61; *et*, v. 81.

an « *Dieu Melicerte* » (*x*) läßt erst nach einiger Überlegung erkennen, daß sie sich auf die Amouretten beziehen muß und läuft
mit dem Vers der vergeblichen « *faux plaisirs* » (v. 98) in eine nicht
zu erwartende Richtung (biographicum?) aus, die durch den Phaë-
ton-Cygnus-Mythus nicht vorgegeben ist. In diesen Mythus mündet die Schlußstrophe wieder ein, doch auch dieses Mal mit einer
überraschenden Abweichung von der vorangegangenen Situation,
die nun in doppelter metaphorischer Verkehrung erscheint. Im
Unterschied zu Ovids Cygnus (Met. II 379 s.):

> stagna petit patulosque lucus ignemque perosus
> quae colat, elegit contraria flumina flammis

sucht hier der verlassene und zum Schwan verwandelte Freund
vergeblich in den Wellen Kühlung. Bei Théophile wird der Gegensatz von Feuer und Wasser auf eine Bildebene gebracht und
in einer preziösen Verkehrung gegen den Schwan gewendet:

> Et fait venir contre son sein
> L'air, bruslant et les ondes, seches (v. 103—104).

Sodann erleidet der Schwan noch eine weitere, nicht vorgegebene
Metamorphose: sein « *furieux dessein* » färbt ihm nun das Gefieder schwarz, das zuvor seine « *soins amoureux* » weiß werden
ließen (v. 83—84). Damit ergibt die Strophe *xi* bei Théophile
einen nicht weniger wirkungsvollen Schluß als den von Gide | ge-
fundenen, doch einen Schluß, der nun die Bildfolge gerade im entgegengesetzten Sinne aufhebt. Während Gide alles Figurative am
Ende in die sinnenhaft-natürliche Erscheinung des bewegten Wasserspiegels aufgehen ließ, wird bei Théophile die natürliche Erscheinung der Dingwelt am Ende durch die beiden preziösen Pointen in die Unwirklichkeit einer überhöhten metaphorischen Ebene
umgesetzt. Die erste Pointe läßt mit dem Oxymoron: « *les ondes
seches*» (v. 104) schon fast nicht mehr daran denken, daß hier in
einer abstrahierenden Verwandlung der Teich ein letztes Mal evoziert ist. Die zweite Pointe: « *Luy rendent la peau toute noire* »
(v. 107) führt das Thema des gestörten Idylls mit dem paradoxen

Emblem für den Schwan zu seinem grotesken Höhepunkt, ohne
daß uns der Dichter hier schon den äußeren Grund der bedeuteten
Katastrophe und der Schwanenklage enthüllt.

Théophile hat das soeben aufgezeigte Verfahren, das dem allgemeinen ästhetischen Kanon seiner Epoche und im besonderen
ihrer Vorstellung von der Gattung einer *ode descriptive* entspricht[30], an anderer Stelle seiner *Maison de Silvie* selbst am tref-
fendsten charakterisiert. Er läßt dort die Nachtigall von ihrem
Preislied auf Silvie sagen:

> Si mes airs cent fois recitez
> Comme l'ambition me presse,
> Meslent tant de diversitez
> Aux chansons que je vous adresse,
> C'est que ma voix cherche des traits
> Pour un chacun de vos attraits. (IX 41—46)

Das poetische Prinzip der *diversité*[31], das die Form der Darstellung Théophiles bestimmt, entspricht nach der angeführten Stelle
ganz dem Gegenstand seines Poems, dessen Substanz gleichermaßen in einer Vielheit von Zügen gesehen bzw. in eine solche Vielfalt von Aspekten aufgelöst wird. Jeder Aspekt des Gegenstandes
(« *un chacun de vos attraits* ») erfordert die ihm gemäße Weise sei-

---

[30] Siehe dazu J. Rousset, La littérature de l'âge baroque en France,
Paris 1953, bes. p. 76: « On voit qu'il y a en France à cette époque
non seulement un goût du composite et du changement, mais les éléments
d'une esthétique du composite et du changement, parallèle, souvent
mêlée à des courants plus ›classiques‹. » Zur Auffassung der Ode vor
1660 s. D. Mornet, op. cit. p. 84 ss., sowie p. 13: « L'ode n'est, pendant
très longtemps, qu'un poème écrit en strophes, sur des mètres qui ne
sont pas régulièrement des alexandrins et dont les sujets peuvent être in-
différemment lyriques, narratifs, réalistes, voire un simple ›galimatias‹. »

[31] Es wäre reizvoll, dieses Prinzip in seinem stilgeschichtlichen Wandel weiter zu verfolgen; zu La Fontaine, der das Spiel der *diversité* zu
seiner Devise erhob, s. in diesem Zusammenhang E. Loos, Die Gattung
des *Conte* und das Publikum im 18. Jahrhundert, RF 1959, p. 120.

ner Beschreibung (*traits*)[32]; das Verfahren des Dichters besteht
darin, jeden | zu rühmenden Zug seines Gegenstandes (in unserem
Fall: des Parkes mit Teich, Rasen und Schwänen) für sich auszu-
schmücken und metaphorisch oder mythologisch zu erhöhen. Durch
diese Umsetzung entsteht eine diskontinuierliche Bewegung: der
Gegenstand selbst wird zum bloßen Anlaß, löst sich in die *diversité*
seiner Aspekte auf und erweckt den Eindruck einer unruhig bewegten Bildfläche, deren *beau désordre* seine neue, nicht mehr
substantielle Einheit in der fortgesetzten Verwandlung des Blick-
feldes hat[33]. Es ist darum nicht zutreffend, dem manieristischen
Prinzip der *diversité* von vornherein jegliche Einheit abzuspre-
chen; diese ist nur nicht in einer « composition logique » oder per-
spektivisch strengen « unité de mouvement » zu suchen — das
wären ›klassische‹ Bestimmungen[34] —, sondern liegt in der Bewegung selbst, die alles Gegenständliche aperspektivisch in ›schöne‹
(und darum nicht rein willkürliche) Unordnung auflöst und uns
durch diese ›Verfremdung‹ jetzt wieder in einem anderen Sinn
›modern‹ erscheinen kann als der Gidesche Ausschnitt.

Wollte man in dieser scheinbar modernen ›Verfremdung‹ des
Gegenständlichen mit Hocke nun wiederum ein konstantes Stilelement des Manierismus erblicken, so setzte dies voraus, daß Théo-

---

[32] In der X. Ode hat Théophile diese Vorstellung mit dem Buch-
Topos variiert:

> Ces lieux si beaux et si divers
> Meritent chacun tous les vers
> Que je dois à tout le volume. (v. 5—7)

> Chaque fueille, et chaque couleur
> Dont Nature a marqué ces marbres
> Merite tout un livre à part,
> Aussi bien que chaque regard
> Dont Silvie a touché ces arbres. (v. 16—20)

[33] Mit *beau désordre* beziehen wir uns auf den bekannten Vers, in
dem später Boileau die Gattung der Ode definiert hat: « *Chez elle, un
beau désordre est un effet de l'art* » (Art poétique, II 72).

[34] So R. Lebègue in seinem Urteil über Théophiles Oden, in: La
poésie française de 1560 à 1630, Paris 1951, t. II, p. 112.

phile mit seinem Verfahren in der Tat einen Effekt der Verblüf-
fung durch gewollte Verdunkelung beabsichtigte und daß auch
sein Dichten „wenig mehr mit dem klassischen Mitteilen zu tun
hat"[35]. Damit stellt sich die Frage, ob die in unserer Ode aus der
Manier des preziösen Stils entspringende Wirkung für Théophile
perfektionierter Selbstzweck im Dienste eines reinen *Art du Langage* war[36] oder aber selbst wieder einem höheren Zweck dienen
sollte, durch den erst sie für den Dichter ihren letzten Sinn erhielt.
Für den Leser unserer Zeit, dem der ursprüngliche Erwartungshorizont des Gedichtes ferngerückt und darum *La Maison de
Silvie* als Ganzes nicht mehr unmittelbar zugänglich ist, verkehrt
das Verfahren der *description poétique,* wie es Théophile in seiner
III. Ode angewendet hat[37], die zugrunde | liegende Horazische
Anweisung ›ut pictura poesis‹ scheinbar in ihr Gegenteil. Der
verselbständigte Zierrat der Metaphern und Personifikationen
hebt mit dem Bildzusammenhang ineins den Gegenstand in seiner
sinnenhaften Erscheinung auf, die Gides Ausschnitt gerade hervor-
gekehrt hatte. Es entsteht der Eindruck einer « certaine indiffé-
rence à ce que nous appelons aujourd'hui le contenu du
poème[38], obschon hier im Unterschied zu Gides Ausschnitt gerade

---

[35] G. R. Hocke, Manierismus ..., a. a. O. p. 30; zur gewollten Verdunkelung vgl. p. 18 s., 26, 32.

[36] So J. Tortel, Quelques constantes du lyrisme préclassique, in: Le
préclassicisme français, Les Cahiers du Sud, Paris 1952, p. 126.

[37] Zu diesem Verfahren s. D. Mornet, op. cit. p. 13: « Le P. de
Bussières, dans ses Descriptions poétiques (1649), estime encore que la
›description‹, même sous forme d'ode, n'est pas soumise aux
bienséances et ›n'a point de loi que la vigueur de la boutade‹. » Diese
zeitgenössische Auffassung schließt indes nicht aus, daß auch die scheinbare Willkür der *ode descriptive* ihre implizite Poetik haben kann, die
sich wiederum nicht mit der rhetorischen Tradition der descriptio zu
decken braucht (vgl. dazu H. Lausberg, Elemente der literarischen
Rhetorik, München 1949, § 73/76). Denn die von Théophile in seiner
Ode à Cloris angewendete oratorische Gliederung (propositio, demon-
stratio, conclusio) liegt im Falle der Ode III nicht vor, vgl. D. Mornet,
Histoire de la clarté française, Paris 1929, p. 173.

[38] J. Tortel, a. a. O. p. 148.

nicht an eine Beschreibung um ihrer selbst willen zu denken ist. Wie aber ist dann der Begriff einer *description poétique* zu verstehen, den dieser Eindruck als eine contradictio in adjecto erscheinen läßt?

Dieser Widerspruch läßt sich leichter lösen, wenn man auf die verschiedenen Stellen zurückgeht, an denen sich Théophile auf dieses poetische Prinzip bezieht. Das traditionsbedingte Bildfeld ›der Dichter als Maler‹ ist in der *Maison de Silvie* reich vertreten[39]. Théophile nennt gleich eingangs sein Gedicht « *une peinture* » (I 2), spricht später von seiner « *entreprise du tableau* » (VI 85) oder vom « *pinceau d'un faiseur de rimes* » (VIII 47) und verwendet bezeichnenderweise den Begriff auch da, wo ihm in der Kerkersituation die Erinnerung an Chantilly wieder vor Augen steht: « *Mes sens en ont tout le tableau* » (VIII 105). Daß dabei mit *peindre* nicht einfach eine bloße Abbildung, sondern ein Rühmen und Preisen des Gegenstandes (« *Et si j'ay bien loué les eaux, Les ombres, les fleurs, les oyseaux* ... » X 115—116) gemeint ist, liegt gleich in den Eingangsversen in dem Bild der ›goldenen Griffel‹ mit beschlossen:

> Pour laisser avant que mourir
> Les traits vivans d'une peinture
> Qui ne puisse jamais perir
> Qu'en la perte de la Nature,
> Je passe des crayons dorez
> Sur les lieux les plus reverez. (I 1—6)

Die hier geschlagene Verbindung vom Dichter zu *La Nature* hat für Théophile eine weiterführende Bedeutung. Denn dem Mo-

---

[39] Den Begriff Bildfeld, der eine „überindividuelle Bildwelt als objektiven, materialen Metaphernbesitz einer Gemeinschaft" voraussetzt, hat H. Weinrich in einer Untersuchung über Münze und Wort eingeführt und methodisch begründet (in: Romanica, Festschrift für G. Rohlfs, Halle 1958, p. 508—521). Die im folgenden besprochenen Stellen sind z. T. auch in der Hinsicht aufschlußreich, daß sie eine preziöse Überbietung der von Weinrich aufgezeigten Tradition (Prägung wird paradoxerweise auf ein flüssiges Element bezogen) bringen.

tiv ›der Dichter als Maler‹ läuft in der *Maison de Silvie* ein
zweites Motiv parallel: ›auch die Natur vermag zu malen‹.
Wie sich die Sonnenstrahlen inmitten unbestimmter Schatten in
den Wassern der Quelle ›abbilden‹ und wie der Zweig seine
peinture in ihren Spiegel ›einprägt‹ und wieder verwischt (« *ef-
face et marque* », VI 110), so kann dort für den Dichter auch das
Bild Silvies aufgenommen und für immer bewahrt werden:

> Je sçay que ces miroirs flotants
> Où l'objet change tant de place, |
> Pour elle devenus constans
> Auront une fidele glace,
> Et sous un ornement si beau
> La surface mesme de l'eau,
> Nonobstant sa delicatesse,
> Gardera seurement encrez
> Et mes characteres sacrez
> Et les attraits de la Princesse. (I 101—110)

Diese besonders kunstvolle, preziös-galante Sinnfigur enthält eine
doppelte ›concordia discors‹: das flüssige, immer bewegliche
Element erscheint als bewahrender, fester Spiegel, in den sich die
›heiligen Schriftzeichen‹ des Dichters ebenso eingraben lassen
wie die lebendigen Züge der besungenen Silvie[40]. Die beiden Themen: Bild des Dichters und Abbild der Natur rücken zusammen,

---

[40] „Sinnfiguren sind, elementar gesehen, Metaphern von Begriffen
bzw. Ideen. Was heißt das? Die Metapher wird als eine überraschende
concordia discors von Bildern empfunden. Das Concetto bietet eine
überraschende concordia discors von Ideen. In beiden Fällen wird also
Extremes vereint", (Hocke, a. a. O. p. 152). — Die zitierte Strophe bestätigt eine Unterscheidung, die J. Rousset zwischen barockem und
preziösem Stil getroffen hat: « L'eau d'un poète baroque est l'image
des métamorphoses, du flux et du reflux, du monde en mouvement; l'eau
d'un poète précieux est du cristal ou de l'argent potable. (. . .)
Quand le Baroque s'immobilise et se géométrise, il tend au Précieux »
(a. a. O. p. 242). Daß die zitierte Stelle für Théophile typisch ist, ließe
sich am Bild des Wasserspiegels, das die *Maison de Silvie* leitmotiv-
artig durchzieht, vielfach belegen.

verquicken sich metaphorisch und bringen so eine geheime Analogie
zum Vorschein. Damit haben wir die Erklärung für die eingangs
ausgesprochene Überzeugung des Dichters, daß seine *peinture* nur
ineins mit dem Ende der ganzen Natur vergehen könne (vgl. I
1—6). Diese Gleichordnung wird an anderer Stelle in einer Weise
relativiert, die der Natur wieder den ihr gebührenden höheren
Rang einräumt[41]: Silvies Ruhm bedarf an sich gar nicht seines
Dichtens, der Himmel selbst hat Sorge getragen « *de la peindre
par tout le monde* » (I 114). Ihre Augen sind in der Sonne, ihre
Reize in Aurora ›gemalt‹ (I 115 ss.), der winterliche Schnee
wetteifert mit der Weiße ihres Teints (II 97—100) und die Elemente lassen vor ihrem Angesicht von ihrem ewigen Streit ab (II
25—30). Daß es sich hierbei nicht einfach um ein Wortspiel preziöser Galanterie handelt, wird an einer weiteren Stelle deutlich,
die den latenten Platonismus ausdrücklich macht, der bei Théophile der Analogie von Dichtung und Malerei zugrunde liegt:

> Le Ciel nous donne la beauté
> Pour une marque de sa grace,
> C'est par où sa divinité
> Marque tousjours un peu sa trace. (IV 41—44)

Dieser Platonismus wird von Théophile am Ende der immer mehr
sichtbar werdenden Stufenfolge schließlich noch im christlichen
Sinne überhöht. Während in der VII. Ode bei der Schilderung des
« *cabinet de verdure* » noch Natura — der auf Alanus zurück-
weisenden Tradition gemäß — als die von Gott autori|sierte
letzte Instanz « *pour nourrir le monde* » erscheint[42], gipfelt die
X. Ode in einem letzten und höchsten Bild der *peinture*, das

---

[41] Vgl. zum Folgenden noch I 65—70, IX 68 ss.
[42] VII 11—20; vgl. dazu vv. 21—30, bes. 25—27:

> Elle donne le mouvement
> Et le siege à chaque element,
> Et selon que Dieu l'authorise.

Christus den absoluten Rang, die Macht über Anfang und Ende
aller Dinge, zuweist[43]:

> Il fait au corps de l'Univers
> Et le sexe et l'aage divers;
> Devant luy c'est une peinture
> Que le Ciel et chaque Element,
> Il peut d'un trait d'œil seulement
> Effacer toute la Nature. (X 85—90)

Für unsere Fragestellung entscheidend ist nun aber, daß dieser
christlich überhöhte Platonismus nicht allein Théophiles Begriff
des Schönen bestimmt («*Tous les objects les mieux formez Doi-*
vent être les mieux aymez», IV 45—46), sondern auch seinem
Verfahren der *description poétique* den tieferen Sinn verleiht. Der
moderne Leser wird der Intention des Textes erst dann gerecht,
wenn er erkennt, daß die Verfremdung des Gegenstandes durch
die Manier des preziösen Stils für Théophile nicht ein Letztes
bleibt. Die preziöse Manier seiner *peinture*, die auf den ersten
Blick dahin führte, die poetische Beschreibung von ihrem Gegenstand abzurücken, so daß sich die natürliche Landschaft für den
modernen Leser in dem befremdenden Aspekt der *diversité* aufzulösen begann, vollzieht für Théophile und sein zeitgenössisches
Publikum zugleich eine Umwandlung des Singularen, nur faktisch
Wirklichen in die allgemeine Wahrheit einer zeitlosen, geistigen
Realität. Der Park von Chantilly in seiner einmaligen, historischen Gestalt, wie auch die einmalige Situation des verfolgten
›poète maudit‹ wird durch die « *crayons dorés* » des Dichters in
den imaginären Raum einer idyllisch-mythologischen Landschaft
zurückübersetzt; die *peinture* des Dichters öffnet gleichsam nur
hinter der kontingenten Welt, die sein Leben umschließt, einen
Blick auf den immer schon vertrauten, weil immer gleichbleiben-

---

[43] Dem entspricht bereits in der I. Ode die für Théophiles Devise
« *Il faut écrire à la moderne* » charakteristische Ablehnung Apollos
und der Musen, statt derer der Dichter durch die höhere Macht des
christlichen Gottes inspiriert werden will. Vgl. dazu J. Tortel, a. a. O.
p. 150.

den Horizont einer anderen, höheren Welt. Die manieristischen
Elemente seines Stils sind nurmehr die Vokabeln, mit deren Hilfe
sich die Übersetzung vollzieht. Théophiles ›Verfremdung‹ des
Gegenständlichen unterscheidet sich von dem scheinbar gleichen
Verfahren moderner („neomanieristischer") Dichter eben darin,
daß sie sich im Blick auf diese höhere, geistige Realität wieder
auflösen läßt — daß sie nur Medium einer Übersetzung, nur
Durchgangsstufe ist und noch nicht in sich verharrender, bizarr-
schöner Reflex einer subjektiven poetischen Erfahrung, die nur
noch auf ihre eigene Welt verweist.

Damit ist das Urteil zu revidieren, zu dem J. Tortel in dem
Band der *Cahiers du Sud* gelangte, der für eine neue Würdigung
der Epoche Théo|philes bahnbrechend war: « Le réalisme fon-
cier de la poésie préclassique doit être souligné. Le mouvement
du langage va de la réalité jusqu'au rêve, et non à l'inverse[44]. »
Daß die Bewegung der Poesie von der sinnenhaften Wirklichkeit
ausgeht, schließt nicht aus, daß sie in eine vorgegebene, übersinnliche Welt zurückführen und damit am Ende wieder der mittelalterlichen Bedeutung von ›Realismus‹ entsprechen kann. Die
ausführliche Monographie, die G. Macon der Geschichte Chantillys gewidmet hat[45], ermöglicht es, hier für die *Maison de
Silvie* sogar einmal bis ins einzelne nachzuprüfen, daß die Darstellung Théophiles zwar im ganzen von einer nicht-fiktiven Szenerie ausging, diese aber in so hohem Maße in die zeitlose Landschaft einer Idylle umstilisierte, daß kaum ein besonderer Zug der
historischen Gestalt Chantillys sichtbar blieb. Dafür sind besonders
die Hirsche und Schwäne ein instruktives Beispiel. Sie werden in
einer Beschreibung vom Jahre 1602 als ein besonderer Ruhmes-
titel des von Heinrich IV. vor anderen geliebten Parkes erwähnt:
« Tout l'enchante à Chantilly, les grosses carpes, les cygnes des
étangs, la biche et la daine apprivoisées qui vagabondent dans le
parc et amènent leurs faons au château, même les paons et

---

[44] A. a. O. p. 138.
[45] Chantilly et le Musée Condé, Paris 1910. S. dazu die Zusammenfassung der Herausgeberin in ihrer ›Notice‹ zu der *Maison de Silvie*
(p. 134 der benutzten Edition).

les dindons qui se dispersent dans le jour et rentrent le soir à Bucamp[46]. » Mit den Hirschen hatte es in Chantilly eine besondere Bewandtnis. Schon seit dem Anfang des 15. Jahrhunderts bestand dort eine « Galery des Chefs, où Martin de Meilles avait peint des cerfs au naturel (et qui) était ornée des plus belles têtes de cerfs qu'on avait pu trouver »[47]. Sie muß zur Zeit Théophiles noch bestanden haben, denn 1603 wird erwähnt, daß die Trophäen restauriert werden mußten[48]. Im März 1607 verbrachte der König zehn Tage in Chantilly und jagte während dieser Zeit nicht weniger als neun Hirsche[49]. Bald darauf berichtet ein Chronist, er habe im Park einen Hirsch von ganz weißer Farbe gesehen, den später nach seinem Tod der Maréchal de Montmorency konservieren ließ und in seiner Sammlung als eine Kuriosität aufbewahrte[50]. Demnach ist also selbst das Thema der ›weißen Hirsche‹ in Théophiles II. Ode höchstwahrscheinlich nicht fiktiven Ursprungs! Gleichwohl liegt zwischen den Hirschen in Théophiles Ode und den Hirschen im Park die ganze Kluft des Imaginären, die alle Entsprechung zwischen Poesie und Wirklichkeit wieder zunichte macht. Denn die weißen Hirsche werden vom Dichter der *Maison de Silvie* nach ovidianischem Vorbild als Tritonen eingeführt, die — wie Aktaion, als er die badende Diana überraschte — beim Anblick Silvies eine Metamorphose erleiden und dafür zum Trost das Vorrecht erhalten, Silvies Farbe zu tragen:

La Princesse qui les charma
Alors qu'elle les transforma
Les fit estre blancs comme neige, |
Et pour consoler leur douleur
Ils receurent le privilege
De porter tousjours sa couleur. (II 75—80)

[46] Aus den Memoiren von Lord Herbert of Cherbury zitiert von G. Macon, a. a. O. p. 58.
[47] G. Macon, op. cit. p. 36.
[48] Ibid. p. 59.
[49] Ibid. p. 60.
[50] Ibid. p. 71.

Die mythologische Beschreibung hat das besondere Ereignis (seltsames Auftreten eines weißen Hirsches), das sie (vermutlich) poetisch ausdeutet, so völlig überlagert, daß der reale Anlaß der Inspiration allenfalls noch für wenige Eingeweihte erratbar war, sich aber dem weiteren Leserkreis Théophiles entziehen mußte. Die vorgängige mythologische Welt, in die Théophile das faktische Ereignis zurückversetzt, hat für ihn und seine zeitgenössischen Leser höhere poetische Geltung als die bestehende Wirklichkeit, von der seine *description poétique* ihren Ausgang nahm[51]. Diese kann sich ebensogut auf ein schon Dargestelltes beziehen, d. h. als ›poésie-peinture‹ unmittelbar mit der bildenden Kunst wetteifern. Denn die den ganzen Zyklus durchziehenden ovidianischen Motive dürften wohl nicht unmittelbar auf den Text der Metamorphosen, sondern vielmehr auf ihre Abbildung in Tapisserien zurückgehen, deretwegen Chantilly besondere Berühmtheit erlangte[52]. Das mythologische Personal der III. Ode: Melicertes, Scylla, Diana, Phaëton, Cygnus war also für Théophile nicht nur eine humanistische Bildungsreminiszenz, sondern bildhafte Anschauung und als solche nicht weniger ›real‹ und gegenwärtig als die ihn umgebende Landschaft.

[51] Das ist die notwendige Kehrseite zu dem einseitigen Urteil J. Tortels: « (la lyrique préclassique) ne fait jamais du rêve la vie. La vraie vie n'est pas la vie rêvée, c'est le rêve qui est, lui aussi, une réalité. Les choses existent. Le monde est habité par des hommes. Les champs sont pour être récoltés. La femme, pour être possédée amoureusement ... » (a. a. O. p. 139).

[52] Von J. Streicher in ihrer ›Notice‹ (a. a. O. p. 135) lediglich erwähnt. Zu den Tapisserien in Chantilly vgl. ferner G. Macon, op. cit. p. 38, 58; ders. zitiert p. 35, daß im Jahre 1530 „trois de votre tapisserie du Microcosme" fertiggestellt wurden. Es bliebe zu untersuchen, ob Théophiles *Maison de Silvie* sich vielleicht auch auf diese Orbis pictus Tapisserie bezog. — Auf Abbildungen von Ovids Metamorphosen könnten sich in der *Maison de Silvie* beziehen: Orpheus (I 78—80), Diana und Aktaion (II 51—57), Melicertes (III 21—24, 92—94; VI 131—134), Scylla (III 35—40), Phaëton und Cygnus (III 85 ss.), Morpheus (V 71), Aurora (VI 36—40; VII 47—54; IX 1—10), Narzissus (VI 45—64), Philomela (VIII).

Damit ist nun auch der Erwartungshorizont näher bestimmt, in
den Théophile seine *Maison de Silvie* gestellt hat. Sein poetisches
Verfahren:

> Je ne veux point unir le fil de mon subject:
> Diversement je laisse et reprens mon object[53],

das den Leser des 20. Jahrhunderts wie ein moderner Effekt der
›Verfremdung‹ anmutet, führt den Leser des 17. Jahrhunderts,
bei dem Théophile Vertrautheit mit seiner mythologisch-allego-
rischen Bildwelt voraussetzt, durch die Auflösung des Gegenstandes hindurch in den vertrauten Horizont einer anderen, höheren
Wirklichkeit zurück, die der alltäglichen Welt erst ihren Sinn verleiht. Das gilt in gleichem Maße auch für die persönliche Situation
des strafrechtlich verfolgten Dichters, der ja mit der *Maison de
Silvie* die | Zufluchtsstätte besang, die er bei seinem Gönner Mont-
morency gefunden hatte. Gewiß besitzen wir Strophen, die der
persönlichen Not des Eingekerkerten unmittelbaren Ausdruck verleihen[54], am stärksten wohl in der VIII. Ode, wo Théophile aus
seiner « *noire tour* » (v. 101) das Bild Chantillys evoziert[55]. Doch
gerade die Strophen dieser Evokation sind im Eingang und Ausgang der Ode von Versen umrahmt, in denen Théophile sein
Schicksal schon in der für den Dichter traditionellen Figur der
Nachtigall vorgezeichnet sieht. Der Philomela-Mythus rechtfertigt,
daß nun auch er « *sur les caprices du destin* » (v. 19) zu singen
beginnt: die subjektive Erfahrung des Dichters erscheint vor dem-

---

[53] Zitiert von A. Adam, Théophile de Viau ..., a. a. O. p. 234; zur
poetischen Theorie Théophiles vgl. dort weiter bis p. 235.
[54] Zum Beispiel in der ›Lettre de Théophile à son frère‹, p. 185—197
der benutzten Ausgabe.
[54] Zum Beispiel in der ›Lettre de Théophile à son frère‹, p. 185—197

> Je ne sçay quelle molle erreur
> Parmy tous ces objects funebres
> Me tire tousjours au plaisir,
> Et mon œil qui suit mon desir
> Void Chantilly dans ces tenebres.

selben Hintergrund wie die poetisch verwandelte Dingwelt. Diese Überformung des lyrischen Subjekts, das den Sinn seiner poetischen Erfahrung immer noch im Rückbezug auf eine fraglos vorausgesetzte geistige Realität sucht und findet, zeigt sich sowohl in der *diversité* seiner wechselnden und vertauschbaren Identifikationen (Phaëton, Damon, Philomela)[56], als auch darin an, daß das Ich des Dichters in so verwandelter Gestalt selbst mit in die idyllisch-mythologische Landschaft als ein Element unter anderen eingeordnet ist. Das führt uns zum Thema des Schwans in der III. Ode zurück.

Wie die Hirsche hat Théophile auch die gleichfalls im Park von Chantilly befindlichen Schwäne in eine mythologische Beziehung gebracht, die im Ausschnitt Gides nicht mehr sichtbar blieb. Dabei hätte man erwarten können, daß Théophile an eine Tradition der Pléiade anknüpfte, in der — wie R. J. Clements zeigte — das klassische Motiv des ›cygnus musicus‹ zu den verbreitetsten Bildern für den Dichter oder für die *douceur* seiner Poesie gehörte; auch hatte sich die neue Schule als « *les nouveaux cygnes, qui ores par la France vont chantant* » bezeichnet, um anzudeuten, daß sie sich als unmittelbarer | Nachfahre der antiken und frühen ita-

---

[56] Die Vertauschbarkeit dieser Identifikationen tritt besonders in der vorletzten Strophe der IV. Ode (vv. 91—100) hervor, an der A. Adam in Verkennung dieses Prinzips zu Unrecht Anstoß nahm (« Si quelqu'un comprend quelque chose à ce galimatias, qu'il le dise », a. a. O. p. 358 Anm. 6). Wie schon im Eingang dieser Ode unvermittelt Phaëton durch « *Pour avoir aymé ce garçon* » (v. 21) aufgenommen wird (hier spricht der Dichter von sich selbst in der dritten Person) und dann gleich in derselben Strophe der Dichter plötzlich wieder in der ersten Person von sich spricht (« *Mon cœur n'a point passé ma rime* », v. 30), die er im folgenden beibehält (cf. vv. 63, 80, 84, 88), tritt am Ende der Ode wieder unvermittelt der umgekehrte Wechsel vom Dichter (vv. 91, 97) zu Damon (v. 100) ein, d. h. vom biographischen Ich, das seine Freundschaft mit Des Barreaux rechtfertigte, zu seiner mythologischen Personifikation, die seiner Rolle in dem von Thyrsis (Des Barreaux) erzählten Traum in der V. Ode entspricht. Solche mythologischen Umsetzungen sind für Théophile so selbstverständlich, daß er sich nie die Mühe nimmt, sie zu motivieren.

lienischen Autoren betrachte[57]. Doch von der berühmten Quellenstelle in Platons *Phaidon*[58] und den weiteren Vorstellungen, welche die Pléiade in diesem Zusammenhang aus antiker Tradition entnommen und weitergebildet hat (daß der Schwan dem Apollo heilig ist, mit der Nachtigall die süßeste Stimme hat und daß ihm eine prophetische Gabe eigen ist), findet sich bei Théophile kaum eine Spur[59]. Er hat statt dessen auf den ovidianischen Cygnus zurückgegriffen[60], damit seiner Freundschaft mit Thyrsis (Des Barreaux) ein Denkmal errichtet und sich selbst in der Rolle des Dichters mit Phaëton gleichgesetzt. Doch diesen Schlüssel für die Deutung bringt erst die folgende Ode (IV), und auch dort ist die biographische Beziehung erst noch zu erraten. Für unseren Zusammenhang wichtig ist dabei, daß das Mythologem (Phaëtons Sturz ins Meer und die darauf bezogene Schwanenklage) das wirkliche Ereignis — die sodann in der V. Ode in Form eines prophetischen Traums dargestellte Verurteilung Théophiles[61] — vorwegnimmt: die subjektive Erfahrung des Dichters wird dem objektiven Sinn des mythologisch erhöhten Geschicks nachgeordnet. Hier ist die poetische Leistung Théophiles vor allem darin zu sehen, daß er zwei konventionelle Bildfelder, den ›locus amoenus‹ mit der

[57] So Du Bellay, zitiert von R. J. Clements, Critical Theory and Practice of the Pléiade, Cambridge, Harvard Univ. Press 1942 (Harvard Studies in Romance Languages XVIII), p. xvi; vgl. p. 158.

[58] Siehe auf der folgenden Seite.

[59] Thyrsis (Des Barreaux) ist zwar auch die Gabe der Prophetie eigen (vgl. IV 91—94), doch wird diese hier nicht mehr ausdrücklich mit dem Cygnus-Thema in Zusammenhang gebracht. Die Verse: « Et de qui les soins amoureux Ont fait ainsi blanchir la plume » (III 83 bis 84) erinnern entfernt an Du Bellays Gedicht *Aux Dames Angevines*, in dem sich der frauenverehrende Dichter mit einem Schwan vergleicht, dessen Gefieder weiß zu werden beginnt wie das der Vögel Apollos (zitiert von Clements, a. a. O. p. 162).

[60] Hier haben wir ein weiteres Anzeichen für die Vermutung, daß die Abbildung der Metamorphosen auf den Tapisserien in Chantilly eine Hauptquelle seiner Inspiration sein dürfte.

[61] Zum Prozeß Théophiles s. in diesem Zusammenhang A. Adam, op. cit. p. 356 ss.

Schwanenidylle und den Phaëtonmythus mit der Schwanenklage, in einer neuartigen und kühnen Weise gegeneinandergestellt hat, die zugleich seinen Abstand als *poète moderne* zu den Dichtern der Pléiade und ihrer platonisch-christlichen Auffassung der Poesie charakterisiert[62].

Als Parallele und typisches Gegenbild eines Renaissance-Dichters zu Théophiles Gestaltung des Schwanenmotivs kann uns hier eine Strophe aus dem CXV. Sonett von *L'Olive* dienen, mit der Du Bellay die Dichtkunst Ronsards gefeiert hat:

> Quel cigne encor' des cignes le plus beau
> Te prêta l'aele? et quel vent jusqu'aux cieulx
> Te balança le vol audacieux,
> Sans que la mer te fust large tombeau?[63]

Vorauszusetzen ist auch für diese Strophe ein zentrales Motiv der Renaissance-Lyrik, das unlängst L. Spitzer in einer vergleichenden Deutung des CXIII. Sonetts von *L'Olive* untersucht hat: die platonisch-christliche Vorstellung des "yearning of the soul, exiled on this opaque earth from the splendor of Heaven, from the source of light whence it came — this subject matter, highly poetic in itself because of its suggestion of a different world different from and more beautiful than our own"[64]. Wie später Théophile verknüpft Du Bellay in dieser Strophe das Schwanenmotiv mit dem (auf Phaëton oder Icarus anspielenden)[65] Bild vom Grab des Meeres, doch hier im entgegengesetzten Sinn: der Dichter-Schwan, den seine Schwingen (d. h. die Schwingen der Poesie) über die profane Welt emportragen und seiner wahren Heimat näher bringen, bleibt von der nur in der Negation vorgestellten Gefahr

---

[62] Zu dem Bruch mit der Tradition der Renaissance-Lyrik vgl. J. Tortel, a. a. O. p. 150.

[63] Zitiert von Clements, a. a. O. p. 159

[64] The poetic treatment of a Platonic-Christian theme, jetzt in: Romanische Literaturstudien 1936—1956, Tübingen 1959, p. 130.

[65] Zu Icarus als mythologischem Gegenbild zu dem platonischen Gleichnis von den Schwingen der Seele (Phaidon) s. L. Spitzer, ibid. p. 144, Anm. 1.

unberührt. Der Gedanke des Todes, mit dem sich der Dichter im vorangegangenen Sonett CXIII versöhnt hatte[66], geht über in die Idee der Unsterblichkeit, die sich der Dichter gewinnen kann, wenn er von seiner Liebe singt, in der die Idee der Geliebten und die Idee der Vollkommenheit zusammenfallen[67]. Dem entspricht, daß Du Bellay wie die meisten Dichter der Pléiade Platons Deutung des Schwanengesangs folgt: ›sie singen nicht aus Traurigkeit über ihren Tod, sondern weil sie sich freuen, daß sie zu dem Gotte gehen sollen, dessen Diener sie sind‹[68]. Théophiles III. Ode hingegen entspricht der von Plato abgelehnten, in antiker Tradition noch bei Polybius bezeugten Deutung als Schwanenklage: "the plaintive plea of someone whose life or purpose is frustrated[69]." Bei Théophile fehlt die (durch Phaëton an sich ebenso nahegelegte) Aufwärtsbewegung, seine Darstellung setzt sogleich mit dem jähen Absturz ein, der das Schwanen- und Amourettenidyll zerstört und die vergebliche, durch keinen versöhnlichen Gedanken gemilderte Klage des vereinsamten Schwans auslöst, in der die Ode bis zum Ende in einer zum Furor gesteigerten Melancholie verharrt[70]. So verfährt Théophile, insofern er in seiner *description poétique* den Park von Chantilly in die vorgegebene, platonische Welt des Schönen zurückversetzt, einerseits zwar nicht weniger ›klassisch‹ als ein Renaissance-Dichter. Andererseits kündigt sich in der sodann dargestellten Zerstörung des zeitlosen Idylls, in die er die Katastrophe seines persönlichen Schicksals überhöht, aber auch schon die Erwartung eines jederzeit möglichen Endes der Natur (« *la perte de la Nature* », I 4) an die, in seinem Werk auch anderweitig | bezeugt ist[71] — jenes antiker Vorstel-

---

[66] Nach Spitzer, ibid. p. 134 sq.

[67] Vgl. Spitzer, ibid. p. 141.

[68] Phaidon 84e/85 ab.

[69] Zitiert nach Clements, a. a. O. p. 152.

[70] Auch die Verwandlung des weißen Gefieders in ein alles durchdringendes Schwarz (letzte Strophe der III. Ode) dürfte wahrscheinlich auf die schwarze Galle (›bilis innaturalis‹ oder ›atra‹), das Element des melancholischen Temperaments, zurückweisen.

[71] Nach J. Tortel, a. a. O. p. 157: « Cependant — et Théophile rejoint ici ses contemporains — la dislocation de l'univers, seul terme

lung fremde Bewußtsein der Endlichkeit des Daseins, das den Platonismus einer anderen, unvergänglichen, dem Dichter unmittelbar zugänglichen Welt des Schönen und damit letztlich auch das klassische Prinzip der ›imitatio naturae‹ in Frage stellen muß.

Die moderne Version Baudelaires setzt, wie später dann auch Mallarmés Schwanensonett, bezeichnenderweise die von Théophile aufgenommene Deutung des Schwanenmythos als Motiv der Melancholie fort und macht dabei die für die Ausbildung einer modernen Poetik entscheidende Abwendung vom platonischen Begriff des Schönen nun auch thematisch sichtbar. Diese Abwendung läßt sich einleitend wohl nicht besser verdeutlichen als durch eine Bemerkung Diderots (im Enzyklopädie-Artikel *Le Beau*, 1752), die bei seiner Kritik an Hutchesons Lehre von einem ›sens interne du beau‹ fällt: « Remarquez en passant qu'un être bien malheureux, ce serait celui qui aurait le sens interne du beau, et qui ne reconnaîtrait jamais le beau que dans les objets qui lui seraient nuisibles; la Providence y a pourvu par rapport à nous; et une chose vraiment belle est assez ordinairement une chose bonne[72]. » Aus diesem Satz spricht bei Diderot noch die fraglose Überzeugung von einer vorbestimmten, platonischen Einheit des Schönen und Guten, bzw. von der Übereinstimmung ästhetischer Erfahrung und moralischer Wirkung. Für uns hingegen nimmt Diderots Bemerkung hundert Jahre vor Baudelaire mit der nur erst vorgestellten, aber noch nicht für realisierbar gehaltenen Möglichkeit bereits die Gegenposition des modernen Dichters vorweg, « (qui ne conçoit) guères un type de Beauté où il n'y ait du Malheur », und rückt damit den (antiplatonischen) Sinn des Titels seiner *Fleurs du Mal* und seine neue Bestimmung des Schönen, « qui comporte une idée de Mélancolie »[73], in das Licht ihrer vollen

à la volonté de vivre, tous y pensent, tous la prévoient et s'y préparent, comme ils s'attendent et se préparent à mourir », sowie die p. 360—369 aufgenommenen Textbeispiele zu « L'attente du verdict ».

[72] Œuvres esthétiques, ed. P. Vernière, Paris 1959, p. 402.

[73] Vgl. *Fusées* XVI, Œuvres complètes, Ed. de la Pléiade, Paris 1951, p. 1188.

historischen Bedeutung. Baudelaires Abkehr von der « fameuse
doctrine de l'indissolubilité du Beau, du Vrai et du Bien » soll
indes auch hier nicht primär geistesgeschichtlich (etwa in der von
ihm eingeleiteten Auseinandersetzung mit den ›Häresien‹ der
traditionellen Poetik) verfolgt[74], sondern vornehmlich | an dem
Strukturwandel aufgezeigt werden, der in seiner modernen Gestaltung des Schwanenmotivs greifbar wird. Baudelaires Gedicht *Le
Cygne* (1859) ist auch aus dem Grunde für eine vergleichende
Betrachtung lehrreich, weil es zur Gruppe der ›*Tableaux parisiens*‹
gehört, welche — wie aus diesem Untertitel erhellt — die an
Théophiles Ode verdeutlichte Tradition der ›poésie-peinture‹
scheinbar weiterführen. Scheinbar, denn schon seit dem ›Salon de
1846‹ hat sich Baudelaire, wie G. Hess zeigte, mehr und mehr von
der malerischen Dinglichkeit des parnassischen Stils befreit und die
Grenzen überschritten, die der beschreibenden, mit der Malerei
wetteifernden Poesie eigen waren[75]. Und im ›Salon de 1846‹,
der sein Programm einer unrealistischen bildenden Kunst enthält,
findet sich denn auch zum ersten Mal der neue Begriff für sein
modernes Kunstverfahren, „in dem die *fonction stérile d'imiter*

---

[74] Die zitierte Stelle findet sich in dem Essai über Théophile Gautier
und ist gegen die bekannte Schrift Victor Cousins: Du vrai, du beau et
du bien (1818, unter diesem Titel neu aufgelegt 1836) gerichtet, vgl. Ed.
de la Pléiade, a. a. O. p. 1021. Für die weitere Auseinandersetzung mit
dem Platonismus sei hier vor allem auf die ›Notes nouvelles sur Edgar
Poe‹, auf den ›Salon de 1859‹ und auf ›Le peintre de la vie moderne‹
verwiesen. Wir führen hier nur noch eine Stelle an, die den Bruch mit
der Poetik Diderots deutlich macht: « La plupart des erreurs relatives
au beau naissent de la fausse conception du XVIIIe siècle relative à la
morale. La nature fut prise dans ce temps-là comme base, source et
type de tout bien et de tout beau possibles » (Ed. de la Pléiade, p. 903).
[75] Die Landschaft in Baudelaires ›Fleurs du Mal‹, a. a. O., Kap.
II: Dichten und Malen, bes. p. 31. Zur früheren Tradition der *poésie
peinture* sei auf den Beitrag von B. Munteano in: Actes du cinquième
congrès international des langues et littératures modernes — Les langues et littératures modernes dans leurs relations avec les Beaux-Arts,
Florenz 1955, p. 325—338, verwiesen.

la nature ersetzt ist durch das Nachschaffen des Wesens der Welt, der *intentions de la nature: le surnaturalisme*"[76].

(i)   Andromaque, je pense à vous! Ce petit fleuve,
      Pauvre et triste miroir où jadis resplendit
      L'immense majesté de vos douleurs de veuve,
      Ce Simoïs menteur qui par vos pleurs grandit,

(ii) A fécondé soudain ma mémoire fertile,   5
      Comme je traversais le nouveau Carrousel.
      Le vieux Paris n'est plus (la forme d'une ville
      Change plus vite, hélas! que le cœur d'un mortel);

(iii) Je ne vois qu'en esprit tout ce camp de baraques,   9
      Ces tas de chapiteaux ébauchés et de fûts,
      Les herbes, les gros blocs verdis par l'eau des flaques,
      Et, brillant aux carreaux, le bric-à-brac confus.

(iv) Là s'étalait jadis une ménagerie;   13
      Là je vis, un matin, à l'heure où sous les cieux
      Froids et clairs le Travail s'éveille, où la voirie
      Pousse un sombre ouragan dans l'air silencieux,

(v)   Un cygne qui s'était évadé de sa cage,   17
      Et, de ses pieds palmés frottant le pavé sec,
      Sur le sol raboteux traînait son grand plumage.
      Près d'un ruisseau sans eau la bête ouvrant le bec

(vi) Baignait nerveusement ses ailes dans la poudre,   21
      Et disait, le cœur plein de son beau lac natal:
      ,Eau, quand donc pleuvras-tu? Quand tonneras-tu, foudre?'
      Je vois ce malheureux, mythe étrange et fatal, |

(vii) Vers le ciel quelquefois, comme l'homme d'Ovide,   25
      Vers le ciel ironique et cruellement bleu,
      Sur son cou convulsif tendant sa tête avide,
      Comme s'il adressait des reproches à Dieu!

[76] G. Hess, a. a. O. p. 39; Baudelaires Gedicht *Le Cygne* wird zitiert nach der kritischen Ausgabe der *Fleurs du Mal,* ed. Crépet-Blin, Paris 1950², p. 95—97 (mit ausführlichem Kommentar, p. 448 bis 452).

II

(viii) Paris change, mais rien dans ma mélancolie   29
       N'a bougé! Palais neufs, échafaudages, blocs,
       Vieux faubourgs, tout pour moi devient allégorie,
       Et mes chers souvenirs sont plus lourds que des rocs.

 (ix) Aussi devant ce Louvre une image m'opprime: 33
       Je pense à mon grand cygne avec ses gestes fous,
       Comme les exilés, ridicule et sublime,
       Et rongé d'un désir sans trêve! Et puis à vous,

  (x) Andromaque, des bras d'un grand époux tombée,   37
       Vil bétail, sous la main du superbe Pyrrhus,
       Auprès d'un tombeau vide en extase courbée;
       Veuve d'Hector, hélas! et femme d'Hélénus!

 (xi) Je pense à la négresse, amaigrie et phtisique,   41
       Piétinant dans la boue, et cherchant, l'œil hagard,
       Les cocotiers absents de la superbe Afrique
       Derrière la muraille immense du brouillard;

(xii) A quiconque a perdu ce qui ne se retrouve   45
       Jamais! jamais! à ceux qui s'abreuvent de pleurs
       Et tettent la Douleur comme une bonne louve!
       Aux maigres orphelins séchant comme des fleurs!

(xiii) Ainsi dans la forêt où mon esprit s'exile   49
       Un vieux Souvenir sonne à plein souffle du cor!
       Je pense aux matelots oubliés dans une île,
       Aux captifs, aux vaincus! . . . à bien d' autres encor!

Fragen wir zunächst, in welcher Weise sich in der äußeren Form
des Aufbaus jene Einheit der Perspektive herstellt, die Gide durch
seinen modernisierenden Ausschnitt in Théophiles Ode hineingebracht hatte, so zeigt sich, daß der moderne Dichter über eine
Reihe von darstellerischen Mitteln verfügt, denen eine neue Form
der Anschauung entspringen muß. Das Vers- und Reimschema
(Alexandriner in Vierzeilern mit gekreuzten Reimen) ist an sich
höchst einfach und von ›klassischer‹ Strenge; doch hat Baudelaire

die Symmetrie der Vierzeilerstrophen ständig durch das syntaktische
Übergreifen der Satzperioden durchbrochen. Mit dieser unregelmäßigen Verzahnung wird der Reiz des Asymmetrischen (verschiedene Flächigkeit der Bilder, die den syntaktischen Einheiten entsprechen) und damit ein immer wieder neuer Effekt der Überraschung und Spannung erzielt, die sich dann gegen Ende in einer
jäh beschleunigten Folge von neun Exklamationen in sieben Versen (vv. 45—53) steigert und ›detonierend‹ löst. Dabei müssen
dem Leser aber die überspielten Strophengrenzen gleichwohl spürbar bleiben, denn erst dann kann die von Baudelaire beabsich-
tigte Wirkung des ständigen Kontrastes von | Rhythmus und Bild[77],
« de monotonie, de symétrie et de surprise »[78], voll zur Geltung
kommen. Diesem spezifisch ›musikalischen‹ Prinzip wirkt im
Aufbau des Ganzen die große architektonische Zweiteilung entgegen, in der die siebente Strophe als ein erster Gipfelpunkt zwischen je sechs Strophen herausgehoben wird, also gerade jene
Strophe, die in der anklagenden Gebärde des Schwans verharrt
und durch ihre Stellung mit der Schlußstrophe als zweitem Gipfelpunkt des Gedichts korrespondiert. Die so abgeteilten beiden
Hauptteile sind auf der Bildebene zugleich durch eine gegenläufige
Blickführung abgesetzt und kontrastierend aufeinander bezogen.
Während sich im ersten Teil das Blickfeld von der epischen Landschaft des trojanischen Kriegs über das Stadtbild des ›Nouveau
Carrousel‹, die alte Menagerie, das Rinnsal mit dem Schwan bis
zu der vereinzelten Gebärde seines Halses (Detail in Großauf-

[77] Zu dem Verhältnis von Rhythmus und Bild s. nun auch die Ausführungen von A. Nisin in seinem methodisch höchst interessanten Versuch einer modernen Poetik aus der Sicht des Lesers, La littérature et le
lecteur, PUF, Paris 1959, bes. p. 114 ss.

[78] Die berühmte Stelle aus dem ersten ›Projet de Préface pour les
Fleurs du Mal‹ (1859/60), aus der wir hier anführten, rückt bezeich-
nenderweise die antiplatonische Trennung des Schönen vom Guten an
die erste Stelle der Definition der Poesie: « Qu'est-ce que la poésie?
Quel est son but? De la distinction du Bien d'avec le Beau; de la
Beauté dans le Mal, que le rhythme et la rime répondent dans l'homme
aux immortels besoins de monotonie, de symétrie et de surprise … »,
Ed. de la Pléiade p. 1363.

nahme!) immer mehr verengt, öffnet sich im zweiten Teil der
Blick wieder von dem kleinsten Bildausschnitt des Schwans (*une
image m'opprime*, v. 33) über die evozierten Figuren von Andromache, der Negerin und die kollektiv genannten weiteren Gruppen der Exilierten (*à quiconque . . ., à ceux . . ., aux orphelins . . .,
aux matelots . ., aux captifs, aux vaincus! . . . A bien d'autres
encor!*) auf die ganze zeitliche und räumliche, mythische und exotische Weite der Welt. Beide Male wird dabei — und erst darin
vollendet sich Baudelaires bewußte Komposition — die Bildbe-
wegung durch eine Rückbeziehung des Endes auf den Anfang zum
Kreis zusammengeschlossen. Der Anlaß der einleitenden Evokation: « *Andromaque, je pense à vous!* » (v. 1) kommt erst am
Schluß in der noch nicht ausgesprochenen, nur erst im Bild des
Schwans faßbaren Gleichung zum Vorschein. Und zwischen « *Et
mes chers souvenirs sont plus lourds que des rocs* » in der ersten
und « *Un vieux Souvenir sonne à plein souffle du cor* » in der
letzten Strophe des II. Teils hat sich mit der Wiederkehr des
Schlüsselwortes *souvenir* eine Verwandlung vollzogen, deren Sinn
noch zu klären ist.

　　Dieses poetische Verfahren, das Baudelaire in seinen ›Notes
nouvelles sur Edgar Poe‹ als spezifisch moderne Struktur im aus-
drücklichen Gegensatz zu der Inspirations- und Erlebnispoetik der
romantischen Schule gefordert und begründet hat, unterscheidet
sich von Théophiles Form der *description poétique* nicht allein
durch das Ausschließen jeglicher Willkür aus der Komposition. Der
strengen, dem *dessein prémédité* unterworfenen modernen Form
des Aufbaus fehlt zugleich die lineare Ordnung des lyrischen Vor-
gangs, die | der in Gides Ausschnitt hergestellten ›klassischen‹
Einheit der Perspektive noch zugrunde lag. Die Modernität der in
Baudelaires Gedicht verwirklichten Perspektive zeigt sich darin an,
daß sie nicht mehr an die sinnenhafte Erscheinung eines kontinuier-
lichen, vom Anfang über die Mitte auf das Ende bezogenen Vorgangs gebunden ist, einer gewichtigen Forderung seiner an Poe
entwickelten Poetik entsprechend: « (que) toute intention épique
résulte évidemment d'un sens imparfait de l'art[79]. » Die per-

---

[79] Notes nouvelles sur Edgar Poe, a. a. O. p. 29.

spektivische Einheit moderner Lyrik liegt nicht mehr im Abbild-
haften eines lyrischen Vorgangs oder einer subjektiven Erfahrung,
sondern entspringt der künstlichen, allein den Regeln der Imagination folgenden Schöpfung einer ›neuen Welt‹, die am Anfang
des künstlerischen Aktes ein Zertrümmern und Verfremden der
vertrauten, gegenständlichen Welt zur Voraussetzung hat[80]. Baudelaires Gedicht *Le Cygne* ist darin exemplarisch, daß es den
komplementären Vorgang der Verfremdung des Vertrauten und
der durch die Imagination geschaffenen « sensation du neuf »[81]
gleichermaßen vor Augen stellt[82].

Diese Verfremdung zeigt sich auch hier, wie schon bei Théophile,
doch in umgekehrter Absicht, im Gebrauch der Mythologie. Während sich dort in den Mythologemen jene Umsetzung der *description
poétique* vollzog, die in den Dingen das reinere Bild einer vorgängig vertrauten, zeitlos wahren anderen Welt durchschimmern
ließ, versetzt Baudelaire nach dem unmittelbaren, Racines Tragödie heraufbeschwörenden Anruf der Andromache umgekehrt das
Mythische in die bestehende Welt herein und nimmt der realen
Stadtlandschaft damit ihr vertrautes Gesicht. Im Erwartungshorizont des Lesers setzt dieses Befremdliche damit ein, daß der Dichter — « en y ajoutant cet élément inattendu, l'étrangeté » —
die natürliche Aufeinanderfolge von realem Anlaß und mythischer Evokation in seiner Darstellung verkehrt hat. Warum ihm

---

[80] Nach H. Friedrich, Die Struktur der modernen Lyrik, a. a. O. p. 41.

[81] « L'imagination décompose toute la création, et, avec les
matériaux amassés et disposés suivant des règles dont on ne peut
trouver l'origine que dans le plus profond de l'âme, elle crée un monde
nouveau, elle produit la sensation du neuf », aus: Le Salon de 1859,
a. a. O. p. 765.

[82] Hier berührt sich unsere Deutung mit der von J.-D. Hubert,
L'esthétique des ›Fleurs du Mal‹ — Essai sur l'ambiguïté poétique,
Genève 1953, p. 98—101; da zwei weitere ausführlichere Deutungen des
Gedichts, die mir bekannt geworden sind, andere Absichten verfolgen,
glaube ich von ihrer Diskussion absehen zu können, vgl. R.-B. Chérix,
Essai d'une critique intégrale — Commentaire des ›Fleurs du Mal‹,
Genève 1949, p. 323—327, und J. Prévost, Baudelaire — Essai sur
l'inspiration et la création poétique, Paris 1953, p. 114—117.

seine *mémoire fertile* die Gestalt Andromaches vor Augen ruft,
wird erst sichtbar, wenn man in der fünften Strophe erkennt, daß
« *ce petit fleuve* » (v. 1) sowohl auf den mythologischen Fluß
(« *Ce Simoïs menteur* », v. 4), als auch schon auf das wirklich
erinnerte kleine Rinnsal (« *près d'un ruisseau sans eau* », v. 20)
zu beziehen ist[83]. Der Mythos erscheint damit sogleich als Bestandteil einer persönlichen Erinnerung, deren besondere Bedeutung sich dem Leser zunächst entziehen muß, auch wenn ihm der
zugrunde liegende Vers aus der ›Aeneis‹ — | « *falsi Simoentis ad
undam* » — und der allgemeine Sinn der Andromache-Fabel völlig
vertraut ist[84]. Der Mythus bleibt aber auch dann noch in einem
anderen Sinne fremd, wenn die imaginäre, der Erinnerung des
Dichters entsprungene Analogie zwischen Andromache und dem
verdurstenden Schwan erratbar wird: gerade nun sieht der Dichter den Schwan als einen « *mythe étrange et fatal* » (v. 24). Der
verdurstende Schwan, in dem sich für den Dichter das Fatum Andromaches wieder verkörpert, bleibt fremd in einer Welt, die durch
seine anklagende Gebärde selbst wieder befremdend erscheint.
Auch dieser befremdende Aspekt der Umwelt ist im Gedicht schon
gegeben, bevor der Kontrast, der ihn auslöste (« *un cygne …,
le cœur plein de son beau lac natal* », v. 22), selbst zur Darstellung kommt. So nimmt die poetische Verkehrung von Ursache
und Wirkung dem anekdotischen Vorgang den letzten Rest einer
intention épique: der Leser muß das Gedicht, um es voll zu verstehen, beim Lesen vom Anfang an immer schon mit einem vom
Ende her umgewendeten Blick sehen. Die Verfremdung der Stadt-

[83] Diese für die kompositorische Technik Baudelaires so charakteristische Ambivalenz ist Hubert entgangen, der sich in dieser Strophe
allein bei dem Doppelsinn von « grandir » (übertragen und wörtlich gebraucht), also einem noch traditionellen Wortspiel aufhält, vgl. a. a. O.
p. 99.

[84] « On a noté aux variantes que, dans ›La Causerie‹, la pièce
était accompagnée de l'épigraphe: *Falsi Simoentis ad undam* et, si
l'on veut bien se reporter aux ›Projets de Préface‹, l'on verra que
le poète se proposait de dénoncer lui-même la source où il avait puisé:
›Virgile, tout le morceau d'Andromaque‹ (Aen. III 302) », Crépet-
Blin, a. a. O. p. 449.

landschaft, die letztlich aus dem Gegensatz zu dem Exil des Schönen entspringt, hat sich in der prosaischen Detailhäufung der dritten und vierten Strophe niedergeschlagen. Hier erscheint die erst noch sentimentalisch beschworene Welt des « *vieux Paris* » (v. 7—8) nach einem paradoxen Umschlag der damit geweckten Erwartung[85] als chaotisch zertrümmerte « *forme d'une ville* », als verworrene, wüste Schädelstätte einer versunkenen Vergangenheit, in deren totes Schweigen mit einem Mal jäh der banale Lärm des beginnenden Arbeitstages hineintost.

Diese gegensätzliche Thematik des I. Teils ist in der besonderen Intention noch nicht zureichend beschrieben, wenn man sie wie J.-D. Hubert auf den einfachen Nenner bringt: « Ce chaos du réel s'oppose à l'ordre poétique symbolisé par le cygne ouvrant le bec devant le ruisseau sans eau[86]. » Denn auch der *ordre poétique* bleibt hier nicht mehr unberührt von der *étrangeté* der ihm umschließenden äußeren Welt für sich in symbolischer Vollkommenheit bestehen. Bild und Bedeutung sind nunmehr in ein Verhältnis der Unangemessenheit getreten: der Schwan in der mythischen Gebärde seiner Klage vermag die Situation, in der er erscheint, nicht mehr sinngebend zu überhöhen. Sein Bild verweist nur noch auf sich selbst, auf seinen verlorenen Ursprung in einer mythischen Idealität, die nicht mehr zeitlos | gegenwärtig, sondern in eine unüberbrückbare Ferne entrückt erscheint. Mehr noch: seine Klage wendet sich in der bizarren Gebärde des Halses (« *Sur son cou convulsif tendant sa tête avide* », v. 27) zugleich gegen den Sinn seines traditionellen Geschicks. Auch hier kommt die Auflehnung gegen jenen « *mythe étrange et fatal* » nicht erst in der ausdrücklichen Deutung des Dichters (« *comme s'il adressait des reproches à Dieu* », v. 28), sondern schon in der Gebärde des Schwans zum Vorschein, die nach der ovidianischen Tradition, auf

---

[85] Auch hier hat Hubert die primär kompositorische Funktion dieser scheinbaren Maxime nicht beachtet und die beiden Verse paradoxerweise, obwohl er ihnen erst das Sentenziöse abspricht, dann doch im Blick auf den II. Teil des Gedichts als verschleierte ›Aussage‹ gedeutet, vgl. a. a. O. p. 99.

[86] Hubert, a.a. O. p. 99.

die Vers 25 anspielt, allein dem Menschen vorbehalten ist[87]. Der
Sinn der platonischen Deutung des Schwanensangs verkehrt sich
vor unseren Augen in sein Gegenteil: Baudelaires Schwan verharrt von der „leeren Idealität" eines « ciel ironique et cruelle-
ment bleu » (v. 26), nicht anders wie die äußere Landschaft der
Stadt, die in ihrem verdinglichten Chaos verfremdet stehenblieb.
Die fortschreitende Umformung der Dinge ins Unvertraute macht
vor dem überkommenen ordre poétique nicht mehr Halt; darum
kann auch ihre Rückverwandlung in eine neue Welt des Schönen,
die sich im II. Teil vollzieht, nicht mehr von einer vorgegebenen,
mythischen Objektivität ihren Ausgang nehmen, sondern muß
sich ihren eigenen Ursprung suchen.

In dieser Rückverwandlung sehen wir die entscheidende, den
Bruch mit der überkommenen Poetik allererst besiegelnde Neuerung der Fleurs du Mal oder — wenn man so will — eine der
von Burger vermißten „positiven Kategorien" der modernen Lyrik. Denn Baudelaire ist nicht nur der Dichter der „inhaltslosen
Idealität", die Modernität seiner Lyrik geht nicht einfach in einer
thematischen Negation des Platonismus auf. Die Verfremdung des
vertrauten Horizonts lyrischer Erfahrung, die in Le Cygne zu
der Dissonanz von zertrümmerter äußerer Wirklichkeit und welt-
verlorenem mythischen Symbol führt, ist für Baudelaire nicht ein
Letztes: die Spannung von Spleen et Idéal hat ihren Gegenpol in
einem neuen ordre poétique, der nicht mehr einem malerischen
Abbild der Natur oder der Transparenz einer schöneren, platonischen Idealität entspringt, sondern die Neuschöpfung eines anderen, rein imaginären und darum weltimmanenten Bereichs des
Schönen durch die Sprache voraussetzt, « (cette) magie suggestive
contenant à la fois l'objet et le sujet, le monde extérieur à
l'artiste et l'artiste lui-même »[88].

Dieser gegenläufige poetische Prozeß, der in Le Cygne mit
dem Beginn des II. Teils einsetzt, vollzieht sich in diesem Gedicht

---

[87] Met. I 84—85; vgl. dazu Crépet-Blin, a. a. O p. 451.
[88] Wir beziehen uns hier auf Baudelaires Definition des « art pur
suivant la conception moderne » in dem Essai ›L'Art Philosophique‹,
Ed. de la Pléiade p. 918.

Schritt für Schritt im Medium der Erinnerung. Dabei ist wesentlich, daß sich die Erinnerung nicht einfach als subjektive Verinnerlichung der zur Allegorie erstarrten äußeren Wirklichkeit entgegensetzt. Die äußere Wirklichkeit ist beim Übergang in die innere Welt nicht mit einem Male ausgelöscht[89]; sie rückt vielmehr mit der | ganzen Schwere ihrer Dinge in die innere Welt ein, ja, ihre Bilder erlangen gerade dort erst den äußersten Grad ihrer Fremdheit:

> ... Palais neufs, échafaudages, blocs,
> Vieux faubourgs, tout pour moi devient allégorie,
> Et mes chers souvenirs sont plus lourds que des rocs. (v. 30—32)

Hier wird eine der neuen Funktionen sichtbar, die Baudelaire der allegorischen Dichtform gegeben hat. Während die Allegorie in der älteren Dichtung dazu diente, sinnliche Erscheinung und übersinnliche Bedeutung der Dinge voneinander zu scheiden, und so mit ihren Personifikationen und Emblemen auf die zeitlose Wahrheit einer übergeordneten Welt der ›universalia ante rem‹ verwies, hebt sie bei Baudelaire gerade umgekehrt die Kluft zwischen äußerer Erscheinung und geistiger Bedeutung, zwischen Objekt und Subjekt wieder auf. Die Allegorie verliert in diesem modernen Gebrauch ihren Verweisungscharakter, ihre Embleme erstarren zum unentschlüsselbaren Signum der Dingwelt und können gerade dadurch zum Angelpunkt werden, an dem sich der Umschlag von außen nach innen, die Gleichsetzung der fremden Wirklichkeit mit der *morne incuriosité* des Spleen vollzieht[90]. Die Er-

[89] Wie es Hubert darstellt, vgl. a. a. O. p. 100: « Ce sont les souvenirs et non les bâtiments qui possèdent une existence concrète, qui sont ›plus lourds que des rocs‹, tandis que les maisons de la ville sont réduites à l'état de fictions littéraires. »

[90] Auf diese neue Funktion der Allegorie hat G. Hess in seiner Deutung des zweiten Spleen-Gedichts (dort auch der herangezogene Vers: « L'ennui, fruit de la morne incuriosité ») aufmerksam gemacht, vgl. bes. a. a. O. p. 82: „Indem (Baudelaire) aber die Allegorie mit dem Ich gleichsetzt und damit die Bilder der äußeren Welt zu Realitäten der seelischen Innenlandschaft macht, erreicht er jene Ausdrucksintensität ›abstrakter Sinnlichkeit‹, die Lalou als ein Kennzeichen seiner Dich-

innerung, aus der dann allmählich das Gegenbild des Neuen und
Schönen (« un monde nouveau, la sensation du neuf »)[91] hervorgehen wird, ist also am Anfang gleichermaßen von der fremden
Dingwelt umschlossen: « *Et mes chers souvenirs sont plus lourds
que des rocs.* » Sie erscheint hier erst noch in einem Bild der Melancholie, auf der die Dinge unverrückbar und darum schwerer
lasten, als es ihrer Natur zukäme (« *mais rien dans ma mélancolie
n'a bougé* », v. 29—30). Auch die erste der nun folgenden Evokationen ist von diesem Zwang der Schwere noch nicht ganz frei:
« *Aussi devant ce Louvre une image m'opprime* » (v. 33). Doch
damit kontrastiert gleich in derselben Strophe die in der Wiederkehr des Bildes nun schon anders gedeutete Gebärde des Schwans:
avec ses gestes fous » (v. 34) wird im folgenden Vers durch
« *ridicule et sublime* » überhöht. Die folgende Evokation nimmt
diese Spannung in die jetzt erst ausdrücklich gewordene Analogie
von Andromache und Schwan mit auf und steigert sie zugleich von
« *vil bétail* ... » zu ... « *en extase courbée* » (v. 38—39). Die
in immer neuen Bildern evozierte Gegenwelt des Schönen (« *Les
cocotiers absents de la superbe Afrique* » v. 43) läßt die banale
Wirklichkeit (« *la négresse, amaigrie et phtisique, piétinant dans
la boue* ... », v. 41—42) mehr und mehr zurücktreten, bis zuletzt
mit der objektiven Welt ineins auch die innere Welt, das Subjekt
der poetischen Erfahrung, verwandelt erscheint: |

Ainsi dans la forêt où mon esprit s'exile
Un vieux souvenir sonne à plein souffle du cor. (v. 49—50)

Der befreiende Hornstoß der Erinnerung vermag den Bann der
Melancholie zu brechen. Aus dem erstarrten Chaos der fremden
Wirklichkeit kann durch die immanente Poesie der Erinnerung
eine andere, unwirkliche und gleichwohl autonome Welt des Schönen erstehen, die sich der „leeren Idealität" des alten Schwanen-

tung erscheint." — Die innere Beziehung von allegorischer Intention,
Andenken und Relique umkreisen eine Reihe von Aphorismen in
W. Benjamins ›Zentralpark‹, vgl. Schriften I, Frankfurt 1955, p. 473
bis 493.
[91] Wir beziehen uns hier auf die in Anm. 81 zitierte Stelle.

mythus als eine neue ›übernatürliche‹ Schöpfung der Imagination entgegensetzt.

Daß gerade der kleine, mit „Die leere Idealität" überschriebene Absatz in H. Friedrichs Baudelaire-Kapitel[92] dem Mißverständnis ausgesetzt ist, hier sei die entscheidende ›lyrische Aussage‹ des Dichters auf eine letzte Formel gebracht, zeigt im Grunde nur, wie sehr manche Leser H. Friedrichs noch — mit Baudelaire zu sprechen — der *hérésie didactique* anhängen. Dabei wird übersehen, daß H. Friedrich selbst diesem Leitthema den Abschnitt „Sprachmagie" gegenüberstellte, womit letztlich dasselbe gemeint ist, was wir hier als gegenläufige Struktur innerhalb eines Gedichtes aufzuzeigen versuchen. Dem ist noch anzufügen, daß sich diese Rückverwandlung der verfremdeten Wirklichkeit in eine neue Welt des Schönen bei Baudelaire zwar häufig wie in *Le Cygne* im Medium der Erinnerung vollzieht, aber doch nicht immer an dieses Medium gebunden ist. So bleibt z. B. im zweiten *Spleen*-Gedicht gerade die Erinnerung in einer allmählichen Steigerung der Bilder erstorbener Erfahrung bis zuletzt das Medium der Verfremdung und scheint das letzte Bild: « *Un vieux sphinx ignoré du monde insoucieux, Oublié sur la carte* » diesen fatalen Prozeß nur noch zu besiegeln (als Allegorie eines Wesens, dessen Erinnerung für niemanden mehr da ist, also für immer unerlöst bleiben muß). Und doch vollzieht sich gerade in der Ambivalenz dieses letzten Bildes der Umschlag, aus dem die unwirkliche Gegenwelt des Schönen hervorgeht und vom Ende her das erst nur im Aspekt des *Spleen* Evozierte verklärt: « *et dont l'humeur farouche Ne chante qu'aux rayons du soleil qui se couche* » — die vergessene Sphinx singt beim Untergang der Sonne (in mythologischer Verkehrung des von der Statue des Memnon in Theben Überlieferten, vielleicht auch in Anspielung auf die Eule der Minerva) und verwandelt damit die melancholische Landschaft des *Spleen* am Ende in die sich ablösende, bizarre Schönheit eines reinen, für niemand bestimmten Tönens.

Baudelaire hat diesen poetischen Vorgang, den sein Gedicht *Le Cygne* mit der Umformung des platonischen Mythus vom

[92] A. a. O. p. 35—36.

Dichter-Schwan und seiner Überführung in einen modernen Begriff des Schönen thematisiert, selbst einmal in ›Le peintre de la
vie moderne‹ als ›gewaltsame Idealisierung‹ bezeichnet:
« Tous les matériaux dont la mémoire s'est encombrée se clas-
sent, se rangent, s'harmonisent et subissent cette idéalisation for-
cée qui est le résultat d'une perception enfantine, c'est-à-dire
d'une perception aiguë, magique à force d'ingénuité[93]. » Sein
Schwanengedicht führt den Prozeß dieser Idealisierung nicht allein
thematisch aus, sondern stellt ihn auch unmittelbar in der | An-
schauungsform seiner Bildfolge — der zuvor gezeigten unregelmäßigen Verzahnung der syntaktischen Einheiten — vor Augen.
Während im I. Teil die Bewegung der Bilder zu einer wirren
Häufung und chaotischen Erstarrung der Materialien der Erinnerung führt, in der die Zerstörung der « forme d'une ville » bis hin
zu dem asymmetrischen Kontrastbild des verdurstenden Schwans
sichtbar wird, geht im II. Teil die imaginäre Gegenwelt des Schönen aus einer linearen Folge von Evokationen hervor, die sich wie
ein festlicher Zug zu gegliederter Ordnung zusammenfügen. Mit
der gegenläufigen Bewegung dieser Kompositionsform hat sich
Baudelaire am weitesten von der Tradition der ›poésie-peinture‹
gelöst. Hier wird der Gegenstand — die Stadtlandschaft, in die
das Schwanenmotiv eingeschlossen ist — nicht mehr statisch-gegen-
ständlich beschrieben. Baudelaires Gedicht, das durch die Verfremdung des Vertrauten vom Gegenstand wegführt und ihn dann,
durch die Imagination zur sensation du neuf verwandelt, in un-
erwarteter Schönheit wiedererstehen läßt, schließt den Weg der
Evokation in das Dargestellte mit ein und kündet damit die spe-
zifische Form der Lyrik Mallarmés an[94]: das Gedicht, das in
seiner Darstellung den Gegenstand selbst zum Verschwinden
bringt, um im Dichten des Gedichts sein eigentliches Thema zu
finden.

[93] Zitiert von G. Hess, a.a.O. p. 41.

[94] „Eventail ist, wie fast die ganze Lyrik Mallarmés, ein Gedicht über
das Dichten. Das ontologische Schema dringt durch: Dinge, sofern sie
reale Gegenwart haben, sind unrein; erst im Vernichtetwerden ermöglichen sie die Geburt ihrer reinen Wesenskräfte in der Sprache", H. Friedrich, a. a. O. p. 78.

Wenden wir uns von hier aus zu Burgers These zurück, so wird deutlich, daß ihn sein Ansatz auf dem Wege über eine Relativierung von Klassik und Manierismus fast unmerklich zu einer Modernisierung des ›Klassischen‹ geführt hat, durch die es überhaupt erst möglich wurde, eine scheinbare Struktureinheit zwischen klassischer und moderner Form der Lyrik zu sehen. Diese Modernisierung zeigt sich zuerst in der Formulierung an, mit der er selbst die Grenze zwischen Klassik und Manierismus zog: „In diesem Sinne stelle ich, ausgehend von den Schlußzeilen in Goethes *Auf dem See* und Hölderlins *Abschied,* dem adäquaten Symbol das evokative Äquivalent gegenüber[95].“ Dabei ist stillschweigend vorausgesetzt, daß Hölderlins evokative Sprachfigur bereits die Funktion eines „objektiven Korrelats“ im Sinne von T. S. Eliot habe. Sodann wird versucht, die Struktureinheit klassischer und moderner Lyrik am Vergleich von Hölderlin und Mörike mit Marie Luise Kaschnitz, Karl Krolow und Paul Celan zu erweisen. Darin liegt eine petitio principii, denn gerade Hölderlins dunkler Stil und Mörikes Lyrik mit ihren überraschenden (preziös-manieristischen) Schlußpointen repräsentieren ja nach dem Vorgesagten den ›modernsten‹ Aspekt klassischer deutscher Lyrik. Am Ende schließt sich der Kreis der Argumentation mit der Behauptung: „Das evokative Äquivalent im modernen Gedicht ist eine folgerichtige Weiter|bildung des adäquaten Symbols im klassischen[96].“ Diese Schlußfolgerung ist indes nur insoweit aufrechtzuerhalten, als sie den Schritt von Goethe zu Hölderlin und Mörike betrifft, nicht aber für den weiteren Schritt zur Moderne. Denn da muß sie den entscheidenden Bruch verwischen, der zwischen älterem und modernem ›dunklen Stil‹ besteht und gerade auch an Burgers Beispielen greifbar gemacht werden kann.

Im Falle der Schlußverse von Hölderlins Ode *Der Abschied* etwa, die Burger als Beispiel für ein „evokatives Äquivalent“ heranzog[97], löst sich das auf den ersten Blick scheinbar Unmoti-

[95] A. a. O. p. 234.
[96] Ibid. p. 238.
[97] Ibid. p. 233; die Schlußstrophe lautet in der letzten Fassung:
Staunend seh' ich dich an, Stimmen und süßen Gesang,
    Wie aus voriger Zeit, hör' ich und Saitenspiel,

vierte und Dunkle für jeden Hölderlinleser sogleich in Klarheit
auf, wenn er das aus dem Kontext überraschend herausspringende,
mythisierte Bild in seinen vorgegebenen Horizont — « *au ciel
antérieur où fleurit la beauté* » (mit Mallarmé zu sprechen) —
zurückübersetzt und in der « *golden aufduftenden Lilie* » eine Chiffre des Dichters für seinen Glauben an eine wiederzufindende
›heile Welt‹ erkennt. Als solche ist diese Sprachfigur dann nur
nach der Seite der bestehenden, profanen Welt ein dunkles Bild,
d. h. nicht mehr abbildhaftes „evokatives Äquivalent“, nach der
Seite der anderen, platonischen Welt des Schönen und Wahren aber
durchaus wieder „adäquates Symbol“! Die Bilder hingegen, die
Burger aus modernen deutschen Gedichten in Parallele zu Hölderlins *Lilie* setzen will, sind weder nach der einen, noch nach
der anderen Seite „äquivalent“, sondern bleiben dissonant. Die
« *Wolke, die über ihre Köpfe dahinfuhr schwarz und herrlich* » im
Gedicht von M. L. Kaschnitz und Hölderlins *Lilie* treffen als
„exorbitierende Bilder“ gerade dort nicht mehr zusammen, „wo
sie die Welt hinter sich lassen“[98]. Wo Hölderlin mit der evokativen Sprachfigur „harmonisch in die heile Welt exorbitiert“, löst
M. L. Kaschnitz gerade umgekehrt die Äquivalenz der Wolke, die
auf eine höhere, wesenhaftere Welt über der banalen Begräbnis-
szene zu weisen schien, ironisch wieder auf und führt uns — wie
Burger an Krolows Liebeslied selbst feststellen mußte — „dissonant in die schnöde Wirklichkeit zurück“[99]. Dient in diesem Fall
das exorbitierende Bild, das hier — in genauer Umkehrung zu

> Und die Lilie duftet
> Golden über dem Bach uns auf.

[98] Ibid. p. 235.
[99] Ibid. p. 238; die herangezogene Strophe lautet:

> Sie schlossen ihre Mäntel, starrten gedankenlos
> Die Wolke an, die über ihre Köpfe
> Dahinfuhr schwarz und herrlich —
> Die schöne Wolke, dachte der Photograph
> Und machte eine Aufnahme privat.
> Ein fünfzigstel Sekunde, Blende zehn.
> Doch auf der Platte war dann nichts zu sehen.

Hölderlins Verfahren — erst ganz selbstverständlich und banal eingeführt wird und dann überraschend die erwartete Äquivalenz zwischen Bild und transzendentem Sinn auflöst, noch einer be-| stimmten, obschon ironischen Aussage, so wird in dem zweiten Gedicht von M. L. Kaschnitz (*Genazzano*) durch die alogische Verbindung von Ichaussage und absoluter Vergangenheitsform (der eigene Tod erscheint als schon geschehen) jede Äquivalenz zunichte gemacht. Verse wie:

> Hier stand ich am Brunnen
> Hier wusch ich mein Brauthemd
> Hier wusch ich mein Totenhemd
> Mein Gesicht lag weiß
> Unterm schwarzen Wasser
> Im wehenden Laub der Platanen

sind weder einer erlebbaren Wirklichkeit noch einem transzendenten Sinn der Todeserfahrung äquivalent: sie verweisen in ihrer bizarren Unwirklichkeit allein noch auf jene *perception du neuf,* auf das Anderssein jener ›neuen Welt‹, die der moderne Dichter nach den unableitbaren Regeln der Imagination selbst hervorzubringen hat. Was Burger in seiner Schlußfolgerung aufgezeigt hat: daß das adäquate Symbol und das evokative Äquivalent dort wieder zusammentreffen, wo sie die anschaubare Wirklichkeit hinter sich lassen und eine andere, wesenhaftere Welt zur Erscheinung bringen, ist nur scheinbar die Struktureinheit von klassischer und moderner Lyrik, in Wahrheit aber die Struktureinheit von klassischer und (älterer) manieristischer Form, wofür man ihm zu danken hat, denn diese Struktureinheit geht bei Hocke vorschnell in Philosopheme des dunklen heideggerianischen Stiles ein, die eine Strukturanalyse vollständiger Texte doch wohl noch nicht ganz entbehrlich machen können[100].

Versuchen wir abschließend den Unterschied zu formulieren, der

---

[100] Vgl. etwa in dem parallelen Band: Die Welt als Labyrinth, Rowohlts Deutsche Enzyklopädie Bd. 50/51, p. 206—207, 220 und 226: „Der Klassiker stellt Gott in seiner Essenz, der Manierist Gott in seiner Existenz dar. Wenn es zwei Erscheinungsweisen des Absoluten gibt, so hängen sie beide vom Absoluten ab; in beiden wirkt das Absolute."

bei dieser Untersuchung an der Struktur älterer und moderner
Lyrik zutage trat, so ließe sich sagen: dort führt uns das Gedicht
über die adäquate oder evokative Sprachfigur in den vorgängig
vertrauten Horizont einer höheren Welt des Wahren, Schönen und
Guten zurück — hier läßt es in der nicht mehr übersetzbaren
étrangeté seiner Bilder eine neue, gerade in ihrer Einmaligkeit
schöne Welt vor uns erstehen, die ihre Wahrheit in ihrem Für-Sich-
Sein hat und uns im Schein ihrer Vollendung den Fragen der Metaphysik und Moral enthebt. Sieht man von diesem entscheidenden
Punkt ab, an dem ältere und moderne Lyrik formal zueinander in
Gegensatz treten, so bleibt zwar immer noch ein Gemeinsames bestehen: daß sich unsere Erwartung hier wie dort nicht auf die Wiedergabe erlebter und dargestellter Wirklichkeit, sondern auf die
Erscheinung dessen richtet, was anders ist als die Welt unserer All-
tagserfahrung[101]. Doch diese Erwartung einer anderen, schöneren

---

[101] Gegen die scheinbar „revolutionierende", in Wahrheit aber in höch-
stem Maße irreführende These von Käte Hamburger, daß das lyrische
Gedicht eine Wirklichkeitsaussage sei. Vgl. ihr Buch: Die Logik der Dichtung, Stuttgart 1957, p. 180: „Denn schon wenn wir unser Erlebnis von
einem lyrischen Gedicht prüfen, so erscheint es uns primär eben dadurch
bestimmt zu sein, daß wir es als Wirklichkeitsaussage erleben, so gut wie
einen uns mündlich oder in einem Brief mitgeteilten spezifischen Erleb-
nisbericht, und erst gewissermaßen sekundär, erst bei analysierender Prüfung des Sinnes einer lyrischen Aussage (...), ergänzen wir diese unmittelbare Erfahrung durch die Modifizierung, daß wir keine objektive
Wirklichkeit oder Wahrheit aus ihm erfahren noch zu erfahren erwarten." Die Anwendung dieses Satzes auf ein Gedicht der älteren Tradition ist uns K. H. bisher noch schuldig geblieben, was nicht weiter
verwunderlich ist, wenn man einige Seiten später den episodischen Ursprung ihrer ›Logik der Dichtung‹ entdeckt: „Für ganz ausgeschlossen
darf man es nicht halten, daß auch die Anhänger der ›objektivsten‹
Lyriktheorie, daß wenigstens unbefangene Leser auch heute noch *Mit
einem gemalten Band* als ein Gedicht aus des jungen Goethe unmittel-
barstem Liebeserfahren erleben ..." (p. 183). Zu ihrer Theorie der
epischen Fiktion habe ich schon in meiner Arbeit: Zeit und Erinnerung
in Marcel Prousts ›A la recherche du temps perdu‹ — Ein Beitrag
zur Theorie des Romans, Heidelberg 1955, p. 18 ss., kritisch Stellung
genommen.

und ge|heimnisvolleren Welt vermag keine Struktureinheit zu be-
gründen, die ein spezifisches Merkmal abgeben könnte, das allein
der Lyrik eigen wäre. Diese Erwartung liegt noch vor der Scheidung der Dichtung in ihre verschiedenen literarischen Gattungen
und historischen Formen, und sie ist ihr zudem mit anderen Künsten gemein, wie aus dem Satz aus Malraux' Psychologie der
Kunst hervorgeht, den wir eingangs als Motto gebracht haben. Daß
dieser Satz selbst wieder eine spezifisch moderne Einstellung zur
Kunst voraussetzt, war Malraux durchaus bewußt. Hat doch gerade er wieder nachdrücklich in Erinnerung gebracht, daß die Erwartung jener ›anderen Welt‹, die sich für uns im ästhetischen
Genuß des Kunstwerks erfüllt, eine relativ späte Erscheinung in
der Geschichte der Künste war: « Le Moyen Age ne concevait pas
plus l'idée que nous exprimons par le mot art, que la Grèce
ou l'Egypte, qui n'avaient pas de mot pour l'exprimer. Pour
que cette idée pût naître, il fallut que les œuvres fussent sépa-
rées de leur fonction. Comment unir une Vénus qui était Vénus,
un Crucifix qui était le Christ, et un buste? Mais on peut unir
trois statues. (...) La métamorphose la plus profonde commença
lorsque l'art n'eut plus d'autre fin que lui-même[102]. » Für die
besondere Struktur moderner Lyrik ist daraus umgekehrt zu fol-
gern, daß ihrem genuinen Verständnis nichts mehr entgegensteht
als jene durch die klassische Tradition der ›imitatio naturae‹
bedingte Einstellung, die schon Baudelaire dem bürgerlichen Kunstverstand zum Vorwurf gemacht hat: *la hérésie didactique.* Wer
an moderne Lyrik mit der Erwartung herantritt, daß sich auch
hier die sprachliche Gestalt in einen adäquaten subjektiven oder
objektiven ›Gehalt‹ umsetzen lasse, läuft Gefahr, das Gedicht
— indem er so den Vorrang der ›Aussage‹ wiederherstellt —
ungewollt allegorisierend zu deuten, d. h. die *étrangeté* nach
dem Prinzip *aliud in verbis, aliud in sensu* zu beseitigen. Wer so
verfährt, bemerkt nicht, daß er dabei ein Prinzip der klassischen
Kunstform als zeitlos gültig voraussetzt, das den Blick auf das
spezifisch Moderne dieser Lyrik verstellt: die Einheit von ›Form‹

---

[102] Les Voix du silence, Paris 1951, p. 51/52.

und ›Inhalt‹, Wesen und Erscheinung[103]. Das | spezifisch Neue
des von Nerval, Baudelaire, Rimbaud und Mallarmé begründe-
ten neuen Stils ist aber gerade darin zu sehen, daß die thematische Aussage ihren Vorrang eingebüßt hat, daß ihr Gegenstand in
Geheimnishaftigkeit entrückt wird und in diesem Verschwinden
unerwartet das Schöne als ein Anderes zum Vorschein kommt, das
von der bestehenden Welt wie von der platonischen Idealität eines
ciel antérieur où fleurit la beauté gleichermaßen abgelöst erscheint[104]. Der von der eigentlich modernen Lyrik geforderte neue
Prozeß des Verstehens läge demnach darin, nicht einfach Dunkelheit in Klarheit aufzulösen, sondern umgekehrt der Übersetzung
des Themas aus Klarheit in Geheimnishaftigkeit zu folgen und
im Verschwinden des Gegenstandes den komplementären Vorgang,
das Dichten des Gedichts, in seiner *beauté inutile* zu erfassen,
einem Aphorismus entsprechend, in dem Mallarmé das Wesen der
Poesie definiert hat[105]: « A quoi bon la merveille de transposer
un fait de nature en sa presque disparition vibratoire selon le jeu
de la parole, cependant; si ce n'est pour qu'en émane sans la
gêne d'un proche ou concret rappel, la notion pure. »

SCHLUSSANMERKUNG

Zur Unterbauung und Ergänzung meiner früheren Argumentation
möchte ich hier noch zweierlei nachtragen. Auch der in Anm. 25 ange-
führte Text: « *Ce ruisseau remonte à sa source / Un boeuf gravit sur
un rocher...*» von Théophile de Viau, für G. R. Hocke das Parade-
stück einer „alogischen Montage" (Manierismus in der Literatur, a. a. O.

[103] Nach Hegel, Ästhetik, ed. F. Bassenge, Berlin 1955, p. 495. —
Zu der parallelen Erscheinung, daß das an der klassischen Kunstform
gebildete ästhetische Urteil auch dem Verständnis des modernen Theaters
entgegensteht, verweise ich auf meine Rezension von M. Kesting, Das
epische Theater, Stuttgart 1959, in: Romanistisches Jahrbuch, Bd. X, 1959.
[104] Der zitierte Vers stammt aus Mallarmés Gedicht *Les Fenêtres*.
[105] Œuvres complètes, Ed. de la Pléiade, Paris 1945, p. 368; vgl.
H. Friedrich, a. a O. p 97, der an diesem Aphorismus Mallarmés
„ontologisches Schema" entwickelt hat.

p. 89), ist gleichfalls nur ein Ausschnitt aus einer Ode, deren Kontext der vermeintlich rein abstrusen Strophe einen ganz anderen Sinn gibt: die vorangehende Strophe zeigt mit Vorzeichen des Unheils und der expliziten Anführung Charons eine bevorstehende Jenseitsvision an (*«Je voy le centre de la terre»*), so daß die ›verkehrte Welt‹ in der ausgeschnittenen Strophe den Aspekt einer apokalyptischen Landschaft erhält (fast alle auf *«un boeuf gravit sur un rocher»* folgenden ›grotesken‹ Bilder entstammen in der Tat auch der biblischen Apokalypse). — *Etrangeté* als poetischer Begriff findet sich bei Baudelaire verschiedentlich schon vor den Notes nouvelles sur E. Poe (1857), auch ohne die Einschränkung auf die Behandlung des Reims, wie F. Nies gezeigt hat (Poesie in prosaischer Welt, Heidelberg 1964, p. 188 sqq.). Allerdings würde ich heute auf eine Grenzziehung zwischen Baudelaires *étrangeté* (im Sinne des *inattendu*, des *inconnu*, der *sensation du neuf*) als einem noch ästhetischen Reizwert *(surprise)* und Brechts *Verfremdung* als einem anti-ästhetischen Effekt, der die ästhetisch-genießerische Einstellung verhindern und zur moralischen Reflexion zwingen soll, besonderen Wert legen. Die diesen Begriffen entsprechenden Strukturen bezeichnen in der Lyrik der Moderne zwei schon weit auseinanderliegende Gegenpole, wie überhaupt der von mir aufgezeigte Gegensatz zwischen älterer und moderner Lyrik die Struktur der letzteren nur ganz allgemein, in der sie fundierenden Abwendung vom latenten Platonismus der traditionellen Ontologie des lyrischen Werkes, nicht aber in der Spannweite ihrer neuen poetischen Kategorien bestimmen konnte. In dieser Hinsicht, insbesondere auch in der Frage nach den „positiven Kategorien", die H. O. Burger bei Hugo Friedrich vermißte, steht meine Abhandlung nurmehr am Anfang einer Diskussion, die seither in anderem Rahmen geführt und inzwischen veröffentlicht wurde, so daß ich abschließend auf ihre Ergebnisse verweisen kann: Immanente Ästhetik — ästhetische Reflexion. Lyrik als Paradigma der Moderne, hg. von W. Iser, München 1966 (Poetik und Hermeneutik, Arbeitsergebnisse einer Forschungsgruppe, Bd. 2).

Etudes Germaniques 15 (1960), S. 321–337.

WEGE ZUM MODERNEN GEDICHT
STRUKTURELLE ANALYSEN

Von Edgar Lohner

Die Auffassung ist heute weit verbreitet, daß die moderne Lyrik in Frankreich begonnen und von dort nach Spanien, England, Italien und Deutschland ausgestrahlt habe. Gérard de Nerval, Charles Baudelaire, Stéphane Mallarmé und Lautréamont gehören angeblich zu den Begründern. Darío und Machado, Eliot und Yeats, Ungaretti und Montale, Trakl, Rilke und Benn sollen dann vollendet haben, was jene begannen. Als Zeugnisse für die diesen Dichtern gemeinsame neue Grundhaltung hat man bestimmte Themen, Motive und ihre fragmentarischen Poetiken angeführt[1].

Im folgenden wird versucht, mit Hilfe von vier Gedichten bestimmte strukturelle Eigenschaften herauszustellen, die für die moderne Lyrik charakteristisch sind. Dadurch sollen einmal Entwicklungslinien zur Moderne aufgezeigt werden. Zum anderen möge die Untersuchung „die Kluft zwischen Schaffendem und Aufnehmendem" ein wenig verringern helfen, die, wie Wilhelm Emrich in seinem aufschlußreichen Aufsatz ›Zur Ästhetik der modernen Dichtung‹ meint, zu keiner Zeit größer war als heute[2].

[1] Aus der Fülle der über dieses Thema vorhandenen Literatur seien nur die folgenden Werke genannt: Jacques et Raissa Maritain, Situation de la Poésie (Paris, 1938); Marcel Raymond, De Baudelaire au Surréalisme (Paris, 1947); A. G. Lehmann, The Symbolist Aesthetic in France 1885—1895 (Oxford, 1950); M. Henríquez Ureña, Breve Historia del Modernismo (Mexico, Buenos Aires, 1954); Hugo Friedrich, Die Struktur der modernen Lyrik. Von Baudelaire bis zur Gegenwart (Hamburg, 1956); G. Díaz-Plaja, Modernismo frente a noventa y ocho (Madrid, 1951); Edgar Lohner, Schiller und die moderne Lyrik (Göttingen, 1964).

[2] Akzente, 4 (1954), 371; jetzt auch in: Protest und Verheißung (Bonn, 1960), S. 123.

Was ist nun die neue Grundhaltung, die neue Sensibilität der Dichter, die den Zugang zu ihren lyrischen Werken so schwierig macht? Worin unterscheidet sie sich von der Sensibilität früherer Dichter? Und stimmt es, daß diese Sensibilität, die wir „modern" zu nennen uns angewöhnt haben, in Frankreich beginnt? |

Die Ursache für die neue Sensibilität liegt in einer veränderten Vorstellung von der Wirklichkeit. Der „moderne" Lyriker macht sich von der klassischen Idee der Nachahmung, wie sie von Plato und Aristoteles verkündet wurde, frei oder legt sie zumindest anders aus. Dabei gilt es jedoch zu bedenken, daß die Lehre von der Nachahmung in den klassizistischen Literaturtheorien oft verschieden ausgelegt wurde. Die einen verstanden darunter bloßes Kopieren der Natur, für andere bedeutete Nachahmung die Wiedergabe einer inneren Wirklichkeit, die in der äußeren ihre Entsprechung findet. Doch keine dieser Theorien zweifelte den der Nachahmungstheorie zugrunde liegenden Glauben an einen geordneten Kosmos an, dessen wesentliches Merkmal die Einheit von Mensch und Natur war. Der innerhalb dieser Einheit lebende Dichter (oder Künstler) betonte im Kunstwerk den Bezug zu diesem Kosmos, zu einer geordneten Wirklichkeit, die durch die nachahmende Kunst neu dargestellt wurde. Selbst der Mystiker oder der Bekenntnisdichter bezieht sich in seiner Gestaltung auf eine räumlich und anschaulich-gegenständliche Ordnung der Wirklichkeit[3].

Diese Auffassung erfährt nun nicht erst bei den französischen Dichtern eine Umwandlung, sondern bereits bei Kant, Schiller und den deutschen Romantikern. Kant ist der erste, der in der ›Kritik der reinen Vernunft‹ (1781) das Verhältnis Subjekt—Objekt aufreißt. Seine ›Kritik der Urteilskraft‹ (1790) verkündete die

[3] Auf das Problem der „Nachahmung" kann hier nicht näher eingegangen werden. Ich verweise deshalb auf die jüngsten Veröffentlichungen zu diesem Thema: René Wellek, A History of Modern Criticism 1750—1950 (New Haven, 1955), I, S. 14, 25, 54, 83 ff.; Käte Hamburger, Die Logik der Dichtung (Stuttgart, 1957), S. 6; Viktor Zuckerkandl, „Mimesis" Merkur, XII (1958), 225—240; H. Koller, Die Mimesis in der Antike. Nachahmung, Darstellung, Ausdruck (Bern, 1954).

Eigengesetzlichkeit des Kunstwerks und behauptete, daß Treue zur Natur, empirische Wahrheit oder Moral für die Kunst irrelevant seien. Schiller hatte aber schon am 25. Dezember 1788 an Körner geschrieben:

„Der Künstler und dann vorzüglich der Dichter behandelt niemals das Wirkliche ... Zum Beispiel behandelt er nie die Moral, nie die Religion, sondern nur diejenigen Eigenschaften von einer jeden, die er sich zusammendenken will — er vergeht sich also auch gegen keine von beiden ... er kann sich nur gegen die ästhetische Anordnung ... vergehen."

Es ist ein erstaunlicher Brief, der viele Gedanken der modernen Kritik, einige der "new critics" miteinbegriffen, vorwegnimmt und in dem es dann später heißt, daß „jedes Kunstwerk nur sich selbst, d. h. seiner eigenen Schönheitsregel Rechenschaft geben darf ... Hingegen glaube ich auch fest, daß es auf diesem Wege auch alle übrigen Forderungen *mittelbar* befriedigen muß". Ähnliche Gedanken findet man in den Fragmenten des Novalis und der Brüder Schlegel. Doch der Weg zur Autonomie der Kunst läuft parallel zu der Entwicklung, in der sich | der Mensch immer weiter von einer bergenden Ordnung entfernt. Man kann fragen, ob sich nicht ein Bogen spannen läßt von den aschgrauen Figuren im ersten Satz von Schlegels ›Lucinde‹ bis zu jener Bemerkung im Brief (6. Oktober 1859) Victor Hugos an Baudelaire: « Vous avez doté le ciel de l'art d'un je ne sais quel rayon macabre; vous avez créé un frisson nouveau. » Die Ähnlichkeit zwischen der Figur des Julius, Valérys Monsieur Teste und Benns Arzt Rönne z. B. sind größer, als es zunächst den Anschein haben mag. Allen dreien ist es unmöglich, das „Du" zu vollziehen. Bei allen dreien steht die Auseinandersetzung mit einem übermächtigen Bewußtsein im Vordergrund. Die ganze Problematik wird dann noch vertieft durch die Wirkung Nietzsches, vor allem durch seinen Satz, daß nichts mehr wahr und alles erlaubt sei. „Wo ist — mein Heim?" fragt Zarathustra im Gespräch mit seinem Schatten, „danach ... suchte ich, das fand ich nicht. O ewiges Überall, o ewiges Nirgendwo, o ewiges — Umsonst." Im Brief des Lord Chandos von Hofmannsthal heißt es:

„Es zerfiel mir alles in Teile, die Teile wieder in Teile und nichts mehr ließ sich mit einem Begriff umspannen. Die einzelnen Worte schwammen um mich; sie gerannen zu Augen, die mich anstarrten und in die ich wieder hineinstarren muß: Wirbel sind sie, durch die hindurch man ins Leere kommt."

Nahezu überall macht sich seit Kant, Schiller und der deutschen Romantik die Verschiebung des Verhältnisses zwischen Mensch und Wirklichkeit, zwischen Subjekt und Objekt, bemerkbar. „Wirklichkeit —, Europas dämonischer Begriff", schreibt Benn, „glücklich nur jene Zeitalter und Generationen, in denen es eine unbezweifelbare gab...⁴." Heute gibt es sie nicht mehr. Wenn es sie noch gibt, dann ist ihr neues, auffälliges Merkmal, wie Emil Preetorius schreibt, „daß sie unübersehbar komplex, zu einem Netz schwebender Beziehungen, daß ihr Grund fließend geworden ist". Sie hat ihre Stabilität eingebüßt und ist nicht mehr „gleichbedeutend mit einer Welt, die fraglos beschlossen und aufgehoben war im Reiche unserer täglichen vertrauten Sinne"⁵. Was übrig bleibt sind „Beziehungen und Funktionen; irre, wurzellose Utopien... Die alten Realitäten von Raum und Zeit: Funktionen von Formeln"⁶.

In einer derartig subjektivierten Welt eröffnen sich dem Dichter neue Wirklichkeiten. Die Bezogenheit jeder Dichtung zur Wirklichkeit ihrer Zeit macht es dem „modernen" Dichter unmöglich, heute noch Verse zu schreiben, wie sie z. B. in Matthias Claudius' ›Abendlied‹ stehen. Mit diesem Satz sei kein Werturteil gefällt, sondern die Tatsache angedeutet, daß ein solches Gedicht noch in Ordnungen eingebettet ist,| die durch die Ideen Raum und Zeit, Ursache und Wirkung bestimmt werden. Erscheinung und Bedeutung fallen in den Worten eines solchen Gedichts noch zusammen. Die der empirischen oder ideellen Realität zugrunde liegende harmonische Struktur menschlichen Seins empfängt in diesem lyrischen Kunstwerk einen ebenso harmonischen Ausdruck. Claudius ist einer der letzten Lyriker, der unbefangen bis zur Kindlichkeit eine geordnete Wirklichkeit erlebend nachbildet:

---

⁴ Kunst und Macht (Stuttgart, Berlin, 1934), S. 67.
⁵ Kunst und Wirklichkeit (München, 1958), S. 23.
⁶ Gottfried Benn, Kunst und Macht, S. 67.

> Der Mond ist aufgegangen,
> Die goldnen Sternlein prangen
> Am Himmel hell und klar;
> Der Wald steht schwarz und schweiget,
> Und aus den Wiesen steiget
> Der weiße Nebel wunderbar.

Mit einer Einfachheit, die das Gestalten vergessen läßt, mit einer von der „modernen" Lyrik gänzlich verschiedenen Magie des Wortes werden hier aus einer einfühlenden Teilnahme Welt und Seele harmonisch einander zugeordnet, ungetrübter als in den Gedichten irgendeines anderen Dichters dieser oder einer späteren Zeit. Die Eigenheit der Welt ist hier ebensowenig angetastet wie die des Menschen, so daß das Wunderbare des Gedichts, die Übereinstimmung von Welt und Seele, das unbedingte Vertrauen in Gott, in den letzten Versen des Gedichts besonders sichtbar wird:

> So legt euch denn, ihr Brüder,
> In Gottes Namen nieder;
> Kalt ist der Abendhauch.
> Verschon uns, Gott! mit Strafen,
> Und laß uns ruhig schlafen!
> Und unsern kranken Nachbar auch!

Mit einem erstaunlich geringen und einfachen Vokabular sind in diesem Gedicht die Worte wie die Töne einer Melodie gesetzt. Alles scheint hier wirklichkeitsverbindend und gegenständlich. Außen und innen gehen ineinander über, und die hier zum Ausdruck gebrachte Gefühlswelt ist jedem Leser vertraut und ohne Schwierigkeiten zugänglich.

Dies gilt auch noch, obschon mit Einschränkungen, von Hölderlins Gedicht ›Der Abschied‹[7]. Im Gegensatz zu Claudius handelt es sich in diesem Gedicht nicht darum, eine geschlossene Gegenständlichkeit aufzubauen. Eine gegenständliche Wirklichkeit ist hier überhaupt nicht vorhanden. Der Mangel an Vergleichen und Metaphern, die Häufigkeit abstrakter Substantive, substantivierter

[7] Sämtliche Werke (Stuttgart, 1951), II, 1, S. 26—27.

Adjektive („diß Eine", „Ungestalte", „Tödtliche", „Einsame"
usw.) und substantivierter Verben | („Liebenden", „das Wün-
schen", „die Vergessenen") unterstreicht diese Tatsache. Nicht
sinnliches Sehen einer gegenständlichen Erscheinung, sondern abstrakt gehaltene monologische Reflexionen vermitteln den Sinn
des Gedichts. Unter der Gewalt der Trennung begreift hier ein
Mensch das Gesetz des Seins. Die Ordnung des Seins ist wegen
der Trennung von Göttern und Menschen aufgehoben. Doch
Trauer und Schwermut der Trennung wird dem Dichter im Glauben an eine künftige, im rein Geistigen sich erfüllende Begegnung
zur tröstenden Gewißheit. Diese aber findet im Bild der beiden
letzten Zeilen des Gedichts — und ausschließlich um diese geht es
mir hier — ihren Ausdruck;

> Und die Lilie duftet
> Golden über dem Bach uns auf.

Kennt man die Thematik Hölderlins, die Bilder, die sie unter-
stützen, und die oft der pindarischen oder horazischen Ode entlehnten strukturellen und rhythmischen Mittel, so ist der Zugang
zu diesem Gedicht nicht schwierig. Sein Sinn läßt sich ohne allzu
große Mühe erschließen, ausgenommen die Dunkelheit dieses in
den letzten Zeilen erfaßten Bildes, dessen Klang und Schönheit
uns ansprechen, dessen Konkretheit uns jedoch verschlossen bleibt.
   Wohl einzigartig in der Dichtung Hölderlins begegnet uns hier
ein Phänomen, dessen Aufhellung für das Verständnis des gleichen
Phänomens in der lyrischen Dichtung der Gegenwart bedeutsam
ist. Wir wissen, daß die letzten Zeilen dieses Gedichts ursprünglich
anders lauteten[8]. Wir wissen auch, daß eins der vornehmsten Bilder für das Lebendige in den Gedichten Hölderlins das Bild des
Blühens ist, das häufig vom Adjektiv „golden" begleitet wird.
„Unzählig blühn die Rosen und ruhig scheint / Die goldne Welt"
heißt es im Gedicht ›Abendphantasie‹, und in ›Patmos‹ stehen die Verse „Im goldenen Rauche, blühte / Schnellaufgewach-
sen, / Mit Schritten der Sonne, / Mit tausend Gipfeln duftend /

---

[8] Ibid., II, 1, S. 25; II, 2, S. 435—43.

Mir Asia auf[9]". „Blühn" und „golden" stehen, besonders in den
Gedichten ab 1798, als Zeichen für ein paradiesisches Dasein. Hier
aber heißt es „duften". Warum änderte Hölderlin das Bild Pin-
dars, aus dessen ›2. Olympischer Ode‹[10] er, wie Viëtor annimmt, die Anregung empfing? Wollte Hölderlin hier nur „über
eine die antike Prosodie nachahmende Stilisierung der dichterischen Sprache hinauskommen" und „alle in ihr ruhenden Möglichkeiten entwickeln, die sie zu Trägern von antiken rhythmischen
Gebilden machen konnten"[11]? Oder sollten | diese beiden Zeilen
nicht vielmehr im Sinne von Hölderlins Vorwort zur kürzlich
entdeckten ›Friedensfeier‹ zu verstehen sein, wo es heißt:

> „Ich bitte dieses Blatt nur guthmütig zu lesen. So wird es sicherlich
> nicht unfaßlich, noch weniger anstößig sein. Sollten aber dennoch einige
> eine solche Sprache zu wenig konventionnell finden, so muß ich ge-
> stehen: ich kann nichts anders. An einem schönen Tage läßt sich fast
> jede Sangart hören, und die Natur, wovon es her ist, nimmts auch wie-
> der[12]."

Es ist doch diese Absicht, sprachlich neue Wege zu gehen, die
Hölderlin das Verb „duften" für das konventionellere „blühn"
einsetzen läßt und „duften" in einen anderen als den gewohnten
Zusammenhang einfügt. Er versieht es mit einem Präfix, das es
bisher in der deutschen Sprache noch nicht gehabt hat. Er fügt ihm
ein indirektes Objekt und das Adverb „golden" hinzu und erreicht
durch die Verschmelzung der beiden Sinnesqualitäten, des Rie-
chens und des Sehens, den Stilzug der Synästhesie.

Doch diese sprachlichen Mittel sind weder an sich noch für Hölderlin neu. Neu, unwirklich und geradezu „modern" jedoch werden diese Zeilen durch die Verbindung des Verbums mit den beiden nicht näher bestimmten Nomina „Lilie" und „Bach" zu einem
Bild, das trotz aller Schönheit dem Gegenständlichen entrückt ist.

---

[9] Ibid., I, 1, S. 301; II, 1, S. 166.

[10] The Odes of Pindar, ed. Sir John Sandys, The Loeb Classical
Library (London, Cambridge, Mass., 1957), S. 24.

[11] Festschrift für Julius Petersen (Leipzig, 1938), S. 157; Die Lyrik
Hölderlins (Frankfurt/M., 1921), S. 169; Paul Böckmann, Hölderlin
und seine Götter (1935), S. 302.

[12] Friedensfeier, hg. v. F. Beißner (Stuttgart, 1954), S. 6.

„Lilie", „Bach" und „golden" haben hier ihren realen Bedeutungsgehalt verloren. „Lilie" und „Bach" sind funktionelle Zeichen geworden. Sie enthalten nicht mehr, wie es die klassische, vornehmlich die Goethesche Ästhetik forderte, in sich selbst bereits das Allgemeine, sondern sie verweisen nur auf das Allgemeine. Zeichen
und Bezeichnetes sind hier schon so weit auseinandergetrieben, daß
das Zeichen die Bedeutung, d. h. das Allgemeine, veranschaulichend
nicht mehr ohne weiteres durchscheinen läßt. „Lilie" und „Bach"
sind also nicht mehr Symbole im Sinne Goethes, der darin die
reinste Erfüllung der Dichtung sah, daß sie im Besonderen das
Allgemeine verdeutlichend durchleuchten lassen. Die Unbedingtheit
der Hölderlinschen Vision von einer harmonischen geistigen Ordnung führt zur Unbedingtheit der Darstellungsform. Die „Lilie",
von der nur gesagt wird, daß sie duftet, erhält eine Funktion in
einem imaginären Raum, der als Raum nur durch den Bach funk-
tioniert. Der „Bach" wiederum wird ohne Modifikation nur durch
die Lilie bestimmt. Beide konstituieren eine Landschaft, deren auf-
fallendstes Merkmal die Irrealität ist. Die sinnliche Vorstellung ist
auf ein Minimum reduziert. Das Bild besitzt, eben weil ihm der
reale Wirklichkeitscharakter fehlt, eine absolutere Bedeutung als
die symbolischen Bilder der „klassischen" Dichtung. Das „klassische" Gedicht ebenso wie das Gedicht des Claudius „fingiert" eine
Wirklichkeit. Der Leser empfängt den Eindruck, als ob | der be-
schriebene Vorgang auch eine Wirklichkeit an sich, außerhalb der
Dichtung, besäße. Das Bild Hölderlins kann also eigentlich nicht
mehr inhaltlich verstanden werden, so, „als würden uns hier", wie
Wilhelm Emrich im Zusammenhang mit der Dichtung Kafkas
schreibt, „bestimmte geschichtliche oder ideologische oder psychische Inhalte präsentiert"[13]. Dieses Bild kann nur noch als ein Be-
ziehungsgeflecht der einzelnen Worte des Bildes zueinander gelesen werden. Dadurch wird für eine Vielzahl von Assoziationen
Raum geschaffen. Im Zusammenhang mit „aufduften" und dem
assoziationsreichen „golden" (als das Glänzende, Warme, Sonnige,
Kostbare und in bezug auf das „goldene Zeitalter") werden Beziehungen geschaffen, die gerade jene Qualität ausmachen, die uns

[13] Op. cit., 377.

in diesem Bild so „modern" anmutet[13a]. Als „modern" bezeichne
ich die Tatsache, daß die Zusammenhänge unserer sinnlichen Wirklichkeit, wie wir sie bisher zu sehen gewohnt waren, zerstört sind.
Die Zerstörung empirischer und auch ideeller Ordnungen, wie sie
sich etwa bis zur Romantik im Gedicht spiegeln, und die Her-
stellung autonomer, von der Wirklichkeit unabhängiger Bezie-
hungssysteme ist ein wesentliches Merkmal, das es zu beachten gilt,
will man die Dichtung der Moderne verstehen.

Anzeichen dafür finden sich, wie die jüngste Forschung in Ein-
zelanalysen nachgewiesen hat, auch schon bei Eichendorff, Brentano und Mörike[14]. Besonders Eichendorff ist heute nicht mehr
ausschließlich der liebenswürdig-heitere, unproblematische Dichter,
wie ihn das 19. Jahrhundert und auch Walzel noch sah[15]. Im Gegensatz zu solchen Darstellungen wurde in den letzten Jahren immer häufiger auf die nicht zu überhörenden „gebrochenen Zwi-
schentöne" (Adolf von Grolman[16]), auf das Dämonische, aber
auch auf das „Gegenstandslose" der Dichtung Eichendorffs hin-

---

[13a] Kurz vor dem Empfang der Druckfahnen übersandte mir Heinz
Otto Burger seinen Aufsatz ›Von der Struktureinheit klassischer und
moderner deutscher Lyrik‹, erschienen in der Festschrift für Franz Rolf
Schröder (Heidelberg, 1959) 229—240. Hier zeigt Burger am gleichen
Bild von Hölderlin den Übergang vom „adäquaten Symbol" bei Goethe
zum — wie er es sehr treffend nennt — „evokativen Äquivalent" der
„Modernen". Burger kommt bei der Untersuchung des Hölderlinschen
Bildes zu sehr ähnlichen Ergebnissen wie ich.

[14] Emil Staiger, Die Kunst der Interpretation (Zürich, 1955), S. 213,
214; Romano Guardini, Gegenwart und Geheimnis: Eine Auslegung von
fünf Gedichten Eduard Mörikes. Mit einigen Bemerkungen über das
Interpretieren (Würzburg, 1957); Walther Killy, Wandlungen des lyrischen Bildes, 2. Aufl. (Göttingen, 1958); Walter Höllerer, Zwischen
Klassik und Moderne. Lachen und Weinen in der Dichtung einer Über-
gangszeit (Stuttgart, 1958), S. 333—338, 354—356. Heinrich Henel,
›Erlebnisdichtung und Symbolismus‹, DVjs, XXXII (1958), 84 bis 85.
Oskar Seidlin, Versuche über Eichendorff (Göttingen, 1965).

[15] Deutsche Romantik (Berlin, 1926), II, S. 8, 48.

[16] Zitiert nach Franz Ranegger, ›Eichendorffs Lyrik im Urteil von
Mit- und Nachwelt‹, Aurora, 15 (1955), 71.

gewiesen. Oskar Seidlin zeigt in der Analyse einer Prosastelle[17], wie ungewöhnlich „modern" Eichendorff ist. Nicht nur | ist in diesem bedeutenden Aufsatz der bezeichnende Satz zu finden, daß sich das Ich aus der öden Welt zurückgezogen habe und ohne Bezug auf eine erlebende Seele sei, sondern Seidlin zeigt auch, wie schon bei Eichendorff der Punkt erreicht ist, „wo Sprache dämonisch wird". „Der Raum mit seinen klaren Dimensionen", schreibt Seidlin in diesem Zusammenhang, „hat sich aufgelöst. Aber auch die Zeit, die andere Kategorie unserer Wirklichkeitserfassung, ist ins Schwanken geraten ... Der Annullierung des Raumes entspricht die Annullierung der Zeit, und damit haben wir jede feste Einfügung in die wirkliche Welt verloren." (S. 521, 523, 513) Aus dieser neuen Sicht interpretieren auch andere[18]. Man könnte einwenden, daß die meisten Interpretationen sich nur mit der Prosa Eichendorffs beschäftigen. Der Einwand wird bedeutungslos angesichts der Tatsache, daß das in der Prosa sich spiegelnde Verhalten zur Welt das gleiche ist wie in der Lyrik. Dies ist besonders einem Aufsatz zu entnehmen, den Oskar Seidlin vier Jahre später über Eichendorffs Gedicht ›Sehnsucht‹ schrieb. Dort heißt es sehr aufschlußreich, daß das Gedicht „ ‚befreit' von jedem Gegenstand" ende. „Am Schluß scheint sich das Gedicht ins rein Entmaterialisierte, ins Unendliche zu öffnen. Es ist, als ob die Schwingung über den Gedichtrand hinausglitte in das Nicht-mehr-Gesagte ...[19]."

<hr />

[17] ›Der Taugenichts Ante Portas‹, JEGP, LII (1953), 509 bis 524.

[18] Helmut Rehder, ›Ursprünge dichterischer Emblematik in Eichendorffs Prosawerken‹, JEGP, LVI (1957), 524—41; Richard Alewyn, ›Eine Landschaft Eichendorffs‹, Euph., LI (1957), 42—60 und Leo Spitzers Entgegnung, ›Zu einer Landschaft Eichendorffs‹, Euph., LII (1958), 142—152; vgl. auch Oskar Seidlins Bericht ›1957: The Eichendorff Year‹, GQ, XXXI (1958), 183—187, in dem auf andere im Jahre 1957 erschienene Arbeiten über Eichendorff hingewiesen wird.

[19] ›Eichendorffs Sehnsucht‹, JEGP, LVI (1957), 527; vgl. hierzu auch den etwa zur gleichen Zeit erschienenen, aber Eichendorff in dem bisher üblichen Sinne deutenden Aufsatz von Helmut Motekat, ›Reife und Nachklang romantischer Weltfülle. Betrachtungen zu Josef Eichen-

Mit der Einsicht in den strukturellen Charakter des Hölderlinschen Bildes und in die schon wirklichkeitsunsichere Dichtung Eichendorffs ist eine Stufe erreicht, von der aus das Verständnis zeitgenössischer Gedichte leichter ist. Hölderlin und Eichendorff geben uns ein Vorspiel dessen, was in der Lyrik unseres Jahrhunderts von überall her und oft überwältigend auf den Leser eindringt. Am folgenden Gedicht Rilkes interessieren uns weder die Umstände seiner Entstehung noch die künstlerische und menschliche Krise, in der sich Rilke vor dem Ersten Weltkrieg befand. Diese Kenntnisse sind für das Gedicht als Kunstwerk unwesentlich. Wesentlich sind uns die modernen poetischen Merkmale und die in ihnen zum Ausdruck kommende Grunderfahrung.

Am 28. Dezember 1911 schrieb Rilke an Lou Andreas Salomé: „Es ist das Furchtbare in der Kunst, daß sie, je weiter man in ihr kommt, | desto mehr zum Äußersten, fast Unmöglichen verpflichtet." Das Äußerste, das fast Unmögliche des Sagens leistet Rilke in diesem Gedicht:

> Ausgesetzt auf den Bergen des Herzens. Siehe, wie klein dort,
> siehe: die letzte Ortschaft der Worte, und höher,
> aber wie klein auch, noch ein letztes
> Gehöft von Gefühl. Erkennst du's?
> Ausgesetzt auf den Bergen des Herzens. Steingrund
> unter den Händen. Hier blüht wohl
> einiges auf; aus stummem Absturz
> blüht ein unwissendes Kraut singend hervor.
> Aber der Wissende? Ach, der zu wissen begann
> und schweigt nun, ausgesetzt auf den Bergen des Herzens.
> Da geht wohl, heilen Bewußtseins,
> manches umher, manches gesicherte Bergtier,
> wechselt und weilt. Und der große geborgene Vogel
> kreist um der Gipfel reine Verweigerung ... Aber
> ungeborgen, hier auf den Bergen des Herzens ... [20].

dorffs Gedicht ‚Sehnsucht‹, Blätter für den Deutschlehrer, I (1956/1957), 97—103.

[20] Sämtliche Werke (1956), II, S. 94.

Das Gedicht ist der Versuch, ein Äußerstes an Einsicht in Sprache umzusetzen. Es endet in der Erkenntnis, daß das Letzte in einem von Leere und Einsamkeit umgebenen Schweigen liegt, das in den zentralen Bildern des Gedichts seinen Ausdruck findet. „Berge des Herzens"! Ein seltsames, ein paradoxes Bild, dem andere gleichgestimmte folgen: „letzte Ortschaft der Worte", „letztes Gehöft von Gefühl", „der Gipfel reine Verweigerung". Auch hier wird die Irrealität einer Landschaft sichtbar gemacht, „eine Topographie des Seelisch-Geistigen durch Vokabeln einer Hochgebirgslandschaft", wie Hans Schwerte schreibt[21]. Die Topographie zeigt, daß ein Mensch in der dinglich gesicherten Welt nicht mehr zu Hause ist. Der bekannte Vers aus der fünften Elegie: „Wo, o wo ist der Ort — ich trag ihn im Herzen —", könnte der Titel des Gedichts sein. Doch der Ort ist nicht, wie bei Hölderlin, projizierte Vision, sondern ein rein seelischer Bereich, der durch einen selbst für Rilke seltenen Gebrauch der Metapher bezeichnet wird.

Was ist eine Metapher? Die klassische, von Quintilian übernommene Auffassung definiert sie als eine Figur, durch die ein Wort aus seinem eigentlichen Bedeutungsbereich in einen anderen Bedeutungsbereich, der mit dem ersten in einem Vergleichsverhältnis steht, übertragen wird. Dabei ist wichtig, daß ein Wort aus seinem eigentlichen Bedeutungszusammenhang in einen anderen, im entscheidenden Punkte vergleichbaren, doch dem Wesen nach fremden, hinübergenommen wird. Diese Definition ist auf die Metaphern dieses Gedichts nicht mehr anwendbar. | Anschauungssphäre und Begriff liegen hier so weit auseinander, daß das *tertium comparationis* sich nicht mehr unmittelbar dem Verständnis ergibt. Die Ambiguität der Genitivmetaphern, die in der Vermischung von Konkretem und Abstraktem besteht, erschwert die Anschauung. „Berge des Herzens" lassen sich ebensowenig sinnlich vorstellen

---

[21] Wege zum Gedicht, hg. v. Rupert Hirschenauer und Albrecht Weber (München, Zürich, 1956), S. 300. Schwertes ausgezeichneter Deutung des Gedichts bin ich im folgenden zum Teil verpflichtet. Vgl. auch Else Buddebergs Interpretation dieses Gedichts in: Die deutsche Lyrik, hg. v. Benno von Wiese (Düsseldorf, 1956), II, S. 351—358.

wie eine „letzte Ortschaft des Gefühls". „Herz", „Wort", „Gefühl" und „Verweigerung" müssen als Chiffren für den Bereich des Geistig-Seelischen verstanden werden, der in das Bild einer imaginären Hochgebirgslandschaft jenseits alles Vegetativen gefaßt ist. Die sinnlich vorstellbaren Bilder („Berge", „Ortschaft", „Gehöft", „Gipfel") durchdringen die abstrakten Ausdrücke („Herz", „Worte", „Gefühl", „Verweigerung"), und diese zwingen jene in eine logisch unvereinbare, eigentlich unfaßbare Gemeinsamkeit. Durch eine solche Vereinigung wird auf magische Weise eine Identität von Konkretem und Abstraktem hergestellt. Diese Identität liefert uns das *tertium comparationis,* nämlich die Stimmung der Öde, Leere, Einsamkeit, die den Grundton des Gedichts ausmacht. Der Grundton kann also nicht mehr aus der Eindeutigkeit des einfachen und für jeden Leser verbindlichen dichterischen Wortes abgelesen werden, sondern er muß im Assoziationsvermögen des einzelnen Deuters gesucht werden. Dadurch wird ein Grad der Subjektivierung der Bilder erreicht — ein weiteres Merkmal moderner Lyrik —, wie es in früherer Dichtung wohl nicht nachzuweisen ist. Bilder und Worte sind heute hieroglyphische Zeichen, die eine von der individuellen Sensibilität des Dichters abhängige Welt schaffen, deren Sinn nur aus den Beziehungen der Worte zueinander erschließbar wird.

Ich sprach vorher von der imaginären Landschaft, die in diesem Gedicht dargestellt wird. Der Ausdruck „unsichtbare" Landschaft wäre wohl besser. Rilke selbst hat ihn in seinem Gedicht ›Klage‹ (1914) geprägt; denn „unsichtbar" ist diese Landschaft, da sich die Bilder, die sie ausdrücken, aller Bestimmtheit entziehen. Ein „Wissender", einer, „der zu wissen begann" und der in der Erfahrung und steinernen Macht des Wissens schweigt, sieht sich auf dem Felsgrund der Berge seines Herzens ausgesetzt. Wissend, ungeborgen und unheil, im Gegensatz zum „unwissenden Kraut", der Geborgenheit des großen Vogels und dem „heilen Bewußtsein" des Bergtiers, zweifelt er, der Wissende, jenseits aller Worte und Gefühle an der Grundlage seiner Existenz: an der Möglichkeit des Gesanges; denn um den Gesang, um das Singen-Können, geht es doch wohl in diesem Gedicht. Es geht um die Frage, ob die Verweigerung des Reinen und Absoluten für den „wissenden"

Dichter endgültig ist oder ob die lähmende Wirkung des rationalen Bewußtseins, das die menschliche Natur gespalten hat, sich überwinden läßt. Rilke läßt die Frage offen, woraus sich mit innerer Notwendigkeit die fragmentarische Form des Gedichts ergibt.

Die Frage nach der Rolle des Bewußtseins, die Frage, ob nach einem Auszug in die Regionen der Ratio eine Umkehr noch möglich ist oder ob es das Geschick des Dichters ist, dort zu verharren, wird in der Lyrik der Gegenwart immer wieder gestellt. Für Gottfried Benn sind es zentrale Fragen. Seine gesamte Dichtung kreist um das, was Hölderlin gespürt hat und visionär in einer mythischen Heilslandschaft in einem immer noch organisch gegliederten Kosmos zu beantworten sucht und was Rilke mit einem schon unseßhafteren Bewußtsein in der seltsamen Struktur seiner unsichtbaren Landschaft aufgeworfen hat.

Die Dänin

I

Charon oder die Hermen
oder der Daimlerflug,
was aus den Weltenschwärmen
tief dich im Atem trug,
war deine Mutter im Haine
südlich, Thalassa, o lau —
trug deine Mutter alleine
dich, den nördlichen Tau —

II

meerisch lagernde Stunde,
Bläue, mythischer Flor,
eine Muschel am Munde,
goldene Conca d'or —
die dich im Atem getragen:
Da bist du: und alles ist gut,
was in Kismet und Heimarmene
und Knien der Götter ruht.

III

Stehst du, ist die Magnolie
stumm und weniger rein,
aber die große Folie
ist dein Zerlassensein:
Stäubende: — tiefe Szene,
wo sich die Seele tränkt,
während der Schizophrene
trostlos die Stirne senkt.

IV

Rings nur Rundung und Reigen,
Trift und lohnende Odds —
ach, wer kennte das Schweigen
schlummerlosen Gotts —
noch um die Golgathascheite
schlingt sich das Goldene Vlies:
„Morgen an meiner Seite
bist du im Paradies."

V

Auch Prometheus in Schmieden
ist nicht der einsame Mann,
Io, die Okeaniden
ruft er als Zeugen an —
Philosophia perennis,
Hegels schauender Akt —:
Biologie und Tennis
über Verrat geflaggt.

VI

Monde fallen, die Blüte
fällt im Schauer des Spät,
Nebel am Haupt die Mythe
siegenden Manns vergeht,
tief mit Rosengefälle
wird nur Verwehtes beschenkt,
während die ewige Stelle
trostlos die Stirne senkt[22].

Auch bei der ›Dänin‹ interessieren uns weder die Umstände der Entstehung noch die Tatsache, daß es sich als modernes Liebesgedicht lesen läßt. Eine solche Deutung würde der Vielschichtigkeit des Gedichts | bei weitem nicht gerecht. Wie bei den anderen Gedichten, so geht es mir auch hier hauptsächlich um den Nachweis bestimmter struktureller Eigentümlichkeiten.

In diesem Gedicht wird das Bild der Landschaft ins Kosmisch-Universale und Historische erweitert:

Charon oder die Hermen
oder der Daimlerflug

Drei Begriffe, die für drei Zeiten stehen: für die „Frühe des Mythos", für die „geschichtliche Zeit" und die „augenblickliche Gegenwart"[23]. Die drei Wörter deuten drei Welten an: die Unterwelt, in der Charon, der Fährmann der Toten, die Schatten ans Tor des Hades bringt; die Welt des klassischen Altertums, heraufbeschworen durch die in Hellas weitverbreiteten Steinhaufen, die Hermen, die zur Orientierung des Wanderers und als Kultstätten dienten, und letztlich, über diesen, die Welt der heimatlosen Luft, gekennzeichnet durch den Flug der Daimlermaschine. Welten oder „Weltenschwärme" werden durch diese isolierten Substantive evoziert. Es ist angebracht, sich zu vergegenwärtigen, was Benn über die Bedeutung und Wirkung des Substantivs in ›Probleme der

[22] Gesammelte Gedichte (Wiesbaden, 1957), S. 115—116.
[23] Max Rychner, ›Gottfried Benn‹, Merkur, III (September, 1949), 880.

Lyrik‹ (1951) schreibt. Dort heißt es: „Worte, Worte — Substantive! Sie brauchen nur die Schwingen zu öffnen und Jahrtausende entfallen ihrem Flug." (S. 26) So lassen sich denn gleich
zu Anfang des Gedichts zwei Merkmale erkennen, die für einen
großen Teil der zeitgenössischen Lyrik typisch sind: einmal die
substantivische Ausdrucksweise, die ja gemäß der besonderen
Funktion dieser Wortklasse eine Tendenz zum Umfassenden und
Absoluten aufweist; zum anderen die Simultaneität, das Zusam-
menziehen und Vermischen von Raum und Zeit. Letzteres ist für
das ganze Gedicht charakteristisch, besonders aber für die vierte
und fünfte Strophe. Dort ist das Nächste („Trift und lohnende
Odds", „Biologie und Tennis") und Fernste („schlummerlosen
Gotts", „Golgatha", „Aeschylus") zusammengetragen. In einer keineswegs chronologischen Ordnung werden mythische, geschichtliche und geistige Phänomene gezeigt, die immer wieder Neues
und doch auch gleichzeitig immer wieder dasselbe bringen. Menschliche Bemühungen (die Christi, Jasons, Prometheus', der Philosophen) sind im Letzten sinnlos und ohne Wirkung. Welche Vielzahl von Assoziationen ergibt sich aus den zwei Zeilen:

> noch um die Golgathascheite
> schlingt sich das goldne Vlies.

Allein die sprachliche Deutung der einzelnen Worte würde bereits
den Reichtum der Zeilen zeigen. Er drückt sich einmal in der Ver-
bindung | von „Golgatha" und „Scheite" aus; ferner in den
Assoziationen, die sich bei jedem dieser Worte ergeben. Die Verbindung zum Bild des „goldnen Vlies" ist wichtig, wobei dem
Adjektiv eine besondere Bedeutung zukommt. Auch die Bedeutung
und Funktion des Verbums gälte es zu beachten. Der Sinn der Zeilen erweiterte sich noch mehr, wollte man die mythischen und die
historischen Hinweise deuten und das Ganze im Zusammenhang
der Strophe und die Strophe im Zusammenhang mit dem Ganzen
des Gedichts sehen[24]. Kein kausales Denken ordnet diese Bilder.

---

[24] Vgl. Edgar Lohner, Passion und Intellekt. Die Lyrik Gottfried
Benns, Neuwied am Rhein / Berlin-Spandau 1961, S. 143 ff.

„Heute", schreibt Benn, „ist das Nebeneinander der Dinge zu ertragen und es zum Ausdruck zu bringen, auftragsgemäßer und seinserfüllter[25]." Albrecht Fabri, einer der scharfsinnigsten deutschen Kritiker, ergänzt diesen Satz, wenn er im ›Merkur‹ (1953, S. 190) sagt: „Die innere Ordnung der literarischen Republik ist eine solche strikter Simultaneität. Die Zeit in ihr hat allenfalls Kostümfunktion." Die Zeit steht still. Die Wirklichkeit existiert für Benn nicht in den Dingen, sondern in den Beziehungen, die das dichterische Bewußtsein zwischen sich und der Relativität der Erscheinungen herstellt und im Gedicht absolut niedergelegt.

Die Relativität der Erscheinungen, die ein weiteres Merkmal moderner Lyrik ist, springt vor allem durch den Neologismus „Weltenschwärme" ins Auge. Dieses Wortbild umfaßt nicht nur die drei vorhergehenden Welten (die Unterwelt, das klassische Altertum, die Gegenwart), sondern es impliziert noch andere. Die Relativität der Welten, ihre Flüchtigkeit und Beweglichkeit, wird hier durch eine synchrone Perspektive in Sprache gefaßt. Dabei bleibt offen, welche von diesen Welten für die Geburt der ›Dänin‹, die für den Menschen ganz allgemein steht, entscheidend ist. Das Wesentliche ihrer Herkunft erfahren wir erst mit Bestimmtheit, nachdem der obsolete Ausdruck „Haine" durch die asyndetisch hingesetzten Worte

> südlich, Thalassa, o lau

weiter ausgebaut ist. In dieser Zeile gestaltet sich keine verstandesmäßige, sondern eine künstlerische Logik. Das lyrische Element ist nicht in der Syntax oder in gedanklichen Überlegungen zu suchen, sondern in der dichterischen Fähigkeit, den klanglichen, rhythmischen und bildlichen Wert des einzelnen Wortes symbolhaft und assoziativ auf den Leser wirken zu lassen. „Südlich", ein zentrales Wort für Benn, hat Symbolcharakter. Als solches ist es gleichbedeutend mit „Blau"[26]. Beide Bilder | verweisen auf das Mit-

---

[25] Der Ptolemäer (Wiesbaden, 1956), S. 55.

[26] Vgl. hierzu die schöne Darstellung von Reinhold Grimm, Gottfried Benn. Die farbliche Chiffre in der Dichtung. Erlanger Beiträge zur Sprach- und Kunstwissenschaft, Bd. I (Nürnberg, 1958) bes. S. 41—49.

telmeer, auf ein kollektives ungestörtes Bewußtsein früherer Zivilisationen und, im übertragenen Sinn, auf einen paradiesähnlichen, harmonischen Zustand. „Thalassa" erinnert zunächst an den Freudenschrei der Zehntausend in Xenophons ›Anabasis‹, als sie das Schwarze Meer erblickten. Darüber hinaus evoziert auch dieser Ausdruck das Mittelmeer, das die Griechen, im Gegensatz zum Okeanos, als eigenes Meer ἡ πρὸς ᾿Αθῆνας, das bei Athen gelegene, bezeichneten. Beide Wörter, „südlich" und „Thalassa", werden durch das vokativische „o lau" ergänzt. Dieses verweist auf das Milde und Harmonische, selbst auf die klimatischen Bedingungen der in die Vorstellung gerufenen Szene. Wieweit hier Vorstellungen der idealistischen Philosophie und der Klassik, also vornehmlich Kants, Schillers und Hölderlins Vorstellungen vom griechischen Altertum als der ersten Epoche der Menschheitsentwicklung, als einem Reich naiver Unschuld und Harmonie mit der Natur mit hineinspielen, sei nur als mögliche Assoziation angedeutet.

Diese Assoziation von einem Reich der Unschuld und Harmonie mit der Natur stellt sich jedoch in der zweiten und dritten Strophe ein. In ihnen wird der antithetische Charakter des Gedichts, der in der ersten Strophe durch den Gegensatz Süd—Nord bereits angedeutet wurde, offensichtlich. Unschuld und Bewußtheit, Gefühl und Intellekt, Mythus und Geschichte, Ich und Welt sind die Pole, um die sich beziehungsreich Worte und Bilder ordnen. Mit welchen sprachlichen Mitteln aber der Reichtum der Beziehungen gestaltet wird, ist aus den Anfangszeilen der zweiten Strophe zu ersehen:

> meerisch lagernde Stunde,
> Bläue, mythischer Flor,
> eine Muschel am Munde,
> goldene Conca d'or —

Fünf Bilder sind simultan und statisch nebeneinander gesetzt. Ein Subjekt ist nicht zu bestimmen. Ein Prädikat ist nicht vorhanden. Die räumlichen und zeitlichen Ordnungen sind aufgehoben. Den Mangel an syntaktischer Ordnung ersetzt die künstlerische Ordnung. Die grammatische Beziehungslosigkeit wird zum artistisch

Beziehungsvollen. Diese Bilder können nicht mehr als Mittel zum Zweck einer bloßen Beschreibung sinnlicher Gegenstände gewertet werden. Sie dienen der Verwirklichung eines bestimmten Stimmungsgehaltes und haben in einem magischen Bewußtsein ihre Entsprechung. Dieses aber sieht die Welt nicht als sachliche Gegebenheit, sondern als Einheit statischer Elemente, aus deren Beziehung zueinander das Seiende hervorgeht. Wie im Bild Hölderlins, so entspricht auch in diesen Zeilen Benns der unbedingten Sicht der unbedingte sprachliche Ausdruck. Man beachte, wie sich die beiden ersten Bilder („meerisch lagernde Stunde" und „Bläue") gegenseitig ergänzen und dann das dritte („mythischer Flor") bestimmen. | Dieses wiederum umschließt rückwirkend assoziativ die beiden vorhergehenden. Die gesamte Vision erfährt durch das detaillierte vierte und fünfte, wahrscheinlich Vergil entnommene Bild eine Bereicherung. Die assoziativen Bedeutungen, die sich durch das substantivische „Bläue", durch das Wort „Flor" als blumenhafte Üppigkeit, als hauchartiger Schleier, als Flora ergeben, werden der Vision als ein Vertiefendes zugeführt. In diesen Bildern ist die „Wirklichkeitszertrümmerung", von der Benn so oft spricht, tatsächlich erreicht. Die Dinge sind der Welt der Erscheinungen entrissen und als Ausdruck von großer Schönheit in die Welt der Sprache absolut gesetzt. Hier ist die Körperlosigkeit eines Traumgeschehens dargestellt. Sie erinnert an Heinrich von Ofterdingens ersten Traum, mehr noch an das, was Julius in der ›Lucinde‹ über seine erste Vision sagt: „Ich schaute und genoß alles zugleich, das kräftige Grün, die weiße Blüte und die goldene Frucht."

Der Bennschen Vision schließt sich der Ausdruck „Atem" an. Von alters her dient er als Metapher für das Flüchtig-Vorübergehende, aber auch für das Lebenspendende. Die homerischen Griechen identifizierten ihn oft mit einem Bewußtsein, das in einer harmonischen Atmosphäre existiert. So erhält „Atem" hier eine dreifache Funktion: er weist auf die Transparenz im Wesen der Dänin oder des Menschen schlechthin, ferner auf eine mit der Natur im Einklang stehende Daseinsform, und schließlich leitet er über zu dem Schicksalsgedanken, der durch das arabische Kismet, durch den Satz Homers („was ... in Knien der Götter ruht", Ilias,

XVII, 514; XX, 435; Od., I, 267, 400 usw.), vor allem aber durch den stoischen Begriff „Heimarmene" ausgedrückt wird. „Heimarmene" war für Heraklit noch gleichbedeutend mit ἀνάγκη. Der Begriff rückte in den stoischen Schulen (Zeno, Epikur, Chrysipp usw.) in den Mittelpunkt philosophischer Erörterungen. Benn hat wohl die Auslegung des Chrysipp im Auge, der Heimarmene als πνευματική οὐσία, als eine hauch- oder atemähnliche, das ganze Universum durchdringende Substanz auffaßte. Sie umschließt Anfang und Ende aller Dinge und jedes Geschehens, selbst die Götter. In ihr ist die Identität von Schicksal, Natur und williger Ergebenheit des Menschen einbegriffen. Diese Identität aber ging verloren, als der Mensch den Schritt in die individuelle Gestalt mit ihrer immer zunehmenden Bewußtheit tat[27].

Nichts anderes wollen die beiden nächsten antithetischen Zeilen sagen, in denen die Dänin (der Mensch) der Natur („Magnolie") gegenübergestellt wird. Das konditionelle „stehst du" beschwört den Vorgang der Individuation, den Weg des Ich aus der Ganzheit der Mythen in den Bereich der zerebralen Vollendung. Dieser revolutionäre Beginn individuellen Lebens ist jedoch nicht der Anfang. Hinter diesem | Anfang liegt ein Sein, in das der Mensch zurückkehren kann. Diese Folie wird durch die Wortschöpfungen „Zerlassensein", die Möglichkeit, sich emotionell an den Ursprung zu verlieren, und das assoziationsreiche Partizip „Stäubende" angedeutet. Welchen Sinn hat dieser seltsame Ausdruck? Eine biologische Bedeutung mag hier mit anklingen ebenso wie der biblische Hinweis auf die Vertreibung aus dem Paradies („denn Staub bist du und zum Staub kehrest du wieder"). Aber noch eine dritte Assoziation spielt mit hinein, die den Ursprung der ›Dänin‹ wie auch die ersten drei Strophen in ein beziehungsreiches Wortgeflecht zusammenfaßt. Denkt man an das Sprühende stäubenden Wassers, dann wird „Thalassa" und „nördlicher Tau", die „meerisch lagernde Stunde" und das Bild der Muschel mit diesem Bild verbunden. Die alte griechische Vorstellung vom Wasser als

[27] Vgl. R. B. Onians, Origins of European Thought (Cambridge, 1951), S. 75, 303—309; Pauly-Wissowa, Real-Encyclopädie d. class. Altertumswissenschaft (Stuttgart, 1912), VII, S. 2622—45.

der Ursubstanz, welche Vorstellung nicht nur eine physikalische
und philosophische Theorie, sondern auch eine mythische Anschauung enthielt, mag zur Verdeutlichung herangezogen werden und
das Gesetz des reinen Seins erklären, um dessen Darstellung es
dem Dichter geht.

Das gespaltene Ich jedoch kann diese harmonische Vereinigung
nicht mehr vollziehen. Vor seinem summierenden Blick zerfallen
die Welten:

> Monde fallen, die Blüte
> fällt im Schauer des Spät

„Blüte" erfüllt hier die gleiche Funktion wie die „Lilie" in Hölderlins ›Abschied‹ oder das „unwissende Kraut" im Gedicht
Rilkes. Nur sind die Vorzeichen anders. Die Chiffre weist nicht
mehr ins Land der Götter, sondern in Verbindung mit dem doppel-
sinnigen Substantiv „Schauer" und dem bedeutungsschweren Nomen „Spät" auf die Vergeblichkeit allen Bemühens. „Blüte" ist
ein Schlüsselwort des Gedichts. Es begreift das Bild des „Hains",
des „mythischen Flors", der „Magnolie", des „goldenen Vlies" und
das von Christus angekündigte Paradies ebenso in sich ein wie das
Bild der Rosen in dieser letzten Strophe. „Blüte" steht für all
das, was das Leben an Lust und Schönheit hätte sein können.
Sie ist zu deuten als das unerfüllt Irdische. In solcher Bedeutung
verbindet sich das Bild mit dem „Verwehten", das den die Welten belebenden „Atem" wieder aufnimmt und durch seine parti-
zipielle Form etwas Endgültiges und Unabänderliches vermittelt.
Müde geworden, blickt das Ich auf eine späte entrückte Welt, in
der mit den letzten Nebeln auch der Ruhm, die Einheit und der
Traum von der Erlösung des Menschen vergeht. „Nach Innen
geht", so heißt es bei Novalis, „der geheimnisvolle Weg. In uns,
oder nirgends ist die Ewigkeit mit ihren Welten, die Vergangenheit und die Zukunft. Die Außenwelt ist die Schattenwelt, sie
wirft ihre Schatten ins Lichtreich"[28]. Das Lichtreich | ist hier das

---

[28] Die Dichtungen, hg. v. Ewald Wasmuth (Heidelberg, 1953), I,
S. 310—311.

Spiel der Sprache geworden. Durch die Sprache spielt die Dichtung ihre magischen Töne in eine entwirklichte Welt:

„Mich sensationiert eben [nur] das Wort", schreibt Benn 1920, „ohne jede Rücksicht auf seinen beschreibenden Charakter rein als assoziatives Motiv ... Und da ich nie Personen sehe, sondern immer nur das Ich, und nie Geschehnisse, sondern immer nur das Dasein (Da-sein), da ich keine Kunst kenne und keinen Glauben, keine Wissenschaft und keine Mythe, sondern immer nur die *Bewußtheit,* ewig sinnlos, ewig qualbestürmt —, so ist es im Grunde diese, gegen die ich mich wehre ... und sie, die ich abzuleiten trachte in ligurische Komplexe bis zur Überhöhung oder bis zum Verlöschen im Außersich des Rausches oder des Vergehens[29]."

Im vorhergehenden wurde versucht, an drei Gedichten charakteristische Elemente des modernen Gedichts aufzuzeigen. Das entscheidende, immer wiederkehrende Symptom war der Verlust der Wirklichkeit, der bei Kant, Schiller und der deutschen Romantik angedeutet, bei Hölderlin zum erstenmal sprachlich geformt ist, bei Rilke und Benn poetisches Thema wird. Der Verlust der Wirklichkeit bewirkt den Verlust der Allgemeinverbindlichkeit und äußert sich in neuen sprachlichen und strukturellen Methoden einer ausschließlich privaten Bilderwelt der einzelnen Dichter. Als Kriterion für wahre Kunst sind Gedrängtheit und die gegenseitige Beziehung der Teile zum Ganzen und des Ganzen zu den Teilen für die moderne Lyrik ebenso entscheidend wie für die ältere. Nur wenn diese Voraussetzungen der Form erfüllt sind, eröffnet sich auch im modernen Gedicht der Ausblick auf das Allgemeine einer übergreifenden Idee.

[29] Schöpferische Konfession. Tribüne der Kunst und Zeit. XIII, hg. v. Kasimir Edschmid (Berlin, 1920), S. 51.

Karl Otto Conrady, Lateinische Dichtungstradition und deutsche Lyrik des 17. Jahrhunderts.
Bonn: H. Bouvier u. Co. Verlag 1962 (S. 39–54).

GRUNDLAGEN UND SINN DES DICHTENS UND DER DICHTUNG INNERHALB DER LATEINISCHEN TRADITION

Von Karl Otto Conrady

Um die Eigenart der Lyrik, die innerhalb der lateinischen Tradition geschrieben wird, angemessen zu verstehen, ist es geraten, [...] genauer die wesentlichen Grundlagen und den Sinn dieses Dichtens und dieser Dichtung freizulegen, zumal auf der Basis, die die Humanisten mit Hilfe antiker Elemente im Banne lateinischer Tradition legen, die Dichtung bis ins 18. Jahrhundert hinein ruht. Wenn irgendwo, dann werden wir im folgenden etwas von der Sinn und Aussehen der Dichtungen bestimmenden Aura lateinischer Tradition spüren.

Die Rückwendung zur Antike ist verknüpft mit (man mag auch sagen: geschieht aus) einer Inthronisation der lingua latina und damit verbunden der Sprache überhaupt. Allein dem Menschen ist Sprache verliehen. Cicero wie Quintilian feiern dieses einzigartige Geschenk. In einem hochgemuten, durch und durch ›humanistischen‹ Satz sagt Quintilian: „Deus ille, princeps rerum fabricatorque mundi, nullo magis hominem separavit a ceteris, quae quidem mortalia essent, animalibus, quam dicendi facultate" (inst. or. II 16, 12)[1].

Diese Fähigkeit muß gepflegt und ausgebildet werden, so ist es bei Cicero und Quintilian zu lesen, und so ist es von den Humanisten und den ihnen folgenden und nacheifernden poetae docti als Verpflichtung gelesen worden. „Hoc enim uno | praestamus vel maxime feris, quod conloquimur inter nos et quod exprimere dicendo sensa possumus. Quam ob rem quis hoc non iure miretur

---

[1] Die Herkunft dieser Gedanken braucht für unsern Zusammenhang nicht verfolgt zu werden.

summeque in eo elaborandum esse arbitretur, ut, quo uno homines maxime bestiis praestent, in hoc hominibus ipsis antecellat?" (Cic., de oratore I 32 f.) Keine andere Macht als die eloquentia ist es gewesen, die die verstreuten Menschen zur Gemeinschaft zusammengebracht, sie von wildem, rauhem Leben zu humanem Dasein geführt und den Staaten Gesetz und Recht gegeben hat[2]. Fast wörtlich, nur leicht variierend, übernimmt Angelo Poliziano diese stolzen Worte, wobei er Ciceros Ausdruck "sermo facetus ac nulla in re rudis" in bezeichnendem Sinn ausführlicher werden läßt: Er spricht von jenem sermo, „qui sententiis refertus, verbis ornatus, facetiis urbanitateque expolitus, nihil rude, nihil ineptum habeat atque agreste", damit hervorhebend, welche Pflege und Ausschmückung jenes höchste Geschenk verdiente[3]. Im ›Vallum humanitatis‹ des Hermann v. d. Busche (Köln 1518), der „Zusammenfassung der humanistischen Argumente für den orator" (P. Joachimsen), steht der gleiche Preis der menschlichen Fähigkeit der Rede und die Forderung nach ihrer Pflege am Beginn der apologetischen Kapitel für die Studia humanitatis[4]. Diese Auffassung ist festes Gut und liegt allen Überlegungen über Wert und Ehre der Sprache zugrunde: Die Sprache ist eines der höchsten menschlichen Güter (wenn nicht das höchste), und ihr gebührt sorgfältige Ausbildung zur vollkommenen eloquentia.

[2] „Ut vero iam ad illa summa veniamus, quae vis alia potuit aut dispersos homines unum in locum congregare aut a fera agrestique vita ad hunc humanum cultum civilemque deducere aut iam constitutis civitatibus leges iudicia iura describere?" (Cicero, de oratore I 33).

[3] ›Oratio super Fabio Quintiliano et Statii Sylvis‹, in: Prosatori latini, hrsg. v. E. Garin, Mailand 1952, S. 882: „Haec igitur una res et dispersos primum homines in una moenia congregavit, et dissidentes inter se conciliavit, et legibus moribusque omnique denique humano cultu civilique coniunxit." — Die Stelle, bzw. der ganze Abschnitt, ist zugleich ein gutes Beispiel, wie sich die „Imitatio" der antiken Vorbilder, über die gleich noch einiges anzumerken ist, in praxi vollzieht.

[4] „Cum ipsa natura certe vel loco vel figura ipsa oris humani nos quodammodo admoneat impensius cetero corpore eam partem, quae sit animi vestibulum, orationis ianua, cogitationis comitium, excolendam esse. An ideo fortasse uni homini os loco excelso et conspicuo finxit rerum ille cunctarum opifex, ut loqui nisi barbare non disceret?"

In der lingua latina aber, so glauben und erleben es die Humanisten Italiens und die Neulateiner anderer Länder, hat die Sprache ihre hellste Geistigkeit und vollkommenste Ausformung gewonnen. Darum sind die lateinischen Werke in Vers und Prosa, dichterische und nicht-dichterische, unverrückbares Vorbild. Für manche Humanisten erhält die Würde der lateinischen Sprache dadurch besonderen Glanz, daß in ihr in der Antike Wahrheiten gesagt worden sind, die der christlichen Offenbarung zu präludieren scheinen (Ciceros ›Somnium Scipionis‹, Vergils IV. Ekloge), und daß ein Augustinus in dieser Sprache die Brücke schlägt zum magister summus, zu Cicero, dessen Sendung es gewesen war, „aus der griechischen Welt den platonischen Spiritualismus herauszulösen und ihn dann | mit der eigenen vorchristlichen Energie zu laden"[5], der die sapientia, sie absetzend gegen die geschickte prudentia, begreift als das Ergebnis des Studiums des geistig-sittlichen Lebens[6] und dessen Kardinaltugenden verbindliche Richtschnur für humanen Lebensvollzug sein können. —

„Magnum . . . latini sermonis sacramentum est", schreibt Valla in der praefatio zu seinen Büchern ›De linguae latinae elegantia‹; in dieser Sprache „disciplinae cunctae libero homine dignae continentur"; solange sie blüht, stehen alle Studien und Wissenschaften in Blüte; geht sie zugrunde, gehen auch diese zugrunde („qua vigente quis ignorat studia omnia disciplinasque vigere, occidente occidere?"[7]).

Der „nationale Humanismus" sucht dann, wie erwähnt, die Würde auch der heimischen Volkssprache nachzuweisen, mag es ihr auch noch an Glanz und Geschmeidigkeit der eloquentia mangeln.

---

[5] G. Toffanin, Geschichte des Humanismus, Potsdam 1941, S. 114. Toffanin geht besonders nachdrücklich und ausführlich auf die hier berührten Punkte ein.

[6] De officiis I 43, 153: „Principesque omnium virtutum illa sapientia, quam σοφίαν Graeci vocant (prudentiam enim quam Graeci φρόνησιν dicunt, aliam quandam intelligimus, quae est rerum expetendarum fugiendarumque scientia), illa autem sapientia, quam principem dixi, rerum est divinarum atque humanarum scientia: in qua continetur deorum et hominum communitas et societas inter ipsos."

[7] Prosatori latini, S. 596 u. 598.

Selbstverständlich halten die deutschen Neulateiner — gleichgültig, was sie im einzelnen theoretisch über die deutsche Sprache äußern — an der Überzeugung von der Besonderheit der lingua latina fest, zumal sich in dem Unterschied zwischen lateinischer Kunstsprache und biederer Muttersprache auch die Diskrepanz zwischen den docti, die sich den studia humanitatis verpflichtet fühlen, und den Nicht-Humanisten niederschlägt[8]. (Zu|meist bewegen sich die lateinisch Schreibenden, abgesehen von den selbst zweisprachig Tätigen, ohnehin nur in ihrem Raum und ignorieren das andere, weil es allzusehr außerhalb der Konkurrenz liegt.)

[8] In einem Gedicht ›De studiorum contemptu‹, das Eoban Hesse Willibald Pirckheimer widmet, kommt der Stolz des poeta doctus gegenüber den indocti lebhaft zum Ausdruck.

> ... postquam tam prava licentia facta est
> Omnibus edendi barbara scripta plagis,
> Egregia interea longo monumenta veterno
> Passa graves tineas et sine luce iacent.
> Omnia Teutonicis implentur scrinia chartis,
> Doctus in his vulgo quilibet esse potest.
> Non ego dedignor patrii sermonis honorem,
> Praeferri veris commoda falsa queror.
>
> (Farragines duae, Halle 1539, Bl. 284)

Seitdem jede Druckerei volkssprachige Schriften herausgeben kann, liegen die berühmten Schriftwerke da und werden von Motten zerfressen. Alle Buchhandlungen füllen sich mit deutschen Schriften, in denen jeder Beliebige gelehrt sein kann. Hesse verachtet die Muttersprache nicht, aber er bedauert, daß der lateinischen gelehrten und darum Wahrheit besitzenden Sprache die bequemere deutsche, aber auch viel mehr Falsches vermittelnde Sprache vorgezogen wird. Gegen die Fülle schlechter Bücher, die auf dem Markt erscheint, von Ungelehrten geschrieben, wettert er auch in dem Widmungsbrief seines Gedichtes auf die Stadt Nürnberg. Er tut es nicht, um seinen eignen Werken dadurch mehr Achtung zu verschaffen, sondern weil er entrüstet ist, daß den ungebildetsten Stümpern dasselbe erlaubt sei wie den Gebildeten. (Noriberga illustrata, hsg. v. J. Neff, Lat. Litdenk. 12, Berlin 1896, S. 3 ff.: „... quod indignor indoctissimis etiam idiotis idem licere, quod aequum fuerat doctis tantum permittere.")

Wie aber jenes einzigartige Geschenk, das den Menschen über-
antwortet ist, die Sprache, ausgebildet werden kann und wie es
bei den Römern tatsächlich ausgebildet worden ist, das vermittelt
das Lehrgebäude der Rhetorik. Der Literaturhistoriker kann sich,
will er Dichtung — in unserem Falle Lyrik — aus vorgoethischer
Zeit richtig erfassen, nicht genug um ein Verständnis der Rhetorik
und der mit ihr gegebenen Konsequenzen für das literarische Werk
bemühen, was keineswegs schon mit der bloßen Analyse und der
nachweisenden Aufreihung rhetorischer Figuren geleistet ist[9]. Ich
greife im folgenden nur so weit aus, als es für die Zusammenhänge
dieser Arbeit erforderlich erscheint.

Zunächst ist daran zu erinnern, daß Lehren der Rhetorik (ursprünglich zwar nur Anweisungen für die wirkliche Rede) sowohl
für Prosa als auch für die Versliteratur, sowohl für „non-fiction"
als nicht minder für „fiction" Gültigkeit besitzen. Alle diese Unterscheidungen sind sekundär, denn alles ist Sprache, die gepflegt
und ausgebildet sein will. Daß das kunstvoll ausgebaute System
der Rhetorik „Generalnenner, Formenlehre und Formenschatz der
Literatur überhaupt" wurde[10], hängt sicherlich mit der oft beschriebenen Tatsache zusammen, daß die Rhetorik nach dem Ende
der römischen Republik ihren ursprünglichen Sinn und Daseins-
zweck verlor. Aber daß dieser Vorgang überhaupt möglich wurde,
hat in einer bestimmten Auffassung von Sprache seinen tieferen
Grund: daß sie nämlich als ein Material erscheint, dem derjenige,
der damit zu Rede- oder anderen Kunstzwecken umgeht, *gegenüber*steht; er betrachtet sie als etwas Gegenständliches, das mit
dem bewußten Einsatz von Kunstgriffen geformt werden kann
und muß.

Unter solchen Auspizien ist die Verbindung auch der Poesie
mit der Rhetorik nicht verwunderlich. Dichtung und Rede, Prosa
und Vers sind gleichermaßen Bekundungen des kennzeichnend

[9] Vgl. auch die unter etwas anderen Gesichtspunkten geschriebene
Arbeit von K. Dockhorn, Die Rhetorik als Quelle des vorromantischen
Irrationalismus in der Literatur- und Geistesgeschichte, Nachrichten v. d.
Akademie d. Wiss. in Göttingen 1949, 109—150.

[10] E. R. Curtius, Europäische Literatur und lateinisches Mittelalter,
2. Aufl. Bern 1954, S. 79.

menschlichen Vermögens. Und es ist ganz selbstverständlich, daß der poeta dem orator verwandtschaftlich nahe bleibt, ebenso selbstverständlich auch, daß für die Tätigkeit des orator wie des poeta Begabung vorausgesetzt wird. Cicero hatte gesagt: „Est enim finitimus oratori poeta", und er hatte ihm einige spärliche Sonderkennzeichen gegeben, als er fortfuhr: „numeris astrictior paulo, verborum autem licentia liberior, multis vero ornandi generibus socius ac paene par" (de oratore I 70).

Die Überzeugung von der Verwandtschaft zwischen Redekunst und Dichtung bleibt gültig. Georg Sabinus schreibt 1533 in einem Brief an Christophorus Turcus: „Quis enim omnia eloquentiae studia melius intelligit quam tu, cui abunde adsunt omnia, quae tum a natura, tum a doctrina ad eloquentiam requiruntur ...| Est autem, ut scis, magna poeticae cum oratorum facultate atque eloquentia cognatio[11]." In der Vorrede zum dritten Teil des ›Poetischen Trichters‹ (1653) lautet es bei Harsdörffer nicht anders: „Diesem nach ist die Poeterey und Redkunst miteinander verbrüdert und verschwestert / verbunden und verknüpfet / daß keine sonder die andre gelehret / erlernet / getrieben und geübet werden kan."

Freilich gibt es Abstufungen zwischen Poesie und Nicht-Poesie, man bemüht sich, sie zu bestimmen; aber an der Vorstellung von der umfassenden Einheit der sprachlich-literarischen Äußerungsweisen ändert sich nichts[12]. Bisweilen dient der ganz äußerliche Gesichtspunkt, Vers oder Prosa, zur Unterscheidung des poeta vom orator, wie es in den eben zitierten Worten Ciceros bereits sichtbar

[11] Poemata, 1563, S. 424. (Denn wer kennt besser alle Studien der Eloquenz als du, dem in so reichem Maße alles zur Verfügung steht, was an natürlicher Begabung oder an erlerntem Wissen zur Beredsamkeit verlangt wird ... Es besteht aber, wie du weißt, eine große Verwandtschaft zwischen Sprachkönnen und Sprachkunst der Dichtung und der Redner.) — Die Betonung, die in der Barockpoetik stets auch auf die Begabung gelegt wird, hebt nachdrücklich hervor (mit Zitaten) G. Brates, Die Barockpoetik als Dichtkunst, Reimkunst, Sprachkunst, Zeitschr. f. dt. Phil. 53, 1928, 346—363.

[12] Natürlich kann und braucht das hier nicht im einzelnen verfolgt zu werden, da es uns um einige grundsätzliche Aspekte geht.

war. Man behauptet dabei dann, daß die Poesie durch die Mittel
des Verses die Wirkung der eloquentia noch bewundernswerter
mache und verstärke[13].

Tiefer greift die Unterscheidung, wenn die Eigentümlichkeit
des dichterischen Schaffens erfaßt wird: „... Deswegen wird er
auch ein Poet / oder Dichter genennet / daß er nemlich aus dem
/ was nichts ist / etwas machet ..." (Harsdörffer, Poet. Tr. I,
S. 3). Scaliger schreibt zu Anfang seiner ›Poetik‹, um die Be-
sonderheit der Dichtung zu kennzeichnen: „videtur sane res ipsas
non ut alie quasi Histrio narrare, sed velut alter deus condere",
und er unterscheidet Geschichtsschreibung von der Poesie: „...
factum est tamen, ut illi soli nomen Historiae fuerit attributum:
quippe cui satis esset solus ille tractus dictionis ad explicandum,
quae gesta essent. Hanc autem Poesim appellarunt, propterea
quod non solum redderet vocibus res ipsas, quae essent, verum
etiam, quae non essent, quasi essent et quo modo esse vel possent
vel deberent, repraesentaret[14]." Harsdörffer argumentiert ähnlich:
„Der Philosophus bringt seine Sachen mit schlechten Worten für /
weil seine Gedanken hoch / und sinnreich sind / und sonst nicht
könten verstanden werden. Der Redner bringt seinen Handel
prächtig und beweglich zu Markt / bedienet sich auch zuzeiten
der poetischen Wortgleichung und solcher Figuren / welche ihm
mit dem Poeten gemein sind. Der Dichter aber führt eine ganz
andere Art / in dem er gleichsam aus etwas nichts bildet / und
eine Sache mit solchen natürlichen Farben ausmahlet / und alle
andere Wissenschaften und Künste zu | seinen Diensten anzuwen-
den weiß[15]." Hier erhält die Poesie zwar die Vorrangstellung,
aber die eine unterscheidend auszeichnende Tatsache, daß der Dich-

---

[13] So sieht es z. B. Eusebius Menius in der epistola dedicatoria zu
den Gedichten des Georg Sabinus (1563): „Ac quantum apud homines
ad persuadendum et excitandos animos quosvis motus valeat eloquentia
manifestum est. Haec vero omnia conspectiora et admirabiliora sunt
magisque afficiunt, cum oratio sonora numeris et legibus inclusa, quam
poeticam vocant, proponitur. Haec vero vis ingenii rara est."

[14] Julius Caesar Scaliger, Poetices libri septem, Ed. tertia 1586, S. 6
und 2.

[15] Poetischer Trichter, Teil I, 1647, S. 90 f. — Vgl. auch S. 3.

ter „gleichsam aus etwas nichts[15a]" schaffen kann, löst die Dichtung
in keiner Weise aus der Bindung an die Rhetorik. Ja der Dichter,
den Harsdörffer vorführt und den auch Johann Klaj beruft („Es
muß ein Poet ein vielwissender / in den Sprachen durchtriebener
und allerdinge erfahrner Mann seyn .. "[16]), der poeta doctus, er
gleicht aufs Haar dem Idealtyp des orator, wie ihn Cicero und
Quintilian gezeichnet haben. Er hat in den Wissenschaften erfahren, ein weiser und guter Mensch zu sein: „vir bonus, dicendi peri-
tus" (Quint., inst. or. XII 1, 1), „vere sapiens, nec moribus modo
perfectus, sed etiam scientia et omni facultate dicendi" (I praef. 18).

Damit schließt sich ein Ring, und die Relevanz der Rhetorik
für die Dichtung (auch im 17. Jahrhundert) ist nur um so deutlicher geworden. Wenn dem Dichter und der Dichtung auch eine
herausragende Stelle zuerkannt wird, so werden dadurch doch die
Bindungen an das verpflichtende Lehrgefüge der Rhetorik nicht
angetastet. Gerade auch von hier aus betrachtet, verblaßt der aus
langer Tradition stammende und immer erneut bekräftigte Hinweis, daß zum Dichten ein gewisser furor erforderlich sei; oder
richtiger: dieser Hinweis ordnet sich an der ihm zukommenden
Stelle ein und verliert seine (scheinbare) Widersprüchlichkeit zu
jener betonten Pflege der lehr- und lernbaren Rhetorik.

Es ist antike Vorstellung, daß zum Dichten ein gewisser furor
gehöre[17]. Man kann sich auf Plato berufen, der auch von der

---

[15a] So lautet der Text. Korrektur zu „ aus nichts etwas" scheint angebracht.

[16] Lobrede der Teutschen Poeterey, Nürnberg 1645, S. 6. Vgl. S. 7:
„Kan also die Poeterey nicht enger eingeschrenket werden / als die
Welt und die Natur selbsten / ja sie ist die Kunst / die alle andere
erkündiget und begreiffet." — Harsdörffer, Vorrede zum II. Teil des
›Poetischen Trichters‹: „Daß zu der Poeterey absonderliche seltne
Gaben der Natur / und die Erkundigung fast aller Wissenschaften von-
nöthen / kan aus allen wolverfasten und leswürdigen Gedichten be-
glaubet werden."

[17] Cicero, de oratore II 194; de div. I 80: „negat enim sine furore
Democritus quemquam poetam magnum esse posse, quod idem dicit
Plato, quem si placet appellet furorem, dummodo is furor ita laudetur,
ut in Phaedro Platonis laudatus est." Vgl. pro Archia poeta 18.

θεία μανία spricht[18]. Die Humanisten betonen gern die Beziehung der Poesie zum Göttlichen, wie es Boccaccio im 14.
Buch der ›Genealogia deorum‹ tut: „poesis ... est fervor qui-
dam exquisite inveniendi atque dicendi ..., qui ex sinu dei pro-
cedens paucis mentibus, ut arbitror, in creatione conceditur."

Paul Schede Melissus berichtet in einem Gedicht, wie er in der
Jugend vom furor poeticus überwältigt worden sei[19]: |

> Sive diem nitidum Solis quadriga corusci,
> Seu noctem pullis Luna reduxit equis,
> Extimulans mihi corda adeo succensa cupido
> Impulit ad Latio verba liganda pede,
> Prorsus ut oblitus potusque cibique viderer
> Immemor et somni saepe meique forem,
> Dum totas vires totosque intendere nervos
> Imperor, hoc uno strenuus in studio ...[20]

Dieser erhöhte Zustand des Poeten ist ein Geschenk, das auch aus-
bleiben kann. Jakob Balde spricht davon und beschreibt den mu-
senfernen und musennahen Zustand in eindringlichen Strichen[21].

---

[18] Phaedrus 245 A, 265 B. — Opitz (Poeterey, Kap. VIII): „Wo
diese natürliche regung ist, welche Plato einen Göttlichen furor nennet,
zum vnterscheide des aberwitzes oder blödigkeit, dürffen weder erfindung noch worte gesucht werden." Kap. I: „... schrifften auß einem
Göttlichen antriebe . ."

[19] Der Ausdruck „furor poeticus" ist der klassischen Latinität fremd
und ist erst in der Renaissance als Übersetzung von μανία ποιητική
(Plato, Phaedrus 265 B) aufgekommen.

[20] Schediasmata poetica, Paris 1586, Teil II, S. 39: Mochte das strah-
lende Gespann der leuchtenden Sonne den hellen Tag oder Luna mit
dunklen Pferden die Nacht heraufführen, so sehr trieb mich dann, Herz
und Sinne stachelnd, heißes Verlangen, lateinische Verse zu schreiben,
daß ich Speise und Trank zu vergessen schien und an Schlaf und an
mich selbst nicht dachte, während mir befohlen ward, alle Kräfte und
alle Nerven anzustrengen, einzig von diesem Eifer besessen ...

[21] Silv. IX 25:
Fatebor autem: Spiritus Enthei
Non est apud me semper Apollinis,

Aber alle diese Berufungen auf den furor poeticus, die auch in Poetiken des 17. Jahrhunderts ihren Platz finden[22], kann man gelassen hinnehmen: Denn stets ist nur von dem allgemeinen Zustand des Poeten die Rede, in dem er sich befinde, wenn er Verse komponiere; kein Wort davon, daß dann, wenn die docti poetae die Worte setzen und die Verszeilen bauen, unter der Glut des göttlichen | Rausches nun auch die rhetorischen Forderungen und Anweisungen zu nichts zerschmölzen. Das rhetorische Verhältnis zum Wort als der Materie der Aussage bleibt bestehen[23].

> Absente quo nil disto vulgi
> > Moribus aut homini profano,
> Nec Dithyrambis certo sonantibus,
> Diviniores nec numeros loquor,
> > Sed cassa tantum, plebis instar,
> > > Praecipito, licet usque rumpar,
> Oracla . . .

Aber Vers 22 ff.:

> . . . Si Maciem tamen
> > Intravit effoetosque noto
> > Inge Deus, Deus ille noster,
> Pervasit artus, erigor in pedes,
> Totoque crinis vertice subsilit,
> > Confusa tempestate flagrant
> > > Lumina. non rubor unus errat
> Unusve pallor, se variant genis
> Misti colores, vox rabie tumet,
> > Ignarus eluctor Sibyllas,
> > > Subque oculos cadit inque vultu
> Omne est futurum . . .

[22] G. Brates hat eine Reihe von Äußerungen aus dem 17. Jahrhundert zusammengestellt, die die Bedeutung der natürlichen Begabung und des furor poeticus hervorheben. Er scheint sie mir jedoch überzubewerten. (Die Barockpoetik als Dichtkunst, Reimkunst, Sprachkunst, Zeitschr. f. dt. Phil. 53, 1928, 346—363.)

[23] Scaliger hat nicht so unrecht, wenn er von der μανία nicht viel hält und auch von jener Klasse von Poeten spricht, die sich durch den Wein in den nötigen furor bringen läßt. Opitz übernimmt das bekannt-

Was aber heißt *rhetorisches Verhältnis zum Wort?* Damit ist die Erörterung der Bedeutung der Rhetorik für die Dichtung wohl im Zentrum angelangt. In Ciceros ›De oratore‹ steht der Satz, der allen Intentionen der Rhetorik zugrundeliegt: „Da alle Rede aus der Sache und den Wörtern besteht, können weder die Wörter ihren Platz behalten, wenn man die Sache entfernt, noch die Sache ihre Klarheit und ihren Glanz, wenn man die Wörter entfernt hat[24]." Die Humanisten berufen sich hierauf und nehmen diese Auffassung zur verbindlichen Basis ihrer Bemühungen, in deren Mittelpunkt die Sprache in dem hier schon mehrfach erwähnten Sinn steht. Wort und Sache sind aufeinander hingeordnet. „Denn sowohl die rhetorisch-formale Bildung ohne das Sachwissen ist unfruchtbar und leer, als auch das Sachwissen, so groß es sein mag, abgelegen und dunkel erscheint, wenn es des Glanzes der literarischen Form entbehrt", sagt L. Bruni Aretino in seiner Schrift ›De studiis et litteris‹, „dem am weitesten verbreiteten Studienprogramm des 15. Jahrhunderts" (Buck)[25].

lich: „Zum theile thut auch der wein etwas; sonderlich bey denen, welchen Horatius besser gefellt da er schreibet:

> Prisco si credis, Maecenas docte, Cratino,
> Nulla valere diu, nec viuere carmina possunt,
> Quae scribuntur aquae potoribus.

> Mecenas, wil du mir vnd dem Cratinus gleuben,
> Der der da wasser trinckt kan kein guet carmen schreiben."
>
> (Poeterey, Kap. III)

---

[24] De oratore III 19: „Nam cum omnis ex re atque verbis constet oratio, neque verba sedem habere possunt, si rem subtraxeris, neque res lumen, si verba removeris."

[25] Humanisme et Renaissance 21, 1959, S. 275. — L. Bruni Aretino, Humanistisch-philosophische Schriften, hrsg. v. H. Baron, Leipzig 1928, S. 19: „Haec enim duo sese invicem iuvant mutuoque deserviunt. Nam et litterare sine rerum scientia steriles sunt et inanes, et scientia rerum quamvis ingens, si splendore careat litterarum, abdita quaedam obscuraque videtur." (Übersetzung im Text von A. Buck, Zeitschr. f. Päd. 1, 1955, S. 224 f.) — Über die Kritik, die diese Auffassung, daß zum Wissen notwendig der splendor der Sprache gehöre, erfuhr, vgl. A. Buck,

Um verba und res, Wörter und Sachen, kümmert sich die Rhetorik und also auch die Poetik (bis hinab zu den zahlreich geschriebenen „artes versificatoriae"); denn Rede und Dichtung haben es
mit rebus und verbis zu tun. Opitz: „Weil die Poesie, wie auch die
Rednerkunst, in dinge und worte abgetheilet wird…" Harsdörffer: „Ferners bestehet die Poeterey in Sachen und Worten….[26]"
Folgerichtig handelt man zunächst über die „Sachen", dann über
die „Wörter". Unter „Sachen" dürften wir heute Themen, Gegen-
stände der Dichtung verstehen (die | bei den Theoretikern der da-
maligen Zeit — vgl. etwa Opitz — mit bestimmten Gattungen
verbunden sind).

Entscheidend aber für unser Verständnis dieser von „lyrischen"
Bekundungen so verschiedenen Poesie aus dem Geiste der Rhetorik ist, daß Dichtung sich auf eine „Sache", auf ein Thema, einen
thematischen Gegenstand bezogen weiß, und zwar so, daß die
Worte des Dichters sich jeweils auf eine „Sache" richten, die aus
dem Schein subjektiven Beliebens abgerückt ist in eine Distanz,
in der die „Sache" zu überschauen, einzuschätzen, abzumessen und
zu gliedern ist. Die „Sache" ist da vor dem Wort; es wird gesetzt,
um die Sache, die auch anders zu sagen wäre, kunstvoll an- und
auszusprechen und damit erst ganz zu erfassen. Denn — das ist
ja die Überzeugung, die die Humanisten und die ihnen Folgenden
bewegt — erst mit der künstlerischen Formulierung ist eine „Sache"
wirklich bewältigt und gemeistert.

So dienen die Mittel der Kunstsprache der ›Objektivierung‹,
d. h. wo immer der Dichter spricht, sind seine Worte auf das
Gegenüber einer „Sache" bezogen, die durch die Kunst der Sprache
als etwas vom Belieben des einzelnen Autors abgerücktes ›Objektives‹ dargestellt wird und schmuckvolles Leben gewinnt. Auch
das Persönliche, das ›Subjektive‹, rückt die objektivierende
Kraft dieses künstlerischen Verfahrens in die Gegenständlichkeit
eines Themas, dem die sprachlichen Mittel, auf die Ausgestaltung

Zeitschr. f. Päd. 1, 1955, S. 225 ff.; G. Toffanin, Geschichte des Humanismus.
[26] Opitz, Buch von der deutschen Poeterey, Kap. V. — Harsdörffer,
Poetischer Trichter, Teil I, S. 15.

des in der Distanz gehaltenen thematischen Gegenstands gerichtet, zugeordnet sind. Die Worte sind bewußt eingesetzte Mittel, die das Thema, den Gegenstand kunstreich zeigend bewältigen sollen. „Wörter" und „Sachen" bleiben in einer distanzierten Verfügbarkeit, über die der Kunstverstand des Autors wacht und von der die rationalen Abhandlungen über verba und res deutlich genug zeugen[27].

In all dem aber beweist sich der Mensch als jenes Wesen, dem das einzigartige Geschenk der Sprache zuteil geworden ist, und solange die Überzeugung von der auszeichnenden, ja den Menschen erst zum wahren Menschen erhebenden Eigenschaft der sprachlichen Kunst, kurz: solange das eloquentia-Ideal, von den Humanisten zu unabsehbar nachwirkendem Leben erweckt, in Kraft bleibt, solange ist in der künstlerischen Formulierung einer „Sache" selbst schon — ob in Vers oder Prosa, Rede oder Dichtung — hoher, ja höchster Wert beschlossen: Dichtung aus dem Geiste einer humanistisch verstandenen Rhetorik[28].

Freilich zeichnet sich hier auch eine Gefahr ab, die bei der Bedeutung, die der kunstvollen Sprachbeherrschung zugeschrieben wird, latent immer vorhanden ist: | daß nämlich die Verbindung von Sache und Wort sich lockert und die artistische Form um ihrer selbst willen gepflegt wird[29]. Aber auch das geschieht und rechtfertigt sich aus dem Bestreben, Bekundungen sprachlichen Vermögens im Blick auf den ihm zuerkannten (man ist versucht zu sagen: existentiellen) Wert zu geben. Der Interpret steht vor

[27] Vgl. die Bemerkung von E. R. Curtius (Eur. Lit., S. 167): „Schon aus dem rhetorischen Charakter der mittelalterlichen Poesie ergibt sich, daß wir bei der Interpretation eines Gedichtes nicht nach dem zugrunde liegenden ‚Erlebnis', sondern nach dem zu behandelnden Gegenstande zu fragen haben."

[28] Das gilt nicht nur für produktives, sondern auch für rezeptives Tun. Wer die Lektüre sprachkünstlerischer Werke verwirft, ist kein Mensch, so sagt es Scaliger im Vorwort zu seiner Poetik: „... qui [tum historiarum, tum poetarum lectionem] damnarunt, agresti atque aspero supercilio bruti homines, ne in hominum quidem censu reponendi sunt."

[29] Vgl. den Hinweis A. Bucks, Zeitschr. f. Päd. 1, 1955, S. 225.

der — nicht immer zu lösenden — Aufgabe, zu bestimmen, ob es
sich um „sach"-gebundene Sprachkunst oder um solipsistische
Sprachartistik handelt, welche sich beide auf dem Boden des bis
mindestens zum Ende des 17. Jahrhunderts ungeschwächt in Geltung bleibenden Eloquentiaideals verwirklichen.

Die (neu)lateinisch Schreibenden blicken zurück auf die antiken
Lateiner als auf ihre Vorbilder. An ihrer Sprachkunst heißt es sich
zu orientieren; was sie geleistet, gilt es produktiv sich anzueignen,
aus den Gründen, die genannt worden sind. Die Methode der
„Imitatio" wird zu diesem Zwecke gefordert. Sie bleibt gültig,
solange jenes rhetorische Bewußtsein lebendig ist, das nicht nach
dem Originalgenie trachtet, sondern der Überzeugung ist, daß
Sprachkunst eine überpersönlich-allgemeine Äußerungsform des
Menschen darstellt, für die sich gewisse objektive künstlerische Gesetze aufstellen lassen, und daß es ferner vorbildliche sprachkünstlerische Verwirklichungen gibt, an denen der einzelne sich zu schulen hat. Der Begriff des Plagiats kann unter diesen Voraussetzungen überhaupt nicht entstehen, so wenig die moderne Vorstellung
der Originalität, notwendiges Korrelat zum Begriff des Plagiats,
in diesem Raum Berechtigung gewinnen kann[30]. Sind den Neulateinern die antiken Autoren imitationswürdiges Vorbild, so den
späteren Schriftstellern auch solche Werke, die in jüngeren Literaturen erstrebenswerten künstlerischen Rang erreicht haben. Das
Prinzip der Schulung durch imitatio bleibt in Kraft.

Imitatio heißt jedoch nicht, das Angelesene bloß wiederzugeben, sondern es sich zu erwerben, um etwas neues Eignes daraus
zu machen, das zwar das Alte nicht verleugnet, aber doch den
Wert einer künstlerischen Neuschöpfung hat[31]. Im Gleichnis der

[30] Über die Bedeutung des Imitationsprinzips in den Poetiken der
Renaissance siehe: H. Gmelin, Das Prinzip der Imitatio in den romani-
schen Literaturen der Renaissance, Erlangen 1932; A. Buck, Italienische
Dichtungslehren vom Mittelalter bis zum Ausgang der Renaissance,
Tübingen 1952.
[31] Schon Quintilian (inst. or. X 1—2) betont die Unzulänglichkeit
der bloßen Nachahmung.

Bienen ist der Vorgang von alters her verdeutlicht worden[32]. Petrarca, an Seneca anknüpfend, schreibt: „apes in inventionibus imitandas, que flores, non quales acceperint, referunt, sed ceras ac mella mirifica quadam permixtione conficiunt . . .[33]." Er fügt zwar hinzu, es sei noch besser, wie die Seiden|raupe ganz aus sich heraus Eigenes zu spinnen, aber das sei nur wenigen gegeben.

Bei Harsdörffer findet man beide Gleichnisse wieder: „Ferners bestehet die Poeterey in Sachen und Worten. Von den Sachen ist mit wenigen gehandelt worden / und müssen selbe von den guten Poeten in allen fremden Sprachen erstlich abgesehen; nachmals aus eigenem sinnreichen Vermögen erfunden werden / daher jener recht gesagt / es müsse der Poet erstlich seyn gleich dem Bien / das von allen Blumen Honig machet; nachmals gleich dem Seidenwurm / der von sich selbst den köstlichen Faden spinnet[34]." Der lateinische Beiname des späten Neulateiners Paul Schede verlockt natürlich dazu, ihn mit dem Bienengleichnis in Verbindung zu bringen. Ein Epigramm an Melissus nutzt es aus[34a]:

> Nam quod apis sibi de variis mel colligit herbis
> Per Hymmettios colles volans,
> Colligis e variis tu, docte Melisse, poetis
> Latialis apis et Attica.

[32] Vgl. J. v. Stackelberg, Das Bienengleichnis. Ein Beitrag zur Geschichte der literarischen Imitatio, Roman. Forsch. 68, 1956, 271—293. Ausführliche Darstellung in der römischen Literatur bei Seneca, 84. Brief an Lucilius, daran anschließend Macrobius, Sat. I 1.

[33] Fam. I 8 (Ed. Naz. X, S. 39).

[34] Poetischer Trichter, Teil I, S. 15. Vgl. auch S. 91: „Etliche bedienen sich fremder Poeten Erfindungen /und ist solches ein rühmlicher Diebstal bey den Schulern / wann sie die Sache recht anzubringen wissen / wie Virgilius des Theocriti / und Homeri / Horatius des Pindari Gedichte benutzet hat: ja deßwegen liset man anderer Sprachen Bücher / aus ihnen etwas zu lernen / und nach Gelegenheit abzuborgen: es muß aber solches nicht dergestalt mißbrauchet werden / daß man ein gantzes Gedicht / fast von wort zu wort / übersetzet / und für das Seine dargiebet . . ."

[34a] Schediasmata poetica, Paris 1586, Bl. eij (Epigrammata ad Paulum Melissum).

> Wie die Biene aus allen Blüten Honig sich sammelt,
>   Fliegend durch Hymettisches Gebirg,
> Sammelst auch du aus vielen Poeten, gelehrter Melissus,
>   Griechisch' und Latinsche Bien' zugleich.

Imitatio im Bereich der auf die Poesie bezogenen Rhetorik
knüpft sich in besonderem Maße an die Lehre vom Ausdruck
(elocutio), da es ja gerade dieser Teil des Rhetoriksystems ist, der
für die Dichtung Bedeutung hat. Vornehmlich Auswahl und Zu-
sammenfügung der Wörter und die Redefiguren werden hier behandelt. „Der beherrschende Gesichtspunkt bei all dem ist die Vorstellung, daß die Rede ‚geschmückt' werden muß. Der ornatus
(Quint. VIII 3) ist das große Anliegen und bleibt es bis in das
18. Jahrhundert hinein[35]." Aus den Vorbild-Autoren werden Beispiele gesammelt, den nacheifernden Literaten zu Nutz und From-
men. Selbstverständlich handeln die Poetiken diese Dinge ab, aber
es entstehen auch schmale handliche Anweisungsbücher, die die
Elementarlehre der poetischen Handwerkskunst bieten und über
den rechten Gebrauch poetischer Wörter, über Art und Stellung
der Epitheta, über Versbau und Bildersprache das Notwendige
vermitteln. Sie heißen ›Ars versificatoria‹ oder tragen ähnliche
Titel. Eoban Hesse hat z. B. für junge Schüler ein schmales
Kompendium verfaßt: „Scribendorum versuum maxime compen-
diosa ratio, in schola Nurenbergae nuper instituta, pueris | pro-
posita" (Wittenberg 1531)[36]; Georg Sabinus hängt seinen
›Poemata‹ eine Abhandlung an ›De carminibus ad veterum
imitationem artificiose componendis praecepta bona et utilia
collecta‹, mit dem programmatischen Satz zu Beginn, der das
hier Erörterte knapp ausspricht: „Elegantia sermonis sita est in verbis ac formulis loquendi ab optimis auctoribus usurpatis."
Der wirkende Geist der Rhetorik humanistischen Sinnes läßt
im Blick auf die Beispiele die Schmeidigung und eine den Vorbildern standhaltende Ausbildung der poetischen Sprache und ihrer
Mittel betreiben. Den deutschen Neulateinern gilt es die lingua

---

[35] E. R. Curtius, Eur. Lit., S. 80.
[36] Im Kapitel ›De ornatu carminis‹ werden erörtert: Metapher,
Antonomasie, Periphrase, Hyperbole, Synekdoche.

latina, den nachfolgenden deutschsprachigen Autoren die Muttersprache. Und die Ertüchtigung der deutschen Sprache zur Kunstdichtung steht nach wie vor im Zeichen jener hohen Bedeutung,
die die Humanisten der kunstvollen Sprachbeherrschung beimaßen,
im Zeichen der humanistisch verstandenen Rhetorik und der mit
ihr gegebenen, eben angedeuteten Konsequenzen[37]. Allerdings ist
nicht zu übersehen, wie sich die Formulierungskunst (im weiten
Sinne) streckenweise verselbständigt, die Bindung an eine „Sache"
sich lösen kann, die „Sache" nebensächlich wird, nur noch Anlaß
zu artistischen Umschreibungen und Prägungen (die nicht selten
einer kuriosen Verstiegenheit frönen). Die ›Poetischen Lexica‹,
als Hebammen der Dichtkunst gedacht, sind Beispiele für die
Verselbständigung des Sprachkönnens, wenngleich auch auf ihnen
noch ein Schimmer von der Würde der Rhetorik liegt[38].

Noch ein letzter Punkt verdient erwähnt zu werden, der eine
allerdings untergründige, aber schwerlich zu negierende Auswir-
kung der Rhetorik auf die Dichtung betrifft: Lyrik auf der

[37] Vgl. B. Markwardt, Geschichte der deutschen Poetik, Bd. I, 2. Aufl.
Berlin 1958.

[38] Man verspürt ein wenig davon etwa in dem Geleitwort, das
August Buchner dem opus ›Deutscher Dädalus Oder Poetisches Lexi-
con, Begreiffend ein Vollständig-Poetisches Wörter-Buch in 1300.
Tituln‹ von M. Gotthilff Treuer (2. Aufl. 1675) mitgibt: „Dann wie
dergleichen Arbeit der Jugend zur Griechisch- und Lateinischen Poesie
grossen Vorschub gethan; Also ist desto weniger zu zweiffeln / es
werde dieses sein Buch dergleichen / und fast ein mehrers thun / angesehen hier nicht nur eintzelne Beysatz-Wörter / welche man sonsten
Epitheta nennet / neben Poetischen Beschreibungen gewisser Sachen zu
finden seyn; sondern es werden auch viel dannenhero erwachsene Sprüch-
wörter und gute Erklärungen zugleich und bey nebenst angehängt /
welche zu allerley artigen Außschweiffungen / ein Gedicht desto ge-
sehener zu machen / Anlaß geben / und dann auch in ungebundenen
Reden zu sondern statten gebracht werden können. Angehende sind
zu schwach stracks zu erfinden / was dißfalls erfordert wird / sie
müssen Körbe haben dabey sie schwimmen lernen. So fället denen ge-
übtern auch nicht stets also fort ein / was sich füget / langes Nach-
sinnen aber lässet die Zeit nicht allemal zu." Zu den Poetischen Lexika
vgl. B. Markwardt, Gesch. d. dt. Poetik, Bd. I.

Grundlage eines rhetorischen Verhältnisses zum Wort ist nicht monologisch. Wie die Rhetorik ursprünglich die Lehre einer Rede war, die sich an andere richtete und auf sie — in verschiedener Weise jeweils — wirken sollte, so ist diese Lyrik nicht einsam-versunkener Monolog, sondern Sprechen auf ein Gegenüber hin. Damit ist keinesfalls gemeint, daß jegliches Gedicht sich direkt | an andere wende. Zwar verfahren erstaunlich viele Gedichte so, aber auch das, was die Verse, die nicht die direkte Anrede benutzen, gestalten, ist aus einer Denk- und Sprechhaltung geschrieben, die nicht das unvertauschbar Individuelle hervorheben will, sondern Allgemein-Menschliches oder zumindest den andern Menschen ebenfalls Berührendes und Bewegendes hervortreten läßt, so daß am Gegenstand der Dichtung der Kontakt vom Sprechenden zum möglichen Partner sich bilden kann. |

„Nicht-lyrische Lyrik"

Anmerkungen zu Staigers Begriff des Lyrischen

Lyrik im Banne der lateinischen Tradition ist nicht lyrisch in dem Sinne, in dem Emil Staiger das Lyrische erläutert hat. Er hat in seinen ›Grundbegriffen der Poetik‹[39] eine einfühlsame, sehr ansprechende Beschreibung des Lyrischen, wie wir es heute empfinden, gegeben. Ihm geht es nicht darum, die verschiedenen Gattungen des Gedichts (Ballade, Lied, Hymne, Ode, Epigramm usw.) durch ein bis zwei Jahrtausende zu verfolgen und etwas Gemeinsames als den Gattungsbegriff der Lyrik ausfindig zu machen, weil ein solches Unterfangen wertlos wäre; unmöglich, „alle je geschaffenen Gedichte, Epen und Dramen in bereitgestellten Fächern unterzubringen. Da kein Gedicht wie das andere ist, sind grundsätzlich so viele Fächer nötig, als es Gedichte gibt — womit sich die Ordnung selbst aufhebt" (S. 8). In Staigers Sinne sind „lyrisch, episch, dramatisch ... keine Namen von Fächern, in denen man Dichtungen unterbringen kann" (S. 243).

[39] 2. Aufl., Zürich 1951.

Bis hierhin folgt man Staigers Überlegungen gern und ist erfreut über die Klärung des in uns lebendigen, aber unklaren Gefühls, was das Lyrische für uns heute sei. Doch dann melden sich Bedenken. Ich möchte hier keine Auseinandersetzung über den — mir allerdings zweifelhaften — Satz beginnen: „Eine Idee von ‚lyrisch‘, die ich einmal gefaßt habe, ist so unverrückbar wie die Idee des Dreiecks oder wie die Idee von ‚rot‘, objektiv, meinem Belieben entrückt" (S. 9). Und die Ausführungen darüber, wie Staiger das Verhältnis des „Lyrischen" zur Lyrik verstanden wissen will, sind in sich schlüssig. Besonders im Nachwort zur zweiten Auflage seines Buches behandelt er diese Frage, die Anlaß zu mancher unberechtigten Kritik gegeben hatte. Innerhalb des Rahmens, den es sich gesteckt hat, ist das Unternehmen bündig, das muß nachdrücklich betont werden. Meinungsverschiedenheiten über die inhaltliche Füllung der Begriffe „episch", „dramatisch" sind damit natürlich nicht ausgeschlossen. Aber eben der Rahmen scheint zu eng zu sein, und dieser Einwand ist schwerlich mit der Bemerkung zu entkräften, solche Kritik ziele an der Absicht des Buches vorbei, der Verfasser habe die im Gefühl unklaren Begriffe lyrisch, episch, dramatisch klären wollen und nichts mehr.

Das Buch heißt aber ›Grundbegriffe der Poetik‹. Es will eine Verständnishilfe für Dichtung sein, ein „Instrument für den Interpreten, das eine rasche Verständigung über allgemeine Begriffe ermöglicht und damit Raum schafft für Untersuchungen, welche dem besonderen Schaffen der einzelnen Dichter gewidmet sind" (S. 12). Die Kapitel haben es also durchaus auf Dichtung abgesehen. Der Leser darf erwarten, daß ein solches Buch Grundbegriffe bereitstellt, die einen | möglichst weiten Kreis von Dichtungen erfassen lassen. Das ist hier aber nicht der Fall. Staiger sagt z. B: „Wir lesen an romantischen Liedern, an Liedern, die Goethe gedichtet, und andern Liedern, die diesen ähnlich sind, das Wesen des Lyrischen ab" (S. 249). Es ist nur folgerichtig, daß seine Bestimmungen des Lyrischen allein im Bereich der goethischen und nachgoethischen „Erlebnisdichtung" greifen. Nun kann Staiger freilich entgegnen, jene vorgoethische Lyrik enthalte so wenig Lyrisches, daß sie für den Grundbegriff „lyrisch" eben nicht relevant sei. Dieser Einwand ist voll anzuerkennen. Sogleich darf aber gefragt werden, mit welchem Grundbegriff (bzw. welcher Mischung von Grundbegriffen) sie sich denn fassen lasse. Dann stellt sich heraus, daß die vorgoethische Art von Lyrik (ich spreche ebensowenig wie Staiger von bestimmten Gattungen, sondern von der ›Idee‹, die jener Dichtung zugrunde liegt) auch mit den Begriffen „episch" und „dramatisch" und auch mit einer Mischung der Grundbegriffe nicht erfaßt werden kann. Man vermißt Kategorien, wenn das Buch den Sinn einer neuen Poetik erfüllen soll.

Staiger möchte „Anwalt des Sprachgefühls gebildeter Menschen deutscher Sprache unserer Zeit" sein (S. 246). Unter solchen Voraussetzungen wird der Gesichtskreis aber außerordentlich verengt. Denn der Begriff „lyrisch", der geklärt wird, ist nur auf einen sehr kleinen Teil von Dichtung anwendbar, und es wird versäumt, nun für solche Art von Dichtung, die mit den drei in Staigers Art gefaßten Grundbegriffen nicht zu erreichen ist, nach anderen tragbaren Bestimmungen Umschau zu halten. Hier zahlt das unhistorische Verfahren Staigers, das sich mit philosophischer Anthropologie zu rechtfertigen sucht, seinen Tribut. Er scheint das zu fühlen, wenn er bemerkt, daß es eine weitverbreitete Poesie gebe, „bei der auch nur die Frage nach der Geltung der Grundbegriffe keinen rechten Sinn zu haben scheint" (S. 252). Horazische Lyrik z. B. tauge für eine Untersuchung im Sinne der Poetik nicht, weil sie nicht ursprünglich sei, nicht in sich selber schwinge, sondern mit artistischen Elementen, Zitaten, Anspielungen, Auseinandersetzungen mit älterem Schrifttum arbeite.

Aber diese Tatsache kann einen Literarhistoriker doch nicht der Aufgabe entheben, nach hermeneutischen Begriffen zu suchen, die als Grundbestimmungen für jene Dichtung gelten könnten, und sie beschreibend so zu bestimmen, wie Staiger es für das „Lyrische" ausgezeichnet getan hat. (Das Wort „lyrisch" allerdings sollte in Zukunft nur mehr in seinem Sinne angewendet werden.) Solche zu erarbeitenden Grundbestimmungen werden sich ebensowenig wie die Staigerschen mit einer Gattung decken oder aus ihr abgeleitet sein. Die Aufgabe läuft durchaus parallel zur Staigerschen Art der Beschreibung des Lyrischen.

Freilich können wir uns bei diesem Bemühen nicht wie er auf unser ursprüngliches Gefühl berufen; wir können kein „Gefühl, ein vages, mir selber noch dunkles Ahnen", abklären und auf exakte Begriffe bringen (S. 250). Die Bestimmungen werden gefühlsmäßig gar nicht oder kaum belastet sein, es sind reine Hilfsmittel des Begreifens. Aber der gefährlich einengende Ring, den Äußerungen wie die folgenden um die Philologie legen, muß gesprengt werden: „Denn ohne | das erste Gefühl vermag ich am Text überhaupt nichts wahrzunehmen, da weiß ich nicht, was wesentlich, was lebendig und was konventionell ist. Wer explizit verstehen will, muß immer schon dunkel verstanden haben" S. 250). Die Worte korrespondieren mit dem früher geschriebenen zuhöchst problematischen Satz: „Daß wir begreifen, was uns ergreift, das ist das eigentliche Ziel aller Literaturwissenschaft[40]."

Mit solchen Bemühungen, wie sie eben angedeutet worden sind, bewegen wir uns freilich nicht mehr in den Grenzen der drei Grundbegriffe, und insofern kann von hier aus das, was Staiger im Rahmen seiner Voraussetzungen ausführt, auch nicht durch direkte Kritik erreicht werden. Aber die Voraussetzungen erweisen sich als fragwürdig. Der anthropologische Ansatz ist einer Poetik nicht dienlich. Wenn Staiger — völlig zu Recht — die alte Gattungs-Norm-Poetik verwirft, dann kann er sich für Grundbegriffe einer neuen Poetik nicht auf die drei bekannten Begriffe beschränken, die ja nicht aus sprachlichen Werken — auf die sie dann doch bezogen sein wollen — erarbeitet sind, sondern deren „rein ideales Wesen" von einem unhistorischen anthropologischen Ansatz her erfragt wird. Nach dem Abbau der normativen Poetik ist es für eine deskriptive Poetik unmöglich, sich bei Grundbegriffen zu beruhigen, die als beabsichtigte „literaturwissenschaftliche Propädeutik, als Instrument für den Interpreten" (S. 12) für eine Fülle von Dichtungen nicht ausreichen.

Einer neuen Poetik dienlicher sind Bemühungen um eine Morphologie der Lyrik, die von der Dichtung selbst als dem Gegenstand jeglicher Poetik ausgehen und auf sie hinführen.

[40] Die Zeit als Einbildungskraft des Dichters, Zürich 1939, S. 13.

Germanisch-Romanische Monatsschrift 41 (1960), S. 287–304.

MODERNE LYRIK UND DIE TRADITION*

Von Karl Otto Conrady

Kann man, so wird mit Recht gefragt werden, mit jener Lyrik,
die wir als modern bezeichnen, den Begriff Tradition überhaupt
in eine sinnvolle Verbindung bringen? Sind jene Verse, an die wir
beim Wort ›modern‹ denken, nicht gerade dadurch ausgezeichnet,
daß sie in einem eklatanten Widerspruch zum Hergebrachten stehen, uns ratlos lassen, uns schockieren durch die Zusammenhang-
losigkeit ihrer Aussage, die fremde Willkür der Bilder?

> Immer lehnt am Hügel die weiße Nacht,
> Wo in Silbertönen die Pappel ragt,
> Stern' und Steine sind.
>
> Schlafend wölbt sich über den Gießbach der Steg,
> Folgt dem Knaben ein erstorbenes Antlitz,
> Sichelmond in rosiger Schlucht
>
> Ferne preisenden Hirten. In altem Gestein
> Schaut aus kristallenen Augen die Kröte,
> Erwacht der blühende Wind, die Vogelstimme des Totengleichen
> Und die Schritte ergrünen leise im Wald.
>
> Dieses erinnert an Baum und Tier. Langsame Stufen von Moos;
> Und der Mond,
> Der glänzend in traurigen Wassern versinkt.
>
> Jener kehrt wieder und wandelt an grünem Gestade,
> Schaukelt auf schwarzem Gondelschiffchen durch die
> verfallene Stadt. |

›Der Wanderer‹ hat Georg Trakl dieses Gedicht überschrieben.

* Vortrag vor der Goethe-Gesellschaft Hannover am 31. Oktober
1958. Die lockere Form des Vortrages ist beibehalten worden.

Aber wo wird hier die Gestalt des Wanderers in einer einigermaßen vertrauten Weise sichtbar? Abgeschlossen von der ›normalen‹ Gefühls- und Vorstellungswelt ruhen die Verse in sich
und lassen die dichterischen Bilder eine geheimnisvolle Sprache
sprechen. Niemand vermag sie verstandesmäßig zu zergliedern.
Weltausschnitte sind zu verschlüsselten Bildern geworden, die offensichtlich Bereiche chiffrieren, denen der Wandernde auf seinem
nächtlichen Weg begegnet, einem Weg, der ohne Ziel zu sein
scheint. Er berührt zwar Bekanntes, Hügel, Steg, Schlucht, Wald;
aber alles einzelne ist in der Verquickung mit Ungewöhnlichem
und Undurchschaubarem ins Fremde gerückt.

Es geht hier nicht um eine genaue Analyse und Besprechung
dieses Gedichts. Man braucht nur an Goethes Gestaltung des für
ihn so bedeutsamen Wanderermotivs zu erinnern, und die Kluft
tut sich auf, die zwischen dem Einstigen und dem ›Modernen‹
besteht.

Wo also Tradition, traditionale Gedichtgebärde?

Einige Augenblicke müssen wir verwenden auf die Überlegung,
was mit den Begriffen ›Tradition‹ und ›modern‹ in unserm Falle
gemeint sei. Es führt mitten ins Thema hinein.

Das Wort Tradition wird nicht nur in *einer* festumgrenzten
Bedeutung gebraucht. Von Fall zu Fall bezeichnet es etwas mehr
oder weniger Unterschiedliches, und manchmal spielen die Nuancen ineinander. So auch in den folgenden Betrachtungen, die natürlich an keinem Punkte erschöpfend sein können.

Zunächst: Unter Tradition kann man, gerade in ›und‹-Titeln
wie unserm Thema, die in der Vergangenheit vor dem Beginn des
Neuen geschaffenen Werke und die mit ihnen gegebene Eigenart
verstehen; die Fülle sprachkünstlerischer Werke also, die, einst-
mals hervorgebracht, im Saal der Geschichte aufbewahrt sind und
mit denen eine neue Zeit sich jeweils in Verbindung setzen kann,
um sie sich anzueignen oder sie zu verwerfen, und mit denen der
Betrachter das neu Entstandene vergleichen kann. So ist es vorhin geschehen, als mit schnellen Strichen das auffällig Neue dem
›Althergebrachten‹ — das ist eines der Wörter, mit denen das
Lexikon das Wort Tradition verdeutscht — gegenübergestellt und
dabei von ›traditionaler Gedichtgebärde‹ gesprochen wurde.

Bei einer andern Anwendungsweise des Begriffs Tradition tritt der genaue Wortsinn, das ›Überlieferte‹, deutlicher hervor. Tradition ist das, was von früher her überliefert und übernommen, was an vergangenem Gut in seinen mannigfach möglichen Erscheinungsweisen in der jeweiligen Gegenwart selbst noch lebendig ist.

Das Verhältnis Gegenwart — Tradition ist für jede Generation eine immer wieder neue Frage, und aufs Ganze der geistigen Vergangenheit gesehen: ein äußerst kompliziertes Problem bei einem Volke wie dem unsern, das zu einer historischen Kontinuität im Politischen und Kulturellen nie fähig gewesen ist oder dazu nie das Glück der Geschichte gewonnen hat. Unsere Geschichte, gerade auch im Geistigen, ist eine Geschichte der Brüche, der gewollten und auch der verwirklichten Umbrüche. Fast mit der Regelmäßigkeit | der Generationenfolge wird das jeweils Alte in Frage gestellt, und die Jungen rufen nach dem Neuen. Schwer zu fassen die Gründe dieser Diskontinuität: das Fehlen eines geistigen und politischen Zentrums in Deutschland, die Problematik der gesellschaftlichen Ordnungen und ihre Auswirkungen auf ein nationales geistiges Leben, der Mangel an einer verbindlichen weltlichen Ethik und vieles andere mehr, was hier nicht zu erörtern ist.

Allerdings: Es gibt im künstlerischen Bereich Ähnlichkeiten und Verwandtschaften über weite Zeiträume, über Brüche und Klüfte hinweg, die mit äußerlich aufweisbaren Verbindungslinien nicht zu fassen sind, gleichsam eine Tradition über den Kopf des Einzelnen hinweg, ihm möglicherweise gar nicht bewußt. Sie hat mit direkter Abhängigkeit oder sichtbarer Beeinflussung nichts zu tun. Aber auch diesen Ähnlichkeiten darf und soll der historisch Betrachtende nachspüren, weil er dabei dem allzu Nahen und noch Unübersichtlichen gegenüber etwas von der klärenden Distanz historischer Maßstäbe zu gewinnen vermag.

Für Tradition im Bezirk der Dichtung ist noch anzumerken, daß Traditionales in zweierlei Erscheinungsformen sichtbar werden kann: erstens — und daran denkt man zunächst — als inhaltliche Rezeption, etwa in der Übernahme von Motiven und Stoffen. Zum andern kann die Aussageweise, die künstlerische Art, dichterisch zu sprechen, auf eine aus der Tradition bekannte Attitüde dichterischen Gestaltens zurückweisen. Gerade diese Art von Verwandtschaft mit Früherem, die nicht so schnell zu greifen ist wie eine stofflich-inhaltliche, wird uns noch beschäftigen. Beides geht selbstverständlich oft zusammen.

Und wie steht es mit der Bezeichnung ›modern‹? Welcher Dichtung soll dieses Attribut zuerkannt werden?

Hugo Friedrich behält in seinem meisterhaften Buch über ›Die Struktur der modernen Lyrik‹ die Bezeichnung modern jener Lyrik vor, die in Rätseln und Dunkelheiten spricht, Absurdes und Alogisches in künstlerische Sprache hebt und den Leser mit ihrer Ferne zum Gewohnten, ihrer vorsätzlichen Abnormität in ihren verschiedenen Spielarten verstört.

Das vorhin zitierte Trakl-Gedicht gehört hierher. Friedrich meint jene Lyrik Europas, die mehr oder weniger Nachfolge und Weiterbildung des von Baudelaire, Rimbaud, Mallarmé heraufgeführten Stils darstellt und die Zeichen der „wagemutigen, harten Modernität" trägt. — Der Begriff ›modern‹ ist hier in einem ganz bestimmten Sinne qualifiziert und — eingeschränkt.

Wir dürfen fragen, ob eine solche Qualifikation verallgemeinert werden darf und unserm Thema zuträglich ist. Für den Rahmen der Friedrichschen Untersuchungen ist sie zweifellos gerechtfertigt und wird vom Autor hinreichend begründet. Aber die Gefahr einer einseitigen Akzentuierung liegt nahe. Sie wird deutlich, wenn man das Ganze der Lyrik des 20. Jahrhunderts überschaut und daran denkt, daß das Substantiv ›die Moderne‹ einen Zeitraum benennt, der nicht allein von der „wagemutigen, harten Modernität" gezeichnet ist. Eine *allgemeine* Betrachtung der Lyrik der Moderne läßt die angedeutete Einschränkung des Begriffes ›modern‹ nicht zu. |

Offensichtlich muß man die Anwendung des Wortes ›modern‹ in einem weiteren und in einem qualifiziert engeren Sinne auseinanderhalten. Vorherige Information der Leser oder Hörer ist jeweils nötig. Dabei ist nicht zu verkennen, daß die Bezeichnung ›modern‹ im engeren Sinne, in der besagten Qualifikation, den Anspruch einschließt (vielleicht gegen den Willen derer, die sie anwenden), das im exemplarischen Sinne Zeitnahe und Zeitgültige zu meinen, solche Dichtung, in der unmittelbar der Puls der Zeit schlägt

und sich die oft beredete ›Situation des modernen Menschen‹
repräsentativ ausdrückt.

Trotz der hochgreifenden Bekundungen avantgardistischer
Autoren und mancher ihrer Verehrer ist es jedoch noch keineswegs
ausgemacht, wo die künstlerisch gültigen Aussagen der modernen
Zeit liegen. Das entscheidet sich an der Gültigkeit des einzelnen
Gedichts, die von vornherein noch nicht an eine bestimmte Aussageweise gebunden und nicht ohne weiteres mit ihr schon
gegeben ist. Wenn wir den Bedeutungsbereich des Wortes modern
weiter ausdehnen, als es Friedrich in seinem Buch tut, dann wird
das Kriterium des Gültigen um so dringlicher. Max Frisch spricht
in seinem ›Tagebuch‹ von einem „wirklichen Gedicht", wenn
„es der Welt, in die es gesprochen wird, standzuhalten vermag;
[wenn] es eben diese Welt, ihr nicht ausweichend, sprachlich
durchdringt". Über das Gelingen freilich kann immer nur von Fall
zu Fall entschieden werden. Das ist schwierig genug, kann uns
hier aber nicht weiter beschäftigen.

In solch verhältnismäßiger Weite ist das Wort ›modern‹ in
unserm Thema gemeint. Das allein schon lenkt den Blick auf die
bisweilen nur allzu beiläufig erwähnte Tatsache: Neben jener Art
von Lyrik, die sich unter dem Zeichen des Traditions*bruchs* verwirklicht, sind Gedichte entstanden, die durch eine bewußte und
lebendige *Verbindung* zur Tradition gekennzeichnet sind. Ihre
dichterische Qualität ist oft nicht zu leugnen. Darum sind sie aus
dem Gesamtbild der Lyrik der Moderne nicht wegzudenken.
Sie prägen deutliche Konturen hinein. In solchen Versen weist
sich Dichtung, inmitten einer Zeit, in der viel und zuviel
von Ort- und Bindungslosigkeit, von Geworfensein und Un-
behaustem geredet und geschrieben wird, als eine bewahrende
Macht aus; nicht indem die Bedrängnis der geschichtlichen Wirklichkeit durch eine Flucht aus ihr in eine bessere Vergangenheit
ausgespart würde, sondern indem in der Dichte künstlerischer
Form etwas, was einmal von Bedeutung war, in die Gegenwart
herüberzunehmen gesucht wird.

In verschiedenen Ausprägungen wird das verwirklicht. Einiges
mag hier, ohne jede Rücksicht auf Vollständigkeit, erwähnt werden.

Mit Namen wie Hugo v. Hofmannsthal, Rudolf Borchardt, Rudolf Alexander Schröder, Hans Carossa verbindet sich der Gedanke an eine Dichtung dieses Jahrhunderts, die in einem Traditionsbewußtsein ausgeprägtesten Sinnes gründet, nicht nur in der Lyrik, sondern weit mehr noch in andern literarischen Gattungen. Denken und Dichten dieser Männer werden gelenkt von dem Wissen um die fortreichende Bedeutung der Überlieferung. Umfassende Bildung ist ihnen noch zu eigen. Ihr Sinnen und Schaffen ist darauf gerichtet, daß — um ein Wort Hofmannsthals zu gebrauchen — „der Reichtum, | der noch unser Besitz ist, den heraufkommenden Generationen nicht als eine Armut überantwortet werde". Es kommt nicht darauf an, ständig etwas Neues, Überraschendes zu schaffen, sondern das überkommene Wahre anzunehmen — „Das alte Wahre, faß es an!" — und es in der Bewahrung neu zu formen. Einmal richtig Gedachtes wird nicht dadurch falsch, daß es alt wird.

R. A. Schröder hat sehr genau Wesen und Wollen seines Schaffens angegeben: „Das Gefühl des Eingegliedertseins in einen jahrtausendalten Zusammenhang hat ... die Ausgangspunkte meiner dichterischen Arbeit bestimmt. Namentlich in der Richtung, daß ich mich niemals als einen Neubeginner, Neutöner oder Verhänger neuer Tafeln, sondern als Fortsetzer, mitunter sogar — und zwar mit Vergnügen — als Wiederholer empfunden habe." Das muß ihn natürlich den echten und falschen Avantgardisten aller Schattierungen suspekt machen. Mit souveräner Sprachbeherrschung hat Schröder, Humanismus und Christentum sich gleichermaßen verbunden wissend, die Vielfalt antiker Formen und Motive sich anzueignen gewußt, und mit neuer Kraft formt sich in seinem Munde der evangelische Kirchenliedvers. Martin Luther, Paul Gerhardt, Philipp Nicolai klingen im Tonfall und Bildersprache unüberhörbar an, und doch lebt Schröders Wort immer ganz aus der Mitte seiner notvollen Zeit.

Anders Carossa. Sein Werk greift nicht in die Tiefe der Vergangenheit und kaum in die Weite gegenwärtiger, allgemein bedeutsamer Ereignisse. Er folgt den „Verzweigungen des eigenen Lebens", um im eignen Leben das Lebensgesetz aufzuspüren, nach dem das Lebendige in allem scheinbaren Durcheinander seine Ordnung hat. Dieses geheime Lebensgesetz hat sich schon einmal einem großen Menschen enthüllt: Goethe. Was Carossa sein Leben lang tut, zeigt das Bemühen, im Blick auf Goethe das Lebensgesetz in seinem persönlichen Leben aufzudecken, und: „Andern ein Licht auf ihre Bahn zu werfen, indem ich die meinige aufzeigte, dies war also mein Vorsatz", wie Carossa in seinem Lebensgedenkbuch ›Führung und Geleit‹ bemerkt. Die bewußte Nachfolge Goethes als einer Lebensganzheit bestimmt Gehalt wie Gestalt der Werke dieses Dichters in entscheidenden Zügen, mag sich auch der Bogen seiner Lyrik spannen vom unmittelbaren Nachhall Goethes bis zu eigenwillig hart konturierten Gebilden mit fast Trakl-nahen Bildern. Überzeugt von der dauernden Aussagekraft einstiger Bilder und Motive, fügt er manches goethisch Vertraute neu zusammen, allerdings nicht im Ton des jungen, sondern des reifen Goethe, der in überschauender Distanz den Dingen gegenübersteht und im einzelnen ein Gleichnis des Ganzen erschaut.

> Finsternisse fallen dichter
> Auf Gebirge, Stadt und Tal.
> Doch schon flimmern kleine Lichter
> Tief aus Fenstern ohne Zahl.
>
> Immer klarer, immer milder,
> Längs des Stroms gebognem Lauf,
> Blinken irdische Sternenbilder
> Nun zu himmlischen hinauf. |

Kein Zweifel, daß solches Dichten seine Gefahren birgt, und leicht können sich Klischees einschleichen, die der Forderung nach zeitgültiger Form und Aussage nicht genügen. Genug: Diese Gedichte unseres Jahrhunderts sind nicht zu übersehen. Von lebendigem, bewußtem Traditionalismus darf man hier sprechen.

Das Bestreben, Vergangenes in der Gegenwart zu berühren, wird nicht nur in der Lyrik ausgesprochener Traditionalisten sichtbar. Es durchwirkt auch Gedichte, die schärfere Züge des ›Modernen‹ tragen, ohne jedoch die extrem moderne Aussageweise zu erreichen. Freilich kann hier von einem Eingefügtsein in die *Ganzheit* eines traditionalen Sinngefüges schwerlich die Rede sein. Vielmehr ist es, als durchzögen Adern aus der Vergangenheit die Gegenwart, mancherlei mit sich führend und es einlassend auch in das, was so eng der gegenwärtigen Zeit verhaftet ist. Dort sieht es der Dichter, wohl nur der Dichter, erspürt es, bannt es in seine Verse und bescheidet sich oftmals mit einem anrufenden Nennen. Der persönlichen Schau erschließt sich mitten in der Betrachtung von Gegenwärtigem der Durchblick auf Einstiges.

Zwei Gedichte als Beispiele. Es sind nicht die vollkommensten ihrer Art, aber sie eignen sich gut zur Demonstration.

Wilhelm Lehmann: Augusttag

Selbst die Windwolke ruht auf ihrer Flucht,
Gelockt von der himmlischen Heiterkeit.
Verlassener Bahndamm. Rostiges Glühn.
Es fährt kein Zug. Es herrscht keine Zeit.

Zwar türmt nur die Wolke weißes Gebirg,
Doch die Bärenklaue gleicht dem Akanth,
An ihren Blättern zerblitzt das Licht:
Verwunschen bin ich nach Griechenland.

Maßholderbüsche säumen den Weg.
Die unermüdbare Sonne gleißt.
Aus Staub, aus Steinen brechen jäh
Honiggeruch und Melissengeist.

Trocken knistert des Würgers Ruf,
Als er von Garbe zu Garbe schweift,
Oder der heckenstutzende Knecht,
Wenn seine Schere die Zweige kneift?

Schweigsamer strömt das Schweigen herein.
Tag, den keine Sehnsucht verletzt!
Der Vogel hütet geweihten Bezirk:
Kein Gestern, kein Morgen drohe dem Jetzt!

Wie es die Kerbe der Hecke füllt,
Daß sie gleich wildem Stiefmütterchen blaut —
Ist es der Äther, mächtig gestaut,
Ist es schon Wasser, schwebend gestillt?
Da schimmert das Meer so heute wie eh,
da steigt Frau Venus aus der See.

In einer Augusttagstunde löst sich für eine Weile, was das Alltägliche ausmachte. Das Flüchtige hält ein, mehr noch: „Es herrscht keine Zeit." Ein Augenblick schwingt in sich selbst.

Im ganzen Gedicht wirkt eine erstaunliche Unverbundenheit der genannten Dinge. Sie ist uns auch aus anderer moderner Dichtung geläufig. Benennung ist an Benennung gereiht. Alles zusammen baut das Bild des gleißenden Tages im August, an dem die Zeit einzuhalten scheint. In einem glücklichen Zugleich ist es da: Großes und Kleines, Nahes und Fernes, Wolke und Stein, Garbe und Busch. Mitten darin der Mensch. Er ist eingewoben in das Dasein der Natur.

Aber es geschieht etwas Unvermutetes. Schon die zweite Strophe lautet:

> Zwar türmt nur die Wolke weißes Gebirg,
> Doch die Bärenklaue gleicht dem Akanth,
> An ihren Blättern zerblitzt das Licht:
> Verwunschen bin ich nach Griechenland ...

Nur die Wolke über der Ebene erinnert zwar an gebirgige Landschaft in der Sonne, aber wer auch aufs Nahe achtgibt, der sieht die Ähnlichkeit, die Bärenklaue und Akanthusblatt verbindet, und außer der gebirgsähnlichen Wolke weckt auch sie die Erinnerung an griechisches Land: Gleiches Licht wie hier schimmert und schimmerte auf den Akanthusblättern der korinthischen Säulenkapitelle, wirft und warf seinen Glanz auf griechisches Meer. Vergangenheit und Gegenwart werden in einem Augenblick eins: „Verwunschen bin ich nach Griechenland." — „ ‚Heute ist immer!' rauschte es ihm zu", heißt es in einer Novelle Lehmanns. In allem Wandel geschichtlicher Abläufe erhält sich Bleibendes. Der Schluß des Gedichtes spricht es wieder aus. Im Anschaun der gestutzten Hecke, die wieder zu sprossen beginnt und in leichtem Blau schimmert, kann längst Vergangenes neue Wirklichkeit werden, als ob es nie vergangen gewesen wäre:

> Wie es die Kerbe der Hecke füllt,
> Daß sie gleich wildem Stiefmütterchen blaut —
> Ist es der Äther, mächtig gestaut,

> Ist es schon Wasser, schwebend gestillt?
> Da schimmert das Meer so heute wie eh,
> Da steigt Frau Venus aus der See.

Erinnerung geschieht, und in ihr enthüllen die mythischen Bilder ihren dauernden Sinn. Was in der Zeit sich ereignet, verbindet sich mit Zeitlosem. Das ewige Immer in seiner unverrückbaren Ordnung und seinen unendlichen Gestalten erscheint. Mythos und Sage haben einst das nach undurchschaubaren, aber sicheren Gesetzen Geschehende ins Bild genommen. In der Hingabe an das pflanzenhafte und kreatürliche Dasein horcht der Dichter auch noch heute auf sie.

Freilich kann das selbstvergessene Eintauchen in den bewahrenden Schoß der Natur, von andern Voraussetzungen aus betrachtet — etwa von denen Gottfried Benns —, wie Flucht vor der geschichtlichen Zeitstunde sein. Das Drohende der Zeit bleibt wie hinter einem milden Vorhang des „grünen | Gottes" verborgen. In der Tat: Vor dem Chaos geschichtlicher Situationen und vermeintlich festgegründeter Ordnungen bezieht sich der Mensch aufs neue zurück auf die Natur als auf Beständiges und Gefügtes, in dem die Dinge ihren Ort haben. Aber die Rückbeziehung auf die Natur vergewissert sich an exakter und präziser Beobachtung, verbrämt sich nicht mit antiquierter Gefühlsseligkeit, und auch das Dunkle und Drohende wird dabei nicht ausgespart. Und wichtiger noch: Die Verbundenheit mit der Natur ist höchst geistiger Art. Geschichtliche, mythische, sagenhafte Mächte tauchen empor. Der geistige Kosmos des Abendlandes wird nahe Gegenwart; so daß nun — unterhalb oder oberhalb jeder philosophischen Aneignung — das Geistige ganz Natur geworden und die Natur ganz mit dem Geist verbunden zu sein scheint. Bruchlos geht das Nahe und Ferne ineinander ein. Das vergleichende „wie" wird gar nicht erst bemüht.

> . . .
> Kein Ekel scheucht die Schmetterlinge
> Vom Liebesspiel, kein Todgestank,
> Und immer wieder greift Isolde,
> Greift Tristan nach dem Zaubertrank . . .

Ein goldner Staub der Pollenrauch:
Wie leise schwebt die Zeugungsgier!
Verschwenderischer Übermut,
Brüllt sie als Donner aus dem Stier.

Ein Hauch begegnet einem Hauch:
Es ist genug! Es ist geschehn.
Die Narbe schwankt, die Narbe fällt,
Semele muß vor Zeus vergehn ... (Sommerrausch)

Immer wieder ist es die Antike, die in den Augenblicken der nächsten Nähe zur Natur mit emporsteigt. Oft bedarf es nur des andeutenden Wortes. Die Natur wird transparent auf die wohl sehr alten, aber alterslos mächtigen Urbilder und Urgestalten hin.

Ein anderes Gedicht:

Aurora

Aurora, Morgenröte,
Du lebst, oh Göttin, noch!
Der Schall der Weidenflöte
Tönt aus dem Haldenloch.

Wenn sich das Herz entzündet,
Belebt sich Klang und Schein,
Ruhr oder Wupper mündet
In die Ägäis ein.

Uns braust ins Ohr die Welle
Vom ewigen Mittelmeer.
Wir selber sind die Stelle
Von aller Wiederkehr.

In Kürbis und in Rüben
Wächst Rom und Attika
Gruß dir, du Gruß von drüben,
Wo einst die Welt geschah! |

Der Blick des Dichters — Günter Eich hat die Verse geschrieben
— sieht das Getrennte zusammen, und das ganz Entgegengesetzte,

Ruhr und Ägäis, kann er verbinden, weil er das Zeitenver-
knüpfende spürt. Auch in der offenbaren Fremdheit zum mittel-
meerisch Alten, wie sie mit knappen Strichen zitiert wird („Haldenloch", „Ruhr oder Wupper", „in Kürbis und in Rüben") kann
noch das Einstige herübergrüßen, „wenn sich das Herz entzündet".
Im „noch" des anrufenden Beginns („Aurora, Morgenröte,/ Du
lebst, oh Göttin, *noch!*") steckt, wie ein Protest gegen die vorder-
gründige Realität der Zeit, die Gewißheit, daß die Wiederkehr
des Einstigen als persönliche geistige Aneignung möglich ist: „Wir
selber sind die Stelle / Von aller Wiederkehr." Am Menschen
liegt es, die Welt zu deuten und in der Morgenröte das Ereignis
der Aurora sehen zu können.

Offenkundige Traditionsverbindungen waren der bisher besprochenen Lyrik eigen. Die in speziellem Sinne moderne Lyrik,
die weithin die gewohnte Sprachhaltung zerbricht und die Hugo
Friedrich so glänzend analysiert hat, bietet uns schwierigere
Aspekte. Hier stehen wir vor der anfangs provozierend geäußerten
Frage: Wie kann man angesichts solcher Lyrik von Tradition
sprechen?

Diese Lyrik, deren theoretische Wurzeln weit zurückreichen,
stellt in der Tat gegenüber dem Früheren, bisher Gewohnten etwas
durchgängig anderes dar, weil sie auf eine logisch nachvollziehbare
Fügung und Folge der sprachlichen Gestaltung grundsätzlich keine
Rücksicht nimmt, das Vertraute willentlich fremd macht, das in
der gewohnten Welt Disparate kühn vermischt und — wie Friedrich prägnant formuliert — „die seelische Bewohnbarkeit" des in
der Dichtung Erscheinenden beseitigt. Das ist niemals zuvor so
durchgängig geschehen.

Allerdings drängt sich unter dem Aspekt der Tradition mittlerweile, da wir über die Hälfte des 20. Jahrhunderts hinaus sind,
eine Feststellung über die jüngste Lyrik auf. Zu einem guten
Teil bedient sie sich der Kunstmittel, die von Baudelaire bis
zum Expressionismus gewonnen worden sind. Unter solchem
Gesichtspunkt trägt die Lyrik unserer Jahrhundertmitte oft
genug, auch wo sie sich avantgardistisch gebärdet, bereits traditionale Züge. Damit ist keine Abwertung ausgesprochen (die
Frage nach dem Eigenwert der Gegenwartslyrik ist gar nicht

gestellt), sondern nur eine Feststellung getroffen. Doch das nur am Rande.

Um die Eigenart der spezifisch >modernen< Lyrik begrifflich erfassen zu können, hat Friedrich weitgehend neue Verstehenskategorien erarbeitet: Abnormität, Dissonanz, Inkohärenz, Verfremdung, Entpersönlichung, autarke Symbolik, kreative Phantasie usw. Denn die Kategorien reichen nicht mehr aus, die an der herkömmlichen und als >normal< empfundenen Lyriksprache, an Gedichten des frühen und mittleren Goethe und vor allem der Romantik, gewonnen worden sind. Verse wie die folgenden entziehen sich den einst geläufigen Vorstellungen von Lyrik:

> Ach, das ferne Land,
> wo das Herzzerreißende |
> auf runden Kiesel
> oder Schilffläche libellenflüchtig
> anmurmelt,
> auch der Mond,
> verschlagenen Lichts
> — halb Reif, halb Ährenweiß —
> den Doppelgrund der Nacht
> so tröstlich anhebt —
>
> ach, das ferne Land,
> wo vom Schimmer der Seen
> die Hügel warm sind,
> zum Beispiel Asolo, wo die Duse ruht,
> von Pittsburg trug sie der „Duilio" heim,
> alle Kriegsschiffe, auch die englischen, flaggten halbmast,
> als er Gibraltar passierte —
>
> dort Selbstgespräche
> ohne Beziehungen auf Nahes,
> Selbstgefühle,
> frühe Mechanismen,
> Totemfragmente
> in die weiche Luft —
> etwas Rosinenbrot im Rock —,
> so fallen die Tage,

bis der Ast am Himmel steht,
auf dem die Vögel einruhn
nach langem Flug.

Das sind Bennsche Aspekte eines fernen Landes, von einem
Subjekt gesehen, das gar nicht hervortritt, Aspekte, assoziativ
zusammengefügt, aber in scharfer Wachheit formuliert, Ranken,
die der Dichter sprüht, artistisch, ausgelotete Bildersprache ein-
setzend (etwa „libellenflüchtig", „verschlagenen Lichts", „halb
Reif, halb Ährenweiß"), alles aufs äußerste verkürzt, bis zur Dunkelheit, und: keine Seelenaussprache, kein unmittelbares Ausdich-
ten von Stimmungen und Gefühlen, sondern Distanzierung, Ab-
rücken des Gesagten in objektivierendes Gegenüber.

Zurück zur Frage nach der Tradition. Gewiß sind nicht wenige
Gedichte mit historischen und anderen Reminiszenzen, Bildern
aus Sage und Mythos, ja mit echten und entstellten Zitaten aus
alten und ältesten Autoren gespickt. Man könnte das im einzelnen
philologisch genau verfolgen und Traditionsbeziehungen konsta-
tieren. Aber abgesehen davon, daß hier nicht die Zeichen für ein
selbstverständliches oder doch ersehntes Wohnen in einer als gültig
genommenen Tradition vorliegen, wir würden das Entscheidende
verfehlen. Denn es liegt nicht in inhaltlichen Elementen, in Motiv-
und Gedankenverbindungen. Aber wenn wir auf die in jener Aussageweise sich kundgebende sprachkünstlerische Attitüde achten,
auf die Art der Sprachhaltung dem jeweiligen thematischen Vorwurf gegenüber, dann werden gewisse Ähnlichkeiten mit traditionalen Gedichtgebärden sichtbar.

Gestehen wir ruhig ein: ›Wirkliche‹ Lyrik, das sind für die
meisten, ehe sie eines anderen belehrt werden, solche Verse, in
denen Gefühl und Stimmung | schwingen, in denen sich Mensch-
lich-Seelenhaftes empfindungsvoll verlautbart, in denen Mensch
und Welt, Ding und Ich zu einer innigen Einheit verschmolzen
sind.

Es war, als hätt' der Himmel
Die Erde still geküßt,
Daß sie im Blütenschimmer
Von ihm nur träumen müßt.

> Die Luft ging durch die Felder,
> Die Ähren wogten sacht,
> Es rauschten leis die Wälder,
> So sternklar war die Nacht.
>
> Und meine Seele spannte
> Weit ihre Flügel aus,
> Flog durch die stillen Lande,
> Als flöge sie nach Haus.

Das Ich, das von seiner Seele spricht, und alles Genannte sind eng verbunden. Stimmung umschließt Himmel und Erde, Ähren und Wälder, Nacht und „meine Seele". Allem fühlt sich diese Seele nah, die nach dem weit und weich die letzte Strophe öffnenden „und" alles überströmt und berührt. Die Einheit des lyrischen Gefühls scheint den Dichter überhaupt erst zu bewegen, die Verse zu sagen. Das Gegenüber wird in die Schwingungen des eignen Herzens aufgenommen, das selbst sich weit der stillen Welt aufspannt. Einige, keinesfalls genau und charakteristisch gezeichnete Bilder genügen, um die gemüthafte Stimmung zu wecken. Diese Lyrik ist es gewesen, die uns manche Bereiche der Welt mit Gemüt, Gefühl und Seele zu empfinden gelehrt, seelisch bewohnbar gemacht hat. Damit hat sie aber auch viele verführt, von jeglicher Lyrik solches zu erwarten oder gar zu fordern.

›Erlebnislyrik‹ pflegt man die eben charakterisierte Lyrik gern zu nennen. Diese Bezeichnung ist indes irreführend, ja widersinnig. Jeder Lyriker der Welt hat es mit Erlebnissen zu tun, ohne aber deshalb auch sog. Erlebnislyrik zu schreiben. Man höre, an welcher wichtigen Stelle der der Erlebnisdichtung wohl kaum verdächtige Gottfried Benn die Worte „erleben" und „Erlebnis" einsetzt. Er spricht vom „Versuch der Kunst, innerhalb des allgemeinen Verfalls der Inhalte sich selbst als Inhalt zu erleben und aus diesem Erlebnis einen neuen Stil zu bilden, es ist der Versuch, gegen den allgemeinen Nihilismus der Werte eine neue Transzendenz zu setzen: die Transzendenz der schöpferischen Lust".

Es muß Aufgabe künftiger Forschung sein, genauere Bestimmungen zu gewinnen, die den verwirrenden Begriff ›Erlebnislyrik‹ verdrängen. Dann wird man auch zu unerläßlichen Differenzierungen des durchaus nicht einförmigen Terrains der sog. Erlebnislyrik gelangen. Ohne darauf hier schon bedacht sein zu können, in unserem Zusammenhang nur soviel:

Die Kennzeichen, die man verschiedentlich für die ›Erlebnislyrik‹ zusammengestellt hat, reden eigentlich eine deutliche Sprache. Da zeigt sich: Charakteristisch sind das Subjektive, die Unmittelbarkeit und Abstandlosigkeit des Sprechens, sind Stimmung, Empfindung, Gefühl, Seele. Staigers | Beschreibung des Lyrischen paßt hierher. Heinrich Henel faßt in einem Aufsatz über ›Erlebnisdichtung und Symbolismus‹ (in der Deutschen Vierteljahrsschrift 32, 1958) zusammen: „Ich-Form, der Dichter als gerührter, hingegebener, empfindender Mensch, die Natur als Ganzes gesehen, verschleiert und vorzugsweise bei Nacht, der Mangel an betrachtetem Detail, der sparsame Gebrauch von Redefiguren und das Überwiegen der Melodie über das Metrum — das wären so ziemlich die Kennzeichen."

Wenn man schon eine Formel verwenden will, dann ist ›subjektive Gefühlspoesie‹ ein angemessenerer Ausdruck als der viel zu weit greifende Begriff ›Erlebnislyrik‹. Gegen das subjektive Gefühl, gegen Stimmung, Seele richten sich die Ausfälle moderner Autoren, nicht gegen das Erlebnis.

Gedichte solcher ›subjektiven Gefühlspoesie‹ wirken nicht gemacht, sondern geschenkt. Auch hier ist formende sprachliche Kunst am Werke, aber sie geht darauf aus, das Unvertauschbare persönlichen Empfindens, die Erfahrungen des bewegbaren Herzens, das Gefühl des Betroffenseins unmittelbar aus dem Ich aufklingen zu lassen. Hier hat die Sprache nicht die Aufgabe artistischen Benennens, Schmückens, Auszeichnens. Rhetorische Figuren, metaphorische Künsteleien erscheinen kaum. Die Sprache kann der rhetorischen Bewußtheit und eines intellektuell geführten Umzirkelns der Gegenstände entbehren. Das empfindungsvolle Aussprechen gefühl- und stimmungtragender Elemente genügt. Klangliches gewinnt starke Bedeutung.

Solche Poesie wird bekanntlich verwirklicht in vielen Gedichten des jungen Goethe und der Romantik (mit dem schier endlosen Zug ihrer Nachfahren). ›Moderne‹ Lyrik ist grundsätzlich anders. Damit aber — und darauf soll die Aufmerksamkeit hier gelenkt werden — steht sie in der Geschichte der Lyrik keineswegs allein. Denn das, was wir ›subjektive Gefühlspoesie‹ nennen, stellt nur eine Phase innerhalb der deutschen Dichtungsgeschichte dar. Zu Recht schreibt Henel: „Man mag die deutsche Romantik für einen Welthöhepunkt des Lyrischen halten und kann doch nicht bestreiten, daß sie nur ein grandioses Zwischenspiel war."

Der nicht-subjektiven Poesie aber ist ein Gedicht zunächst einmal ›ars‹, Kunstwerk, Formulierungskunst, bezogen auf einen in überschauend-kühler Distanz gehaltenen thematischen Gegenstand. Wir stellen neben Eichendorffs ›Mondnacht‹ zwei andere Nachtgedichte modernen Zuschnitts und erinnern uns auch an die Trakl-Verse zu Anfang. Der Unterschied wird unmittelbar deutlich.

Zunächst ein Gedicht des 1893 geborenen Spaniers Jorge Guillén mit der Übersetzung Hugo Friedrichs:

> Noche de luna (sin desenlace)
>
> Altitud veladora:
> Descienden ya vigías
> Por tanta luz de luna.
>
> ¡ Astral candor del mar!
> Los plumajes del frío
> Tensamente se ciernen. |
>
>> Y, planicie, la espera:
>> Callada se difunde
>> La expectación de espuma.
>
> ¡ Ah! ¿Por fin? Desde el fondo
> Los sueños de las algas
> A la noche iluminan.
>
> Voluntad de lo leve:
> Adorables arenas
> Exigen gracia al viento.
>
>> ¡Ascensión a lo blanco!
>> Los muertos más profundos,
>> Aire en el aire, van.

Dificil delgadez:
¿ Busca el mundo una blanca,
Total, perenne ausencia?

Mondnacht (ohne Lösung)

Wachende Höhe:
Es steigen schon Wächter
Durch die Mondfülle nieder.

Sterniges Weiß der See!
Die Gefieder der Kälte
Sind ausgespannt, schweben.

> Und, eine Ebene, das Hoffen.
> Schweigsam breitet
> Wellenerwartung sich aus.

Ach, wozu? Von der Tiefe her
Erleuchten die Träume
Der Algen die Nacht.

Wille zum Leichten:
Herrliche Gestade
Erflehen Gnade vom Wind.

> Aufstieg zum Weißen!
> Die untersten Toten
> Gehen dahin, Luft in der Luft.

Schwierige Dünne:
Sucht die Welt ein weißes,
Gänzliches, ewiges Wegsein?

Aus den ›Statischen Gedichten‹ Gottfried Benns:

Welle der Nacht

Welle der Nacht — Meerwidder und Delphine
mit Hyakinthos leichtbewegter Last,
die Lorbeerrosen und die Travertine
wehn um den leeren istrischen Palast, |

> Welle der Nacht — zwei Muscheln miterkoren,
> die Fluten strömen sie, die Felsen her,
> dann Diadem und Purpur mitverloren,
> die weiße Perle rollt zurück ins Meer.

Bei diesen Versen ist die Vorstellung fehl am Platz, ein Gedicht handle, um Benn zu zitieren, von Gefühlen und solle Wärme verbreiten. „Ein Gedicht entsteht überhaupt sehr selten — ein Gedicht wird gemacht. Wenn Sie vom Gereimten das Stimmungsmäßige abziehen, was dann übrigbleibt, wenn dann noch etwas übrigbleibt, das ist dann vielleicht ein Gedicht... Das neue Gedicht, die Lyrik, ist ein Kunstprodukt. Damit verbindet sich die Vorstellung von Bewußtheit, kritischer Kontrolle und, um ... einen gefährlichen Ausdruck zu gebrauchen, ... die Vorstellung von Artistik." (Das gilt noch für nicht wenige ›expressionistische‹ Gedichte, mögen sie immerhin in Ekstase, Vision, Intuition ihren Ursprung haben.)

Solche Bestimmungen treffen auch, von wenigen Ausnahmen abgesehen, auf die deutsche Lyrik vor Goethe zu, besonders auf die glanzvolle Kunstdichtung des 17. Jahrhunderts. Und sie treffen darüber hinaus zu auf die dominierenden Bestände der europäischen Kunstlyrik, die nicht verleugnen kann, daß sie von römischem Geiste getränkt ist (weit mehr als von griechischem).

So spannt sich, bei aller Differenzierung im einzelnen, ein Bogen zurück, über die Phase subjektiver Gefühlslyrik, zu einer Sprachhaltung im Gedicht, der die Verse zuvörderst intellektuelle Kunst und nicht ›lyrisch‹ durchstimmte Empfindungsaussprache sind. Auch dort wird von den Erlebnissen des menschlichen Herzens gesprochen. Aber der Dichter umzirkelt kunstverständig allgemein-bedeutsame Geschehnisse oder sieht auch das persönlich Bedeutungsvolle stets bezogen auf das Allgemeine, allerdings innerhalb eines verbindlichen Welt- und Gesellschaftsbildes.

Fügen wir den Nachtgedichten ein ›barockes‹ Abendgedicht an:

> Der schnelle Tag ist hin; die Nacht schwingt ihre Fahn
> Und führt die Sternen auf. Der Menschen müde Scharen
> Verlassen Feld und Werk; wo Tier und Vögel waren,
> Traurt jetzt die Einsamkeit. Wie ist die Zeit vertan!

Dem Port naht mehr und mehr sich zu der Glieder Kahn.
Gleich wie dies Licht verfiel, so wird in wenig Jahren
Ich, du und was man hat und was man sieht, hinfahren.
Dies Leben kommt mir vor wie eine Rennebahn.

Laß, höchster Gott, mich doch nicht auf dem Laufplatz gleiten,
Laß mich nicht Ach, nicht Pracht, nicht Lust, nicht Angst verleiten,
Dein ewigheller Glanz sei vor und neben mir!

Laß, wenn der müde Leib entschläft, die Seele wachen,
Und wenn der letzte Tag wird mit mir Abend machen,
So reiß mich aus dem Tal der Finsternis zu Dir!

So sehr diese großartigen Alexandrinerverse des Andreas Gryphius mit ausgesuchter Bildkunst Abendliches ins Wort nehmen,
Abendstimmung wie bei Eichendorff wird nicht gedichtet. Auch
die ichbezogenen Bitten verharren | in einer objektiven, allge-
mein menschlichen Gebetshaltung, die in der gemeinsamen verbindlichen Glaubensgewißheit des Christen ruht. Ganz gewiß
fühlt Gryphius erschüttert den Hauch der Vergänglichkeit, für
die der Abend ein Gleichnis ist, und seine Gedanken richten sich
auf den letzten Tag des Lebens. Aber als er das Gedicht formt,
läßt er alles im Objektiven, mit dem bewußten Einsatz rhetorischer Mittel, die hier nicht aufgeführt werden sollen, das Objektivierende herausarbeitend.

Im Vorübergehen sei daran erinnert, daß nicht wenige Gedichte
jener Zeit damit beschäftigt sind, ein Objekt in dekorativer Sprache zu schmücken und zu feiern. Vielfältig und in ausgesuchten,
oft weit hergeholten metaphorischen Ausdrücken wird das thematische Objekt ornamental behängt, und dabei funkelt das geistvolle Spiel der Pointen. Als amüsantes Beispiel einige Zeilen aus
Hofmann von Hofmannswaldaus ›Lobrede an das liebwerteste
Frauenzimmer‹:

Hochwertes Jungfernvolk, ihr holden Anmutssonnen,
    Ihr auserwählter Schmuck, der Haus und Gassen ziert ...
Wer will Euch, Liebste, nicht als einen Gott anbeten,
    Weil Ihr das Bildnis seid, das Venus selbst geprägt.

Jedoch ich will nur bloß ein Teil von dem berühren,
Mit welchem die Natur Euch herrlich hat versehn.
Der Sinnen Schiff soll mich in solche Länder führen,
Wo auf der See voll Milch nur Liebeswinde wehn.
Die Brüste sind mein Zweck, die schönen Marmorballen,
Auf welchen Amor sich ein Lustschloß hat gebaut,
Die durch des Atem Spiel sich heben und auch fallen,
Auf die der Sonne Gold wohlriechend Ambra taut.
Sie sind ein Paradies, in welchem Äpfel reifen,
Nach derer süßen Kost jedweder Adam lechzt,
Zwei Felsen, um die stets des Zephirs Winde pfeifen,
Ein Garten schöner Tracht, wo die Vergnügung wächst,
Ein überirdisch Bild, dem alle opfern müssen . . .

Und so weiter, über viele Verse hin. Lust des Benennens, Freude an metaphorischer Artistik bis hin zu manieristischen Exzessen, über die jetzt Gustav René Hocke eindringlich gehandelt hat, das gibt es damals wie heute.

Die angedeutete Verwandtschaft der ›modernen‹ zu traditionaler Lyrik weit zurück besteht natürlich nicht in direkter Verbindung, Abhängigkeit, Übernahme. Und es ist nötig, nun auch die Unterschiede zu erwähnen.

In beiden Fällen handelt es sich um artistische Sprachkunst, die ein dichterisches Subjekt unter weitgehender Distanzierung von rein persönlichen Stimmungen und Gefühlen übt. Aber: In der modernen Lyrik (modern im engeren Sinne verstanden) ist eine *ent*bundene Subjektivität wirksam. Sie fühlt sich allen einengenden Bindungen überhoben und läßt ihre über alles verfügende Phantasie spielen, die diktatorischen Charakters ist.

In der Tradition ist das lyrische Subjekt, bei aller zugestandenen Freiheit zu frappierenden, ungewöhnlichen, dunklen Bildern und Formulierungen, *gebunden* in vorgegebene Ordnungen. Von der dichterischen Phantasie erwartete man zwar auch verblüffende Kapriolen, Unalltägliches und man|ieristische Sprachkunststücke, aber sie bleibt doch, auch wo sie das Empirische überschreitet, auf den allgemeinmenschlichen Raum bezogen, zumindest ist das Gedichtete auf ihn in verständiger Weise rückführbar. So gilt hier auch nicht, was Hugo Friedrich über moderne Lyrik sagen kann:

„Zu den vielen Varianten der Enthumanisierung gehört auch eine
Lyrik, die überhaupt nur Dinge zum Inhalt hat. Dabei ist nicht
allein die Wahl möglichst geringfügiger Dinge bezeichnend, sondern auch der Verzicht auf jede Qualifizierung." Vielmehr wählt
die traditionale Lyrik die in der Welt- und Lebensordnung bedeutsamen Dinge, um sie künstlerisch-dekorativ erscheinen zu lassen. Man könnte, im Gegensatz zur diktatorischen Phantasie der
entbundenen Subjektivität der ›Moderne‹, von einer ornamentalen Phantasie der gebundenen Subjektivität sprechen.

Die Bilder der alten Dichtung sind für einen gebildeten Leser,
der sich auf die Künste der Dichtung versteht, aufschlüssel-
bar. Denn ihr Material entstammt einem Arsenal — oft dem
der Emblematik —, zu dem Autor wie Leser gleicherweise Zu-
tritt finden können. Der ›moderne‹ Autor, nicht in einem
gültigen Sinngefüge gehalten, sieht sich auf sich selbst angewiesen, muß mit autarken Bildern operieren, die nur er mit
Sinn begabt hat.

Die traditionale Metaphern- und Formulierungskunst kann mit
den Dingen, die von der ornamentalen Phantasie erfaßt werden,
ihr geistvolles Spiel treiben, weil die Ordnung eines Ganzen, allem
Spiel überlegen, die Dinge zusammenhält. Denn die Welt ist, trotz
Vergänglichkeit und der Herrschaft der Fortuna, von Sinn durch-
waltet. Nicht wenigen Menschen jener Zeit erscheint die Welt wie
ein Buch, in das Gott mit Hieroglyphenschrift seine Zeichen ein-
geschrieben hat. Sie gilt es zu lesen. Das ist nur in kühner und
unerhörter Metaphorik möglich. So entsteht die kunstreich metaphorische Sprache der Tradition aus einer über aller Not und Verzweiflung gewußten Fülle an Welt, Sinn und Glauben.

Die artistische Metaphernsprache der ›Moderne‹ aber mit ihren
absoluten Chiffren aber entsteht nicht aus einer Fülle an Welt-
sinn, den es zu umwerben gilt, sondern aus dem Mangel an ver-
bindlichem Sinn, aus der Not, in der gedeuteten Welt nicht zu
Hause zu sein. Mit Hilfe seiner metaphorischen Möglichkeiten
sucht der Dichter hinter die Oberfläche der Wirklichkeit zu kommen, ob er nicht doch einen verborgenen, dem alltäglichen Auge
entzogenen Sinn schaue. Oder die Ausschöpfung der artistischen
Mittel ist — um nochmals Benn zu zitieren — „der Versuch der

Kunst, innerhalb des allgemeinen Verfalls der Inhalte sich selbst als Inhalt zu erleben und aus diesem Erlebnis einen neuen Stil zu bilden, es ist der Versuch, gegen den allgemeinen Nihilismus der Werte eine neue Transzendenz zu setzen: die Transzendenz der schöpferischen Lust".

Erörterungen der Sprachhaltung allein genügen natürlich nicht, um das Verhältnis der ›modernen‹ Lyrik zur Tradition zu erfassen. Aber unverkennbar wird es sehr schwierig und gefährlich, wenn man über die inhaltlichen Beziehungen zu Tradition und Vergangenheit gültige Aussagen machen will. Jeder Autor hat sein eigenes Verhältnis zum Vergangenen, und überdies ist es aus seinem dichterischen Werk allein oft nicht vollständig ablesbar. Man denke an T. S. Eliot, dessen kritische Schriften ein immenses Traditionsbewußtsein bezeugen, das in seinen Gedichten von der Modernität wie überdeckt erscheint und nur in den weithergeholten Anspielungen und Zitaten aufleuchtet, die zuweilen in der Originalsprache ins Englische eingefügt sind. Zudem stehen bei diesen Autoren Abkehr und Neigung spannungsvoll nahe beieinander, Bruch und Verbindung zugleich werden sichtbar.

Ein Punkt muß hier noch nachgetragen werden (auf dem man übrigens eine ganze Betrachtung hätte aufbauen können): Das Material des Dichters, die Sprache, ist von vornherein mit Tradition gesättigt. Bei allen Versuchen, die künstlerische Sprache von Altem und Vergangenem zu entschlacken, bleiben traditionalistische Elemente wirksam. Ohne sie könnte der Dichter einen andern Menschen, den Leser oder Hörer, überhaupt nicht erreichen, es sei denn, er hielte ein Gestammel, das durch beliebige Buchstabenzusammenstellungen hervorgebracht wird, für Dichtung. Auch der extremste Poet vermag aus den Wörtern, auf die er angewiesen ist, aus der „Sprache mit ihrer Jahrhunderte alten Tradition" (wie sie auch Benn sehr bewußt ist), den überlieferten Bedeutungsgehalt nicht ganz hinauszupressen. Das unterscheidet sprachliche Kunst deutlich von den andern Künsten. Das sei hier nur beiläufig erwähnt.

Ganz gewiß besitzt die Negation des Vergangenen in dieser Lyrik bedeutende Vehemenz und wird nachdrücklich ausgesprochen. Aus der Situation, in der das „Verlorene Ich" sich befindet,

zersprengt von Stratosphären,
Opfer des Ion —: Gamma-Strahlen-Lamm —,
Teilchen und Feld —: Unendlichkeitschimären
auf deinem grauen Stein von Notre Dame . . .,

scheint kein Rückgriff möglich und sinnvoll:

Die Welt zerdacht. Und Raum und Zeiten
und was die Menschheit wob und wog,
Funktion nur von Unendlichkeiten —,
die Mythe log.

Woher, wohin —, nicht Nacht, nicht Morgen,
kein Evoë, kein Requiem,
du möchtest dir ein Stichwort borgen —,
allein bei wem?

Ach, als sich alle einer Mitte neigten
und auch die Denker nur den Gott gedacht,
sie sich den Hirten und dem Lamm verzweigten,
wenn aus dem Kelch das Blut sie rein gemacht,

und alle rannen aus der einen Wunde,
brachen das Brot, das jeglicher genoß —,
oh ferne zwingende erfüllte Stunde,
die einst auch das verlorne Ich umschloß.

Das Alle-Verbindende trägt nicht mehr, es ist zerbrochen. Tatsächlich geben sich die Herübernahmen alten Gutes aus Mythologie, Geschichte und | Literatur, die ja erstaunlich zahlreich in den
Gedichten sind, als „geisterhafte, wahllos herangeholte Reste einer
geborstenen Vergangenheit" (Friedrich).

Und doch ist mehr im Spiel. Mag auch das Vergnügen mit am
Werke sein, dem Leser gebildete Kombinationskunst vorzuführen
und ihn mit Assoziationen zu frappieren oder zu ergötzen, es ist
daneben oft genug auch der Versuch einer Aneignung, das Bemühen, das Annehm*bare* herüberzuretten, es von der gegenwärtigen Lage aus neu zu deuten und zugleich mit seiner Hilfe Gegenwärtiges aufzuschließen und ins dichterische Bild zu bringen. Diese

Haltung weiß sich jeder bloß restaurierenden Tendenz entgegengesetzt.

Allerdings ist die Bindung an eine Traditions*ganzheit* dieser Dichtung nicht möglich. Einzelnes wird herübergenommen und in einem Prozeß, den man als ›Eindeutung‹ bezeichnen kann, erneut lebendig gemacht. Das ist ein weiter und verwickelter Komplex, über die Gattung der Lyrik natürlich hinausgreifend. Alte Ereignisse und Vorgänge werden zu Mustern, in die sehr Modernes eingelassen werden kann. Man denke an James Joyce's ›Ulysses‹, an Thomas Manns Joseph-Romane, an die verwandelten antiken Stoffe in den Dramen eines Anouilh und anderer.

In der Lyrik (wiederum ist auf Benn zu verweisen) begegnet aber auch die herrscherliche Gebärde, die im Vertrauen auf den formenden Zugriff der Sprachkunst sich der Räume von Jahrhunderten in abkürzender Chiffre und intellektuell komprimiertem Bild zu bemächtigen wagt: Reduktion auf das für den Autor jeweils Wesentliche und nur von der Position des Autors aus annähernd zu begreifen. „Worte, Worte — Substantive! Sie brauchen nur die Schwingen zu öffnen und Jahrtausende entfallen ihrem Flug" (Benn).

Ein vielfältiges Bild bietet sich, wenn man nach dem Verhältnis der Lyrik der Moderne zur Tradition fragt, und es ist weit vielfältiger, als es diese Skizze ausführen kann. Von bewußter Traditionsbindung bis zum erklärten Traditionsbruch reicht die Skala. Aber auch hier noch trifft manches von dem zu, was Goethe in den ›Wanderjahren‹ geschrieben hat:

„Ist man treu, das Gegenwärtige festzuhalten, so wird man erst Freude an der Überlieferung haben, indem wir den besten Gedanken schon ausgesprochen, das liebenswürdigste Gefühl schon ausgedrückt finden. Hierdurch kommen wir zum Anschauen jener Übereinstimmung, wozu der Mensch berufen ist, wozu er sich oft wider seinen Willen finden muß, da er sich gar zu gern einbildet, die Welt fange mit ihm von vorne an."

Die Zeit. Wochenzeitung für Politik, Wirtschaft, Handel und Kultur.
19 (1964), vom 6. November, S. 23–25.

BESTAND UND BEWEGUNG IN GEDICHTEN
GEORG TRAKLS*

Von Walther Killy

Am 29. August 1912, als noch der Friede vor dem ersten großen Kriege zu währen schien, berichtete der stellvertretende Kommandant des k. u. k. Garnisonsspitals Nr. 10 zu Innsbruck über den ihm zur Probedienstleistung unterstellten Landwehrmedikamentenakzessisten Georg Trakl an das k. u. k. Kriegsministerium in Wien: „Der Aspirant ist im pharmazeutischen Dienst gut verwendbar ...; er hat einen festen Charakter ist ambitioniert, verläßlich pflichteifrig und ordnungsliebend, lebt in geordneten Verhältnissen jedoch ziemlich zurückgezogen, für einen jungen Mann fast zu menschenscheu; er entspricht in Sitten und Takt; doch ist sein Auftreten noch wenig militärisch. — Im Umgang ist er wählerisch und bevorzugt bessere Gesellschaft. — Die Mittelschule hat der Aspirant bis inklusive septima frequentiert und sodann der Pharmazie sich zugewendet; er ist Philosoph und Lyriker und hat in Zeitschriften Verschiedenes publiziert; seine äußere Erscheinung ist ziemlich einnehmend."

Auch von dieser äußeren Erscheinung haben wir amtlichen Bericht; die bei der Assentierung übliche Personenbeschreibung gibt die Größe des Einjährig-Freiwilligen mit 1,71 Meter an, also — trotz den Überlieferungen über Trakls außerordentliche Körperkraft — keineswegs groß, die Farbe der Augen, Augenbrauen und Haare als braun, die Form der Nase als „groß", die des Kinnes als „spitz" ... Man kann nicht erwarten, daß auf militärischen Formularen Angaben erscheinen, welche das Ergreifende des Ge-

* Die folgenden Ausführungen sind erstmals zum fünfzigsten Todestag von Georg Trakl veröffentlicht worden.

sichtes vorstellbar machten, das schon aus der Reihe kindlicher
Familienbildnisse herausspringt — gezeichnet von unkindlichen
Leiden und schmerzvollen Ahnungen, denen die Worte fehlen und
vielleicht immer fehlen werden.

Man kann auch nicht erwarten, daß die wohlmeinenden Sätze
des Spitalskommandanten die Leistung begreiflich machen, welche
das Urteil „ambitioniert, verläßlich pflichteifrig" ermöglichte. Sie
wird faßlicher durch den trockenen Satz eines Wiener Departe-
mentschefs, welcher sich an den Bewerber Trakl mit den Worten
erinnert: Das sei ja derjenige, „auf den man 2 Monate warten
mußte und der dann nach zwei Stunden wegging". Hier ist die
Unstäte zusammengefaßt, der sich in Innsbruck für eine Weile
Trakls Wille und Ludwig von Fickers Liebe entgegensetzten und
die den Dichter in keiner bürgerlichen Tätigkeit ausharren ließ;
abenteuerliche Pläne (denen Hölderlins vergleichbar, der nach Ta-
hiti wollte) lassen den albanischen Staatsdienst oder eine von den
holländischen Stellen kurz vor Kriegsbeginn abgelehnte Beamtung
in Borneo erträglicher erscheinen als das Dasein in „der brutalsten
und gemeinsten Stadt..., die auf dieser beladenen und verfluch-
ten Welt existiert. Und wenn ich dazudenke, daß mich ein fremder Wille vielleicht ein Jahrze‹h›nt hier leiden lassen wird, kann
ich in einen Tränenkrampf trostlosester Hoffnungslosigkeit verfallen. Wozu die Plage. Ich werde endlich doch immer ein armer
Kaspar Hauser bleiben."

Dieser Brief ist in der Apotheke des Garnisonsspitals Nr. 10 geschrieben. Wir haben Bilder aus dieser Zeit, die den Autor zeigen:
eine schlanke Gestalt, überaus gesammelt und zusammengefaßt, in
tadellosem Anzug mit gestreifter Hose, kurz gesagt ein Herr und
alles andere als ein Bohemien. Über den schmalen Schultern ein
Haupt, dessen militärischer Haarschnitt die Tiefe der schrägen
Augen unter dichten Brauen, die Kühnheit des ganzen Gesichtes,
die Leidenszüge um den ungewöhnlich verschlossenen Mund
erst recht hervorhebt. Der Blick läßt den Betrachter nicht los und
macht die Formel ‚Besondere Merkmale fehlen' sinnlos: „... er
hatte eine unbeschreiblich einfache Art zu begrüßen", so erinnert sich sein Freund Heinrich, „der Anblick ging mir immer
zu Herzen. Dabei belebte sich sein graues, zuweilen etwas grünlich-

farbenes Auge mit einem leisen und warmen Licht, gleichsam des Mitleides".

Nicht einmal der Überlieferung der Augenfarbe sehen wir uns versichert; wohl ihrer Wirkung. Was dem ärztlichen Blick als braun sich darstellte, ist dem nah verbundenen grau oder grünlich; der von den einen als *très-comme-il-faut* Charakterisierte erscheint anderen, als ob er „spinnt" — es ist, als ob das Bild der Erscheinung sich so wenig festlegen lasse wie die Bilderfluchten der unvergeßlichen Verse, die von Trauer und Häßlichkeit sprechen und doch schön sind: so schön, daß fünfzig Jahre nach seinem Tode ein sicher wachsender Ruhm die Grenzen der deutschen Sprache längst überschritten und Trakls ersten Rang bestätigt hat.

Warum? Das Werk ist schmal, auch wenn die bald erscheinende Gesamtausgabe den Umfang des Gekannten vervielfachen wird. Die Erkenntnis seines Wesens ist damit noch nicht gegeben; wer sie hätte, würde viel zur Bestimmung unseres Zeitalters in Erfahrung bringen. Sie ist nicht leicht zu gewinnen. In der Flut des über den Dichter Geschriebenen finden sich die widersprüchlichsten Urteile, von der bornierten Etikettierung als „Drogenesser" bis zu einer Art von Heiligsprechung; den einen wird unterschoben, sie sähen im Spiel der Farben, Bilder und Klänge nur ein reines *l'art pour l'art* walten, die andern finden letzte Fragen in den Versen wo nicht beantwortet, so doch immer wieder gestellt. Die meisten versuchen, eine Poesie zu fixieren, welche doch als eines der wichtigsten Wörter das Wort unsäglich gebraucht, ja, die deshalb Poesie ist, weil ihr das Dasein in jeglichem Betracht unsäglich ist. Das ist die Grundbedingung des Traklschen Dichtens und die Grunderfahrung seines kurzen, am 3. November 1914 geendeten Lebens:

> Unsäglich ist das alles, o Gott, daß man erschüttert ins
> Knie bricht.

> Weh, der unsäglichen Schuld, die jenes kundtut.

> ... in schwarzer Braue nistet unsäglicher Augenblick ...

Blickt man in die Handschriften, so erweist sich der ganze dichterische Prozeß als beharrliches, verzweifeltes, einem höchsten Zwang gehorchendes Mühen des Dichters (der sprechen muß) um das Unsägliche. Er findet sich angesichts der Möglichkeiten von Mensch und Welt gleichsam in der Lage, in der sich die ihm selbst Begegnenden angesichts seiner Person, die liebevollen und ergriffenen Leser angesichts seiner Poesie finden.

Wo wir die rührenden, auf alten Briefen, Kaffeehausbögen, Kuverts und Heftseiten mit Bleistift gekritzelten, oft unendlich variierten Manuskripte entziffern, begegnen wir immer wieder Stellen wie den folgenden: „... ein Lächeln voll Trauer und Demut hat das Antlitz versteinert ..." Allein nicht von Anfang an hat diese Selbstanrede in ›Winternacht‹ so gelautet. Erst hatte der Dichter geschrieben: „... ein Lächeln voll Trauer und Hochmut hat dein Antlitz versteinert ..." Dann hatte er sogleich „Hochmut" durch das Gegenteil „Demut" ersetzt, sich neu besonnen, „Hochmut" wieder hergestellt, neu gestrichen und statt dessen „Schmach" gesetzt, auch dies Wort mit seinem Gegensatz ausgetauscht und ein „Lächeln voll Trauer und Stolz" daraus gemacht. Schließlich kehrte er im Manuskript zu der Wendung „Trauer und Demut" zurück, die ein letzter Entschluß bei der Drucklegung nochmals in „Hochmut", die endgültige Fassung, verwandelte.

Was soll das? Niemand wird in diesen Gebilden, deren Ernst man sich nicht entziehen kann, Beliebigkeit vermuten, aber auch niemand hinter dem scheinbar so sicheren Wortlaut der Drucke, ihrer entschiedenen Kunsterscheinung soviel Ungewißheit und Widerspruch, die sich nicht allein auf Menschliches erstrecken. Man betrachte nur den Werdegang von drei Zeilen in dem Gedicht ›An Mauern hin‹, einer ersten Fassung von ›Im Dunkel‹. Da heißt es zunächst:

> Bereitet fand der Fremdling das Haus,
> Rast am dunklen Weg
> Taglang rauschte in seiner Seele ruhig Grün ...

Und das wird umgekehrt durch den Austausch eines einzigen Wortes:

> Verschlossen fand der Fremdling das Haus,
> Rast am dunklen Weg ...

Auch diese beiden Zeilen werden wieder neu konzipiert:

Leuchtendes Haus im Wald;
Und taglang rauscht in der Seele des Fremdlings das glühende Grün.

Die Elemente des Vorigen finden sich im Neuen aufgehoben, das
wiederum nicht unverändert bleibt, denn das sinnliche „glühende
Grün" erhält durch den Wechsel des Adjektivs gegenteilige Qualität und wird „das schuldlose Grün". Alle diese Variationen aber
werden durch eine kaum zu erwartende Version vorläufig ersetzt;
sie heißt:

Kreuz und Kirche im Dorf. In dunklem Gespräch
Erkennen sich Mann und Weib
Und an kahler Mauer wandelt mit seinen Gestirnen der Einsame.

Was soll das? Warum gibt es Gedichte, die durch die Verschieden-
heit ihrer beabsichtigten Schlüsse ganz widersprüchliche Absichten
und Deutungen zulassen? Warum erscheint die gleiche Gestalt as-
ketisch als „Mönchin", schuldhaft als „Nymphe"?
    Die Antwort muß uns wichtig sein, wenn wir diese dunkelschö-
nen Gebilde nicht nur als Spiele mystischen Zufalls und fesselloser
Imagination, wenn wir ihre unbegreifliche Sprache als sprechend
verstehen wollen. Trakl hat sich bei den beiden noch unter seiner
Aufsicht von dem unvergeßlichen Verleger Kurt Wolff gedruck-
ten Bändchen ›Gedichte‹ (1913) und ›Sebastian im Traum‹
(1914) mit großer — aus den wiedergefundenen Briefen hervor-
gehender — Sorgfalt um die Anordnung bemüht. Im ›Sebastian
im Traum‹ setzte er jeweils an den Schluß einander zugeordne-
ter Gruppen eine größere Prosadichtung, mit Überschriften wie
›Verwandlung des Bösen‹, ›Traum und Umnachtung‹; aus dem
Nachlaß veröffentlichte Ludwig von Ficker ›Offenbarung und
Untergang‹. Die ›Gedichte‹ überschriebene Sammlung aber
sollte ursprünglich den Namen ›Dämmerung und Verfall‹ tragen.
    In diesen Entgegensetzungen sind die Möglichkeiten des Ver-
haltens zum Dasein bezeichnet, welche dem Dichter auferlegt
waren. Hatte Hölderlin einst zu Böhlendorff, in einer anderen
Zeit, die andere Sprache und andere Bilder kannte, den Ausruf ge-

tan, es gehe ihm „wie dem alten Tantalus, dem mehr von Göttern ward, als er verdauen konnte", so schrieb Trakl an Buschbeck: „... ich bin derzeit von allzu viel (was für ein infernalisches Chaos von R‹h›ythmen und Bildern) bedrängt, als daß ich für anderes Zeit hätte, als dies zum geringsten Teile zu gestalten, um mich am Ende vor dem was man nicht überwältigen kann, als lächerlicher Stümper zu sehen ..."

Die Leistung der Kunst (ich wähle beide Worte mit Bedacht) bestand für ihn in der Bewältigung des „infernalischen Chaos" — infernalisch nicht nur ob der Not und Bedrängnis des den „R‹h›ythmen und Bildern" Preisgegebenen, infernalisch vor allem, weil die Hölle in einer Welt wahrgenommen wurde, die den meisten Zeitgenossen als sicherer Schauplatz josephinisch-wilhelminischer Zuversicht erschien: „Verwandlung des Bösen" war die unlösbare Aufgabe, von deren Gelingen es abhängen mochte, ob „Dämmerung" oder „Verfall" den Punkt der Zeit recht bezeichnete. Waren diese Visionen „Offenbarung" oder Zeichen vom „Untergang"? Waren sie „Traum" oder Anzeichen einer „Umnachtung", welche den Visionär nicht allein, sondern die ganze Epoche verschlingen konnte? „Ein umnachteter Seher sang jener an verfallenen Mauern und seine Stimme verschlang Gottes Wind."

„Ein umnachteter Seher": genauer kann das Dasein des von Unsäglichem erfüllten Dichters nicht gefaßt werden, als es mit solcher sinnvoll-paradoxen Wendung in ›Traum und Umnachtung‹ geschehen ist. Der Seher sieht nichts im Dunkel der Nacht; was er sieht, ist von „Umnachtung" beschattet, wie soll er ihm trauen, wie es wahrhaft erkennen, wohin es ordnen — wer sagt, ob es Fieberträume sind — „Delirien" ist Trakls Wort — oder „Offenbarungen". „Du magst mir glauben, daß es mir nicht leicht fällt und niemals leicht fallen wird, mich bedingungslos dem Darzustellenden unterzuordnen und ich werde mich immer und immer wieder berichtigen müssen, um der Wahrheit zu geben, was der Wahrheit ist." Dies sind die eigentlichen Ursachen der widersprüchlichen Varianten, der auswechselbaren Gedichtschlüsse, von deren Bloßlegung (die der Philologe leisten muß) eine am deutschen neunzehnten Jahrhundert orientierte Dichtungsauffassung sich merkwürdig irritiert findet. „Nymphe" oder „Mönchin": von der Wahl

des Bildes hängt mehr ab als nur eine Stelle im Gedicht; sie wird
den Menschen selbst, die Natur seiner Erlebnisse und Beziehungen, Erfahrung der Lust oder Erkenntnis des Sehers abkürzend bezeichnen. „Demut" oder „Hochmut", „Schmach" oder „Stolz":
welchen Namen das trauervolle Lächeln erhält, ist für Trakl auch
eine Frage der Wahrheit: „... ich werde mich immer und immer
wieder berichtigen müssen . . ."

    Damit ist die Wurzel bloßgelegt des Zwangs zu den Ketten der
Änderungen. Es ist ein verselbständigter Zwang zur Wahrheit, es
sind Versuche wahrhaftigen Verhaltens gegenüber einer unfaßlichen Zeit, einer nicht mehr bestimmten Welt, einem kaum erträg-
lichen Schicksal:

> Bereitet fand der Fremdling das Haus ...
> Verschlossen fand der Fremdling das Haus ...

Alles hängt für ihn davon ab, was zutreffe, und die Wahrheit
selbst gebietet ihm das Eingeständnis, daß er sie mit Gewißheit
nicht kenne. „Heimgesucht von unsäglichen Erschütterungen, von
denen ich nicht weiß ob sie mich zerstören oder vollenden wollen,
zweifelnd an allem meinem Beginnen und im Angesicht einer
lächerlich ungewissen Zukunft" — auf diesem Grund entstehen
die Gedichte. Was Wunder, wenn der Dichter schwankt zwischen
dem Wortlaut:

> Dunkleres Leben odmet diese Zeit
> Des Untergangs, da des Träumers Herz
> Überfließt von purpurner Abendröte ...

und dem anderen:

> Dunkleres Leben odmet diese Zeit
> Der Vollendung ...

So entfaltet sich in den Gedichten ein Kosmos von Bildern,
Farben, Bewegungen, Rufen, Tönen und Blicken, der im einzelnen
vage erscheint, zufällig gewählt und wiederholbar, aber im ganzen auf die unausgesprochene Mitte hingeordnet bleibt. In ihr ver-

hüllt sich ein Lebensgeheimnis, eine allumfassende Erfahrung von Schuld, Hinfälligkeit und Weltzerfall, die alle Worte übersteigt und in ihrer bedrängenden Gewalt doch nur durch Worte gebannt werden kann. Sie ist nicht eigentlich benennbar — nicht nur, weil diesem Dichter eine eigentümliche Keuschheit gehört; vor allem, weil seine Erfahrungen tieferer, anderer Natur sind als die seiner ‚expressionistischen‘ Zeitgenossen, welche Ergriffenheit zur laut angepriesenen Ware machten und sich damit an die öffentlichen Wege stellten. Trakls Poesie existiert von vornherein in der Spannung zwischen der Unsäglichkeit ihrer ursächlichen Erfahrungen und der Notwendigkeit, sie zu begreifen; und das konnte nur im Wort geschehen.

Das konnte nicht geschehen in beliebigem Wortgebrauch; man geht nicht fehl, wenn man Trakl all die Erkenntnisse vorgibt, die Hofmannsthal im Chandos-Brief ausgesprochen hat. „Man kann sich überhaupt nicht mitteilen", hat er dem Freund Röck (eine auf kleinere Proportionen gebrachte Eckermann- und Wagner-Gestalt) gesagt; Goethe war ihm verdächtig, weil seine Poesie „voll Ausspruch und Bekenntnis" war, das heißt unmittelbar sprach und das Persönliche selbst zum Gegenstand nahm. Von den Deutschen, so war er überzeugt, könne nichts Großes mehr kommen; Mörike und der — unterschätzte — Liliencron waren ihm die letzten unschuldigen Dichter. Ihnen war noch die Möglichkeit gegeben, im Vertrauen auf die Wahrheit und den Zusammenhang der Erscheinungen diese selbst sprechen zu lassen; dies Vertrauen galt für Trakl nicht mehr: „Vielleicht schreiben Sie mir zwei Worte; ich weiß nicht mehr ein und aus. Es ⟨ist⟩ ein so namenloses Unglück, wenn einem die Welt entzweibricht. O mein Gott, welch ein Gericht ist über mich hereingebrochen. Sagen Sie mir, daß ich die Kraft haben muß noch zu leben und das Wahre zu tun . . ."

Unter diesen Voraussetzungen hat Trakl gedichtet, und er hat ihnen nichts anderes entgegenzustellen gehabt als das Gedicht selbst. Die Antwort auf das „Chaos" war die Absicht, es in geordneter und höchst bewußter Kunstgestalt zur Sprache kommen zu lassen; die Antwort auf das Zerbrechen der Welt war der Versuch, aus ihren verfügbar gewordenen Elementen die Kunstwelt des Gedichtes zu erbauen. Die Folgerung aus der Gleichgültigkeit persön-

lichen Erlebens angesichts überwältigender Grunderfahrungen war
der Rückzug der Poesie in ihre urältesten Anfänge: in das rätselhafte Sprechen, welches das Geheimnis lebendig bestehen läßt.

Man kann das auf Schritt und Tritt beobachten, und der Dichter hat selbst eine Anzahl von Winken gegeben. Er spricht schon
früh von der „heiß errungenen", „bildhaften Manier" seiner Arbeiten und noch spät von der „den Gedichten eigenen Struktur". Es
ist eine Bildstruktur, die zugleich musikalisch genannt werden
kann. Im berühmten ›Helian‹ etwa kehren Schauen und Lauschen, Wasser und Antlitz, steigende und fallende Bewegung,
Wahnsinn und Untergang immer wieder, aber jeweils verwandelt.
In anderen Gedichten sind es einfache Dinge — Bäume und Steine
zum Beispiel in der ›Passion‹ —, welche dem elementaren lyrischen Prinzip der abwandelnden Wiederholung unterworfen
werden. Ein Netz von Zeichen und Hinweisen hält das Ganze
zusammen, der Hörer erinnert sich und glaubt zu erkennen:

> Wer bist du Ruhendes unter hohen Bäumen?
>
> Wen weinst du unter dämmernden Bäumen?
>
> Was schweigst du unter schwarzen Bäumen?
>
> Ein Leichnahm suchest du unter grünenden Bäumen
> Deine Braut...
>
> Jener aber ward ein schneeiger Baum
> Am Beinerhügel...

Auf diese Weise erhält das Gedicht Gefüge und Musikalität, aber
diese sind nicht ihr eigener Zweck. Die wandelbaren Bilder geben
nicht nur die ästhetische, bei aller Melancholie wohltätige Wirkung der *repetitio variata*, welche allen Kunstempfindungen zugrunde liegt; sie sind zugleich Anzeichen der Wandlungen des
Gegenstandes, Chiffren, mit denen die unsägliche Mitte angedeutet wird.

Daher kommt es, daß die so eindrucksvolle, wiewohl schmale
Bilderwelt dieser Gedichte immer wieder Deutungsversuchen ausgesetzt ist, welche genau zu wissen vorgeben, was der Dichter
meinte. Als ob es ihm selbst definierbar gewesen wäre, als ob er
die Not der immer neuen Versuche nicht gekannt hätte.

Alle definitiven Festlegungen, von der Art, wie ich selber sie
mir vor Jahren auch habe zuschulden kommen lassen, die Behauptung etwa „silbern" gleich sinnlich schuldhaft und so weiter, irren,
denn fast immer wird sich auch der Gegensatz „silbern" gleich
unschuldig aufrechterhalten lassen. Das hat zwei Gründe: den allgemeineren, daß die Sprache dieser Lyrik als poetische Sprache
notwendig ist, weil die Sprache der Begriffe nicht mehr ausreicht.
Gedichte — und schon gar moderne — sind keine auflösbaren
Gleichungen für Sachverhalte, welche auch prosaisch sagbar wären.
Sie haben ihre eigene, sinnfällige Redeweise, in welcher der Bereich, den man früher mit ,Sinn' bezeichnete, in das Spiel der Erscheinungen entrückt ist. Mit der Fixierung wird dies schöne Spiel
vernichtet, ein letzter freier Raum in einer schrecklichen Welt aufgelöst — die Kunst erübrigt sich. Aber die Vorsicht, welche gegenüber allen Deutungen am Platz ist, hat noch einen weiteren Grund.
Diese Poesie geht aufs Äußerste, sie entspringt äußersten Leiden,
sie sucht sich angesichts ihrer wahrhaftig zu verhalten und tritt
ein in e i n unendliches Gedicht, das stets aufs neue versucht, die
Möglichkeiten der Existenz vorzustellen:

Bereitet fand der Fremdling das Haus ...

Verschlossen fand der Fremdling das Haus ...

... diese Zeit Des Untergangs ...

... diese Zeit Der Vollendung ...

Wer sind wir, aus solcher Poesie Lehrmeinungen zu destillieren?
    Es ist eine Ungewißheit nicht nur vor den großen Fragen, son-
dern auch vor den Dingen und Erscheinungen. Das „Gefühl wilder Verzweiflung und des Grauens über dieses chaotische Dasein"
wird nicht allein durch das feindlich-aggressive Äußere der modernen Welt erregt, welche von Häßlichkeit starrt und der sinn-
vollen Würde des „alten Geräts der Väter" entbehrt.

... Der Erde Qual ohne Ende.
In kühlen Zimmern ohne Sinn
Modert Gerät ...

Die Dinge selbst sind in den Strudel einer Beliebigkeit geraten;
man sieht es an den bloßen Namen der Naturerscheinungen —
aus den vielen Beispielen sei eines dem soeben zitierten großartigen Gedicht ›Vorhölle‹ entnommen. Seine ersten Zeilen heißen:

> An herbstlichen Mauern, es suchen Schatten dort
> Am Hügel das tönende Gold
> Weidende Abendwolken
> In der Ruh verdorrter Platanen.

Bei der ersten Niederschrift lautete das einmal:

> Am Saum des Waldes, (es wohnen dort die Schatten der Toten),
> Am Hügel sinkt ein goldener Kahn. Die Ruh der Wolken
> So tief, die Abendkühle, die braune Stille des Herbstes.

Dann faßte der Dichter diese drei in vier knappere, fast endgültige Zeilen zusammen:

> An herbstlichen Mauern, es suchen Schatten dort
> Am Hügel das tönende Gold
> Wandert weidende Abendwolke
> In der Ruh verdorrter Platanen.

Aus dem „Saum des Waldes" sind „herbstliche Mauern" geworden; aus dem versinkenden „goldenen Kahn" das „tönende Gold".
Die so schön im Bild stehenden „Platanen" haben ihre Gestalt
mehrfach gewechselt: „Stille der Eichen"; „Ruh gespaltener Eichen";
„verdorrter Akazien"; „Ruh des Friedhofs"; „Ruh verdorrter Platanen" ... Was soll das? Das ‚letzte Wort' hängt nicht ab von
dem ‚in Wirklichkeit' Gesehenen, sondern vorzüglich vom notwendigen, in Wahrheit bestehenden Kunstzusammenhang.

Ihn in Kürze zu erklären, ist schwer. Er verwirklicht sich im
Ganzen des Gedichts, er ist das Ganze des Gedichts. Mit großer
Beharrlichkeit pflegt der Dichter dessen Grundgestimmtheit fest-
zuhalten, der das Schwanken zwischen Alternativen keineswegs
widerspricht. Er hat für diese Grundgestimmtheit einmal das
Wort „Wertigkeit" gebraucht: Das „Gold" ist ein solcher Wert,

ob es nun dem sinkenden Kahn zugehört oder selbst tönend in Erscheinung tritt. Der „verdorrte" Baum ist ein anderer, und die Vorstellung des Verdorrens ist dem Dichter wichtiger als die der jeweils unterworfenen Erscheinung; sie ist modifizierbar und richtet sich weniger nach der Realität als nach den Verläufen von Vorstellungen, Klängen und Relationen im Gedichtganzen. Man kann sich die Genauigkeit und beharrliche Ökonomie kaum vorstellen, mit welcher der Dichter gearbeitet hat. Nichts geht verloren, über alles wird zusammenhängend verfügt. Wenn er für „goldenen Kahn" kurz „schwärzlichen Kahn" erwogen und wieder verworfen hat, so setzt er später „schwärzliche Angst"; wenn ihm „blaue Ruh" und „blaue Schwermut" mißfallen, so heißt es bald danach an anderer Stelle: „Bläulich tönen die Schritte . . ." Dies „tönen" wird an den Gedichtanfang zurückwandern und dem „tönenden Gold" zugeeignet werden, so wie — alle Beispiele sind aus einem Gedicht! — das Verbum der Zeile „Schwermut weidend in der braunen Stille des Baums" verpflanzt wird in den Satz „Wandert weidende Abendwolke".

Eine solche bewahrende Versetzung der Gedicht-Elemente hat sehr merkwürdige, nicht nur für Trakl, sondern für die neueste Poesie bezeichnende Folgen. Beständiger als die Dinge sind die allgemeinen Verhältnisse, beharrlicher als die wechselnde Erscheinung Bewegungen und Eigenschaften. Grundbedingungen, elementare Richtungen treten hervor, denen sich die Erscheinungen unterordnen müssen. Sie erhalten dadurch eine merkwürdige Uneigentlichkeit und Flüchtigkeit, ein vermeintliches Vages, das häufig auf die sachliche oder personale Bestimmung ganz verzichtet: „Ein Ruhendes"; „ein Weißes" heißt das Subjekt der Verse, oft rätselhaft, wie auch die Erscheinungen den Rätselcharakter zurückgewinnen, den ihnen ein vorgeblich aufgeklärtes Jahrhundert nehmen will. Ein gut Teil ihrer großen Wirkung besteht eben darin.

So groß wie die existentielle Spannung zwischen „Untergang" und „Vollendung" ist oft diejenige zwischen den einfachen, altvertrauten und abgenützten Weltdingen und den Verwandlungen, denen sie unterworfen werden. „. . . Gottes Geier zerfleischen dein Herz": das ist ein Satz, dem unsere Imagination noch zu folgen vermag; die bloße Einfügung eines Wortes verwandelt ihn:

„... Gottes Geier zerfleischen dein metallenes Herz." Jetzt sind zwei Wörter kopuliert, die einander in den elementaren Bezirken unserer Vorstellung widersprechen, eines dem andern fremd. Aber die Kombination „metallenes Herz", welche in der Poesie etwas herstellt, was es in der Welt nicht gibt, schenkt dem lyrisch abgebrauchten Hauptwort neue, unergründliche Wirkungen. Was ist metallen — was Herz? Die Frage ist nahezu müßig, denn sie sind nur in dieser dichterischen Kombination ganz, was sie sind.

Die zitierte Stelle aus ›Winternacht‹ (es gäbe viele Beispiele solcher Art) fährt fort: „O ihr Hügel, von denen das Blut tropft ..." Auch das ist noch eben ‚vorstellbar‘, wenn man Wert auf ‚Richtigkeit‘ legt. Indem der Dichter variiert: „O der blutende Hügel", entsteht die neue, spannungsvolle, bedeutsame und nicht auflösbare bildliche Einheit; wenn er sie nochmals variiert zu „O der steinerne Hügel", so ist sie zum Rätsel geworden. Zugleich wird ein anderes, ursprünglich lyrisches Verfahren angewandt, das Trakl wichtig war; man könnte es Lakonismus nennen: Aus einem vollständigen Relativsatz ist eine einzige Apposition geworden. Der lyrische Ausdruck drängt zur Knappheit, eine Tendenz, die für ganze Gedichte genauso gilt wie für die einzelne Wendung. Es ist, als wolle das Kunstgebilde sich so sehr als möglich in seine Eigentümlichkeit zurückziehen, die bedrängenden Themen so weit verhüllen, als die Verhüllung, vielleicht, noch eben erkennbar bleibt. Das Wort ‚ich‘ existiert nicht in dieser Lyrik; ihre Mitte ist nie ausgesprochen. Ihre Zeichen deuten auf sie hin, aber als Zeichen sind sie stets mehr als jegliche Deutung.

Insofern ist Trakls Poesie eminent modern und eminent lyrisch, und zwar unter der Voraussetzung, die seit der Romantik den Großen der eigentümlich zusammenhanglosen deutschen Literatur auferlegt war; Friedrich Schlegel hat sie formuliert: „... ihr müßt es oft im Dichten gefühlt haben, daß es euch an einem festen Halt für euer Wirken gebrach, an einem mütterlichen Boden, einem Himmel einer lebendigen Luft. Aus dem Innern herausarbeiten das alles muß der moderne Dichter ..." Man hat viel spekuliert über die Wirkungen anderer auf Trakl, und es unterliegt keinem Zweifel, daß die von Rimbaud ausgegangenen groß waren. Nicht

minder aber ist sicher, daß sowohl das eigentlich Lyrische wie das
Moderne (also diesem Jahrhundert gehörige) ohne festen Halt,
ohne Himmel und lebendige Luft, ohne äußere Einwirkungen dem
gequälten Innern des Dichters entsprangen. Was an seinen Gedichten lyrisch ist, ist es gleichsam a priori und erfüllt die uralten Gesetze lyrischer Poesie: daß sie nämlich anders rede als die Sprache
der Begriffe; daß sie die unübersehbare Verflochtenheit der Welt
aufgehen lasse im lakonischen Moment weniger Bilder; daß diese
Bilder den einfachsten Elementen des Daseins verdankt werden;
daß sie in einen eigenen Kunstzusammenhang eintreten. Geht man
nur den ›Helian‹ durch, so lebt er nicht zuletzt von Namen
wie „Sonne“, „Sommer“, „Nacht“, „Herbst“, „Vögel“, „Himmel“,
„Brot“, „Wein“, „Spiegel“.

   Das ist Elementarausrüstung aller Poesie. Vielleicht ist es nicht
erstaunlich, daß sie nochmals zum Sprechen kommt, obgleich auch
sie dem Gesetz vorschreitender Abnützung unterworfen ist —
tausendfach, beliebig, unverbindlich, sentimental sind diese Wörter abgeleiert worden, indem der Epoche alles, Sonne, Sommer,
Vögel, Herbst und Himmel, gewiß Brot und Wein vorschreitend
verlorengingen. Aber alle diese Erscheinungen haben in unserem
Gemüt eine merkwürdige und magische Lebenskraft, weil sie die
ersten Geschenke der Schöpfung oder weil sie die ersten Erinnerungen der Menschheit sind. Ja, diese Magie (ein bedenkenswertes
Paradox) begründet das ‚Moderne‘ bei Trakl, allgemeiner gesagt: in der modernen Lyrik werden ihre verschütteten Kräfte
befreit. Allein, es erscheinen die Dinge nicht mehr als das, was
sie waren; sie werden poetisch verwirklicht, indem ihr Eigentliches als das sich darstellt, was es für uns in unserer Welt
geworden ist — fremd. Neben dem vertrauten „die Sonne versinkt am Hügel“ steht der Satz „aus sprachlosen Händen die
härene Sonne sank“. Neben dem ererbten „Schön ist die Stille
der Nacht“ das unerhörte „Stirne im Mund der Nacht“ ... Alles
von jeher Besessene, scheinbar Verlorene oder zu vertraulich Gebrauchte gewinnt ein neues poetisches Leben, indem die ohne
Nachdenken faßliche Erscheinung — Sonne, Nacht — in dichterisch erzeugte, rätselhafte Fremdheit eintritt: „Stirne im Mund
der Nacht“, „härene Sonne“. Dinge und Welt sind uns zurückge-

geben, wie wir sie ursprünglich empfangen haben: über alle Maßen wirksam und unfaßlich.

Man kann diesen alle moderne Poesie bezeichnenden Vorgang mit der historisierenden Distanz des Philologen beschreiben und etwa mit Hugo Friedrich sagen, es sei eine „Überordnung der Sprachmagie über den Sprachgehalt, der Bilddynamik über die Bildbedeutung" am Werke.

Man kann ihn auch so hinnehmen, wie die großen Dichter ihn (metaphorisch) zu benennen suchten: „Ich notierte das Unausdrückbare", sagte Rimbaud — „Zauberspiegel innerer Sonnen / Die in Tönen überschwellen" schon viel früher Brentano.

In so erlauchte Gesellschaft tritt aus eigener letzter Kraft und eigenem Leiden der k. u. k. Medikamentenakzessist Georg Trakl ein, und es nimmt nicht mehr Wunder, daß ein Departementschef zwei Monate auf ihn warten mußte, damit er zwei Stunden bliebe. Was er zu leisten hatte, und ganz allein, entzog sich allen Maßstäben einer bürgerlich geordneten Welt; wirklich ermessen hat es wohl nur Ludwig von Ficker. Ein weniges von der Einsamkeit und von den Wirkungen der Dichtkunst gegen das Chaos ist für uns zwischen den Zeilen des Telegramms aus Krakau zu ahnen, das Trakl ganz kurz vor seinem Tode an den Verleger nach Leipzig sandte: „sie wuerden mir große freude bereiten, wenn sie mir ein exemplar meines neuen buches sebastian im traum schickten. liege krank im hiesigen garnisonsspital krakau = georg trakl."

Das Buch ist nicht mehr in seine Hände gelangt, „in der Stille / Erstirbt der bangen Seele einsames Saitenspiel".

JÜNGSTE ENTWICKLUNG
DER INTERNATIONALEN LYRIK

Von Pierre Garnier

Die einfache Frage des Dichters „Was ist Sprache?" steht am
Ursprung der verschiedenen Spielarten der Dichtung, die uns hier
beschäftigen werden — konkrete, experimentelle, visuelle, phonetische Dichtung. Der dialektische Prozeß zwischen Autor und Welt
ist in den Hintergrund getreten und das Anliegen der Poesie ist
die Sprache selbst geworden, die, zunächst überprüft, ob sie noch
fähig ist, Dichtung zu tragen, als Materie entdeckt wird.

Der erste Schritt war die Entlarvung der Sprachkonventionen:
man unterzieht die abgewertete Sprache, deren gefügte Formeln
nur mehr Mitteilungscharakter haben, statistischen und mechanischen Experimenten, sprengt die grammatischen und syntaktischen
Bindungen auf und gewinnt daraus das Wort, in dem Semantik,
Schrift- und Lautbild, Struktur, Verwandlungs- und Suggestions-
möglichkeiten zusammenwirken, und hinter dem Wort kleinere
Einheiten, Sprechzellen und Lettern. Der zweite Schritt ist die
Verwandlung in Energie; wie jede Materie kann auch die autonome Sprachmaterie in Energie verwandelt werden, und damit
wird der Schöpfungsakt selbst zum Gegenstand der Dichtung.

Diese Annäherung an die Sprachmaterie und ihre Energie hat
zur Folge, daß alle Gefühle und Erinnerungen, Begriff, Bild und
Ausdruck aus der Dichtung verschwinden und die poetische Terminologie der bildnerischen oder musikalischen angeglichen wird,
da Musik und Malerei ebenfalls auf Materie und Energie basieren.

Die Auffassung der Sprache als etwas Autonomes ist nicht neu;
Novalis schrieb 1798 in seinem Monolog, der lange unbeachtet
blieb:

„Der lächerliche Irrtum ist nur zu bewundern, daß die Leute meinen
— sie sprächen um der Dinge willen. Gerade das Eigentümliche der

Sprache, daß sie sich bloß um sich selbst bekümmert, weiß keiner ...
Wenn man den Leuten nur begreiflich machen könnte, daß es mit der
Sprache wie mit den mathematischen Formeln sei. — Sie machen eine
Welt für sich aus — sie spielen nur mit sich selbst, drücken nichts als
ihre wunderbare Natur aus, und eben darum sind sie so ausdrucksvoll
— eben darum spiegelt sich in ihnen das seltsame Verhältnisspiel der
Dinge."

Man könnte diesem Text noch andere Fragmente hinzufügen,
in denen Novalis den konkreten Experimenten sehr nahe ist, besonders — und lange vor Rimbaud — durch seine Entdeckungen
der Klangfarbe der Wörter, der Ton-Farb-Beziehungen, der
Sprachmechanismen. Dann führt die Linie weiter über Mallarmé
(›Un coup de dés‹ — ›Igitur‹), Morgenstern, Stramm, Marinetti, Joyce, gewisse Dadaisten, Futuristen (Chlebnikow), Lettristen
bis zu Cummings und zu Philosophen wie Wittgenstein oder Max
Bense (Texttheorie). Die Umwelt, die die konkrete Tendenz zu
ihrer Entfaltung brauchte, ist schließlich die Gesellschaft von heute,
mit ihren technischen und wissenschaftlichen Grundlagen, dem
Vorstoß in den Weltraum und der Erforschung des Energieberei-
ches, während gleichzeitig das ideologische Niveau im Sinken ist.

In Zeit und Raum können wir noch vielfältige Beziehungen
aufspüren: Molière benutzte in seinem ›Bürger als Edelmann‹
eine erfundene Sprache, um daraus komische Effekte zu ziehen,
Góngora brachte mit den gleichen Mitteln das Ungewöhnliche, das
Außerordentliche hervor, Swift schuf die Sprache der Yahoos,
Scheerbart veröffentlichte Ende des letzten Jahrhunderts das erste
Letterngedicht und bei Hugo Ball, Hausmann und Schwitters
wurde das Spiel mit der Sprache Selbstzweck.

Die gegenwärtigen Strömungen sind seit einem Jahrzehnt in
den verschiedensten Ländern zu verschiedenen Zeitpunkten erschienen, fast immer isoliert, ohne Kenntnis der Parallelerscheinungen,
da jeder Autor und jede Gruppe einen anderen Ursprung und
andere Umweltkontakte hat. Aber trotzdem drangen die Autoren
zu wesensverwandten Konzeptionen vor und haben Werke geschaffen, die auf gleicher Ebene liegen. Man kann deshalb schon
jetzt von einer internationalen Bewegung sprechen, die in ihren
großen Zügen überschaubar ist.

Geographisch gesehen, verteilen sich die Gruppen über viele Länder; so haben wir beispielsweise — und die Liste ist noch nicht vollständig — in der Schweiz: Eugen Gomringer — in Deutschland: Bense, Claus, Döhl, Harig, Henneberg, Heissenbüttel, Kriwet, Mon, Roth — in Österreich: Bayer, Gappmayr, Jandl, Rühm — in der Tschechoslowakei: Grögerova, Hiršal, Kolar, Novak — in Italien: Belloli — in Spanien: Uribe — in Portugal: de Melo e Castro, Tavares, Aragão, Rosa, Brahona da Fonseca — in Frankreich: Chopin, P. und I. Garnier, Heidsieck — in Belgien: de Vree — in Holland: van der Linde — in England: Houédard, Furnival, Sharkey — in Schottland: Finlay, Morgan — in Brasilien: Braga, A. und H. de Campos, Pignatari, Chamie — in den Vereinigten Staaten: Emmett Williams und Jonathan Williams — in Japan: Fasuo Fujitomi, Toshihiko Schimizu, Niikuni Seiichi, L. C. Vinholes — in Island: Diter Rot — in Mexiko: Mathias Goeritz.

Verschiedene Zeitschriften sind ausschließlich dieser Bewegung gewidmet: ›Konkrete Poesie‹ in der Schweiz, ›Rot‹ in Deutschland, ›Cinquième Saison‹ und ›Les Lettres‹ in Frankreich, ›Invenção‹ und ›Praxis‹ in Brasilien.

Historisch gesehen kann man als Zeitpunkt der offiziellen Geburt der neuen Strömung das Erscheinen der ersten Texte von Eugen Gomringer (›Konstellationen‹ — 1953) annehmen, denen zwei Jahre später das Manifest ›Vom Vers zur Konstellation‹ folgte:

„Unsere sprachen befinden sich auf dem weg der formalen vereinfachung. es bilden sich reduzierte, knappe formen, oft geht der inhalt eines satzes in einen einwort-begriff über, oft werden längere ausführungen in form kleiner buchstabengruppen dargestellt. es zeigt sich auch die tendenz, viele sprachen durch einige wenige, allgemeingültige zu ersetzen. bedeutet diese verknappung und vereinfachung der sprache und der schrift das ende der dichtung? gewiß nicht. knappheit im positiven sinne — konzentration und einfachheit — sind das wesen der dichtung, daraus wäre zu schließen, daß heutige sprache und dichtung gemeinsames haben müßten, daß sie einander formal und substantiell speisen würden. diese verwandtschaft besteht manchmal, unbeachtet, im alltag, wo aus schlagzeilen, schlagworten, laut- und buchstabengruppen gebilde entstehen, die muster einer neuen dichtung sein können und nur der entdeckung oder sinngebenden verwendung bedürfen. zweck der neuen dichtung ist, der dichtung wieder eine organische funktion in der gesellschaft zu geben und damit den platz des dichters neu zu bestimmen. da dabei an die formale vereinfachung unserer sprachen und den zeichencharakter der schrift zu denken ist, kann von einer organischen funktion der dichtung nur gesprochen werden, wenn sie sich in diese sprachvorgänge einschaltet. das neue gedicht ist deshalb als ganzes und in den teilen einfach und überschaubar. es wird zum seh- und gebrauchsgegenstand: dem gegenstand-denkspiel. es beschäftigt durch seine kürze und knappheit. es ist memorierbar und als bild einprägsam. es dient dem heutigen menschen durch seinen objektiven spielcharakter, und der dichter dient ihm durch seine besondere begabung zu dieser spieltätigkeit. er ist der kenner der spiel- und sprachregeln, der erfinder neuer formeln. durch die vorbildlichkeit seiner spielregeln kann das neue gedicht die alltagssprache beeinflussen.

die konstellation ist die einfachste gestaltungsmöglichkeit der auf dem wort beruhenden dichtung. sie umfaßt eine gruppe von worten — wie sie eine gruppe von sternen umfaßt und zum sternbild wird.

die konstellation ist eine ordnung und zugleich ein spielraum mit festen größen.

die konstellation wird vom dichter gesetzt. er bestimmt den spielraum, das kräftefeld und deutet seine möglichkeiten an. der leser, der neue leser, nimmt den spielsinn auf und mit sich.

mit der konstellation wird etwas in die welt gesetzt.

sie ist eine realität an sich und kein gedicht über . . .

die konstellation ist eine aufforderung."

Dieser erste Text umreißt bereits alles Wesentliche der konkreten Dichtung: die Kreation des Gedichtes als eine Dingschaffung, die rein-sprachliche Aufgabe des Dichters, der sich jeden Übergriff ins Philosophische, Metaphysische oder Politische versagen muß — und er deutet auch schon, durch die Einführung der ›Konstellation‹, die weiteren Entfaltungsmöglichkeiten an: Wort oder Sprachzelle in einem Spannungsfeld, wo nicht allein der Wortsinn, sondern mehr noch das visuelle Element, die graphische Gestaltung, wichtig wird und das „Weiße", der tragende Hintergrund, nicht mehr neutral bleibt, sondern in das Gedicht als Raum einbezogen wird. Damit kann aus dem „Gebrauchsgegenstand" ein Energiebereich werden.

In den ›Konstellationen‹, die Gomringer veröffentlichte, können wir zwei Tendenzen unterscheiden, einmal Schlichtheit und

Beschränkung, wie z. B. in ›Schweigen‹, wo das Wort in ein-
facher Wiederholung durch einen bestimmten strukturellen Rahmen definiert wird, und zweitens das Arbeiten mit den Sprachmechanismen, die sich selbst bestimmen und ein prekäres Gleichgewicht erreichen:

das schwarze Geheimnis

ist   hier

hier   ist

das schwarze Geheimnis

1956 schrieb Gomringer:

„Die inhaltsfrage ist für den konkreten dichter eng verbunden mit
einer solchen der lebenshaltung, in welche die kunst miteinbezogen ist.
seine lebenshaltung ist positiv, synthetisch, rationalistisch, so auch seine
dichtung. sie ist für ihn nicht ventil für allerlei gefühle und gedanken,
sondern ein sprachliches gestaltungsgebiet mit einem engen bezug zu
modernen, naturwissenschaftlich und soziologisch fundierten kommuni-
kationsaufgaben."

Ein sprachliches Gestaltungsgebiet. Gomringer beschränkt dieses Gebiet: der konkrete Dichter ist rationalistisch, sagt er. Und
viele Autoren werden ihm folgen und die Erforschung der Sprachmechanismen und ihrer poetischen Möglichkeiten betreiben. Aber
könnte dieses sprachliche Gestaltungsgebiet nicht einen weiteren
Sinn haben, den Gomringer nicht andeutet: die Einkehr bei den
Sprachquellen, nicht dort, wo Mechanismen und Strukturen, sondern dort, wo Sprachorganismen geboren werden, das Noch-nicht-
Determinierte, das Wandelbare? Könnte man nicht Dynamismus
dem Mechanismus entgegensetzen?

In den folgenden Jahren erschienen viele theoretische Texte:
neben den grundlegenden Arbeiten über die Textästhetik von Max
Bense, die für viele Autoren eine theoretische Erhellung ihres
Schaffens bedeuteten, die ›Artikulationen‹ von Franz Mon, neben den kritischen und theoretischen Schriften von Henri Chopin
die Manifeste für eine visuelle und phonische Poesie von Pierre
Garnier, neben den Notizen von Carlfriedrich Claus die Studie
über das Wesen der Experimentalpoesie von Vâclav Havel —
(all diese Texte stammen aus den Jahren 1956—63). Die brasi-
lianische Gruppe veröffentlichte im Jahre 1958 ihr Programm
einer konkreten Dichtung, das von Augusto und Haroldo de

Campos und Decio Pignatari unterzeichnet wurde und in seiner Konzeption einen Schritt über Gomringer hinausgeht:

„Konkrete Dichtung: Ergebnis einer kritischen Entwicklung der Formen. Die konkrete Dichtung stellt fest, daß der historische Verszyklus (als formal-rhythmische Einheit) abgeschlossen ist und wird sich zunächst des graphischen Raumes als Strukturelements bewußt. Raum wird genannt: die Raumzeitstruktur an Stelle einer nur linear-zeitlichen Entwicklung. Daher die Bedeutung des ideographischen Konzepts, sowohl in seinem allgemeinen Sinn der spatialen oder visuellen Syntax wie auch in seinem spezifischen Sinn (Fenollosa/Pound) einer Kompositionsmethode, die auf direkter — analogischer und nicht logisch-diskursiver — Gegenüberstellung der Elemente beruht:

‚Unsere Intelligenz muß sich daran gewöhnen, synthetisch-ideographisch statt analytisch-diskursiv zu begreifen' (Apollinaire) . . .

Konkrete Dichtung: Wortobjekte in das Raum-Zeit-Gefüge gespannt. Dynamische Struktur: Vielzahl konkommittierender Bewegungen. So in der Musik — die als solche eine Zeit-Kunst ist — Einbruch des Raumes (Webern und seine Nachfolger: Boulez und Stockhausen; konkrete und elektronische Musik). In der visuellen — also der Raum-Kunst — Eingreifen der Zeit (Mondrian und seine Boogie-Woogie-Serien; Max Bill; Albers und die perzeptive Ambivalenz; die konkrete Kunst im allgemeinen).

Ideogramm: Appell an das nicht durch das Wort gegangene Verstehen. Das konkrete Gedicht ist Mitteilung seiner eigenen Struktur. Es ist sich selbst genügendes Objekt und nicht Darstellung eines anderen äußeren Objekts oder mehr oder weniger subjektiver Gefühle. Sein Material: das Wort (Laut, Seh-Form, Semantik). Sein Problem: die funktionellen Beziehungen dieses Materials. Ähnlichkeits- und Gleichheitsfaktoren, Gestaltpsychologie. Rhythmus = Beziehungen. Konkrete Dichtung: durch Gebrauch des phonetischen Systems und der analogischen Syntax Erschaffung eines spezifischen ‚verbo-voco-visuellen' Sprachgebietes, das die Vorteile der nicht-verbalen Mitteilbarkeit vereint mit den Wortwerten. Durch das konkrete Gedicht verwirklicht sich das Phänomen der Metakommunikation: Übereinstimmung und Gleichzeitigkeit der verbalen und nicht verbalen Mitteilungen; zu beachten: es handelt sich um Mitteilungen von Formen und Strukturen und nicht um herkömmliche Botschaften.

Die konkrete Dichtung strebt danach, letzter gemeinsamer Nenner der Sprache zu sein. Deshalb die Tendenz zur Substantivierung und Bildung von Grundformen. ‚Was es an Konkretem in der Sprache gibt'

(Sapir). Daher ihre Verwandtschaft zu den sogenannten isolierenden Sprachen (beispielsweise dem Chinesischen): ‚Je weniger äußere Grammatik die chinesische Sprache besitzt, um so mehr ist ihr innere Grammatik eigen' (Humboldt). Chinesisch bietet ein Beispiel der rein durch Beziehungen bestimmten Syntax, die ausschließlich auf der Wortanordnung basiert (siehe Fenollosa, Sapir und Cassirer).

Wir nennen Isomorphismus die Tendenz der Identifikation von Form und Inhalt. Parallel zu dem Isomorphismus Form und Inhalt gibt es den Isomorphismus Raum — Zeit, aus dem die Bewegung entspringt. Auf der ersten Stufe der konkreten Dichtung nähert sich der Isomorphismus dem Bild, der Imitation der Wirklichkeit (In-Bewegung-setzen); die organische Form und die Gestaltungsphänomenologie sind vorherrschend. Auf einer vorgeschritteneren Stufe neigt der Isomorphismus dazu, sich in einer reinen Strukturbewegung (eigentliche Bewegung) aufzulösen; in dieser Phase herrscht die geometrische und mathematische Gestaltungsform (sensibler Rationalismus).

Indem die konkrete Dichtung auf das Ringen um das ‚Absolute' verzichtet, bleibt sie in dem Magnetfeld der dauernden Relativität. Zeitmikromessungen des Zufalls. Kontrolle. Kybernetik. Das Gedicht als sich selbst regulierender Mechanismus: feed-back. Intensivere Mitteilung (da Funktionalität und Struktur eingegliedert sind) gibt dem Gedicht positiven Wert und lenkt sein eigenes Entstehen.

Konkrete Dichtung: totale Verantwortung vor der Sprache. Vollkommener Realismus. Gegen eine Dichtung des persönlichen und hedonistischen Ausdrucks. Um präzise Probleme zu stellen und sie mit den Mitteln verständlicher Sprache zu lösen. Eine allgemeine Wortkunst. Das dichterische Produkt — Gebrauchsgegenstand."

In diesem Manifest beansprucht also die konkrete Dichtung den Namen einer Wirklichkeitskunst, die nicht nur den Realitäten der neuen Gesellschaft gerecht wird, indem sie beispielsweise das Zeit-Raum-Problem aufnimmt und zu lösen trachtet, sondern die sich selbst in den Produktionsprozeß einschaltet. Der ästhetische Gegenstand wird nicht entwertet, wenn man ihn als Nutzobjekt verwendet, er gibt sich zur Reklame, zum Plakattext her, überall dort, wo man Simultanmitteilung anstrebt. Hier darf die Semantik nicht ganz aufgegeben werden, semantische Erinnerungen müssen auftauchen und sich dechiffrieren lassen, Appell und Satire werden im Silbenspiel konkret:

```
                    beba coca cola
                    babe      cola
                    beba coca
                    babe cola coca
                    caco
                    cola
                      c l o a c a
```
(Decio Pignatari, Antologia noigandres 5)

Die rationalistische Tendenz wird von der tschechischen Gruppe
geteilt, die vielleicht am weitesten in der systematischen Untersuchung der Sprachmechanismen gegangen ist, im stufenweisen Abbau und Aufbau von Texten, in der Enthüllung der Kluft zwischen Mitteilung und Kode (der sprachlichen Verwirklichung
dieser Mitteilung). Ausgangspunkt der tschechischen Dichter war das
Bemühen um eine Kunst, die nicht mißbräuchlich ist, in der sich
Sprache und Wirklichkeit decken, und rigoroser Verzicht auf
einen entweder unzureichenden, entleerten oder aufgeblasenen und
fetischgewordenen Kodeapparat. Ein ethischer Ausgangspunkt also,
der oft Groteske und absurden Humor nicht verschmäht, um seine
Demaskierungen vorzunehmen:

```
„wwenn ssie einnenn mmennsscchhenn kkennnennllerrnnenn
   jeux neux jouiueeux plues queeux laux souiueffrauxnce
   caall aanyyoonee caall aanyywheeree duukee thaat goot
wwollenn ddannn ggehhenn ssie inn ddie kknnie odderr
   ux euxt c'euxst laux glouiieureux d'êuxtreux ieunueti
      aawaayy haad aa chaancee too meeet aa woondeer paarro
lleggenn ssie ssicchh vvorr ihhmm auff ddenn bbodden
   euleux nauxtuereuxlleuxmeuxnt jeux meux tueeuxrauxieu
      ot thee laast biird iis aa siign oof aa loosiing baat …“
```
(aus ›JOB — BOJ‹ von Josef Hiršal und Bohumila Grögerova,
1960—62)

Hinter der Zerstörung aber baut sich ein neues Kunstwerk auf;
die Zerstörung ist der Anlaß einer visuellen Umschulung, die verborgene Strukturen im Text freilegt. In seinen präparierten Texten führt Ladislav Novák Schnitte durch vorhandenes Textma-
terial und spürt darin semantische oder visuelle Fragmente auf,
die an ihrem ursprünglichen Platz stehenbleiben (die Methode er-

innert an die Dünnschliffe Max Benses, doch ist das Visuelle stärker betont). Die sezierende Hand ersetzt die dichterische Inspiration, aber der Dichter bleibt nicht bei einer mechanischen Analyse stehen, er strebt eine neue ästhetische Einheit an.

Novák zerschneidet Texte, aus denen er unvermutete Aussagen freilegt. Heinz Gappmayr aber zerstört die Schrift selbst, um aus Zeichen und Zerstörung eine optische Wirksamkeit zu gewinnen, die aus dem in der Schwebe gehaltenen Korrosionsvorgang entsteht. Der Begriff des Lesens erfährt in der konkreten Dichtung eine Umwertung, denn der Leser nimmt hier Informationen auf, die nicht nur semantischer Art sind; er muß sich selbst als aktiven Körper ins Werk setzen, das Gedicht vollziehen. Die Poesie wird zum Ort der Begegnung, die den Leser zum gleichen schöpferischen Handeln drängt wie den Dichter. Nichts ist unwesentlich: der Platz des Wortes auf der Seite, der Spielraum zwischen Lettern und Silben, die Bedeutung des Blattes nicht nur als Schriftträger, sondern als Mitwirkender im Schauplatz des Sprach-Schrift-Geschehens. Das „Weiße" des Blattes, die Aussparungen, können gleichermaßen Gestaltelemente der konkreten Poesie sein wie auch zum Spannungsfeld werden, auf dem sich der Kräfteaustausch der visuellen Dichtung vollzieht; sie können eine architektonische oder eine dynamische Aufgabe haben. Franz Mon (Pseudonym für Franz Löffelholz) hat in seinen ›Artikulationen‹ (1959) den Begriff des Lesens genauer umrissen:

„Es ist ... nicht belanglos, ob wir von links nach rechts oder umgekehrt das Auge lesend bewegen, ob das nächste Wort auf gleicher Höhe bleibt oder um eine Zeile hinabtritt, herauswandert, wieder vorne, am ‚Nullpunkt' ansetzt ... Das Verrücken eines Wortes ist gestisch und gehört zu den Aussagemitteln der geschriebenen Sprache. Ebenso wichtig ist natürlich das Format des Spielraums und der Lichtwert der Druckbilder, also die Stärke und Größe der Schrift, nicht nur um die Bedeutung eines Wortes von der benachbarten zu unterscheiden, sondern weil sich auf diese Weise Lesewerte über den bloßen Wortsinn hinaus verkörpern."

Das Schriftbild als Aussage an sich, die Verselbständigung des graphischen Mittels, die einen jenseits der Begriffsbildung liegenden Leseprozeß verlangt, führt zur typographischen Poesie, den Rundscheiben Ferdinand Kriwets, den Klebetexten von Mon. In diesem Grenzgebiet, wo sich bildende Kunst und Poesie mischen, wird die futuristische und dadaistische Abstammung besonders deutlich — Marinetti und Schwitters — und die surrealistischen Versuche klingen an im Rückbezug auf Assoziationen und vorbewußte Erinnerungen, auf ein Bild-Denken, in dem man die von ihrem Sinn befreite Schrift zum Träger nicht formulierbarer Botschaften werden läßt. Der Rückgriff auf Apollinaire dagegen und dessen Verbildlichungen eines Wortes durch die graphische Andeutung des von diesem Wort bezeichneten Gegenstandes führt zu den Ideogrammen Melo e Castros, dem ausschlagenden Pendel in ›Péndulo‹ und dem Gerüst in ›Edifício‹.

Neben dem Druck wird die Rolle der Schreibmaschine erkannt. „Die feinmotorischen Aktionen beim Tippen einer sprachlichen Botschaft mittels Zehnfingersystem unterscheiden sich von denen beim Niederschreiben der gleichen Botschaft grundsätzlich ... Das Denken z. B. — es wird anders ‚gestimmt‘, wenn es über Maschine statt Feder hinweg auf Papier vorangetrieben wird ...“, schreibt Carlfriedrich Claus. Der Anschlag, das Unterbrechen eines räumlichen und zeitlichen Vorwärtsgleitens durch ein Punktsystem, schafft einen neuen Schreibraum und eine neue Schreibzeit, die beide mechanischer Natur sind. Die Fläche wird durch Lettern und Intervalle strukturiert und bietet sich als idealer Spielbereich eines Schriftmechanismus dar, der sich aus sich selbst entwickelt. Diter Rot hat in seinem ›bok‹ (1956—59) das für sich selbst stehende Zeichen in Szene gesetzt im Sinne einer Entleerung unserer ding- und sinnüberfüllten Welt, Emmett Williams demonstriert aus Anschlag und Intervall die Raum-Zeit-Evolution (in ›a-Entwicklung‹), Claus hält die Verschiebungsphasen zweier Letternfelder fest. Wir nähern uns hier der Tendenz einer sich selbst produzierenden Poesie, die sich auf die Kybernetik beruft.

Das Festhalten in Phasen eines sich verändernden Textes, wie man es auch bei Kolař findet, ist die mechanische Möglichkeit, Zeit durch räumliche Darstellung bewußt werden zu lassen. Eine weitere Möglichkeit ist die Suggestion des zeitlichen Vorgangs durch eine Aufsprengung der statischen Elemente, eine Verwandlung der Materie in Energie. Wenn Sylvestre Houédard seine Schreibmaschine auf den Punkt blockiert und auf dem Papier seltsame Galaxien entwirft, unkörperliche mathematische Orte, die plötzlich vor dem Auge zu schwingen und zu wirbeln beginnen und Körper werden, dann tritt die konkrete Poesie in den Bereich der Vibration ein. Magie des Punktes. Der Sprung vom Rationalen zum Religiösen ist vollzogen:

„... die konkrete Dichtung ist menschlich: Freude, denn es gibt keine engen Sicherheiten mehr, Freude an der Welt, wie sie ist, aufrichtiges Erkennen einer aufrichtigen Welt ... Positive, konstruktive Haltung ... die konkrete Dichtung ist religiös, agnostisch ... ein konkretes Gedicht setzt Schwärze in die Weiße, indem es die unbegrenzte weiße Fläche von einer Konstellation zu anderen überquert ... so verneint es die Notwendigkeit, die Schöpfung zu fliehen, um das Ungeschaffene zu finden, die Welt zu fliehen, um Gott zu finden ... Der Kosmos ist ein schönes, konkretes Gedicht."

Konkrete Dichtung als Modell des Kosmos — Bewegung und Emotion. Der Dichter reicht seine Gabe dar:

```
          m          P          j
        a     o     s     a     o
          r        a     i
        o     i     u     e r
      e          e   m          e
g l o i r e              e          o
      i                          r
        a        e            d o u l e u r
        s     m                p   s
      e     m                  s
        m     o          d        a
      u     h     r      i     i     u
        a        o     r        m
      s              u              e
      p                              s
```

Aber auch durch eine einfache Permutation, durch einen Buchstabenaustausch, der im Leser gleichzeitig einen Lautaustausch auslöst, kann ein Mobile erreicht werden, wie in diesem Strahlungsblock von I. H. Finlay:

```
l a c k b l o c k b l a c k b
l o c k b l a c k b l o c k b
l a c k b l o c k b l a c k b
l o c k b l a c k b l o c k b
l a c k b l o c k b l a c k b
l o c k b l a c k b l o c k b
l a c k b l o c k b l a c k b
l o c k b l a c k b l o c k b
l a c k b l o c k b l a c k b
l o c k b l a c k b l o c k b
l a c k b l o c k b l a c k b
l o c k b l a c k b l o c k b
l a c k b l o c k b l a c k b
```

„Die konkrete Poesie begann für mich, als ich das ganz unerwartete Gefühl hatte, daß die bis jetzt von mir gebrauchte Syntax, daß meine Sprachbewegung selbst nicht mehr mit meinem Fühlen übereinstimmte."

Übereinstimmung der Sprache mit seinem neuen Weltgefühl fordert Finlay, aber es ist nicht die rationalistisch-technische Gesellschaft, es ist die sich kosmisch weitende Welt, die er in sich fühlt, mit ihren Strömungen, Energien, ihren sich dehnenden und schrumpfenden Spannungsfeldern. Der Sprachmechanismus wird uninteressant, man verwendet ihn nur dort, wo er eine Energiequelle freilegt, man sucht die magnetischen Zonen um Wörter und Lettern, ihre Anziehung und Abstoßung, die Aufhebung ihrer Schwerkraft. Die konkrete Poesie ist eigentlich Vibrationsdichtung geworden.

Jede Sprache hat andere Möglichkeiten, Sprachenergien auszulösen. Die deutsche Sprache bietet durch ihre Partikel und Wortzusammensetzungen die Möglichkeit einer linearen Reihung, die allmählich in Schwung versetzt wird und mit wachsender Beschleunigung abrollt (bei Jandl beispielsweise); ihr eignen auch grammatikalische Entwicklungen eines Wortes, die im Sprachmodell die verschiedenen Umweltsbezüge sichtbar machen (Heissenbüttels ›Politische Grammatik‹) und durch die grammatischen Permutationen dynamisch wirken. Die französische Sprache dagegen ist visuell: ihre reiche Orthographie, der Schrecken der Schüler, ist für die Autoren ein Vorzug; das Gegenspiel von Laut und Schrift-

bild entwickelt bereits aus sich eine Spannung, und die Widersprüche für das Auge werden im Ohr besänftigt. So kann der Laut
O — ohne nennenswerten Tonunterschied — geschrieben werden:
eau, oiseaux, chevaux, sot, aulx, broc usw., die Sprachgeschichte
mit sich schleppend, aber das Visuelle intensivierend.

BLEUORBLEUORBLEUORBLEUORBLEUORBLEUOR
BOUVREUILBLOUVEILLEVREUILBOUBLOUVEILLE
ORBLEUORBLEUORBLEUORBLEUORBLEUORBLEU
SOURCESONORESOURCESONOREBLEUORSONOREO
EAUOISEAUEAUSOISEAUEAUOISEAUEAUOISEAU
BLEUORBLEUORBLEUORBLEUORBLEUORBLEUOR

(P. GARNIER, *E. VIBRANT.*)

Semantische Vibration, wie in den Seh-Gedichten von Frans van
der Linde oder Enrique Uribe — der letztere arbeitet mit sehr
sparsamen Mitteln, und einige einfache Wörter genügen ihm, um
einen Lichteffekt hervorzurufen —, Laut- und Letternvibration
oder Vibration graphischer Zeichen ohne oder mit verwischtem
Letterncharakter, und als weiterer Versuch: Vibration aus Sprach-
klitterung. Dabei werden entweder Wörter aus verschiedenen
Sprachen zueinander in optische Beziehungen gebracht, oder aber
man verschmilzt Wortzellen mehrerer Sprachen zu einem neuen
überraschenden Ganzen. Was daraus hervorgeht, ist durchaus keine
künstliche Sprache; denn es ist ein Aufbau aus lebenden Organis-
men, die eine sprachliche Symbiose eingehen und sich in gegensei-
tiger Durchdringung verjüngen.

Am deutlichsten wird diese Verwandlung von Sprachmaterie in
Energie in der Tonbanddichtung. Die Tradition der phonetischen
Poesie kann sich auf Chlebnikov, Hugo Ball, Raoul Hausmann
und Kurt Schwitters berufen; auch die Lettristen haben sich darin
versucht. Doch so wie die Schreibmaschine die visuelle Dichtung
begünstigte, brauchte auch die phonetische Dichtung ihr Material:
das Tonbandgerät, das das gestern noch Unmögliche heute erlaubt,
— die genaue und eingehende Kenntnis der Sprache, die man
durch die verschiedenen Bandgeschwindigkeiten analysieren und
verändern kann, die Montagen, Überlagerungen und die gleich-
zeitige Wiedergabe verschiedener Aufnahmen. Lautperspektiven

entstehen daraus, die Sprachlandschaften öffnen; und wie die visuelle Dichtung sich bemüht hat, die Zeit auf einer Fläche zu suggerieren, so wird hier der Raum im zeitlichen Ablauf deutlich.

Wer mit dem Bandgerät gearbeitet hat, weiß, daß die mechanischen Geräusche den verschiedenen Geschwindigkeitsstufen widerstehen, Tierstimmen sind schon bedeutend reicher, doch die menschliche Stimme hat fast unbegrenzte Mittel.

Der Mensch wird durch diese neue Lautkunst gleichzeitig inniger mit seiner Herkunft und mit seiner Zukunft verbunden, mit seiner Herkunft, wo das sprachliche Material noch roh, noch nicht abgeschliffen war, dieses Material vor dem Wort, das man jetzt wieder entdeckt: Artikulationen, Kehllaute, aus denen sich die begrenzte Reihe unserer Vokale und Konsonanten rein herauskristallisierte. Die phonetische Dichtung erweckt die Kräfte des Ursprungs wieder, nicht aus der Sehnsucht des Überzivilisierten nach einem primitiven Zustand, sondern in einer entschiedenen Hinwendung zu einer übersprachlichen Kunst.

Die ›Poèmes-partitions‹ von Bernard Heidsieck (seit 1954) bauen sich aus gebrochenen und aus hochgetriebenen Sprachelementen auf, ein Wechsel von Dunkel und extremer Helle. Das ›Atem-Manifest‹ von Pierre Garnier (1963) öffnet die Körperwelt der Geräusche, um ihre Verwandtschaft mit dem Kosmischen zu offenbaren. Franz Mon studiert die Variationen eines Lautes in einer Serie sich wandelnder Intensitäten und erreicht ein Ergebnis von schmerzender Spannung. Die Vokalsonie von Novák, in der sich die Vokale aus sich selbst zu entwickeln scheinen, sich weiten, sich schließen, miteinander spielen, sich überlagern und wieder entwirren, schafft ein linguistisches Feld, das sich nicht nur zeitlich, sondern auch räumlich auszubreiten scheint.

Raum und Energie: diese beiden Begriffe werden zu Schlüsselworten der experimentellen Kunst. Sie bilden den Kern des ›Plan pilote‹, der den Spatialismus begründet, um der neuen Entwicklung gerecht zu werden (P. Garnier, August 1963):

„Immer weniger sind die Menschen von ihrer Zugehörigkeit zu einer Nation, einer Klasse, einem Sprachraum bestimmt und immer mehr von ihrer gesellschaftlichen Funktion und ihrem Rang im Kosmos, von Impulsen und Energien.

In einer funktionellen und kosmischen Gesellschaft muß das Gedicht zunächst Objekt werden — dann Energiezentrum.

Seit Jahren haben Gruppen und Autoren, ohne Kenntnis voneinander, aber durchdrungen von der kosmischen Aufgabe der Menschheit, Experimente unternommen und Werke geschaffen, die man unter dem Namen ›Spatialismus‹ zusammenfassen könnte (in dem Zeit und Energie mitenthalten sind).

Dazu gehören:
— konkrete Dichtung: sie arbeitet mit der von jeder Vorstellung befreiten Sprachmaterie
— visuelle Dichtung: das Wort ist Gegenstand und Energiezentrum
— objektive Dichtung: das Gedicht wird durch die Mitarbeit von Malern, Bildhauern, Musikern objektiviert
— mechanische oder permutationelle Dichtung
— phonische Dichtung: direkte Gestaltung auf Tonband, d. h. Objektivierung mit Hilfe der Technik
— phonetische Dichtung: auf Phoneme — tönende Sprachkörper — gegründet; allgemein: Dichtung aus Stimmlauten entstanden, die mit Hilfe des Bandgeräts bearbeitet wurden.

Diese verschiedenen Tendenzen können sich in einer Bewegung zusammenschließen, da sie folgendes gemeinsam haben:

— sie neigen zum ‚Objektiven‘, denn sie sind nicht mehr Ausdruck eines Autors, der sich seit Jahrhunderten vergeblich die Frage „Wer bin ich?" stellt, sondern Objektivierung der Sprache — es wird vorausgesetzt, daß die Sprache ein autonomer Bestandteil der Welt ist (der die anderen Welten in sich enthält, wie sie in ihnen enthalten ist) und daß alle Dichter sich dem idealen Punkt annähern, wo das Wort sich selbst erschafft,

— daher zwei sich ergänzende Bestrebungen: die Nationalsprachen werden immer konventioneller und haben jede Beschwörungskraft verloren, deshalb muß man die noch lebendigen Elemente dieser Sprachen befreien und sie in ein aktives Wirkungsmilieu stellen (konkrete, visuelle, objektive Dichtung). Und weiter müssen wir, die Robotersprachen ihrer bürokratischen Existenz überlassend, zu den Leuchtsignalen finden, den Strahlenlauten, dem kosmischen Reichtum in den menschlichen Sprechorganen, den die vergesellschaftlichte Sprache im Laufe der Jahrhunderte abgeschliffen hat (phonetische Dichtung). Diese Kunst entzieht sich radikal der Gesellschaft, der Umwelt, dem seit ältesten Zeiten geprägten Denkschema, Konventionen, an denen sich die Revolutionen müde liefen und in die sie schließlich einmündeten. Z. B: alle indogermanischen Sprachen beruhen auf der Infrastruktur Subjekt — Verb — Objekt, die für Jahrtausende und bis zu uns die Perspektive, aus der wir die Welt sehen, festgelegt hat. Deshalb begnügen sich diese Dichtungen nicht damit, wie es der Surrealismus getan hat, mit Hilfe ein für allemal fixierter linguistischer Postulate die Welt zu erforschen, sondern sie isolieren zunächst die Sprache, sie verwandeln sie, stürzen ihre Grundlagen um und schaffen so die Voraussetzungen, daß — wenn auch nicht eine neue Sprache, das würde neues Denken und neue Menschen bedeuten — wohl aber eine neue Kunst entstehen kann, die mit der Verwandlung der Sprachstrukturen auch den Menschen wandelt.

— die Dichter erkennen den vergänglichen Charakter des Kunstwerks, das nicht mehr nach einer Dauer durch Generationen und Völker hindurch strebt, sondern Anstoß und Impuls sein will. In diesem Sinn wird die Idee des Werkes selbst zerstört und macht der einer Energieübermittlung Platz: die Sonie ist z. B. die Aufnahme eines Lautes oder einer Lautreihe, die in einem bestimmten Augenblick ausgestoßen wurden. Sie sucht dem Hörer wieder in einem bestimmten Augenblick die Lautenergie zu übertragen.

— diese Dichtung ist Vorläuferin einer neuen Ethik und einer neuen Ästhetik, denn der Mensch kehrt, ohne von einer vorbestimmten und auferlegten Sprache belastet zu sein, zu den Kraftquellen zurück und beutet sie mit den modernsten technischen Mitteln aus — er gleicht dem Kosmonauten im Weltraum."

Dieser ›Plan-Pilote‹ wurde den Autoren, die sich mit experimenteller Kunst befassen, zu Diskussion vorgelegt und nach einer Überarbeitung, die die Anregungen und Vorschläge der interessierten Schriftsteller einbezog, entstand daraus die ›Position I du Mouvement International‹. Erweitert wurde vor allem die Frage nach der neuen ästhetischen Haltung des Autors, auch wurde eine stärkere Ablehnung der moralisch-philosophischen Inhalte herausgearbeitet: „die Dichtung der Strukturen, Montagen, Energien ist kein Niederschlag, sondern Entwurf, Mittel, das All zu erkennen". Es ist die Dichtung der dauernden Erneuerung, der Umschaffung der Formen, die nicht erworbenes Formelgut aufspeichern kann, um daraus eine Tradition abzuleiten, denn ihr Wesen ist Anti-Konvention, Anti-Kode. Die Ethik entspringt aus dieser permanenten Neu-Setzung selbst, nicht mehr aus einem aufmontierten Inhalt. „Der Mensch wird in eine schöpferisch-freie Umwelt gestellt."

Auf der Kühnheit der Verwandlung beruht die Ethik, auf der Ablehnung jeglicher begrenzten Gewißheit. „Diese Dichtung ist im Werden begriffen, sie ist selbst ein Werden." Aus diesem Grunde wurde der Text des Manifestes nicht Programm genannt, sondern Position, erste Perspektive einer in Bewegung befindlichen Kunst.

Unterzeichnet wurde die ›Position I‹ von: Mario Chamie, Carlfriedrich Claus, Ian Hamilton Finlay, Fujitomi Yasuo, John Furnival, Ilse und Pierre Garnier, Eugen Gomringer, Bohumila Grögerova, Josef Hiršal, Anselm Hollo, Sylvestre Houédard, Ernst Jandl, Kitasono Katue, Frans van der Linde, E. M. de Melo e Castro, Franz Mon, Edwin Morgan, Ladislav Novak, Herbert Read, Toshihiko Schimizu, L. C. Vinholes, Paul de Vree, Emmett Williams, Jonathan Williams. Sie stammen aus folgenden Ländern: Belgien, Brasilien, Deutschland, England, Finnland, Frankreich, Holland, Japan, Österreich, Portugal, Schottland, Schweiz, Tschechoslowakei, USA. (Auch Ferdinand Kriwet unterzeichnete diese ›Position‹, beschränkte sich aber auf „phonetische, objektive und visuelle Poesie".)

Ein unbekanntes Zentrum im Menschen selbst wird erforscht. Jenseits von Bewußtsein und Unterbewußtsein. Das Energiezentrum. Die Umwandlung der „Sprache als Materie" in „Sprache als Energie" erscheint graphisch am reinsten in den Denk-Schreib-Bildern von Carlfriedrich Claus.

Carlfriedrich Claus ging von einer einfachen Voraussetzung aus: die Gedanken werden anders strukturiert, wenn man sie mit der linken Hand schreibt; diese neue Struktur regt wiederum das Denken an: es existiert also ein dialektisches Verhältnis Denken — Hand — Schreiben. „Die Hand glitt beim Schreiben weiter und der semantische Wert verschwand allmählich im Graphismus." Bedingt durch die Unbeholfenheit der linken Hand, überlagerte das Schreiben die Semantik, die schließlich ganz zurückgedrängt wurde. Aber man konnte das gleiche Ergebnis mit der rechten Hand erreichen, wenn man sich ganz auf ein Wort, einen Gedanken konzentrierte und die sich um das Sprachmaterial sammelnde Energie in die Hand fließen ließ, die einen Vibrationstext hervorbrachte, dessen Schwergewicht nicht mehr im Geschriebenen, sondern im Schreiben lag (›Wortstamm‹, 1960). Aber auch ein geschichtliches Sein kann den Zündstoff zu einer Energieentladung liefern:

so entstanden die ›Denklandschaften‹, die ›Paracelsische Denk-
landschaft‹, ›Prag‹, das ›Denk-Mal für den Rebben Jizchok
Leib Safra‹ (1961—63). Die übermittelten Informationen sind
hier weder semantisch noch ästhetisch, sondern energetisch. Die
Energie des menschlichen Körpers entflammt sich an der Sprach-
energie und strömt dann in Wellen, Kreisen, Wogen aufs Blatt,
ballt sich in Knoten zusammen, wird von Brennpunkten angezo-
gen.

Den ›Denkschreibhandlungen‹ von Claus kann man die
›Sprechaktionen‹ (1963) von Ilse Garnier gegenüberstellen. Die
befreite Energie prägt auf das Tonband — fern jeder bewußten
Anordnung wie auch jeder Entladung des Unterbewußtseins —
Worte und Laute, wiederholt sie, variiert sie, schmilzt sie in Ton-
zentren zusammen und zerstreut sie wieder, und der „weiße
Raum" dazwischen wird selbst Stromkreis im Kräftefeld der
Sprachelemente. Es entsteht eine Sprachlandschaft, deren Schich-
ten sich dauernd in Energien auflösen. In den Hörgedichten von
Henri Chopin dagegen (erste Versuche seit 1954) erscheint diese
Energie mechanisiert, technisiert, die Sprachzellen sind durch die
Bearbeitung auf verschiedenen Geschwindigkeitsstufen aufge-
sprengt worden und verlieren sich in der Geräuschstruktur der
Maschinenzivilisation. Das kosmische Zeitalter scheint angebrochen.

Und doch haben auch diese Werke ihre Wurzeln in der Zeit.
Kandinsky schrieb 1911, in seiner Untersuchung ›Über das Geistige in der Kunst‹, daß der Sinn eines Wortes, das mehrmals
wiederholt wird, immer mehr zurücktritt und den reinen inneren
Klang entblößt, der einen direkten Druck auf die Seele ausübt
und eine gegenstandslose Vibration hervorruft. Kandinsky sah
hierin schon große Möglichkeiten für eine Zukunftskunst, wie sie
jetzt entsteht.

1963 schrieb Ilse Garnier in ›Les Lettres‹:

„Das Lautgedicht muß zwei Gefahren vermeiden: einmal das Ge-
räusch, d. h. eine Folge unförmiger Artikulationen, ein sonores Chaos,
einen Rausch bislang ungehörter Laute. Dann aber und vor allem die
Urlaute, die Schreie, die Wildnis, das primitive Gestammel, denn das
würde eine Rückkehr des Überzivilisierten zu den Ursprüngen bedeuten und der neuen Kunst entgegengesetzt sein. Die Sonie ist erst Kunst,

wenn sie darauf verzichtet, Ausdruck irgendwelcher menschlicher Urgefühle zu sein, der Angst, der Freude usw..., ja, wenn sie darauf verzichtet, Ausdruck überhaupt zu sein, um Energie zu werden. Das Ohr soll keine alte Bekanntschaften suchen, sinn- oder sentimentbeladene Töne, Aufrufe, Stimmungen. Wir haben jetzt genügend Abstand zur Sprache, um ihre Energiezentren zu erforschen und auszubeuten. Um nicht mehr Werke (denn die Sonie ist eine Handlung, eine Sprechaktion) zu schaffen, sondern Raum-Zeit-Strukturen und Bewegungsphasen, die sich auf den Hörer übertragen."

Der Dichter lebt heute in einer Welt, in der alles offen ist. Er ist wie die Primitiven, ohne Regeln, ohne Technik, ohne Kriterien. In der modernen nichtgegenständlichen und informellen Kunst verläuft der Zeichenprozeß betont digital, d. h. durch eine Folge von Entscheidungen, schreibt Max Bense. So kann sich der Künstler auf keine Vorbilder stützen, denn seine Dichtung ist kein Nachahmen, auch kein Nachbilden einer inneren oder äußeren Realität, sondern Entwerfen, dauerndes Überschreiten einmal errungener Ergebnisse, Überwindung des Geschaffenen zugunsten des Nochzu-Schaffenden.

Nicht Werk, sondern Vollzug.

Nicht lesen, betrachten, aufnehmen, sondern vollziehen.

NACHTRAG 1966

Dieser Beitrag wurde im Herbst 1964 geschrieben. Seit dieser Zeit hat sich der Spatialismus sowie die konkrete Poesie weiter ausgebreitet. Neue Autoren nahmen mit der Bewegung Verbindung auf, zum Beispiel in Spanien Alain Arias-Misson, Blanca Calparsoro, Julio Campal; in Italien Arrigo Lora-Totino, Mario Diacono, Villa, Spatola; in Frankreich Jean-Marie Le Sidaner, Christian Bachelin, Jean-François Bory — Julien Blaine und ihre Zeitschrift Approches; in der Tschechoslowakei Eduard Ovčáček, Jiri Valoch, in Deutschland Hansjörg Mayer usw. ... Neue Werke wurden geschaffen, neue Richtungen erforscht: Audiogedichte von Henri Chopin, phonetische Gedichte von Lora-Totino und von Heidsieck, multidimensionale Texte von Carl Fernbach-Flarsheim, Textbilder von Théo Kerg, mechanische Gedichte und Prototypen für eine Architektur von Ilse und Pierre Garnier usw. ... Außerdem wurden ein zweites und ein drittes Manifest des Spatialismus veröffentlicht; letzteres betont den übernationalen Charakter der spatialistischen Bewegung (siehe franko-japanische Gedichte von Seiichi Niikuni und Pierre Garnier.)